Lexique des termes littéraires

Lexique
des termes littéraires

Ouvrage dirigé par Michel Jarrety

avec la collaboration de Michèle Aquien,
Dominique Boutet, Emmanuel Bury,
Pierre Frantz, Daniel Ménager, Gilles Philippe,
Yves Vadé

Michèle Aquien est professeur à l'Université Paris XII

Dominique Boutet est professeur à l'Université Paris X

Emmanuel Bury est professeur à l'Université Versailles-Saint-Quentin

Pierre Frantz est professeur à la Sorbonne

Michel Jarrety est professeur à la Sorbonne

Daniel Ménager est professeur émérite à l'Université Paris X

Gilles Philippe est maître de conférences à l'Université de Picardie Jules Verne

Yves Vadé est professeur émérite à l'Université Bordeaux III-Michel de Montaigne

AVERTISSEMENT

Parce qu'elle s'est, depuis deux siècles, constituée en un véritable savoir sur la littérature, la critique n'a cessé d'enrichir et de renouveler son vocabulaire qui s'est aussi, pour une part, spécialisé : songeons à l'entrée en force de la linguistique, à partir des années 1960 et de ce que l'on est convenu d'appeler la Nouvelle Critique. Qu'on se félicite de cette rigueur accrue dans l'analyse ou qu'on s'inquiète de ce recours à des termes parfois très savants, la lecture des textes critiques aussi bien que, dès le lycée, les études de lettres supposent à l'évidence la connaissance précise de ce lexique particulier qu'on est convenu d'appeler *termes littéraires* – sans pouvoir néanmoins le définir parfaitement puisque à ses marges peuvent s'inscrire, ou ne pas s'inscrire, bien des mots qui relèvent de savoirs extérieurs et que l'analyse littéraire mobilise parfois de manière un peu erratique.

Il existe aujourd'hui plusieurs dictionnaires limités à un champ défini : la rhétorique, la poétique, ou la stylistique, par exemple. Mais outre qu'ils sont spécialisés, ces volumes, qui n'ont pas vocation à être quotidiennement consultés, sont le plus souvent destinés à des lecteurs qui, sans être nécessairement eux-mêmes des spécialistes, ne sont pas rebutés par des notices longuement développées et d'une technicité parfois aride.

Il a donc paru opportun qu'une collection de poche puisse proposer au plus grand nombre – les élèves et les étudiants, mais également le large public qui souhaite approfondir sa connaissance des œuvres par des lectures critiques – un *Lexique* qui soit véritablement un usuel, un vade-mecum, si l'on veut, des études littéraires, un ouvrage que chacun puisse avoir constamment à portée de la main et commodément consulter.

Tout en étant aussi complet que possible, ce volume ne devait donc pas excéder des limites raisonnables. C'est pourquoi les entrées, choisies sans a priori théorique, se limitent ici à la littérature française, et d'autre part excluent les termes trop rares ou trop spécialisés, aussi bien que les mots – tels que *manifeste*, par exemple, ou bien *palimpseste* – dont les dictionnaires de langue habituels donnent une suffisante définition. Mais on trouvera naturellement ici tout le vocabulaire courant de la poétique et de la rhétorique, du langage dramatique et de la critique, de la narratologie et de la stylistique ainsi que les termes de linguistique que l'analyse littéraire s'est appropriés – et ceux qui ressortissent à l'histoire littéraire. Si les écoles et les mouvements sont ainsi évoqués, il m'a semblé indispensable de faire en même temps figurer des entrées qui relèvent plus largement de la vie littéraire, et parfois culturelle. Il est fréquent qu'un jeune étudiant ignore ce qu'on nomme *évangélisme* à la Renaissance, ce qu'est un *libertin* à l'âge classique ou ce qu'on appelle un *Jeune-France* à l'époque romantique. J'ai ainsi souhaité que toutes les époques fussent représentées et, loin de négliger le Moyen Âge, il m'a semblé utile de lui reconnaître une importance d'autant plus large qu'aucun ouvrage n'éclairait véritablement jusqu'ici le lexique spécifique qui lui est attaché.

La visée de ce livre est ainsi à la fois modeste et ambitieuse. Modeste, puisqu'il ne prétend pas être autre chose qu'un instrument de travail simple et maniable : les articles sont donc assez brefs, tout en éclairant d'un exemple les définitions qui l'exigent. Ambitieuse, néanmoins, car ce *Lexique* ne saurait sacrifier la rigueur scientifique à ses vertus pédagogiques. Il rassemble ainsi plus de mille entrées, et le vœu que je forme est qu'il aide le plus grand nombre à se familiariser avec ce vocabulaire spécifique et, au-delà des lectures critiques, à fréquenter plus aisément les textes d'une littérature ainsi devenue plus proche.

M.J.

Toute ma gratitude va naturellement aux amis qui ont accepté de collaborer à ce *Lexique*. Ils m'ont souvent aidé à en établir les entrées et ce livre est bien grâce à eux un ouvrage pleinement collectif.

A

abbaye de Créteil. Nom sous lequel on désigne le groupe d'artistes qui vécurent en communauté de décembre 1906 à janvier 1908 : des poètes (René Arcos, Henri Martin-Barzun, Georges Duhamel, Alexandre Mercereau et Charles Vildrac) ainsi que le peintre Albert Gleizes et le typographe Lucien Linard. Sans doctrine partagée (il faut distinguer l'Abbaye de l'unanimisme de Jules Romains), les membres du Groupe trouvèrent simplement à Créteil, loin du parisianisme, une sociabilité nouvelle et la liberté de poursuivre leurs œuvres tout en pratiquant le métier d'éditeur-imprimeur.   (M.J.)

▷ unanimisme.

abondance. L'abondance est un des caractères du style élevé ; elle consiste à agrandir la période, grâce à l'usage d'ornements nombreux, figures de répétition, expolitions, métaphores, digressions. Elle va de pair avec l'amplification, dont elle est un des procédés. On l'associe traditionnellement à l'asianisme, par opposition à la brièveté du style attique. L'abondance est une des qualités majeures de la péroraison, et elle est efficace pour émouvoir l'auditoire (*pathos*). On l'associe le plus souvent au genre démonstratif ou épidictique.   (E.B.)

▷ amplification, asianisme, atticisme, baroque, démonstratif, expolition, métaphore, ornement, *pathos*, période, style noble, sublime.

abyme. *Voir* mise en abyme.

académie. Au XVIᵉ siècle, les humanistes tentent de prendre exemple sur les réunions amicales et plus ou moins informelles où les Grecs discutaient de philosophie. C'est dans cet esprit que Marsile Ficin crée à Florence, dans les années 1470, une académie platonicienne, modèle de toutes celles qui suivront. Le mouvement des Académies fut important surtout en Italie au XVIᵉ siècle, mais il gagna la France, où Baïf fonda en 1570 l'Académie de Poésie et de Musique, qui fut suivie par l'Académie du Palais, animée par Henri III. Au XVIIᵉ siècle sont créées de nombreuses académies publiques ou privées dans toutes les disciplines, et à côté des académies nationales, les académies de province se développeront encore au siècle suivant. La plus célèbre est bien sûr l'Académie française, fondée par Richelieu en 1635 ; il s'agit à l'origine de réunions informelles chez Valentin Conrart (1603-1675), qui en sera le premier secrétaire. Richelieu sut saisir l'occasion pour regrouper autour de lui des hommes de lettres, afin de contrôler la production littéraire, mais aussi et surtout pour travailler à la promotion de la langue française, grâce à des travaux linguistiques (dictionnaire, grammaire, rhétorique et poétique) destinés à la fixer et à la régler : le *Dictionnaire* ne verra le jour qu'en 1694 ; l'Académie est un lieu central de la vie littéraire du XVIIᵉ siècle. Elle est appelée dès ses origines à statuer sur la valeur du *Cid* (1637) ; Vaugelas y élabore ses *Remarques sur la langue française* (1647) ; enfin, c'est à ses membres que l'on doit la défense de la langue française contre la prééminence du latin (Charpentier, *De l'excellence de la langue française*, 1683), avant d'y voir louer le « siècle de Louis Le Grand » par Perrault (1687), ce qui déclenchera la fameuse querelle des Anciens et des Modernes. Au XVIIIᵉ siècle, les travaux de l'Académie conduisent peu à peu à affirmer l'existence d'auteurs « classiques » français (notamment avec les travaux de Voltaire sur Corneille) ; ce siècle affine aussi le travail sur le dictionnaire, la grammaire (Dangeau) et surtout l'orthographe, dont on cherchait la simplification et la rationalisation. Après l'interruption due à la Révolution (qui la supprime en 1793 et crée l'Institut en 1796) et l'adoption de nouveaux statuts en 1816, l'Académie poursuit ses travaux, en débattant notamment de la réforme orthographique ; elle est surtout un des lieux de la guerre entre classiques et romantiques (élection de Lamartine en 1829, de Hugo en 1841 ou de Musset en 1852).   (D.M. et E.B.)

▷ classicisme, doctes, querelle des Anciens et des Modernes.

accent. La notion d'accent est très discutée dans la mesure où il n'est pas évident que ce qui vient marquer les unités de souffle puisse être appelé accent. Néanmoins, sous l'influence des langues et des versifications italienne et espagnole, l'existence d'une marque qu'on a appelée accent par analogie a été reconnue par l'abbé Scoppa au début du XIX⁰ siècle. Cette marque accentuelle se place sur la dernière syllabe non caduque du mot ou du groupe de mots (c'est l'accent tonique) avec, sur la diction, des effets d'intensité, de durée et de hauteur.

Une telle notion permet d'analyser des effets de rythme aussi bien dans la prose que dans les vers. Exemples de progression dans ce vers d'Apollinaire :

Le mai / *le joli mai* / *en barque sur le Rhin*
  2   4   6

et dans cette phrase qui sert de clausule à l'un des discours de Perdican dans *On ne badine pas avec l'amour* de Musset :

C'est moi qui ai vécu, (6) *et non pas un être factic(e)*
(8) *créé par mon orgueil et mon ennui* (10).   (M.A.)

▷ césure, contre-accent, coupe, mètre, oxyton, rythme.

accidents. Terme utilisé, notamment par Pierre Larthomas, pour désigner tous types de perturbation du dialogue de théâtre et qui relèvent de niveaux différents selon qu'ils affectent le langage (impossibilité de parler, lapsus, mots qu'on cherche, incompréhensions, interruptions) ou la langue (fautes de vocabulaire, de prononciation ou de grammaire, tics en tout genre). Les accidents donnent au dialogue de théâtre la vie et une dimension réaliste. Ils sont créateurs de sens et d'effets comiques, poétiques ou pathétiques : – *Hé ! il m'a... /– Quoi ? / – Pris /– Euh ! /– Le... /– Plaît-il ? /– Je n'ose* (Molière, *L'École des femmes*, II, 5). Certains accidents peuvent être analysés en rhétorique comme tropes ; c'est en effet une forme de la réticence (ou aposiopèse). Les accidents offrent au comédien des possibilités de jeu et les mettent en valeur avec des effets de soulignement.   (P.F.)

▷ **aposiopèse, dialogue, mise en scène, théâtralité.**

accumulation. Forme d'énumération par démultiplication à l'aide de syntagmes de natures et de fonctions semblables :

> ... *Mer de Baal, Mer de Mammon ; Mer de tout âge et de tout nom !*
> *Mer utérine de nos songes et Mer hantée du songe vrai,*
> *Blessure ouverte à notre flanc, et chœur antique à notre porte,*
> *Ô toi l'offense et toi l'éclat ! toute démence et toute aisance,*
> *Et toi l'amour et toi la haine, l'Inexorable et l'Exorable,*
> *Ô toi qui sais et ne sais pas, ô toi qui dis et ne dis pas,*
> *Toi de toutes choses instruite et dans toutes choses te taisant,*
> *Et dans toutes choses encore t'élevant contre le goût des larmes,*
> *Nourrice et mère, non marâtre, amante et mère du puîné.*
>
> (Saint-John Perse, *Amers*, « Chœur » 5.)   (M.A.)

▷ **gradation.**

acmé (n. m., du grec *akmè*, « pointe »). Utilisé en stylistique et en rhétorique pour désigner le point culminant de la phrase périodique, point d'articulation entre la montée (protase) et la descente (apodose) :

> *Tous les hommes sont menteurs, inconstants, faux, bavards,*
> *hypocrites, orgueilleux et lâches, méprisables et sensuels ;*
> *toutes les femmes sont perfides, artificieuses, vaniteuses,*
> *curieuses et dépravées ; le monde n'est qu'un égout sans fond*
> *où les phoques les plus informes rampent et se tordent sur*
> *des montagnes de fange ; [acmé] mais il y a au monde une*

*chose sainte et sublime, c'est l'union de deux de ces êtres si
imparfaits et si affreux.*
(Alfred de Musset, *On ne badine pas avec l'amour*, II, 5.)   (M.A.)

▷ **apodose, période, protase.**

acronyme (n. m., du grec *akros*, « extrémité », et *onuma*,
éolien pour *onoma*, « nom »). Suite d'initiales abréviatives
qui peut être prononcée comme une unité lexicale à part
entière. Exemple : l'ENA prononcé [ena] pour École
nationale d'administration.   (M.A.)

acrostiche (n. m., du grec *akros*, « extrémité », et *stikhos*,
« vers »). Mode de composition poétique par lequel les
majuscules (ou les mots) qui commencent chaque vers forment le nom d'une personne ou d'une chose (ou encore
une phrase). C'est ainsi que François Villon signe en acrostiche l'envoi de la « Ballade pour prier Notre Dame » :

> *Vous portastes, digne Vierge, princesse,*
> *Iesus regnant qui n'a ne fin ne cesse.*
> *Le Tout Puissant, prenant nostre foiblesse,*
> *Laissa les cieulx et nous vint secourir,*
> *Offrit a mort sa tres chiere jeunesse ;*
> *Nostre Seigneur tel est, tel le confesse :*
> *En ceste foy je vueil vivre et mourir.*
> (François Villon, *Le Testament.*)   (M.A.)

actanciel. *Voir* schéma actanciel.

actant. En sémiotique littéraire, on désigne par ce terme
toute personne, tout groupe de personnes, toute chose qui
occupe une fonction bien précise dans une intrigue (sujet
de l'action, obstacle, aide...). Cette catégorie permet de
dépasser la notion trop étroite de personnage et de décrire
de façon plus fine le fonctionnement du récit ou du drame.
Dans *Le Cid*, par exemple, la Castille, l'amour ou la
gloire sont des actants du drame au même titre que
le roi ou Rodrigue. Un même acteur peut être deux
fois actant dans un récit donné : Chimène est à la
fois la visée des actions de Rodrigue et l'obstacle qui
est dressé contre leur aboutissement. Plusieurs théori-

ciens (É. Souriau, A.J. Greimas...) ont cherché à faire
un dénombrement exhaustif des fonctions que ces
actants peuvent avoir dans le récit pour les organiser
dans un schéma.   (G.P.)

▷ **personnage, schéma actanciel.**

acte. Division du texte dramatique et de la représentation
théâtrale (« un drame en quatre actes »). La division d'une
pièce de théâtre en actes peut être appréhendée à partir de
points de vue différents qui ne sont pas toujours conci-
liables. Du point de vue matériel, la représentation dramatique subit des contraintes diverses : nécessité de temps de
repos pour les comédiens ou les chanteurs, exigence de fractionnement de la durée pour le public qui se fatigue. Certaines de ces contraintes sont liées à la fois au récit et à des
obligations matérielles : nécessité de changer de décor si
l'action l'exige. D'autres procèdent de la relation entre le
récit dramatique et les règles et usages : le fractionnement de
l'action en actes dans le théâtre classique permet de rendre
compatibles la durée fictive de la représentation (qui peut
s'étendre jusqu'à 24 heures) et sa durée réelle. L'entracte
permet ainsi de laisser « échapper du temps ». La division en
actes repose, comme on le voit, sur une conception de
l'action. Selon Aristote, et alors même que les Grecs ne
pratiquaient pas une césure réglée, l'action connaît un développement où l'on peut distinguer des phases (protase, épitase, catastrophe) dans lesquelles les théoriciens classiques
ont trouvé une justification poétique. Ils ont pris appui sur
deux vers de l'*Art poétique* d'Horace pour limiter une pièce à
cinq actes. Dans le théâtre des XVIIe et XVIIIe siècles, la division
entre les actes (eux-mêmes subdivisés en scènes) se marque
par la sortie de tous les personnages et, à la représentation,
par une transition musicale : on ne baisse pas le rideau et la
lumière ne change pas puisque la salle reste éclairée tandis
qu'on joue la pièce. Parfois la césure est marquée par un
intermède. Le rideau ou le noir sur la scène marquent en
général l'entracte actuellement. À partir du XIXe siècle, on a
préféré souvent une division en tableaux. Dans le théâtre
contemporain, la question de la césure de l'action (on joue

souvent sans arrêt) est une décision esthétique qui relève du metteur en scène ou de l'auteur. (P.F.)

▷ **action, catastrophe, intermède, scène, tableau.**

acte de langage indirect. Il y a acte de langage indirect lorsqu'un énoncé n'a pas le statut qu'il affiche : « Pourriez-vous me dire l'heure ? » n'est pas une question mais une injonction. On a pu dire que l'énonciation littéraire constituait toujours un acte de langage indirect : sous couleur par exemple d'exprimer des émotions ou de raconter une histoire, le poème lyrique ou le roman viseraient un tout autre but, celui de donner du plaisir par un jeu sur les mots et sur l'imaginaire. (G.P.)

▷ **fiction, pragmatique littéraire.**

acteur. Celui ou celle qui joue et représente un personnage dans une pièce de théâtre ou dans un film. Au XVIIᵉ siècle, acteur peut être synonyme de personnage : c'est le sens de ce mot lorsque est indiquée, avant le texte d'une pièce, la « liste des acteurs ». L'acteur est bien celui qui agit au sens aristotélicien. Mais le terme a déjà le sens moderne. Le sens d'acteur est à mettre en relation avec celui de comédien qui, dans la tradition, pouvait être distingué du tragédien et avait alors une signification plus large. Mais comédien désigne en général l'acteur dans sa profession, dans son statut social plutôt que dans sa fonction dramaturgique. Ce clivage, pertinent dès qu'il s'agit de théâtre, s'estompe lorsqu'il est question de cinéma : on ne parle pas de comédiens de cinéma mais d'acteurs de cinéma. Louis Jouvet opposait, dans une optique héritée de Diderot, l'acteur, qui modèle son rôle à son image, s'impose à lui et donc n'est pas susceptible de jouer tous les rôles, au comédien, homme de métier, capable par son habileté technique de jouer n'importe quel rôle. (P.F.)

▷ **emploi, personnage.**

action 1. L'action dans une pièce. La tradition aristotélicienne appelle « action » l'ensemble des faits et actions qui constituent l'histoire et le sujet d'une pièce de théâtre. Cette définition a pour corollaire le primat accordé par les classiques français du XVIIᵉ siècle à l'unité d'action. Elle implique en effet une conception organique, étroitement liée à son origine aristotélicienne, celle d'un développement à partir d'un commencement, passant par un milieu et atteignant une fin. Dans cette perspective, l'action d'une pièce de théâtre regroupe dans un récit unique, qui a vocation à s'achever, les actions accomplies par les personnages, soit directement, soit à travers toutes les formes de langage. Elle se développe dans le temps théâtral selon différents moments qui organisent la séquence classique de l'exposition du nœud, des péripéties, du dénouement. Cette conception et l'approche classique qui la réalise ont fait l'objet de multiples remises en cause, dans la critique mais aussi dans l'écriture du théâtre : l'action est remise en question dès qu'on porte le regard au-delà du classicisme français (de Büchner à Brecht et de Musset à Beckett). L'action se réalise sur la scène, selon la modalité de présence caractéristique du théâtre (à telle enseigne que le mot *drama* désigne en grec aussi bien l'action qui se réalise sur la scène que la pièce de théâtre), mais elle ne se réduit pas à la somme des actes de parole ou des actions partielles qui la constituent et auxquelles assiste le spectateur. L'action se réalise dans une structure manifeste, l'intrigue, mise en œuvre par les personnages, mais elle peut se raconter dans une fable. Elle est en effet justiciable d'une approche narratologique et on peut la décrire selon un modèle actanciel. Elle peut être simple, unique, ou implexe, c'est-à-dire résultant de la rencontre, voire du parallélisme de plusieurs enchaînements événementiels distincts. Elle peut se déduire d'un montage de fragments. Elle peut même se déployer au travers de plusieurs pièces de théâtre formant diptyque, tri- ou tétralogie. C'est dire qu'il est impossible d'utiliser « naïvement » ce terme aujourd'hui.   2. Aux XVIIᵉ et XVIIIᵉ siècles, l'action d'un discours, sermon ou plaidoirie, c'est le fait de les prononcer effectivement, au tribunal ou à l'église. C'est aussi le fait de jouer une pièce de théâtre et donc le jeu du comédien. La rhétorique codifie les principes de l'action oratoire (voir ci-dessous).

(P.F.)

▷ **actant, acte, dénouement, exposition, fable, intrigue, nœud, péripétie, personnage de théâtre, scène, tableau, unités.**

action 2. L'action est la cinquième et dernière partie de la rhétorique : ce terme désigne le fait de prononcer le discours, ce qui comporte à la fois l'art de la parole et celui des gestes qui l'accompagnent. C'est le moment crucial de la performance oratoire, qui a été préparé par toutes les autres parties. La théorie de l'action a été très développée chez les Anciens (Cicéron, Quintilien), et elle a eu une grande influence sur les conceptions du jeu théâtral à l'âge classique.

(E.B.)

▷ **éloquence, rhétorique.**

adage (n.m.). Proverbe, d'origine populaire ou savante, qui exprime d'une manière concise une idée morale ou religieuse. Le discours bref de l'adage recourt la plupart du temps à une forme imagée, qui demande à être expliquée. Au XVIᵉ siècle, l'adage, le plus souvent latin, suscite l'intérêt des humanistes. Il apparaît comme le dépositaire ancestral d'une sagesse universelle. Érasme doit une partie de sa célébrité à son recueil d'*Adagia*, qui paraît pour la première fois en 1500 (818 adages) et dont la dernière édition (1536) comprend 4 151 entrées. Avec l'humaniste hollandais, le genre de l'adage annonce celui de l'essai car l'auteur commente, parfois très longuement, le proverbe qu'il a retenu. Le goût pour les adages est tout aussi grand à la fin du siècle. L'œuvre la plus originale de Baïf est sans doute le recueil des *Mimes, enseignemens et proverbes* (dernière édition : 1597). Elle rassemble, d'une manière plus ou moins discontinue, toutes sortes d'adages et de proverbes, dans une espèce de coq-à-l'âne et de charivari satirique.

(D.M.)

▷ **essai, humanisme, proverbe, sentence.**

adynaton (n. m., du neutre grec *adunaton*, « impossible »). Figure de pensée évoquant une idée à la fois impossible et hyperbolique comme point de comparaison avec une autre évocation. C'est ainsi que Céline décrit la banlieue dans *Voyage au bout de la nuit* :

Il y a des usines qu'on évite en promenant, qui sentent toutes les odeurs, les unes à peine croyables et où l'air d'alentour se refuse à puer davantage. (M.A.)

▷ comparaison, hyperbole.

alexandrin. Nom du mètre de douze syllabes. L'alexandrin est employé pour la première fois au début du XIIe siècle, mais ce nom lui a été donné au XVe siècle d'après un poème en vers de douze syllabes sur Alexandre le Grand, composé à la fin du XIIe siècle. Relativement peu utilisé à l'époque médiévale à cause de son ampleur, il ne devient le grand vers français que sous la plume de Du Bellay et de Ronsard, donc à partir du milieu du XVIe siècle. Dès cette époque et pendant toute la période dite classique, il est divisé nettement en deux groupes de six syllabes (6/6), comme dans ce vers des *Regrets* de Du Bellay :

Et les Muses, de moi, // comme étranges, s'enfuient.

Chaque hémistiche se termine sur un « accent » fixe de groupe. À l'intérieur de chaque hémistiche, un « accent » mobile éventuel permet de marquer des variations internes de ce rythme de base. On peut donc, à chaque hémistiche, avoir pour rythme 6, 5/1, 4/2, 3/3, 2/4, ou 1/5, soit 36 combinaisons possibles. Le vers suivant de Baudelaire peut être scandé 2/4 // 2/4 :

Rubens,/ fleuve d'oubli, // jardin/ de la paresse.

Certains hémistiches peuvent être découpés en plus de deux mesures, comme dans ce vers de La Fontaine (« Les Femmes et le secret ») en 1/5 // 2/1/3 :

Quoi !! j'accouche d'un œuf ! // – D'un œuf ?/ – Oui,/ le voilà !

On appelle abusivement (puisque les termes sont empruntés à la métrique latine, fondamentalement différente) « tétramètre » un alexandrin qui comporte quatre mesures, et « trimètre » l'alexandrin que les romantiques ont cultivé et dont les groupements syntaxiques favorisent un découpage ternaire (4/4/4), tel ce vers de Victor Hugo (*La Légende des siècles*) :

> *Ève ondoyante,/ Adam (//) flottant, / un et divers.*

Dès lors, la marque grammaticale soulignant la césure médiane tend à s'effacer, et les rythmes de l'alexandrin se diversifient, comme on peut en juger par ces quelques exemples pris dans les « Préludes autobiographiques » des *Complaintes* de Jules Laforgue (1885) :

– 4/8   *Obtus et chic,/ avec son bourgeois de Jourdain*
– 8/4   *J'avais roulé par les livres, / bon misogyne*
– 7/5   *Où je brûlais de pleurs noirs / un mouchoir réel*
– 5/7   *Aux mouvants bosquets / des savanes sous-marines*
– 3/4/5 *Qui vibriez, / aux soirs d'exil, / sans songer à mal.*

Outre le traitement de la césure, d'autres phénomènes viennent modifier la nature de l'alexandrin, tel le statut des *e* atones, des diérèses et synérèses (dans le dernier vers cité, synérèse archaïque sur *vibriez*) et de l'hiatus. On parle d'alexandrin « libéré ». On le trouve toujours dans la poésie contemporaine :

> *Massif et couronné de furieuses boucles*
> (Jacques Réda, *Amen*, « Récit », 1968.)

Certains préfèrent parler de dodécasyllabes pour des vers résolument non métriques :

> *Par le calme pourtant de l'été que nous par*
> *Tageâmes plus léger au fond d'un autre orage*
> (Christian Dotremont, *Ltation exa tumulte*, 1970.)   (M.A.)

▷ accent, césure, coupe, hémistiche, hiatus, ternaire, trimètre, vers libéré.

allégorie (n. f., du grec *allégoreïn*, « parler autrement »). On désigne ainsi une image filée et animée qui, grâce à une isotopie cohérente dans un contexte narratif de portée symbolique, renvoie terme à terme, de manière le plus souvent métaphorique, à un univers référentiel d'une autre nature (abstractions philosophiques, morales, etc.) :

> *La Débauche et la Mort sont deux aimables filles,*
> *Prodigues de baisers et riches de santé,*

> *Dont le flanc toujours vierge et drapé de guenilles*
> *Sous l'éternel labeur n'a jamais enfanté.*
> (Charles Baudelaire, *Les Fleurs du Mal*, « Les deux bonnes sœurs ».)

Au Moyen Âge, l'allégorie n'est pas seulement un procédé rhétorique (un trope), elle se veut un moyen de connaissance et d'explication du monde : elle repose en effet sur la théorie des quatre sens de l'Écriture, issue des traditions exégétiques. Selon l'exégèse biblique dite quadripartite, les Écritures saintes superposent quatre sens : sens littéral (ou historique : l'événement tel qu'il est relaté), sens tropologique (ou moral : le précepte qu'il suggère), sens typologique (ou spirituel), sens eschatologique (ce qu'il annonce des fins dernières). Elle s'émancipe progressivement de ce cadre théologique (seuls les bestiaires, lapidaires et plantaires commentent les créatures selon un principe analogue) pour envahir la littérature profane et illustrer des vérités mondaines (doctrine courtoise par exemple) : allégories descriptives (*Armure du chevalier*, selon laquelle chaque pièce de l'armement signifie une vertu ; *Roman des Ailes de Courtoisie*, où il en va de même pour chaque plume, XIIIᵉ siècle), et surtout allégories narratives (au XIIIᵉ siècle, *Roman de la Rose*, *Bataille des Vices et des Vertus* construite sur le modèle des psychomachies). Au XIVᵉ et au XVᵉ siècle, l'allégorie s'introduit dans le théâtre (moralités) et dans la poésie lyrique avant de s'épanouir chez Charles d'Orléans, où les personnifications servent à l'expression de la vie psychique et affective.

(M.A. et D.B.)

▷ bestiaire, *commentum*, fable, figure, image, *integumentum*, isotopie, lapidaire, métaphore, moralisation, moralité, personnification, plantaire, psychomachie, *semblance, senefiance*, songe, symbole.

allitération. Répétition de phonèmes consonantiques soulignant un effet soit harmonique, soit structurel, soit rythmique. Les phonèmes consonantiques sont le plus souvent identiques, mais l'effet allitératif peut être relayé par des consonnes d'articulation proche ou encore s'appuyer sur des combinaisons de phonèmes. Dans l'exemple suivant, l'allitération en [v] figure entièrement dans le premier hémistiche, et la dentale, annoncée en [d] puis [t] dans ce même hémistiche, prend entièrement le relais dans le second, toujours sur un mode parodique :

MonDes ViVoTant, Val/guemenT éTiqueTés
(Jules Laforgue, *Les Complaintes*, « Préludes autobiographiques ».)
(M.A.)

▷ assonance, contre-assonance, phonème, répétition, rythme.

allocutaire. Nom donné en linguistique au destinataire d'un message. On appelle plus spécifiquement « narrataire » l'allocutaire d'un récit. L'allocutaire peut être mentionné dans le texte (deuxième personne, appellatifs...) ou rester implicite. L'allocutaire ne se confond pas forcément avec le lecteur ; par exemple, nous ne sommes pas allocutaires des lettres de Mme de Sévigné. Il arrive aussi que, dans l'énonciation théâtrale et littéraire, il y ait lieu de considérer à la fois un allocutaire explicite (tel personnage) et un allocutaire implicite (le lecteur, le spectateur). On parle alors de « double situation d'énonciation ».   (G.P.)

▷ compétence du lecteur, double énonciation, lecteur, narrataire.

allocution. Le terme signifie parfois, en linguistique, l'acte par lequel un locuteur s'adresse à un allocutaire. En rhétorique, il désigne une adresse brève à destination d'un public précis, un discours de circonstance plus ou moins solennel. Il arrive enfin que l'on appelle « allocution » le fait d'interrompre un développement pour prendre directement à partie son auditeur ou son lecteur, ou encore pour s'adresser à une personne, une entité, absente ou fictive : *Nos faiblesses honteuses ne peuvent plus nous cacher notre dignité naturelle. « Ô âme remplie de crimes, tu crains avec raison l'immortalité »* (Bossuet, « Sermon sur la mort »).   (G.P.)

allusion. Procédé qui fait entendre implicitement un sens qui renvoie à une référence extérieure à l'univers contextuel. Exemple : ces quatre vers de Jules Laforgue, vers la fin de la « Complainte des formalités nuptiales » (*Les Complaintes*),

> *Ô Nuit,*
> *Fais-toi lointaine*
> *Avec ta traîne*
> *Qui bruit !*

sont une allusion à la fin de « Recueillement » de Baudelaire (*Les Fleurs du Mal*) :

> *Et, comme un long linceul traînant à l'Orient,*
> *Entends, ma chère, entends la douce Nuit qui marche.*

                                                          (M.A.)

▷ **citation**, **intertextualité**.

alternance. L'alternance des rimes masculines et des rimes féminines apparaît dès les XIIᵉ-XIIIᵉ siècles. Elle n'est pratiquée régulièrement que depuis le XVIᵉ siècle, et ce sont les poètes de la Pléiade qui ont contribué à la rendre systématique. Sensibles à l'existence d'une syllabe surnuméraire dans les vers à rime féminine (qui se fait entendre de manière distincte dans la poésie chantée), les poètes de toute façon ne faisaient pas rimer ensemble un vers à terminaison masculine et un vers à terminaison féminine.

On appelle « vers féminins » des vers qui se terminent sur un mot à finale en *e* caduc (suivi ou non de *-s* ou de *-nt*), sans considération du genre même du mot. Notons que les subjonctifs *aient* et *soient*, et les formes d'imparfait et de conditionnel à la troisième personne du pluriel, forment des rimes masculines, alors que les présents de l'indicatif à terminaison identique (*paient*, *voient*, *essaient*) forment des rimes féminines.

Exemple d'alternance :

> *Percé jusques au fond du cœur*   a   M
> *D'une atteinte imprévue aussi bien que mortelle,*   b   F
> *Misérable vengeur d'une juste querelle,*   b   F
> *Et malheureux objet d'une injuste rigueur,*   a   M
> *Je demeure immobile, et mon âme abattue*   c   F

Cède au coup qui me tue   c   F
Si près de voir mon feu récompensé   d   M
Ô Dieu l'étrange peine !   e   F
En cet affront mon père est l'offensé,   d   M
Et l'offenseur le père de Chimène !   e   F
(Pierre Corneille, *Le Cid*, I, 6.)

À partir de la seconde moitié du XIXe siècle, l'alternance se fait plus rare, et le recours à la rime devient très irrégulier avec l'émergence du vers libre. Il peut arriver que l'alternance F/M soit remplacée par une alternance entre rimes vocaliques (vers terminés par un phonème vocalique) et rimes consonantiques (vers terminés par un phonème consonantique) :

Moi qui sais des lais pour les reines   a   F   C
Les complaintes de mes années   b   F   V
Des hymnes d'esclave aux murènes   a   F   C
La romance du mal-aimé   b   M   V
Et des chansons pour les sirènes   a   F   C
(Guillaume Apollinaire, *Alcools*, « La Chanson du Mal-Aimé ».)
(M.A.)

▷ **alternance vocalique**, *e* caduc, rime, rime féminine, rime masculine, strophe.

alternance vocalique. À partir de la fin du XIXe siècle, la règle d'alternance des rimes féminines et des rimes masculines est plus irrégulièrement respectée, et quelquefois pas du tout. Il arrive qu'elle soit remplacée ou redoublée par une alternance (qui n'a rien d'une règle) de rimes vocaliques (phoniquement terminées par une voyelle) et de rimes consonantiques (phoniquement terminées par une consonne). Par exemple, ce quatrain de Laforgue est à rimes entièrement féminines, mais il y a alternance entre rimes vocaliques (V) et rimes consonantiques (C) :

Un couchant des Cosmogonies !   F   V
Ah ! que la Vie est quotidienne...   F   C
Et, du plus vrai qu'on se souvienne   F   C
Comme on fut piètre et sans génie !...   F   V
(M.A.)

▷ **alternance**, phonème, rime, strophe.

alternées (rimes). *Voir* rimes croisées.

ambiguïté. L'ambiguïté est la possibilité de faire correspondre, à un seul énoncé linguistique perçu, différentes
analyses ou interprétations. La communication ordinaire,
sans pouvoir toujours les éviter, essaie de limiter autant
que possible les sources d'ambiguïté. La poésie, surtout
la poésie moderne, utilise au contraire volontiers la
richesse de l'ambiguïté. Elle peut se faire entendre à différents niveaux :
– Ambiguïté phonique : elle joue sur l'homonymie,
comme dans ce début du chant IV de « Neiges » de
Saint-John Perse (*Exil*) :

> *Seul à faire le compte, du haut de cette chambre d'angle*
> *qu'environne un Océan de neiges.*

On peut entendre aussi bien *faire le compte* (« décomp-
ter ») que *faire le conte* (« raconter une histoire »).

– Ambiguïté lexicale : elle joue soit entre deux mots différents, mais identiques sur les plans et phonique et graphique, soit entre deux ou plusieurs sens possibles d'un
même mot, tel *caractères* dans ce passage de Segalen (*Stèles*,
1912) :

> *Porte-moi sur tes vagues dures, mer figée, mer sans reflux ;*
> *tempête solide enfermant le vol des nues et mes espoirs.*
> *Et que je fixe en de justes caractères, Montagne, toute*
> *la hauteur de ta beauté.*   (« Tempête solide »)

Le mot désigne à la fois les aspects spécifiques de la montagne et les signes d'écriture qui servent à les décrire.
– Ambiguïté syntaxique : elle est très fréquente dans la
poésie moderne, surtout en l'absence de toute ponctuation, mais on la trouve par exemple dans *Les Complaintes*
de Jules Laforgue :

> *Dodo sur le lait caillé des bons nuages*
> *Dans la main de Dieu, bleue, aux mille yeux vivants*
> (« Complainte du fœtus de poète »).

aux mille yeux vivants est-il complément de *main* ou de
Dieu ? La logique voudrait que ce soit plutôt de *Dieu*,
mais la présence de *bleue* au féminin singulier en position

d'épithète détachée de *main* après *Dans la main de Dieu*
favorise l'ambiguïté. (M.A.)
▷ amphibologie, antanaclase, ellipse, paronomase, polysémie, ponctuation, référent, signe linguistique, syllepse.

amour courtois. *Voir fin'amor.*

amphibologie (n. f., du grec *amphibolos*, « ambigu », et
logos, « discours »). Ambiguïté non voulue, sens équivoque
qui résulte soit d'une construction maladroite, soit de l'homonymie, soit de la polysémie. Exemple : « J'ai donné des
bonbons aux enfants, qui sont dans ma poche. » (M.A.)
▷ ambiguïté.

amplification. Ce terme de rhétorique classique désigne
l'art de mettre en valeur ce qu'on dit, pour emporter
l'adhésion de l'auditoire ou exciter ses passions : l'amplification appartient surtout au genre démonstratif, même si
elle peut intervenir dans les autres genres (notamment dans
la péroraison du discours judiciaire). La tirade des « nez »,
dans *Cyrano de Bergerac* de Rostand, est le type même de
l'amplification : elle use de l'abondance (répétition, synonymie), de l'hyperbole, de la gradation (du type : *que dis-je,
c'est un cap, c'est une péninsule*). Au Moyen Âge, l'*am-
plificatio* est considérée comme la grande tâche de tout
écrivain, en particulier dans l'ordre de la réécriture de
textes-sources. Elle est conçue en termes quantitatifs plutôt que qualitatifs : amplifier, c'est procéder par accumulation pour allonger. L'image et la comparaison, qui sont
au cœur de l'amplification rhétorique des Anciens, cèdent
la place aux figures de la redondance, parmi lesquelles
l'*interpretatio*, l'*oppositum* (voir ces mots) ou le parallélisme. On en trouve un des premiers exemples dans le
Roman de Brut de Wace, dont l'art repose largement sur
ce procédé. Ainsi, lorsque le roi Arthur convoque sa
cour : *Toz ses barons i fist venir : / Manda ses rois, manda
ses contes, / Manda ses dus et ses viscontes, / Manda barons,
manda chasez, / Manda evesques et abez.* (D.B. et E.B.)

▷ abondance, asianisme, éloquence, gradation, hyperbole, ornement, période, style élevé, sublime.

anacoluthe (n. f., du grec *an*, privatif, et *akolouthos*, « compagnon »). Rupture de cohérence syntaxique. L'un des groupes syntaxiques de la phrase reste sans ancrage grammatical.

> *Ô Ciel ! <u>Plus j'examine, et plus je le regarde,</u>*
> *<u>C'est lui.</u> D'horreur encor tous mes sens sont saisis.*
> (Racine, *Athalie*.) (M.A.)

▷ ellipse.

anacréontique. *Voir* ode anacréontique.

anadiplose (n. f., du grec *ana*, « en haut, en avant », et *diplosis*, « redoublement »). Répétition, au début de l'unité suivante, d'un terme (ou d'un syntagme) qui clôt une unité linguistique ou poétique, comme entre ces deux strophes de la « Complainte des Blackboulés » de Jules Laforgue :

> *[...] et qu'on*
> *Te nourrisse, horreur ! horreur ! horreur ! à <u>la sonde</u>.*
>
> *<u>La sonde</u> t'entre par le nez, Dieu vous bénisse !*
> (M.A.)

▷ rime concaténée.

anagramme (n. f., du grec *ana*, « en haut, en avant », et *gramma*, « lettre »). L'anagramme d'un mot est un autre mot obtenu avec les mêmes lettres dans un ordre différent, telles ces deux anagrammes qui se répondent dans la phrase de *Rrose Sélavy* de Robert Desnos :

> *Ô mon <u>crâne</u>, <u>étoile</u> de <u>nacre</u> qui s'<u>étiole</u>.* (M.A.)

▷ métathèse, palindrome, paronomase.

analepse (n. f., du grec *ana*, « en arrière », et *lêpsis*, « action de prendre »). Dans un récit, rupture de la ligne chronologique pour mentionner un événement qui s'est déroulé avant l'action considérée. L'analepse peut être fort brève (*Un peu plus tôt, le nègre Ange Soleil avait tué*

sa maîtresse, J. Genet, *Notre-Dame-des-Fleurs*, 1948) ou
très longue : elle constitue alors un récit enchâssé. (G.P.)
▷ prolepse.

analogie (n. f., du grec *analogia*, « rapport »). L'analogie
dans son sens général est la mise en rapport, par ressemblance. C'est pourquoi on appelle « figures d'analogie » les
figures qui sont fondées sur un tel rapport : en particulier
la métaphore, mais aussi la comparaison. Les stylisticiens
et rhétoriciens préfèrent parler de similitude, terme moins
équivoque dans la mesure où l'analogie est une notion
employée en linguistique depuis l'Antiquité.   (M.A.)
▷ comparaison, métaphore.

anaphore (n. f., du grec *ana*, « de nouveau », et *phérô*,
« porter »). On désigne par ce terme deux phénomènes
de reprise totalement différents. On veillera en effet à ne
pas confondre le sens rhétorique et le sens grammatical
du mot. En rhétorique, l'anaphore est une figure de style
définie par la reprise du ou des mêmes mots en ouverture
de plusieurs propositions, vers ou paragraphes (*Cœur qui
as tant rêvé*, / *Ô cœur charnel*, / *Ô cœur inachevé*, / *Cœur
éternel*, Ch. Péguy, *Quatrains*, 1911). En linguistique, on
regroupe sous cette étiquette toutes les formes de renvoi
à ce qui a déjà été mentionné plus haut (grec *ana*) dans
un texte. L'anaphore est généralement pronominale
(« J'ai lu ton dernier roman, *il* est excellent ») ou lexicale
(reprise du même mot avec un article différent, emploi
d'un synonyme ou d'un hyperonyme : « J'ai lu le *roman*
de Pierre. *Ce livre* est vraiment excellent »). Elle peut
aussi se faire sur une base strictement associative (« J'ai
lu ton dernier roman : *quels monstres, ces gens !* »). (G.P.)
▷ cataphore, chaîne de référence, cohérence/cohésion,
   épanalepse, hyperonyme, progression thématique.

Anciens. *Voir* querelle des Anciens et des Modernes.

anisochronie (n. f., du grec *an*, privatif, *isos*, « égal », et *chronos*, « temps »). Recherche d'une irrégularité sensible dans la succession des groupes rythmiques, par exemple dans cette phrase nominale de Céline (*Voyage au bout de la nuit*) :

> *Mon cœur au chaud* (4), *ce lapin* (3), *derrièr(e) sa petit(e) grill(e) des côt(e)s* (8), *agité* (3), *blotti* (2), *stupid(e)* (2).

(M.A.)

▷ rythme.

annales. Œuvres historiographiques qui consignent des faits année par année, sans les développer. Elles étaient originellement, aux VIIe-VIIIe siècles, de brèves notes inscrites dans les marges des tables pascales, et visaient à conserver le souvenir des événements marquants de l'année pour la communauté ; elles se sont ensuite émancipées de ce cadre rituel, mais ont toujours conservé la sécheresse et la brièveté de textes étrangers à toute perspective littéraire. Mais progressivement, en s'enrichissant, les annales ont tendu vers le genre de la chronique. Dans leur quasi-totalité, les annales médiévales sont en latin. (D.B.)

▷ **chronique universelle**, *estoire*.

annexée. *Voir* rime annexée.

annominatio (n. f.). Au Moyen Âge, forme de répétition qui consiste originellement en une accumulation de diverses formes déclinées ou conjuguées d'un même mot (polyptote). Au sens large, l'*annominatio* peut porter sur des homonymes ou même sur des paronymes (paronomase), voire confiner au jeu de mots. Ainsi, dans le *Cligès* de Chrétien de Troyes (1176), à propos de la naissance de l'amour lors d'une traversée maritime :

> *Mes la mers l'engingne et deçoit*
> *Si qu'an la mer l'amor ne voit*
> *Qu'en la mer sont, et d'amer vient*
> *Et amers est li max quis tient.*
> *[Mais la mer l'abuse et la trompe,*
> *En la mer l'amour lui échappe,*

> *Car ils se trouvent en mer, mais tout leur vient d'aimer,*
> *Et amer est le mal qui les tient.]*   (D.B.)
▷ paronomase, polyptote.

antanaclase (n. f., du grec *antanaclasis*, « répétition d'un mot en un autre sens »). Cette figure de mots consiste à reprendre deux fois le même mot, dans une même phrase, mais avec une variation de sens : *le cœur a ses <u>raisons</u> que la <u>raison</u> ne connaît pas* (Pascal) (dans la première occurrence, « raisons » équivaut à « motivations », dans la seconde, le mot désigne la faculté rationnelle de l'esprit).   (E.B.)

antépiphore (n. f., du grec *anta*, « en face, devant », *épi*, « au-dessus, à la suite », et *phéreïn*, « porter »). Répétition, en tête et en fin d'ensemble verbal (paragraphe) ou poétique (strophe) d'un même syntagme ou d'un même vers, avec effet de refrain partiel :

> *<u>Bonne gens</u> qui m'écoutes, c'est Paris, Charenton compris.*
> *Maison fondée en... à louer. Médailles à toutes les expositions*
> *et des mentions. Bail immortel. Chantiers en gros et en détail*
> *de bonheurs sur mesure. Fournisseurs brevetés d'un tas de*
> *majestés. Maison recommandée. Prévient la chute des che-*
> *veux. En loteries ! Envoie en province. Pas de morte-saison.*
> *Abonnements. Dépôt, sans garantie de l'humanité, des ennuis*
> *les plus comme il faut et d'occasion. Facilités de paiement,*
> *mais de l'argent. De l'argent, <u>bonne gens</u> !*
>   (Jules Laforgue, *Les Complaintes*,
>   « Grande complainte de la ville de Paris ».)   (M.A.)
▷ anaphore, épiphore, refrain.

antiphrase (n. f.). Cette figure de pensée consiste à exprimer explicitement le contraire de ce que l'on veut dire en réalité ; dire, par exemple, « bravo ! » à quelqu'un qui vient de commettre une maladresse ; elle convient particulièrement à l'expression de l'ironie.   (E.B.)
▷ ironie.

antistrophe (n. f., du grec *anti*, « contre, à l'opposé », et *strophè*, « tour »). À l'origine, tour d'autel, inverse de celui de la strophe, que faisait le chœur antique en psalmodiant le second mouvement de son chant, de même forme que le premier. Nom également donné au second élément de la triade (strophe, antistrophe, épode) dans l'ode pindarique. (M.A.)

▷ **ode pindarique, strophe.**

antithèse (n. f.). Cette figure consiste à opposer fortement deux mots ou deux idées : *Et monté sur le faîte, il aspire à descendre* (Corneille, *Cinna*, II, 1). Lorsqu'elle structure plus largement l'argumentation, elle convient particulièrement à l'écriture sentencieuse : *La passion fait souvent un fou du plus habile homme et rend souvent les plus sots habiles* (La Rochefoucauld, *Maximes*). Elle peut structurer un texte entier (comme, par exemple, les stances du *Cid*). C'est par excellence une figure liée au genre délibératif (voir ce mot). (E.B.)

▷ *concetto*, **gongorisme, marinisme, oxymore, pointe.**

antitype. *Voir* typologie.

antonomase (n. f., du grec *anti*, « contre, à la place, de », et *onoma*, « nom »). Cas particulier de la synecdoque et de la métonymie, qui consiste :
– soit à employer un nom propre à la place d'un nom commun : un Tartuffe (pour un hypocrite) ;
– soit, à l'inverse, à employer un nom commun pour un nom propre (*L'Empereur* pour *Napoléon*) ou un groupe nominal à la place d'un nom propre :

> *N'est-ce point à vos yeux un spectacle assez doux*
> *Que la veuve d'Hector pleurant à vos genoux ?*
> (Racine, *Andromaque*, III, 4.)

Dans cet exemple, l'antonomase joue aussi comme périphrase. (M.A.)

▷ **métonymie, périphrase, synecdoque.**

antonymie. Sont antonymes deux unités lexicales de sens contraire. On distingue traditionnellement trois types de relation antonymique : gradable (les antonymes correspondent aux extrémités d'une gradation, sur le modèle chaleur/froideur, heureux/malheureux : *On fait souvent du bien pour pouvoir impunément faire du mal*) ; converse (lorsque les deux antonymes sont unis par une relation de réciprocité sur le modèle mari/femme, prêter/emprunter : *La louange [...] satisfait différemment celui qui la donne et celui qui la reçoit*) ; complémentaire (lorsque les antonymes correspondent à des paires exclusives masculin/féminin, mort/vivant : *La bonne grâce est au corps ce que le bon sens est à l'esprit*, La Rochefoucauld, *Maximes*).   (G.P.)

▷ synonymie.

aparté (n. m., de l'italien *a parte*, « à l'écart »). Convention du jeu théâtral : un acteur feint de se parler à lui-même, « à part », à l'insu des autres personnages qui sont sur la scène. Même s'il est clamé, l'aparté est censé échapper à toute autre personne qu'au spectateur. L'aparté sert à commenter l'action, souvent de façon comique, à communiquer au spectateur les sentiments du personnage. Il permet des jeux de scène variés et introduit souvent une distance dans la mesure où il constitue une adresse aux spectateurs.   (P.F.)

▷ **distance/distanciation.**

aphérèse (n. f., du grec *apo*, « à l'écart, en séparant de », et *hairesis*, « action de prendre, de choisir »). Suppression d'un phonème ou d'une syllabe en début de mot. Exemple : « 'tention » pour « attention ! ».   (M.A.)

aphorisme (n. m., du grec *aphorismos*, « définition »). Phrase d'allure sentencieuse qui énonce une vérité de portée générale, qui fait la synthèse d'une expérience. Exemple de Corneille (*Le Cid*, II, 7).

> *Qu'on est digne d'envie*
> *Lorsqu'en perdant la force on perd aussi la vie.*   (M.A.)

▷ **adage, maxime, proverbe, sentence.**

apocope (n. f., du grec *apokopè*, lat. *apocopa*, « retran-
chement »). Annulation prosodique d'un *e* final de mot
non élidable. En poésie régulière, elle ne se produit qu'en
fin de vers. Dans le cas de la césure dite « épique » elle a
lieu en fin d'hémistiche, et à l'intérieur de l'hémistiche
en cas de coupe « épique ».

Dans les chansons ou les poèmes à tonalité populaire,
l'apocope est marquée par une apostrophe :

> *C'est d'un' maladie d' cœur*
> *Qu'est mort', m'a dit l' docteur,*
> *Tir-lan-laire !*
> *Ma pauv' mère ; [...]*
> (Jules Laforgue, « Chanson du petit hypertrophique »).

Le mot s'applique aussi à la suppression de phonèmes
ou de syllabes en fin de mot, dans la langue courante
(vélo pour vélocipède, ou métro pour métropolitain).

(M.A.)

▷ **césure épique, coupe épique, diction, *e* caduc, élision,
syllabe, syncope, vers libéré.**

apodose (n. f., du grec *apodosis*, « restitution » et en
rhétorique « proposition en relation avec une proposition
antérieure appelée *protasis* »). Partie descendante de la
phrase périodique, qui la termine. Pour un exemple de
période, voir l'article acmé.   (M.A.)

▷ **acmé, période, protase.**

apologie. Défense orale ou écrite d'une personne, d'une
collectivité, d'une institution ou d'une philosophie. Ce
n'est pas un genre littéraire à proprement parler, car elle
peut revêtir bien des formes. Plus une société est agitée
de courants contraires, plus les apologies se développent.
Les humanistes connaissaient l'*Apologie de Socrate*, de
Platon. Les apologies furent nombreuses dans la France
moderne, notamment aux XVIe, XVIIe et XVIIIe siècles.
Érasme s'est défendu lui-même contre de nombreux
adversaires, aussi bien catholiques que protestants. Montaigne a prétendu défendre la philosophie de Raymond
Sebond dans un immense chapitre des *Essais* (II, 12).

L'apologie relève de l'art de défendre et de persuader qui est au cœur de la rhétorique.   (D.M.)
▷ **humanisme, rhétorique.**

apologue (n. m., du grec *apo*, « sur », et *logos*, « discours »). Exposé d'une pensée morale sous la forme d'un récit qui peut être allégorique, et qui s'inscrit dans un ensemble plus large. Exemple : l'apologue des ailes en or forgé par Bardamu au début de *Voyage au bout de la nuit* de Céline (1932) :

> *Un Dieu qui compte les minutes et les sous, un Dieu désespéré, sensuel et grognon comme un cochon. Un cochon avec des ailes en or qui retombe partout, le ventre en l'air, prêt aux caresses, c'est lui, c'est notre maître. Embrassons-nous !*   (M.A.)

▷ **allégorie, fable, parabole.**

aposiopèse (n. f., du grec *aposiôpeïn*, « se taire »). Figure de construction autant que de pensée qu'on appelle aussi *réticence*. C'est l'interruption totale d'un propos qui reste suspendu, mais dont l'implicite se fait clairement entendre. Exemple de *Sylvie* de Gérard de Nerval : *Je me dis : « Là était le bonheur peut-être ; cependant... »*   (M.A.)
▷ **ellipse.**

apostrophe (n. f., du grec *apo*, « sur », et *strophè*, « tour »). En rhétorique, figure par laquelle l'orateur, s'interrompant tout à coup, adresse la parole à quelqu'un ou à quelque chose :

> *« Écoutez-moi bien, camarade, et ne le laissez plus passer sans bien vous pénétrer de son importance, ce signe capital dont resplendissent toutes les hypocrisies meurtrières de notre Société : "L'attendrissement sur le sort, sur la condition du miteux..." Je vous le dis, petits bonshommes, couillons de la vie, battus, rançonnés, transpirants de toujours, je vous préviens, quand les grands de ce monde se mettent à vous aimer, c'est qu'ils vont vous tourner en saucissons de bataille. [...]. »*

(Louis-Ferdinand Céline, *Voyage au bout de la nuit*, 1932)

(M.A.)

apothéose (n. f.). On parle d'apothéose lorsque, dans le tableau final d'un opéra, d'une féerie, apparaissent les dieux, ou lorsque le décorateur ou le metteur en scène déploient un luxe surprenant d'effets. Mais l'apothéose dramatique est aussi, à la fin du XVIIIe siècle et pendant la Révolution, un genre dramatique : c'est une petite pièce de circonstance (ou la scène finale d'une pièce) en l'honneur d'un personnage célèbre dont on proclame l'immortalité. Exemples : *L'Apothéose de Bara, La Mort de Marat suivie de son apothéose*. C'est encore, parfois, une cérémonie improvisée au théâtre comme la célèbre apothéose offerte à Voltaire par les Comédiens-Français en 1778. (P.F.)
▷ clou.

approximative. *Voir* rime approximative.

arbitraire du signe. On dit depuis F. de Saussure (1857-1913) que le signe linguistique est arbitraire pour rappeler le fait qu'il n'y a aucun lien de nécessité entre le signifiant et le signifié d'un mot : il n'y a aucun rapport entre les sons du mot « arbre » et la chose « arbre » ; on dira que la relation signifiant/signifié est immotivée. La meilleure preuve du caractère arbitraire du signe, c'est qu'au même signifié correspondent des signifiants différents selon les langues : *tree, albero, Baum, ki...* Seuls les signes à base mimétique sont pleinement ou partiellement motivés : onomatopées (« dring »), ou composés d'onomatopées (« chuchoter »), mots enfantins (un « ouaoua »)... Ce n'est que par réinvestissement secondaire, projection du signifié sur le signifiant, que nous trouvons que le mot « caresser » est doux, « casser » violent. Certains, dont les symbolistes français, ont pourtant fixé pour but au discours littéraire, et particulièrement au discours poétique, de briser l'évidence de l'arbitraire du signe : la matérialité sonore du texte, le rythme du vers, etc. doivent parvenir, sinon à manifester, du moins à doubler le contenu sémantique de l'énoncé. (G.P.)
▷ cratylisme, signe linguistique.

archétype (manuscrit). En médiévistique comme dans les études anciennes, on appelle archétype le manuscrit, généralement perdu, duquel découlent tous les manuscrits conservés. Ce manuscrit ne se confond pas nécessairement avec l'original écrit ou dicté par l'auteur de l'œuvre : il est seulement la forme la plus ancienne à laquelle on puisse remonter. C'est à partir de lui que les diverses copies s'organisent en familles (voir *stemma codicum*). Pendant longtemps, le travail d'édition d'un texte médiéval consistait à restituer une forme aussi proche que possible de celle de l'archétype.   (D.B.)

▷ copiste, lachmannisme, manuscrit médiéval, *stemma codicum*, variance.

archi-énonciateur. On utilise cette notion pour analyser les textes composés d'énoncés attribués à divers locuteurs, comme les répliques de théâtre, les traités sous forme dialoguée, les romans par lettres, etc. L'archi-énonciateur est cette instance qui n'est à l'origine directe d'aucun énoncé, mais assume la totalité du texte en tant que tel, avec ses effets de sens : dans un dialogue, les personnages profèrent les répliques, mais ces répliques forment aussi un tout, auquel on peut prêter un sens global, ce qui donne le sentiment que « quelqu'un derrière le texte » en tire les ficelles. L'archi-énonciateur est, si l'on veut, une figure de l'auteur que se crée le spectateur de théâtre ou le lecteur de dialogue et auquel il prête, par exemple, des intentions démonstratives précises. La polémique sur les dialogues libertins au XVIIᵉ siècle (pouvait-on dire que le texte promouvait les idées qu'avançaient leurs personnages les mieux mis en valeur ?), ou encore sur le sens d'un roman par lettres comme *Les Liaisons dangereuses* (1782) de Choderlos de Laclos (apologie ou dénonciation de la corruption des mœurs ?), mettait bien en jeu cette « instance muette ».   (G.P.)

▷ double énonciation, locuteur/énonciateur.

architextualité. Dans la terminologie de G. Genette, inscription d'un texte dans un genre ou un sous-genre littéraire (la nouvelle d'atmosphère, la comédie de mœurs, le poème lyrique...). La relation architextuelle peut être signalée par une marque paratextuelle (un sous-titre générique, par exemple), mais elle est le plus souvent implicite : on place alors le texte dans une catégorie à partir de certains critères formels ou thématiques (vers, dialogue, ton, imaginaire convoqué...). La reconnaissance du genre conditionne le protocole de lecture du texte : nous ne lisons pas de la même façon un récit romanesque et un récit historique, par exemple ; elle conditionne sur-tout notre compréhension de la démarche de l'auteur que nous évaluons dans son rapport à une tradition générique qu'il assume ou qu'il conteste : les Nouveaux Romans des années 1950 ne se donnent pas seulement à lire « pour eux-mêmes », ils s'affirment d'abord comme refus du projet romanesque tel qu'il s'est figé depuis le milieu du XIXe siècle. (G.P.)

▷ **genres littéraires.**

argument. Sommaire d'un ouvrage, résumé linéaire d'une pièce de théâtre. L'argument présente en général l'intrigue dans son déroulement. (P.F.)

▷ **action, fable, intrigue.**

argumentation. C'est le cœur de la rhétorique : elle consiste à élaborer les preuves du discours, et ensuite à les disposer de façon cohérente et logique pour emporter l'adhésion du public. Contrairement à la dialectique, qui s'appuie sur des prémisses vraies, l'argumentation part de prémisses vraisemblables, c'est-à-dire qui appartiennent aux croyances partagées par l'auditoire (*doxa*). Il s'agit donc de construire un ensemble de preuves à partir de la *doxa* : d'où la nécessité de s'adapter à l'auditoire (c'est la notion latine de *decorum*), qu'il faut séduire par l'*ethos* (l'orateur doit être conforme à une certaine image) et qu'il faut émouvoir par le *pathos* (c'est-à-dire en suscitant différentes passions dans le public). Le *logos* est l'agence-ment rationnel des arguments. L'argumentation a donc partie liée avec la logique (avec les principes de causalité, d'identité, de non-contradiction), mais l'univers dans lequel elle se meut est celui des présomptions acceptées par l'auditoire (la séduction idéologique). Les preuves sont de deux ordres : preuves techniques, c'est-à-dire celles que construit l'art d'argumenter à l'aide de la topique, et qui reposent sur l'usage de l'enthymème ou de l'exemple, et preuves extratechniques (lois, témoignages, pièces à conviction). On peut distinguer quatre grands types d'arguments : 1. les arguments quasi logiques (qui reposent sur la contradiction ou l'identité), 2. les arguments fondés sur la structure du réel (on suppose une causalité là où on observe une succession, on déduit l'utilité d'un fait par ses conséquences probables), 3. les arguments par l'exemple (on induit une règle générale à partir d'un fait singulier) ou par l'analogie (on prouve quelque chose par la similitude de deux rapports, comme par exemple dans l'expression : « la vieillesse est le soir de la vie »), 4. les arguments par dissociation des notions (on procède en distinguant deux niveaux : apparence/réalité, subjectif/objectif, moyen/fin, etc.).   (E.B.)

▷ *doxa*, éloquence, enthymème, *ethos*, invention, *pathos*, rhétorique, *topos*.

ariette. *Voir* comédie à ariettes.

ars moriendi (n. m.). Les *artes moriendi* sont des traités en latin ou en français de la fin du Moyen Âge sur l'art de bien vivre et de bien mourir. Ils évoquent le combat que se livrent les anges et les démons autour du lit du mourant, les tentations auxquelles il doit échapper, et invitent le lecteur à mener une vie d'ascèse et de spiritualité sans attendre ses derniers instants pour se convertir. La plupart sont anonymes (*Tractatus artis bene moriendi*) ; l'humaniste Jean Gerson a rédigé en français sa *Médecine de l'âme*, également nommée *Science de bien mourir* (1403).   (D.B.)

▷ danse macabre, dit, sermon.

ars nova. Terme désignant la polyphonie du XIVe siècle, complexe, jouant sur les rythmes et les lignes mélodiques, dont les principales formes sont le motet et les chansons à refrain (rondeau, virelai, ballade). La Messe Nostre-Dame de Guillaume de Machaut appartient à l'*ars nova*.   (D.B.)

▷ **ballade, conduit, motet, rondeau, virelai.**

art poétique. C'est dans la *Poétique* d'Aristote, vers 334 av. J.-C., qu'apparaît pour la première fois l'expression art poétique (*peri poiètikès technès*). C'est en théoricien qu'Aristote se penche sur l'art poétique. En revanche, l'œuvre d'Horace *Épître aux Pisons*, dite *Art poétique*, est bien celle d'un poète à propos de son art. Et cette réflexion n'a jamais vraiment cessé, même si elle a pris des formes diverses. La tradition du *trobar* médiéval, puis les ouvrages d'art poétique sont dus à des poètes qui réfléchissent sur leurs techniques, inventent, précisent, définissent et conseillent des formes aux poètes à qui ils s'adressent. C'est ce que font par exemple Thomas Sébillet en 1548 dont l'*Art poétique français*, ouvrage théorique en prose, porte pour sous-titre : *Pour l'instruction des jeunes studieux et encore peu avancés en la Poésie française*, ou encore Joachim Du Bellay avec *Défense et Illustration de la langue française* (1549). Énumérer tous les ouvrages d'art poétique serait fastidieux. Ajoutons simplement que ces réflexions peuvent s'exprimer de manière diverse : sous forme versifiée (*Art poétique* de Boileau en 1674, poème de Verlaine intitulé « Art poétique » dans *Jadis et naguère*, 1884), sous forme de brefs essais (« Crise de vers » de Mallarmé), ou encore de travaux collectifs (OuLiPo : Ouvroir de Littérature potentielle). Jamais les poètes n'ont cessé de réfléchir sur leur art.   (M.A.)

▷ **arts de seconde rhétorique, OuLiPo, poétique.**

art pour l'art. Formule qui résume une doctrine apparue en France au temps du romantisme et souvent reprise jusqu'à la fin du XIXe siècle. Cette doctrine affirme l'autonomie de l'art qui, n'ayant d'autre fin qu'en lui-même, n'a pas à se soumettre aux valeurs du Vrai et du Bien mais seulement à la Beauté. L'art pour l'art s'oppose donc à toutes les formules qui mettent l'art au service d'un engagement politique, social ou humanitaire. Parmi les romantiques, Théophile Gautier s'en fit le défenseur constant, depuis la Préface de *Mademoiselle de Maupin* (1835) où il s'en prend à l'utilitarisme (« Il n'y a de vraiment beau que ce qui ne peut servir à rien »), jusqu'au poème-préface d'*Émaux et Camées* (1852). « Le Beau n'est pas le serviteur du Vrai », écrit de son côté Leconte de Lisle. Et Baudelaire : « la Poésie [...] n'a pas d'autre but qu'elle-même ». Dans la préface des *Orientales* (1829), Hugo avait lui aussi réclamé le droit d'écrire « un livre inutile de pure poésie » ; mais en octobre 1859 il écrit à Baudelaire : « Je n'ai jamais dit l'Art pour l'Art ; j'ai toujours dit : l'Art pour le Progrès. » Pour Baudelaire, Flaubert, Banville ou les poètes dits parnassiens, l'art pour l'art ne signifie pas pour autant impassibilité ni même neutralité en face de la société : la formule implique dans leur esprit une opposition aux « Philistins » ou aux « Bourgeois » insensibles à l'art ou partisans d'un art pour le confort.   (Y.V.)

▷ **bohème, dandysme, décadentisme, écriture artiste, fantaisie, Jeune-France, Parnasse, romantisme.**

arthurien. *Voir* roman arthurien.

artiste. *Voir* écriture artiste.

arts de seconde rhétorique. Traités destinés à instruire dans l'art de composer des vers en langue romane (la rhétorique « première » étant celle de la prose). Ils s'intéressent moins aux figures de style et à l'inspiration qu'aux formes elles-mêmes : longueur des mètres, organisation des strophes, définition des formes fixes (en particulier du rondeau et de la ballade). Ils ont été composés entre la fin du XIVᵉ siècle (*Art de dicter* d'Eustache Deschamps, 1392, qui rattache cependant la composition poétique à la musique et non à la rhétorique) et le début du XVIᵉ siècle (*L'Instructif de la Seconde Rhétorique*, placé en tête de l'édition de 1501 du *Jardin de Plaisance*). Certains d'entre eux comportent une table des rimes et détaillent les différentes variétés de rimes pratiquées par les Grands Rhétoriqueurs de la fin du XVᵉ siècle (par exemple l'*Art de rhétorique vulgaire* de Jean Molinet).   (D.B.)

▷ art poétique, Rhétoriqueurs.

asianisme. On doit ce terme aux théories de Cicéron (*Brutus*), qui rattachait les caractères de style à l'origine géographique des orateurs : selon lui en effet, les rhéteurs d'Asie Mineure (actuelle Turquie) avaient un style caractérisé par l'ampleur, par l'usage abondant de figures et par la variété des procédés ; c'est le style fleuri par excellence. Dans la tradition rhétorique qui a suivi, l'asianisme a souvent été assimilé, de façon péjorative, à un style enflé et vide, par opposition à la rigueur et à la clarté de l'atticisme. Aux siècles modernes, l'asianisme est souvent associé au baroque, par opposition au classicisme.   (E.B.)

▷ abondance, atticisme, baroque, marinisme, rhétorique, style fleuri.

assonance (n. f.). Le mot désigne plusieurs phénomènes :
– une catégorie d'homophonies finales en prosodie : c'est la répétition de la même dernière voyelle tonique de vers, quelles que soient les consonnes qui éventuellement suivent.

Exemple : l'assonance en [ã] entre *tendres* et *tremble* dans ce quatrain de René Char :

> *L'ouragan dégarnit les bois.*
> *J'endors, moi, la foudre aux yeux tendres.*
> *Laissez le grand vent où je tremble*
> *S'unir à la terre où je crois.*
> *(Le Nu perdu.)*

L'assonance est antérieure à la rime dans la versification française, et a été le système prédominant jusqu'au XIIIᵉ siècle. On la retrouve dans le vers moderne, mais aussi comme élément d'unité phonique entre des rimes tout à fait traditionnelles : c'est ainsi que le célèbre poème

de Mallarmé « Le vierge, le vivace... » a des rimes qui
sont toutes reliées par une assonance en [i].
– une répétition remarquable et proche (par exemple
dans un vers ou dans un groupe rythmique et syntaxique)
de phonèmes vocaliques. Exemple, dans ce vers d'Apollinaire (*Alcools*, « La Chanson du Mal-Aimé ») :

> *Triste et mélodieux délire*
> i   e   e i   e i   (M.A.)

▷ **allitération, contre-assonance, laisse, phonème, rythme.**

astéisme (n. m., du grec *asteismos*, « urbanité »). Forme
d'ironie badine et raffinée qui déguise louange ou flatterie
sous les apparences du blâme. Exemple d'une épître de
Boileau à Louis XIV donné par Fontanier :

> *Grand roi, cesse de vaincre, ou je cesse d'écrire...*
> *Encor si ta valeur, à tout vaincre obstinée,*
> *Nous laissait pour le moins respirer une année !...*
> *Mais à peine Denain et Limbourg sont forcés,*
> *Qu'il faut chanter Bouchain et Condé terrassés...*   (M.A.)

asyndète (n. f., du grec *a*, privatif, et *sundeïn*, « joindre »).
Absence de mot de liaison logique entre des groupes syntaxiques, des propositions, des phrases ou même des paragraphes. Exemple de Léon-Paul Fargue (*Poèmes*, 1912) :

> *Ho ! Qu'y a-t-il ? La rampe lumineuse monte. Les*
> *vapeurs du lac se résolvent. Un cratère de musique*
> *s'ouvre. Les tables chatoient de mets fleuris. La croûte*
> *d'un masque tombe : une bouche bien vivante mord*
> *la mienne. Une main inquiète et dont les bagues me*
> *blessent m'entraîne dans la danse !*   (M.A.)

▷ **collage, ellipse, parataxe, polysyndète.**

atticisme. Au sens strict, ce mot désigne la façon de parler
des Grecs originaires d'Athènes (l'Attique) : par extension,
Cicéron le présente comme le style des meilleurs orateurs
grecs classiques (Lysias, Isocrate, Démosthène). C'est un
style pur (du point de vue grammatical et lexical), qui
repose sur la clarté et la brièveté, en refusant toute amplification superflue. Toute sa valeur repose en fait, dans l'his-

toire de la rhétorique occidentale, sur le couple qu'il forme avec l'asianisme, auquel toutes ses caractéristiques l'opposent (Cicéron, *Brutus*). Au XVIIᵉ siècle, en France, le terme a été employé par les critiques pour décrire le style élégant et pur de la bonne langue française : à ce titre, il est l'exact équivalent du classicisme. (E.B.)

▷ asianisme, classicisme, galanterie, honnête homme, naturel, style simple, sublime.

aubade. Forme poétique de la fin du Moyen Âge (elle apparaît peu avant le XVᵉ siècle), qui se présente comme un chant prononcé par l'amant devant l'éveil de sa bien-aimée. Il ne faut pas la confondre avec la chanson d'aube. (D.B.)

▷ chanson d'aube.

audengière (n. f.). Poème parodique du XIIIᵉ siècle en laisses douzaines (suites de douze alexandrins monorimes) qui raconte les aventures ridicules d'un chevalier nommé Audengier ou Audigier. (M.A.)

▷ laisse.

auteur. La personne qui a écrit un ouvrage, littéraire ou autre : Flaubert est l'auteur de *Madame Bovary*. L'auteur se définit en termes juridiques : « droits d'auteur ». Il s'agit d'une notion plus compliquée qu'il n'y paraît. Certaines grandes œuvres littéraires n'ont pas d'auteur qu'on puisse désigner clairement : l'*Iliade*, l'*Odyssée* et nombre de grandes épopées médiévales sont dans ce cas. Des phénomènes d'intertextualité conduisent à problématiser au moins cette notion : Sade ou Lautréamont recopient des textes et les intègrent dans leurs œuvres.

L'originalité n'a pas toujours été une valeur. Différents jeux littéraires rendent délibérément impossible l'assignation d'un texte à un auteur : jeux sur l'anonymat, le pseudonyme, l'écart entre des pseudonymes différents. On a tendance parfois à confondre l'auteur avec le narrateur, le scripteur, voire le héros d'une œuvre et on devrait réserver, en toute rigueur, le terme d'auteur à certaines modalités de présence textuelles, « interventions d'auteur », « mots d'auteur ». Au théâtre, où la création est nécessairement collective, la notion d'auteur est encore plus problématique.   (P.F.)

▷ archi-énonciateur, autofiction, collage, narrateur.

autobiographie. Récit (généralement long et en prose) qu'un écrivain fait de sa propre vie ou d'une partie de sa vie. On considère souvent comme textes fondateurs du genre les *Confessions* de saint Augustin (vers 400) et celles de Jean-Jacques Rousseau (1782-1789). L'autobiographie serait aussi caractérisée par une revendication de véridicité, des gages de sincérité qui garantissent ce que l'on appelle avec Ph. Lejeune le « pacte autobiographique ». On tend d'ailleurs à réserver le terme d'« autobiographie » aux ouvrages où la composante psychologique et intime domine, tandis que l'appellation générique *Mémoires*, plus ancienne, est préférée pour les récits de vie où domine la réflexion politique et philosophique, où sont présentés des événements ou des actions dans leur contexte historique : *Mémoires* du duc de Saint-Simon (1694-1752), *Mémoires d'outre-tombe* (F.-R. de Chateaubriand, 1849-1850). L'autobiographie est considérée en France comme un genre littéraire majeur qui a donné de nombreux chefs-d'œuvre : *Si le grain ne meurt* (A. Gide, 1924), *Les Mots* (J.-P. Sartre, 1964), etc.   (G.P.)

▷ autofiction, journal intime.

autodiégétique. Dans la terminologie de G. Genette, est autodiégétique un narrateur qui raconte une histoire dont il est le personnage principal. Il s'agit donc d'un cas particulier de narration homodiégétique. Le narrateur d'*À la recherche du temps perdu* est autodiégétique ; celui du *Grand Meaulnes* (Alain-Fournier) ne l'est pas, puisqu'il conte d'abord l'histoire de son ami.   (G.P.)

▷ hétérodiégétique/homodiégétique.

autofiction. Mot-valise mêlant les termes « autobiographie » et « fiction », apparu à la fin du XXᵉ siècle pour
désigner des récits, généralement brefs, qui combinent
l'apparence de la fiction et des éléments de narration strictement autobiographiques. Un critère souvent retenu est
l'identité du nom de l'auteur et de celui du personnage
principal ; d'autres critères restent plus discutés, comme
l'emploi ou non de la première personne. Le prestige du
grand roman proustien (*À la recherche du temps perdu*,
1913-1927) peut expliquer l'importance de l'autofiction
en France ; mais la contestation moderne de la pertinence
de l'opposition entre fictif et effectif y est aussi pour beaucoup. On attribue souvent à l'écrivain français Serge Dou-
brovsky la paternité du mot et plusieurs de ses œuvres
peuvent être citées comme de bons exemples du genre
autofictionnel : *Fils* (1977), *Le Livre brisé* (1989).   (G.P.)
▷ **autobiographie, fiction.**

autonymie (ou emploi réflexif, en mention ou en autoréférence). On parle d'autonymie lorsqu'un mot est
employé non pas pour référer à un objet, une personne,
une notion, mais à lui-même en tant que mot : dans
« Guillaume est un joli garçon », où le premier mot renvoie à un être humain, on dira que le mot est employé
en usage ou en référence ; dans « *Guillaume* est un joli
prénom », le nom ne renvoie à aucun référent, mais se
désigne lui-même ; on parlera d'emploi en mention ou
en autoréférence ou d'emploi autonymique. Ce statut
particulier du mot est généralement marqué par l'italique
ou les guillemets. L'autonymie permet, par exemple, de
réduire le mot à son signifiant phonique ou graphique :
« *Guillaume* s'écrit avec un seul *m*. » Elle bloque alors
toute commutation synonymique : « Le frère de Ted est
un joli garçon » /*« Le frère de Ted rime avec *môme* » ;
« *Bouquin* est un mot familier » /*« *Livre* est un mot
familier ». Elle permet aussi de réduire un mot à son
signifié : « *Rêve* se dit *sogno* en italien. ». La possibilité
d'un emploi réflexif des mots est ce qui fonde toute
réflexion sur le langage : *Ce nom marin de* Rhumbs *a*

intrigué quelques personnes, – de celles, je pense, pour qui les dictionnaires n'existent pas. Le Rhumb est une direction définie par l'angle que fait dans le plan de l'horizon une droite quelconque avec la trace du méridien sur ce plan. Rhumb est français depuis fort longtemps. Voiture a employé ce mot (P. Valéry, *Rhumbs*, 1926).   (G.P.)

▷ **connotation autonymique, méta-énonciation, méta-langage.**

autoportrait. Description physique ou morale d'un locuteur par lui-même, qui peut prendre des formes variées (celle d'un entretien par exemple : J.-P. Sartre, « Autoportrait à soixante-dix ans », 1975, *Situations X*). Il s'agit souvent d'un exercice de style très littéraire. Certains autoportraits sont restés fort célèbres, comme celui de Montaigne au livre II des *Essais* : *Je suis d'une taille un peu au-dessous de la moyenne...* (XVII, « De la présomption »), même si l'on peut se demander si l'ensemble des *Essais* ne constitue pas une sorte d'autoportrait en mosaïque.   (G.P.)

▷ **éthopée,** *ethos.*

autoréférence. *Voir* autonymie.

avant-garde. Groupe d'écrivains, ou plus généralement d'artistes, qui se définissent par rapport à ceux qui les ont précédés, et marquent leur différence avec une vigueur et une cohérence doctrinale suffisantes pour être reconnus, comme ce fut le cas au début du XXᵉ siècle lorsque apparurent le futurisme ou le surréalisme. L'avant-garde suppose donc une rupture, par principe éphémère, qui se laisse déterminer par la place faite au nouveau (qui devient une valeur) bien plutôt qu'au moderne qui ne la définit pas. L'avant-gardisme peut ainsi prendre une valeur péjorative si le nouveau est recherché pour lui-même, et non pour un renouvellement authentique.   (M.J.)

▷ **dada, futurisme, modernité, surréalisme.**

avant-texte. Ensemble formé par les documents préparatoires d'une œuvre littéraire : fiches, brouillons, premiers jets, mises au net, épreuves corrigées, etc. L'étude de cet avant-texte est l'objet premier de la critique génétique.   (G.P.)

▷ **critique génétique**.

aventure. Terme central de la poétique médiévale, l'aventure est souvent nommée dans le prologue des œuvres narratives, quels que soient leur registre et leur longueur (romans, lais, fabliaux). Elle désigne le contenu narratif envisagé sous l'aspect de son déroulement, alors que le terme de « matière » suppose une saisie globale plus thématique que narrative. Elle constitue, dans le processus poétique, l'étape qui précède la *conjointure* (voir ce mot). Dans le processus médiéval de réécriture, elle représente donc la quintessence de ce que le texte hérite d'une tradition narrative (écrite ou orale). Au pluriel, les « aventures » sont l'ensemble des événements narratifs qui surviennent dans le cours de la diégèse. Dans le roman arthurien, l'aventure est l'objet même de la quête des chevaliers : bonne ou mauvaise, elle peut ne survenir que pour les seuls élus (*Queste del saint Graal*).   (D.B.)

▷ **chanson** d'aventures, *conjointure*, **roman** d'aventures.

B

baguenaude (n. f.). Poème médiéval fondé sur le non-sens, et dont la forme n'est pas fixe. Le plus souvent en octosyllabes, les vers de la baguenaude sont reliés par un système d'assonances et de contre-assonances assez fantaisistes. (M.A.)

ballade. Au Moyen Âge, genre poétique né de la chanson à refrain, au XIVe siècle, à la suite d'une contamination avec le chant royal auquel la ballade emprunte l'envoi. Poème de trois strophes terminées chacune par un refrain, et qui s'achève sur un envoi. Cette structure obéit à ce que D. Poirion appelle un « principe de rayonnement », chaque strophe ramenant à la même idée du refrain ; les éléments des strophes sont ainsi comme disposés autour d'un centre virtuel, à la manière d'une rosace. Selon les arts poétiques de la fin du Moyen Âge, chaque strophe doit « prouver et démontrer le refrain ». Les strophes ont de 6 à 14 vers de 4 à 10 syllabes : la variété des mètres est admise, mais dans une même ballade toutes les strophes doivent présenter la même structure. Il existe des « doubles ballades », formées de 6 strophes et d'un envoi. Originellement, la ballade provient du lyrisme popularisant à caractère chorégraphique (ballade vient de *baller*, « danser »). La ballade devient très vite une forme fixe et le véhicule par excellence de l'expression lyrique. Sa structure en trois volets symétriques autour du refrain est bien adaptée au jeu de variations qui caractérise le lyrisme médiéval. Dans la seconde moitié du XIVᵉ siècle, le genre se subdivise en « ballade amoureuse » et « ballade de moralité ». La première est fidèle à l'héritage courtois, tandis que la seconde s'inspire des mœurs du temps, des événements politiques, et se nourrit de réflexions généralement topiques sur la condition humaine, la destinée de l'homme et du monde. Chez Charles d'Orléans, la ballade est un instrument d'observation et d'analyse du monde intérieur du poète. Dans les milieux de cour, il a existé des « débats par ballades » : échanges poétiques autour d'un même thème. On a conservé 248 ballades de Guillaume de Machaut, et plus de 1 000 d'Eustache Deschamps. Le genre est encore pratiqué au début de la Renaissance. À la fin du XVIIIᵉ siècle, la ballade est un poème populaire sur un thème légendaire. Chez Hugo (*Odes et ballades*, 1826), la ballade est un poème strophique sans forme fixe.   (D.B.)

▷ **ballette, chant royal, envoi, refrain, rondeau, serventois.**

ballet de cour. « Danse figurée, à évolutions concertées, accompagnée d'une musique appropriée, souvent soutenue par un thème poétique, mythologique ou héroïque, interprétée par des danseurs de qualité dans un climat de faste inhabituel » (M.F. Christout). Le ballet de cour est né en Italie, au XVᵉ siècle. Il s'introduit en France à la fin du siècle suivant, le premier du genre étant le *Ballet Comique de la reine* (1581). Son âge d'or se place sous le règne de Louis XIV, grâce à la collaboration de Benserade pour les vers et de Lully pour la musique. À la même époque, Molière invente le genre de la comédie-ballet : à la fin de chaque acte est placé un ballet dont la musique est souvent de Lully.   (D.M.)

▷ **comédie-ballet, mythe.**

ballette. Forme lyrique médiévale à refrain, non fixe, à vocation chorégraphique, dont l'inspiration peut être courtoise, pieuse ou familière, et le locuteur féminin ou masculin. Certaines évoquent les conséquences de la mésalliance avec un « vilain ». Le ton est souvent celui de la confidence ou de la vie quotidienne.   (D.B.)

▷ **courtoisie, refrain.**

baroque (n. m.). Désigne, en littérature française, une période qui va de la fin de la Renaissance au début du classicisme. Ce terme est à l'origine un adjectif employé par les historiens allemands de l'art. Implanté en France dans les années 1930, le terme substantivé connut un usage élargi à la littérature, notamment à la suite des travaux de Jean Rousset (*La Littérature de l'âge baroque en France*, 1954). Son succès est dû à ce qu'il est vite apparu comme un pendant opératoire à la notion de classicisme. Les caractères principaux en sont l'irrégularité, la fluidité, la surprise (asymétries, jeux sur la perspective et l'illusion d'optique), ainsi qu'une métaphysique sombre (méditation sur la mort, constat de la vanité des choses humaines), le tout étant lié à une grande virtuosité formelle, au goût du *concetto* (le trait d'esprit aiguisé, la pointe finale du sonnet) qui donnent à l'expression littéraire un brio équivalent à l'architecture somptueuse et aux arts de la Contre-Réforme. Car le baroque est historiquement lié à un âge de crise religieuse suivi d'un âge de reconquête (la Réforme catholique, notamment telle qu'elle est diffusée par l'art et l'éducation de l'ordre jésuite). La vision d'un monde déchiré, mais promis au salut, est ainsi développée entre 1560 et 1660 par au moins deux générations de poètes, protestants ou catholiques (D'Aubigné, Du Bartas, Chassignet, puis Saint-Amant, Théophile ou Le Moyne) ; elle se retrouve au théâtre (*L'Illusion comique* de Corneille), et constitue sans doute un des plus séduisants éléments de l'unité artistique de l'Europe jusqu'à la guerre de Trente Ans. Les historiens récents ont, de plus, bien montré les survivances de cette esthétique en pleine période classique, notamment dans l'opéra, attestant ainsi l'idée qu'il existe un baroque éternel alternant avec un classicisme lui-même pluriséculaire.   (E.B.)

▷ asianisme, classicisme, *concetto*, gongorisme, marinisme, querelle des Anciens et des Modernes, sermon, style fleuri.

bas. *Voir* style bas.

batelée. *Voir* rime batelée.

battologie (n. f., du grec *Battos*, nom d'un roi de Cyrène qui était bègue, et *logos*, « discours »). Répétition oiseuse des mêmes pensées sous les mêmes termes (Littré). Exemple :

PIERROT : – *Aga, guien, Charlotte, je m'en vas te conter tout fin drait comme cela est venu ; car, comme dit l'autre, je les ai le premier avisés, avisés le premier je les ai.*
(Molière, Dom Juan, II, 1.)

(M.A.)

▷ redondance.

belles infidèles. *Voir* traduction littéraire.

Belles-Lettres. Cette expression, qui date du XVIIᵉ siècle, désigne traditionnellement la connaissance de la grammaire, de la rhétorique, de la poésie et de l'histoire ; elle est liée notamment à l'appellation institutionnelle (Académie des Inscriptions et Belles-Lettres), et son domaine correspond à celui des « humanités », qui recouvre donc le champ des textes de l'Antiquité classique. C'est pourquoi elle comportait aussi, à l'origine, la philosophie, et les textes savants en général. Mais au cours du XVIIIᵉ siècle, elle tend peu à peu à désigner tous les ouvrages qui sont des modèles d'élocution, et de moins en moins ceux qui ont aussi pour but le savoir. Le mot « littérature » supplantera peu à peu l'expression « Belles-Lettres », pour ne lui laisser qu'une connotation d'esthétisme formel et un peu gratuit.   (E.B.)

▷ éloquence, philologie, querelle des Anciens et des Modernes, rhétorique.

bellettrisme. Terme dérivé de « Belles-Lettres » : désigne une manière affectée et un peu désuète d'écrire, qui se préoccupe plus des mots que des choses.   (E.B.)
▷ **Belles-Lettres.**

bergerette. Poème pastoral en vogue au XVe siècle, qui célébrait l'arrivée du printemps. La bergerette se compose de cinq strophes, la première jouant le rôle d'un refrain répété en troisième et cinquième positions.   (M.A.)

bestiaire (n. m.). Au Moyen Âge, forme littéraire juxtaposant des articles consacrés à toutes sortes d'animaux réels (lion, renard, castor...) ou fantastiques (basilic, sirène, phénix...), dans lesquels les traits physiques et les traits de mœurs attribués à l'animal reçoivent ensuite une interprétation allégorique qui fait appel à des références bibliques. Le grand principe d'organisation est l'opposition entre valeurs christiques et anti-valeurs diaboliques. Les bestiaires en langue vulgaire sont des traductions de modèles latins, eux-mêmes issus de traditions multiples rattachées au *Physiologus* grec, texte anonyme du IIe siècle ap. J.-C. Le plus ancien bestiaire en français est celui de Philippe de Thaon (composé entre 1121 et 1135) ; celui de Pierre de Beauvais est l'un des tout premiers témoignages de la prose française (avant 1206). Certains articles peuvent être consacrés à des pierres ou à des oiseaux.   (D.B.)
▷ **allégorie, lapidaire, plantaire, volucraire.**

bible. Au Moyen Âge, ce terme désigne deux types d'œuvres : d'une part, des traductions partielles de la Bible en langue vulgaire ; d'autre part, des textes moralisateurs sur les « états » du monde, c'est-à-dire les vices de la société (le mot est alors à prendre en son sens étymologique de « livre » : ainsi de la *Bible Guiot* et de la *Bible au seigneur de Berzé*, au XIIIe siècle).   (D.B.)
▷ **dit, états du monde.**

bienséance(s). Ce qui est considéré comme convenable, décent par le public de théâtre des XVIIᵉ et XVIIIᵉ siècles. Ce terme de poétique apparaît dès le milieu du XVIᵉ siècle, mais son importance ne s'affirme véritablement que vers 1630-1640. Le respect des bienséances (on emploie plus souvent ce terme au pluriel) est une règle du théâtre classique. Il est plus facile du reste de dire ce qui choque les bienséances (le meurtre ou le sang sur la scène, l'obscénité, etc.) que de les définir positivement : en tout état de cause, comme les bienséances constituent une règle d'accord entre la pièce et son public, elles évoluent dans le temps. Mais bienséance est aussi employé souvent comme synonyme de vraisemblance : il s'agit alors de marquer une convenance interne de la pièce, comme l'accord entre un personnage, son discours, ses mœurs et l'époque historique qui sert de référence à la fiction ; la bienséance exige qu'Auguste ou Néron parlent en Romains. Dans ce sens, Marmontel préfère le terme de convenances. (P.F.)

▷ classicisme, vraisemblance.

binaire. Adjectif qui qualifie toute structure linguistique ou poétique où deux éléments sont liés de manière récurrente. Il peut s'agir d'éléments rythmiques (cas de l'alexandrin binaire 6/6), de syntagmes coordonnés ou juxtaposés, mais on parle aussi de binarité dans le cas d'une période où protase et apodose s'équilibrent nettement.

Exemple de ces deux vers de Germain Nouveau, tous deux fortement binaires :

> *Aimez bien vos amours ; aimez l'amour qui rêve*
> *Une rose à la lèvre et des fleurs dans les yeux.*
> *(La Doctrine de l'amour.)* (M.A.)

▷ antithèse, asyndète, chiasme, polysyndète, ternaire.

biocatz. *Voir* rimes biocatz.

biographie chevaleresque. Ce terme a été introduit récemment dans le vocabulaire de la médiévistique. Il désigne des textes relevant de poétiques différentes (en vers ou en prose), mais ayant en commun leur objet : raconter, de façon plus ou moins romancée, les événements marquants d'un personnage historique qui s'est illustré par ses exploits chevaleresques. La plus ancienne est l'*Histoire de Guillaume le Maréchal* (début XIIIe siècle) ; la période la plus fertile fut le XVe siècle (*Histoire des seigneurs de Gavre*). Ce genre (qui n'en est peut-être pas un : son existence est discutée) prend place au carrefour de l'historiographie, du roman (peinture courtoise de l'amour, service de la Dame), et de la chanson de geste, dont il cultive la thématique épique et dont il adopte exceptionnellement la forme (*Chanson de Bertrand du Guesclin*, XIVe siècle).   (D.B.)

▷ **chanson de geste, chevaleresque (idéologie), courtoisie.**

blâme. Dans le classement des genres rhétoriques, le blâme appartient au genre épidictique (démonstratif), qui a en charge les valeurs (beau/laid) ; le blâme est la partie qui consiste à dénoncer les vices : ses procédés sont l'exact contraire de ceux qui servent à l'éloge, avec notamment les figures de la dépréciation, comme la tapinose, ou l'éloge paradoxal. Le blâme est le régime rhétorique qui correspond le mieux aux genres de la satire, du pamphlet, et de la polémique en général.   (E.B.)

▷ **astéisme, démonstratif, éloge, pamphlet, satire.**

blanc. *Voir* vers blanc.

blason. Genre poétique mis en vogue au XVIe siècle par Clément Marot. C'est une pièce en vers généralement courts à rimes plates destinée à faire un éloge, généralement pour louer le corps féminin, mais pas toujours. Voici un extrait d'un « Blason du corps féminin » du poète contemporain René Depestre (*Journal d'un animal marin*, 1964) :

> *Hanches, tracteurs joyeux*
> *Qui savent monter à l'assaut*
> *Des meilleures terres de notre sang.*   (M.A.)

▷ **contre-blason.**

bocage. Au XVIe siècle, le mot désigne un recueil de
poésies mêlées, de tons et de formes différents. Il est
l'équivalent du latin *silva*, choisi par le poète latin Stace
(fin du Ier siècle ap. J.-C.) comme titre de l'un de ses
recueils (*Silvae*), et repris par l'humaniste Politien puis,
au XVIe siècle, par le poète néolatin Jean Second. L'équivalent italien est *Selve* : titre d'un recueil de Laurent le
Magnifique. Ronsard s'est servi plusieurs fois du mot
« Bocage ». Celui de 1554 rassemble des « Vœux », des
« Épitaphes », des « Blasons » et des « Odelettes ». En
1584, sous le titre de *Bocage royal*, le chef de la Pléiade
fait paraître des pièces adressées aux rois, aux princes et
aux grands de ce monde. La vogue du mot et du genre
correspond au goût de la Renaissance pour la *varietas*,
dont un autre aspect se trouve dans les « grotesques »,
appréciés par Montaigne. Les plaisirs du « bocage » étant
peu conformes aux principes du classicisme, le mot disparaît du vocabulaire littéraire au XVIIe siècle.   (D.M.)
▷ **humanisme, Pléiade.**

bohème. À l'époque romantique, à partir de la réputation de marginaux faite aux bohémiens ambulants, on
utilisa le nom de bohème (généralement sans majuscule
ni accent circonflexe en l'absence de référence géographique) pour désigner ce qui était une province du rêve
autant que le comportement d'une frange de la jeunesse.
L'*Histoire du roi de Bohême et de ses sept châteaux* de
Charles Nodier (1830) en désigne le pôle imaginaire, à
la fois fantaisiste et allégorique ; la nouvelle de Balzac *Un
prince de la bohème* (1840) présente la bohème à la mode
des fils de famille provisoirement sans le sou, mais élé-
gants et attendant les hautes charges dont ils seraient
dignes ; dans ses *Petits Châteaux de Bohême*, Gérard de
Nerval (reprenant en volume en 1853 des textes publiés
l'année précédente sous le titre *La Bohême galante*)
évoque avec nostalgie sa jeunesse et ses premiers poèmes,
comme si la bohème appartenait déjà au passé. Henri
Murger, présentant ses célèbres *Scènes de la vie de bohème*
(1848), y voit une étape inévitable de la vie artistique.

Non sans quelque ironie, Rimbaud reprendra le thème,
qui ne cesse d'être chanté.   (Y.V.)
▷ **cénacle, dandysme, fantaisie, Jeune-France, romantisme.**

boulevard. *Voir* théâtre de boulevard.

bourdon. En codicologie, on appelle bourdon une faute
de copiste qui consiste en un saut du même au même :
dans l'original, un même mot ou un même groupe de
mots apparaissait deux fois à quelques lignes ou quelques
vers de distance, et le regard du copiste a par erreur glissé
de l'un à l'autre en omettant l'entre-deux.   (D.B.)
▷ **codex, manuscrit médiéval.**

bousingot. *Voir* Jeune-France.

bout-rimé. Court poème composé sur des rimes données
à l'avance : jeu littéraire de salon très à la mode du
XVIIᵉ siècle au XIXᵉ siècle. Le pluriel, bouts-rimés, désigne
ces rimes ainsi distribuées.   (M.A.)

branche. Au Moyen Âge, ce terme désigne un texte qui
forme un tout narratif, mais demande à être rattaché à
un ensemble plus vaste. C'est le cas principalement du
Roman de Renart, dont la « matière » – les exploits et
méfaits du goupil – constitue le tronc duquel se déta-
chent ces ramifications que sont les aventures particulières du héros. Le terme est également employé pour
désigner les chapitres d'un roman, le *Perlesvaus* (début
XIIIᵉ siècle), les grandes parties du *Roman d'Alexandre*
d'Alexandre de Bernay (1180), ainsi que pour servir de
titre à une chronique, la *Branche des royaux lignages* de
Guillaume Guiart (début XIVᵉ siècle), qui relate l'histoire
des rois de France de Philippe Auguste à 1307. La critique l'emploie habituellement pour désigner les parties
successives, narrativement indépendantes, de certaines
chansons de geste comme le *Couronnement de Louis*. Le

terme de branche désigne donc une forme d'indépendance dans l'interdépendance.   (D.B.)

▷ *conjointure*, conte, roman (au Moyen Âge).

Bretagne. *Voir* matière de Bretagne.

brisée. *Voir* rime brisée.

burlesque. Ce mot vient de l'italien *burlesco*, « comique,
plaisant » ; il désigne, en France, au XVIIᵉ siècle, un style
reposant sur le contraste des tons : le poète fait parler des
héros tragiques ou épiques comme des personnages de
comédie, en utilisant un registre lexical bas et vulgaire
par rapport à la langue élevée traditionnelle. Le cœur du
procédé repose donc sur une distorsion de la hiérarchie
traditionnelle des styles, telle que la définissait Aristote
dans sa *Poétique* : selon lui, chaque personnage devait
parler dans un style conforme à son rang (style élevé dans
la tragédie, qui met en scène des princes ; style bas dans
la comédie, qui met en scène des bourgeois). Le procédé
est donc très efficace du point de vue de la critique littéraire et il a joué un grand rôle dans la genèse de nouvelles
formes. Au XVIIᵉ siècle notamment, alors que l'esthétique
d'ensemble repose sur la mémoire et l'imitation, la parodie est vite apparue comme un genre privilégié. Saint-
Amant (1594-1661) s'inspire des burlesques italiens en
1643 dans *La Rome ridicule*. C'est dans cette lignée que
Scarron entreprend son *Virgile travesti* (1648-1653), qui
est une traduction-adaptation burlesque de l'*Énéide* de
Virgile. Certains critiques condamnèrent les excès du
genre, et tentèrent d'en définir une poétique tempérée,
susceptible de plaire au goût mondain. Ainsi compris, le
burlesque a persisté à l'époque classique, sous la plume
de Boileau (*Arrêt burlesque*, *Le Chapelain décoiffé* et *Le
Lutrin*), et, de façon plus subtile, mais omniprésente,
dans les *Fables* de La Fontaine. Au XVIIIᵉ siècle, le *Télémaque travesti* (1715) de Marivaux, mais aussi les effets
plaisants de contraste que Montesquieu introduit dans
ses *Lettres persanes* sont autant d'avatars du burlesque,

dont le caractère corrosif plaît tant à l'esprit des
Lumières. Le XIXᵉ siècle, après avoir loué le goût du grotesque (Gautier, Hugo) et fait du mélange des tons une
esthétique (Musset), rend au burlesque ses lettres de
noblesse avec la modernité (de Rimbaud au surréalisme,
en passant par Laforgue et Apollinaire).   (E.B.)

▷ **baroque, imitation, parodie,** *spoudogeloion.*

C

cabale. Ce nom, emprunté à l'hébreu, signifie manœuvres secrètes et concertées d'un groupe de personnes qui souhaitent faire réussir ou, le plus souvent, échouer une personne, un livre, une pièce de théâtre, une idée, un projet, mais il désigne aussi le groupe de personnes qui se réunissent dans ce dessein. Dans le domaine du théâtre tout particulièrement : « Conspiration ourdie dans le but de préparer et provoquer la chute d'une pièce de théâtre » (Pougin).   (P.F.)

cadence (de l'italien *cadenza*, « chute d'une phrase, rythme »). Désigne une proportion entre constituants de phrase, syntagmes, propositions, ou encore entre mètres, pour produire des effets de rythme, en particulier dans les clausules.   (M.A.)
▷ cadence majeure, cadence mineure, rythme.

cadence majeure. On parle de cadence majeure quand le rapport entre les groupes est croissant. Par exemple, une phrase périodique a une cadence majeure quand une protase brève est suivie par une apodose longue.   (M.A.)
▷ cadence, cadence mineure, période, rythme.

cadence mineure. On parle de cadence mineure quand le rapport entre les groupes est décroissant : une phrase

périodique a une cadence mineure si la protase est nettement plus longue que l'apodose.   (M.A.)

▷ cadence, cadence majeure, période, rythme.

cadencée. *Voir* prose cadencée.

calembour (XVIIIe siècle ; peut-être du néerlandais *kallen*,
« bavarder », et de l'ancien français *bourde*, « mensonge,
plaisanterie »). Jeu de mots qui rapproche des signifiants
semblables correspondant à des signifiés différents. Par
exemple, Raymond Queneau, au début de *Zazie dans le
métro*, évoque plaisamment le parfum de Gabriel : *Barbouze, de chez Fior*. Le mot *Barbouze* est un calembour :
il signifie en argot « agent secret », et rassemble les mots
barbe et *bouse*.   (M.A.)

▷ antanaclase, cratylisme, homéotéleute, homonymie,
   homophonie, paronomase, rime, signe linguistique.

calligramme (n. m.). Forgé par Apollinaire en 1918 en
agglutinant calligraphie et idéogramme (grec *kallos*,

```
                    S
                    A
                   LUT
                    M
                   O N
                   D E
                  DONT
                 JE SUIS
                 LA LAN
                 GUE É
                LOQUEN
              TE QUE SA
               BOUCHE
               Ô   PARIS
             TIRE ET TIRERA
             TOU      JOURS
            AUX        A L
            LEM        ANDS
```

« beau », et *gramma*, « lettre ») pour nommer certains poèmes du recueil qui porte ce titre. Poème qui, par l'agencement de l'écriture, forme un dessin. Le calligramme s'inscrit dans une tradition très ancienne qui remonte à Théocrite et aux poètes alexandrins et qui a ressurgi à la Renaissance sous le nom de « vers figurés » (*carmina figurata*). Exemple : le calligramme d'Apollinaire en forme de tour Eiffel de la page précédente.   (M.A.)
▷ idéogramme lyrique.

canon (du grec *kanôn*, « tige de roseau », « règle longue et droite »). Ensemble des livres de la Bible dont on admet qu'ils ont été inspirés par Dieu ; pour les philologues d'Alexandrie, ensemble des œuvres authentiques d'un auteur à qui sont parfois également attribués des textes apocryphes, mais aussi ensemble des auteurs que l'on considère comme des modèles. C'est ce dernier sens qui prévaut dans le domaine littéraire où le canon désigne les œuvres que chaque époque définit tacitement comme majeures en en faisant un objet de commentaire critique et d'enseignement. Le canon recoupe donc à peu près l'ensemble des œuvres « classiques » au sens large, c'est-à-dire consacrées par l'admiration.   (M.J.)
▷ classique, esthétique de la réception, fortune de l'œuvre.

canso (n. f.). Forme poétique de base des troubadours, avec à chaque fois une mélodie nouvelle, et qui a pour thème l'amour courtois. Elle comporte des couplets sans refrain, parfois sur des rimes diverses, parfois sur des rimes identiques pour toutes les strophes (*coblas unisonans*), suivis d'une sorte d'envoi (*tornada*). Voici le premier couplet d'une *canso* attribuée à Jaufré Rudel :

> *Lai can li jorn son lonc en may*
> *M'es bel dos chans d'auzels de lonc,*
> *E can mi soi partitz de lay*
> *Remenbra.m. un amor de lonh.*
> *Vau de talan enbrons e clis*
> *Si que chans ni flors dels bels pis*
> *No.m val pus que l'yvern in glatz.*

[En mai, quand les jours sont longs,
il m'est doux et beau le chant des oiseaux au loin
et quand je suis parti de là
je me souviens d'un amour au loin.
Je vais, accablé et courbé de désir
si bien que chant ni fleur du beau pin
ne me disent pas plus que l'hiver glacé.]   (M.A.)

▷ **chant courtois**, *cobla*, **envoi**, *tornada*, **trobar clus** et *trobar leu.*

cantilène. Terme employé par la critique en médiévistique pour désigner des poèmes qui auraient été composés en langue vulgaire, aux époques mérovingienne et carolingienne, dans une forme de type lyrique sur des sujets épiques, et où se seraient exprimées, selon G. Paris (fin XIXe siècle), les premières manifestations populaires du sentiment national. Elles auraient été les ancêtres des chansons de geste. Cette hypothèse est aujourd'hui abandonnée. Des chroniques carolingiennes en latin emploient le terme de *cantilena* pour désigner une activité poétique en langue vulgaire qui n'a par ailleurs pas laissé de traces écrites.   (D.B.)

▷ **chanson de geste, individualisme, traditionalisme.**

canzoniere (n. m., de l'italien *canzone*, « chanson » et *canzoniere*, « recueil de chansons » ; on traduit parfois par « chansonnier »). Le terme a été employé très tôt (dès le XVe siècle) pour désigner l'œuvre poétique en italien de Pétrarque consacrée à Laure, et c'est le titre sous lequel le recueil est publié au XVIe siècle. En fait le recueil de Pétrarque s'intitulait *Rerum vulgarium fragmenta* (fragments en langue vulgaire) ou *rime sparse* (vers épars), ce qui indiquait l'idée de dispersion et aussi de recueil de fragments antérieurs. De plus, ces poèmes n'étaient pas destinés à être chantés, quoiqu'ils l'aient été très tôt, et la chanson (*canzone*) n'est qu'une des nombreuses formes qui constituent le recueil de Pétrarque. Ce qui prévalait était le fait que des pièces disparates fussent rassemblées dans une totalité ordon-

née *a posteriori*. La critique, en Italie et en France, l'utilise dorénavant pour désigner un recueil de poèmes d'amour composé comme un tout autour de la célébration d'une seule entité féminine ou d'une seule femme. Les définitions sont plus ou moins larges (recueil de poèmes d'amour, ou recueil de poèmes de résonance pétrarquiste et néoplatonicienne, ou recueil de poèmes de tonalité mélancolique, etc.). Le plus souvent les *canzonieri* français (qui ne portent jamais ce titre) sont des recueils de sonnets, même s'ils contiennent quelques poèmes parfois intitulés « chansons ».   (M.A.)
▷ néoplatonisme, pétrarquisme.

captatio benevolentiae. *Voir* exorde *et* incipit.

caractère. Ensemble de traits psychologiques et de comportement qui distinguent un personnage, d'où personnage de théâtre. L'avare, le misanthrope, le jaloux sont des caractères. Le mot, originaire du grec ancien (*kharakter*) où il signifie « entaille », « signe marqué », est vieilli dans ce sens, mais lexicalisé aussi en anglais, en allemand et en espagnol. Il est utilisé pour traduire *ethos* dans la *Poétique* d'Aristote, où il reçoit une définition qui n'est guère précise : selon une opposition discrète avec *muthos*, la « fable », le caractère est soumis à l'action qu'il manifeste. C'est un ensemble de déterminations, liées aux paroles et aux actions, qui caractérisent celui qui agit, le personnage. Par extension, caractère est synonyme de personnage et le terme, de plus en plus nettement à partir du XVIIe siècle, désigne le contenu psychologique et moral distinctif de chaque personnage. Dans le système dramatique des XVIIe et XVIIIe siècles, le mot correspond cependant aussi à une façon d'élaborer les personnages à partir de traits distinctifs accentués qui les individualisent dans la tragédie et en font des types généraux dans la comédie, qui opposent les personnages élevés de la tragédie, avec leurs passions hypertrophiées, aux personnages bas de la comédie. La comédie de caractère : ce système dramatique est analysé et critiqué par Diderot, puis par Lessing.

Diderot oppose les caractères aux conditions (le juge, le commerçant, le financier) et aux relations (le père de famille) qui définissent le personnage par son état social. Aux XIXe et XXe siècles, le caractère prend une dimension psychologique de plus en plus nette et la notion se démode avec le théâtre auquel elle est liée.   (P.F.)

▷ **actant, chœur, comédie, drame, drame bourgeois, personnage de théâtre, tragédie.**

carnavalesque. Registre caractérisé, au Moyen Âge et à la Renaissance, par des structures mentales, thématiques et rhétoriques caractéristiques de l'institution du Carnaval et, plus anciennement, de la fête des Fous et de la fête de l'Âne. Le terme est emprunté aux traductions françaises des œuvres de M. Bakhtine consacrées aux formes populaires du rire à la Renaissance, et en particulier chez Rabelais. Le principe du carnavalesque est l'inversion systématique du haut et du bas, du devant et du derrière, le détrônement bouffon, la promotion des valeurs du corps contre celles de l'esprit : nourriture, boisson, sexualité. Le but de ces inversions et de ce retour au « bas corporel » est de détruire symboliquement un ordre sclérosé pour le régénérer : il n'a rien de révolutionnaire. Le maniement de ce concept est particulièrement délicat et suscite toujours des controverses.   (D.B.)

▷ **confrérie, fabliau, fatras, fatrasie, sermon joyeux, sottie.**

carré sémiotique. Le carré d'Aristote ou carré sémiotique est une représentation des relations logiques qu'entretient toute proposition avec des propositions contraires ou complémentaires. Ainsi, une proposition A (exemple : « Tous les hommes sont mortels ») s'oppose à une proposition B (« Aucun homme n'est mortel »), mais entretient aussi des relations logiques avec non-A (« Il est faux de dire que tous les hommes sont mortels » = « Certains hommes ne sont pas mortels ») et non-B (« Il est faux de dire qu'aucun homme n'est mortel » = « Certains hommes sont mortels »). Ces quatre propositions forment

un carré A, B, non-A, non-B, qui constitue la structure élémentaire des relations logiques. Les textes littéraires parcourent souvent chacun des quatre pôles du carré pour mettre en jeu un dynamisme dialectique ; c'est le cas par exemple de la tragédie classique quand elle est construite sur une structure du type : avoir le droit d'aimer / ne pas avoir le droit d'aimer / avoir l'obligation d'aimer / ne pas avoir l'obligation d'aimer.   (G.P.)
▷ **sémiotique littéraire.**

carrée. *Voir* strophe carrée.

Cartel des Quatre. Institution théâtrale d'entraide fondée en 1927 par quatre metteurs en scène, Gaston Baty, Charles Dullin, Louis Jouvet et Georges Pitoëff pour promouvoir un théâtre littéraire. Ils portent à la scène aussi bien les classiques que les dramaturges étrangers, mais également de nouveaux auteurs, Anouilh, Cocteau, Giraudoux ou bien Jules Romains.   (M.J.)

catachrèse (n. f., du grec *katakhrèsis*, « usage, emploi », mais aussi dès Aristote, en rhétorique, « emploi d'un mot en un sens abusif »). Figure par laquelle un mot désigne, par métaphore (cas le plus fréquent), métonymie ou synecdoque, une chose pour laquelle la langue n'a pas de mot propre. Par exemple les « pieds » d'une chaise, les « bras » d'un fauteuil.   (M.A.)
▷ **image, métaphore, polysémie, trope.**

cataphore (n. f.). Mécanisme symétrique de l'anaphore, il y a cataphore (ou référenciation cataphorique) lorsqu'un groupe nominal, un pronom... renvoie à un élément qui se trouve « plus bas » (grec *kata*) dans le texte. C'est le cas de « ce langage » dans *Maître Renard [...] lui tint à peu près ce langage : « Et bonjour... »* (La Fontaine, *Fables*) ; le groupe nominal « ce langage » introduit ce qui va suivre. L'emploi de tournures cataphoriques donne souvent une certaine solennité au propos. Dans la phrase : « Laisse-moi te dire ceci : [...]. Et retiens bien tous ces conseils », le pronom démonstratif « ceci » est cataphorique, tandis que le groupe nominal « ces conseils » est anaphorique.   (G.P.)

▷ **anaphore, chaîne de référence, cohérence/cohésion, progression thématique.**

catastrophe. Du grec *katastrophè*, « retournement complet », la catastrophe était la quatrième et dernière partie des tragédies grecques, après la protase, l'épitase et la catastase. Le terme est utilisé chez les poéticiens et dramaturges français à l'époque classique. La catastrophe est le changement complet qui arrive à la fin de l'action d'une pièce de théâtre et qui la termine. Elle peut se confondre avec la péripétie, le dénouement ou n'en constituer qu'un aspect. Dès la fin du XVIIIe siècle, le mot ne s'applique plus, en général, qu'à des dénouements tragiques et sanglants, alors qu'on parlait auparavant de « catastrophe heureuse » aussi bien que de « catastrophe tragique ».   (P.F.)

▷ **dénouement, fable, intrigue, nœud, péripétie.**

catharsis (n. f.). Mot grec signifiant « purification, épuration, purgation » et utilisé par Aristote dans sa définition de la tragédie. Il désigne l'effet du spectacle tragique. La tragédie « suscitant pitié et crainte, opère la purgation propre à pareilles émotions ». Cette notion a suscité de très nombreuses controverses, si bien qu'il n'est guère possible de la définir sans se rallier à une interprétation, et l'histoire de ces interprétations est évidemment étroitement liée à celle des conceptions de la tragédie. Aux XVIIe et XVIIIe siècles, on traduit le terme par purgation des passions et on l'interprète tantôt dans le sens moral ou esthétique de « modération » des passions, tantôt dans un sens complètement moralisateur de « purification ». La tragédie opérerait une cure morale chez le spectateur. On s'avise plus rarement qu'Aristote applique ce terme à la terreur et à la pitié et on l'interprète alors comme désignant l'effet de la tragédie sur le spectateur qui ressent un sentiment de crainte et de pitié sans pour autant éprouver les affects désagréables qui, dans la vie, accompagnent ces deux impressions. Cette dernière interprétation marque les traductions des XIXe et XXe siècles et se trouve en général reprise au prix de diverses adaptations chez les théoriciens du théâtre et de la tragédie (Nietzsche, Brecht). Depuis la seconde moitié du XXe siècle, on reprend en général le terme grec sans le traduire et, sous l'influence de Freud, on désigne par catharsis le fait de revivre une situation en vue de l'élimination d'affects pathogènes qui lui sont attachés. Le théâtre est alors investi d'une fonction de cure psychiatrique homéopathique. Cette conception marque de nombreuses expériences théâtrales des trente dernières années du XXe siècle. (P.F.)

▷ pitié, terreur, tragédie.

cauda (n. f.). Dans la poésie des troubadours, et en particulier dans la *canso*, chaque strophe est composée d'une première partie nommée *frons* et d'une seconde, de structure plus libre, appelée *cauda* (en latin : « queue »).

(D.B.)

▷ *canso, frons*, strophe, troubadour.

cénacle. À la fois « chapelles » littéraires et groupes militants, les cénacles romantiques furent des lieux de réunions où la jeune génération s'organisa en vue de promouvoir, contre le classicisme et l'Académie, les principes de la nouvelle esthétique. Le salon des frères Deschamps dès 1819, celui de Charles Nodier à la Bibliothèque de l'Arsenal entre 1824 et 1830 jouèrent ce rôle. Mais le Cénacle par excellence fut celui qui regroupa entre 1827 et 1830, autour de Victor Hugo et de Sainte-Beuve, alors voisins rue Notre-Dame-des-Champs, de jeunes poètes et artistes nommés Musset, Gautier, Dumas, Nerval, Delacroix... Aux lendemains de la révolution de Juillet, un Petit Cénacle réunit des Jeunes-France dans l'atelier du sculpteur Jehan Duseigneur et autres lieux. On y retrouve Nerval et Gautier ainsi que

des « petits romantiques » comme Philothée O'Neddy et
Pétrus Borel.   (Y.V.)
▷ art pour l'art, bohème, drame romantique, Groupe de
Coppet, Jeune-France, romantisme.

centon (n. m., du latin *cento*, « habit fait de plusieurs
morceaux »). Pièce de vers ou de prose composée, à la
manière d'un patchwork, d'éléments empruntés. Le mot
sert aussi à désigner les emprunts eux-mêmes.   (M.A.)
▷ collage.

cercle herméneutique. *Voir* herméneutique.

césure (n. f., du latin *caesura*, « coupure »). Point fixe
de partage des hémistiches dans les vers de plus de huit
syllabes. De Ronsard à Banville, nombre de poètes l'ont
ressentie et indiquée comme un repos. C'est en tout cas
un lieu structurel comparable à la fin de vers. Prenons
l'exemple de l'alexandrin. Dans la poésie classique et traditionnelle, il n'y a jamais d'*e* non élidable dans les syllabes qui entourent la césure. Trois cas peuvent se
présenter (les vers sont de Laforgue) :
– après finale absolue non muette de mot plein :

  Et depuis les Toujours, // et vers l'Éternité

– après monosyllabe accentué :

  Que Tout se sache seul // au moins pour qu'il se tue !

– après un *e* final élidé devant voyelle du mot suivant :

  Oh ! qu'il n'y ait personn(e) // et que Tout continue !

Les mots de césure, comme les mots de rime, ont un
statut particulier dans la poésie traditionnelle : ce sont
obligatoirement des mots qui portent l'accent (des « mots
pleins »).

Les romantiques ont osé couper par la césure des
groupes grammaticaux solidaires, et donc Laforgue n'est
pas particulièrement novateur quand il fait passer la
césure
– après une préposition :

> *Je me suis perdu par // mes grands vingt ans, ce soir*

— entre le déterminant et le substantif :

> *Fleuve à reflets, où les // deuils d'Unique ne durent*

— entre le substantif et son épithète :

> *Où je brûlais de pleurs // noirs un mouchoir réel,*

Une audace qui date d'un peu avant 1870 fait passer la césure à l'intérieur d'un mot :

> *Dans leurs incessants vor//tex de métamorphoses*

Peu à peu, le soulignement de la césure par l'articulation syntaxique a pu ainsi s'effacer, ce qui n'enlève pas à la césure sa position métrique remarquable. Les poètes modernes et contemporains réutilisent également des césures pratiquées au Moyen Âge (dites enjambante, épique, lyrique : voir ci-dessous) sur des positions d'*e* bannies dans la prosodie traditionnelle. (M.A.)

▷ accent, apocope, césure enjambante, césure épique, césure lyrique, concordance/discordance, coupe, *e* caduc, hémistiche, mètre, rythme, strophe, syncope, vers libéré.

césure enjambante. On parle de césure enjambante dans le cas d'un *e* final non élidable dans la syllabe qui suit la césure. Exemple de Laforgue :

> *Et buvant les étoi // les à même : « ô Mystère !* (M.A.)

▷ césure, césure épique, césure lyrique.

césure épique. La césure épique correspond à l'apocope d'un *e* final non élidable en fin de premier hémistiche, donc dans la syllabe qui précède la césure. Le cas est relativement rare. Exemple de ce décasyllabe 5/5 de Jules Supervielle :

> *Montagnes derrièr(e), // montagnes devant.* (M.A.)

▷ césure, césure enjambante, césure lyrique.

césure lyrique. Il y a césure lyrique quand le premier hémistiche se termine par un *e* final non élidable et prosodiquement compté. Exemple de ce décasyllabe 4/6 d'Émile Verhaeren :

D'un coup brusque // le gouvernail cassa.   (M.A.)
▷ césure, césure enjambante, césure épique.

chaîne de référence. On appelle chaîne de référence
(ou chaîne anaphorique) l'ensemble des expressions
(noms, pronoms, déterminants...) qui, dans un texte,
renvoient à un même référent. Les chaînes de référence
assurent donc en partie la cohésion d'un texte et sont
traditionnellement l'occasion d'un complexe travail stylistique : *Étant le Fils de Dieu, Jésus connaissait tout, / Et
le Sauveur savait que ce Judas, qu'il aime, / Il ne le sauvait
pas...* (Ch. Péguy, *Jeanne d'Arc*, 1897).   (G.P.)
▷ **anaphore, cataphore, cohérence/cohésion, progression
thématique.**

champ lexical. *Voir ci-dessous* champ sémantique.

champ sémantique. Un texte exploite un champ
sémantique lorsqu'il utilise un certain nombre de mots
qui ont au moins un trait sémantique en commun, lorsqu'ils renvoient à des réalités concrètes ou abstraites liées
entre elles ; ces vers d'É. Verhaeren contiennent ainsi plusieurs mots appartenant au champ sémantique de la mer
et de la marine : *Quand se gonflent, aux vents atlantiques,
les voiles / Et que vibrent les mâts et les cordages clairs* (*La
Multiple Splendeur*, 1906). On emploie aussi l'expression
de champ lexical, même si cette dernière est parfois réservée à des séries de mots formés sur le même radical
(*Marins, qui partez sur la mer, ibid.*). Quand le trait
sémantique commun à plusieurs termes est plus ténu,
en filigrane, ou seulement très secondaire (s'il s'agit par
exemple de la réactivation d'un champ métaphorique
figé), l'analyse littéraire préfère parler d'isotopie.   (G.P.)
▷ **isotopie, lexique.**

chanson d'aube. Au Moyen Âge, poème lyrique du type
de la chanson de femme, faisant intervenir jusqu'à quatre
personnages : la femme, l'amant, le guetteur, le jaloux. Elle
n'est qu'à peine narrative : une femme évoque le déplaisir

de la séparation qu'impose à un couple adultère le lever du jour. Sa forme française d'oïl correspond à celle de l'*alba* de la lyrique d'oc. Le genre a existé peut-être dès le Xe siècle, et s'est éteint au début du XIVe siècle. Il ne faut pas le confondre avec l'aubade. (D.B.)

▷ aubade, troubadour, trouvère.

chanson d'aventures. Variété de chanson de geste, caractéristique de la production des XIVe et XVe siècles, où les thèmes épiques sont concurrencés par les structures narratives illustrées dans l'Antiquité par le roman grec : voyages lointains, séparations, enlèvements, reconnaissances, tempêtes et mésaventures de toute sorte. Les caractères formels demeurent ceux de la chanson de geste (usage de la laisse monorime, recours au style stéréotypé), mais l'esprit est changé : les aventures individuelles du héros l'emportent sur les grands enjeux collectifs, même s'ils continuent de former un arrière-fond. Le type en est la chanson de *Lion de Bourges* (XIVe siècle). (D.B.)

▷ chanson de geste.

chanson de croisade. Forme poétique dans laquelle le poète, au moment de partir pour la croisade, évoque les attachements, en particulier amoureux, auxquels il va devoir renoncer (XIIe-XIIIe siècle). Il ne faut pas la confondre avec les chansons de geste du cycle de la Croisade, poèmes épiques dont le sujet est le récit fabuleux des événements de la première croisade. (D.B.)

▷ chanson de geste, trouvère.

chanson de geste. Forme littéraire épique médiévale (XIe-XVe siècle), caractérisée par des règles formelles : usage de la laisse construite sur une seule rime ou une seule assonance, emploi d'un style formulaire et de motifs rhétoriques stéréotypés, abondance des phénomènes de parallélisme et, plus généralement, de l'écho à la fois sémantique et rythmique. Les événements relatés renvoient (le plus souvent fictivement) à la période carolingienne, quelquefois aux périodes mérovingienne ou capétienne. Les auteurs médiévaux distinguaient trois cycles épiques (voir l'article cycle), à quoi il faut ajouter le cycle de la Croisade. Au XIVe et au XVe siècle, la chanson de geste s'est transformée en chanson d'aventures (voir ce mot). Il est impossible de saisir les origines de ces chansons, dont les rapports à l'Histoire sont en général très distendus. Les textes qui nous sont parvenus sont des remaniements de remaniements, et continuent de se transformer jusqu'à la fin du Moyen Âge. Au XVe siècle, plusieurs de ces chansons ont été mises en prose. Leur esthétique est une esthétique de l'oralité : elles étaient destinées, du moins jusqu'au XIIIe siècle, à être débitées par épisodes par des jongleurs sur les places publiques, les lieux de pèlerinage et dans les cours seigneuriales, et ont toujours conservé, dans leur style même, les caractères attachés à l'énergie vocale et aux conditions de la « performance » orale.   (D.B.)

▷ cantilène, chanson d'aventures, cycle, *geste*, individualisme, laisse, motif rhétorique, oralité, performance, style formulaire, traditionalisme, trifonctionnalité.

chanson de malmariée. Forme lyrique médiévale, du type (popularisant) de la chanson de femme. Elle évoque les rêves d'amour d'une jeune femme dont le mariage est mal assorti, rêves qui se matérialisent souvent à la fin de la chanson.   (D.B.)

▷ chanson de toile, complainte, *descort*.

chanson de toile. Forme lyrique du Moyen Âge (XIIe-XIIIe siècle), du type des chansons de femme, également nommée chanson d'histoire. Les œuvres sont généralement anonymes (à l'exception de celles d'Audefroy le Bâtard, au XIIIe siècle). Le locuteur est féminin, le poème mentionne dans les premiers vers l'activité de broderie de l'héroïne (d'où le nom de chanson de toile), qui est fréquemment désignée par le qualificatif « Belle » associé à son prénom (*Belle Doette as fenestres se siet*). La jeune femme se lamente sur des circonstances qui l'ont séparée de son ami, ou sur la crainte d'une rupture : le ton est douloureux, comme le souligne souvent le refrain, mais le dénouement est heureux. L'esthétique est généralement archaïsante.   (D.B.)

▷ chanson d'aube, chanson de malmariée.

chansonnier. Au Moyen Âge, manuscrit dans lequel sont rassemblés des poèmes lyriques (chansons) accompagnés de leurs mélodies. Dans les chansonniers méridionaux sont insérées des *vidas* et des *razos*.   (D.B.)

▷ *canso*, chant courtois, *razo*, troubadour, trouvère, *vida*.

chant courtois (ou grand –). Forme poétique des XIIe et XIIIe siècles, qui adapte en langue d'oïl la *canso* de langue d'oc. Ce nom lui a été donné par R. Dragonetti. Sa thématique est exclusivement celle de la célébration de la *fin'amor*. Le locuteur est un « je » d'essence aristocratique, auquel peuvent s'identifier tous les auditeurs qui appartiennent à ce même milieu et qui partagent les valeurs et les finesses de la courtoisie. C'est une poésie savante dans son art de mettre en œuvre les sons et les rythmes, mais plus réservée que la *canso* dans son style comme dans son expression du désir amoureux. Il n'existe pas dans le chant courtois d'équivalent du *trobar clus*. Comme la *canso*, le poème peut s'achever sur un envoi.   (D.B.)

▷ *canso*, courtoisie, *fin'amor*, *trobar clus* et *trobar leu*, trouvère.

chant royal. Genre à forme fixe des XIVe et XVe siècles. L'adjectif « royal » en souligne la dignité et le caractère solennel. Il comprend à l'origine cinq strophes décasyllabiques construites sur les mêmes rimes, suivies d'un envoi. À la fin du XIVe siècle vient s'ajouter un refrain : le chant royal apparaît dès lors très proche de la ballade, dont il devient une sorte de variante plus ample. Les plus grands poètes l'ont pratiqué : Guillaume de Machaut, Froissart, Eustache Deschamps, Charles d'Orléans et Clément Marot au début de la Renaissance.   (D.B.)

▷ ballade, puy poétique, serventois.

chantefable. Au Moyen Âge, forme mixte comprenant des parties chantées (en vers) et des parties narratives en prose. Le seul exemple connu est *Aucassin et Nicolette* (fin XIIᵉ-début XIIIᵉ siècle), dont l'épilogue emploie ce terme. Certains critiques ont pensé que la chantefable pouvait être destinée à la scène. La musique des parties chantées a été conservée par le manuscrit unique d'*Aucassin*.   (D.B.)
▷ conte.

chevaleresque (idéologie). Au Moyen Âge, il faut distinguer l'idéologie chevaleresque de l'idéologie courtoise. L'idéologie chevaleresque s'est dégagée progressivement, depuis l'époque carolingienne, de l'idéologie royale dont elle a repris, dans une période d'affaiblissement du pouvoir du roi, les grands impératifs énoncés dans le serment du sacre : respect de la justice, humilité, obligation de mettre la force de l'épée au service de l'Église, des faibles, des veuves, des orphelins ; elle représente une *militia*, une milice, instaurée par Dieu, qui combat la *malitia* des mauvais chevaliers (saint Bernard). C'est une idéologie d'inspiration cléricale, alors que l'idéologie courtoise est d'inspiration laïque : elles ne se sont rencontrées qu'au XIIᵉ siècle, lorsque les vertus de largesse, de respect de la parole donnée, de sociabilité sont venues s'ajouter aux vertus religieuses. À la fin du XIIᵉ siècle et au XIIIᵉ siècle, l'idéologie chevaleresque retrouve, avec le rituel de l'adoubement (remise des armes), son inspiration religieuse fondamentale : veillée d'armes dans une église, bénédiction de l'épée, rituel qui fait de la chevalerie un ordre à vocation spirituelle (*Ordene de chevalerie*). (D.B.)
▷ **biographie chevaleresque, courtoisie**, *fin'amor*, **roman arthurien**.

chevalerie. Outre ses trois sens ordinaires d'« ensemble des chevaliers », de « valeurs attachées à la condition de chevalier » et d'« exploits chevaleresques », le terme est utilisé au Moyen Âge en littérature, et particulièrement dans la littérature épique, pour désigner un récit relatant les exploits accomplis par le héros à l'âge où il est fait chevalier, c'est-à-dire à la frontière entre l'adolescence et l'âge mûr : *Chevalerie Vivien, Chevalerie Ogier de Danne-marche*. Les chansons de *chevalerie* font généralement suite à des chansons d'*enfances*. (D.B.)

▷ **chanson de geste, cycle, *enfances*, *geste*, *moniage*.**

cheville. Élément linguistique du vers dont la présence n'est justifiée que par la nécessité prosodique (décompte des syllabes), mais non par une nécessité syntaxique ou sémantique. (M.A.)

chiasme (n. m., du grec *khiazein*, « disposer en forme de *khi* – c'est-à-dire de χ »). Figure de symétrie telle qu'aux deux éléments linguistiques de nature quelconque A et B succède leur inversion : d'où ABBA. Les rimes embrassées sont une forme que peut emprunter le chiasme. Exemple de chiasme entre catégories grammaticales :

    Le sein martyrisé d'une antique catin   (Baudelaire).
    N.   Adj.   Adj. N.   (M.A.)

▷ **antithèse, binaire, inversion.**

chœur. Le chœur (en grec *khoros*, en latin *chorus*) désigne un groupe de chanteurs, danseurs et/ou acteurs non individualisés qui prennent part à un spectacle en intervenant collectivement. Le chœur incarne générale-ment une force symbolique ou représente une commu-nauté morale ou sociale (la cité, les victimes). Ses interventions dans le théâtre grec sont codifiées : il évolue dans l'*orchestra*, il commente l'action. Le coryphée dia-logue en son nom avec les personnages. C'est parfois d'après lui que les pièces sont dénommées : *Les Troyennes, Les Choéphores*. Le théâtre médiéval, le théâtre de la Renaissance ont eu recours au chœur dans des rôles variés (intermèdes, narrateur). Le classicisme français ne lui a guère fait de place, à quelques exceptions près, comme Racine dans *Athalie* et *Esther*. Il ressurgit cependant dans le théâtre contemporain où il assume diverses fonctions et, bien sûr, il a un rôle essentiel dans l'opéra. (P.F.)

▷ **comédie, distanciation, épisode, tragédie.**

chronique universelle. Au Moyen Âge, la chronique universelle est un genre littéraire relatant l'histoire du monde depuis la Création, et entremêlant, pour les périodes anciennes, les événements bibliques avec l'histoire des peuples païens (Grecs, Troyens, Assyro-Babyloniens, etc.). Ses modèles sont les chroniques d'Eusèbe de Césarée et d'Orose (début et fin du IVe siècle ap. J.-C.). Leur ambition est toujours de descendre jusqu'à l'histoire contemporaine, mais beaucoup s'interrompent bien avant. Le latin est, jusqu'au XIVe siècle, la seule langue utilisée. Ce genre ne meurt pas avec le XVIe siècle. Mais de plus en plus, sous ce nom, ce sont des Histoires de France que l'on publie. L'*Histoire universelle* de D'Aubigné (1618-1619) ne s'occupe que d'un demi-siècle (1550-1602). L'extension dans l'espace remplace l'extension dans le temps. (D.B. et D.M.)
▷ annales.

chute. 1. La fin d'une phrase ou d'une période oratoire, sur laquelle la voix « tombe » et où l'on rencontre souvent un trait brillant, un paradoxe, une surprise, est appelée la chute. De même, la fin de certains poèmes où elle résout une question, une énigme ou propose un retournement soudain. 2. Au théâtre, la chute d'une pièce, c'est son échec public lors de sa représentation. À la Comédie-Française, sous l'Ancien Régime, une pièce est dite « tombée dans les règles » lorsque la recette est inférieure à 1 200 livres en hiver et à 800 livres en été : elle appartient alors aux comédiens, qui sont dégagés de toute obligation financière vis-à-vis de l'auteur, quel que soit le bénéfice réalisé ultérieurement.   (P.F.)
▷ cabale, clausule, *explicit*.

cicéronianisme. Ce terme désigne l'imitation exclusive, en latin, du style de l'orateur romain Cicéron (106-43 av. J.-C.), dont les discours et les traités théoriques (*De oratore, Brutus, Orator*) fondaient toute la réflexion et l'apprentissage de la langue savante et oratoire, depuis l'Antiquité, ce qu'avait renforcé la tradition humaniste dans toute l'Europe. La pureté du style est liée à l'usage exclusif du vocabulaire utilisé par Cicéron, et on apprend par cœur les tournures et les périodes tirées de ses discours, pour les réutiliser à nouveau dans le contexte moderne. À ce titre, le cicéronianisme est la version scolaire du classicisme, et il a formé des générations d'écrivains jusqu'au cœur du XVIIIᵉ siècle (Voltaire, élève des jésuites, a appris à écrire en lisant Cicéron). Devenu un purisme étroit dès le XVIᵉ siècle, il a été critiqué, notamment par l'humaniste hollandais Érasme, qui dénonce, dans son dialogue *Le Cicéronien*, les abus d'une telle imitation scolaire, dont la conséquence est l'inadaptation de la langue savante aux réalités modernes (et surtout chrétiennes). Par la suite, en tant que synonyme d'un style oratoire ample et périodique, le cicéronianisme a souvent été opposé au style bref et coupé imité du philosophe Sénèque ou de l'historien Tacite. (E.B.)

▷ abondance, asianisme, atticisme, éloquence, querelle des Anciens et des Modernes, rhétorique, sublime.

citation. *Voir* intertextualité.

classicisme. Ce terme désigne couramment la période de la littérature française contemporaine du règne personnel de Louis XIV (1661-1715), et plus particulièrement les années 1660-1685, où fleurissent les œuvres des auteurs « classiques », tels que la tradition scolaire les a fixés : Molière, Racine, Boileau et La Fontaine. En réalité, l'usage du substantif est tardif, car il n'y a pas eu à proprement parler d'« école de 1660 » ; c'est au XVIIIᵉ siècle que l'on commence à désigner ces auteurs comme des classiques. L'usage du terme s'est développé à l'occasion des querelles littéraires du XIXᵉ siècle, avec l'avènement du romantisme : selon Stendhal, qui est l'inventeur du mot, le « romanticisme » est le fait des écrivains qui veulent plaire au public de leur temps, alors que le classicisme caractérise ceux qui veulent « plaire à leurs arrière-grands-pères » (*Racine et Shakespeare*, 1823). Selon ses défenseurs (Nisard, Lanson, Brunetière), le classicisme serait donc un âge de maturité et d'équilibre, qui ne pourrait être suivi que par une décadence. Ce schéma historique s'explique par l'idéal même qui fonde la pensée des auteurs classiques : on se représentait alors l'histoire des civilisations selon un modèle cyclique, où le flambeau des lettres et des arts, accompagnant la suprématie militaire et politique, passait de main en main au fil des siècles. Cette théorie des « siècles » sera reprise par Voltaire quand il écrira *Le Siècle de Louis XIV*, qui célèbre justement cette époque. C'est ce schéma à la fois historique et organique (naissance, jeunesse, maturité, vieillesse) qui explique en grande part la façon dont on a perçu ensuite le classicisme français.

Le classicisme pose d'abord le problème de la langue : il s'agit de se définir par rapport à la langue mère, le latin, qu'ont illustré les grands « classiques » de l'âge d'or romain, Cicéron, Virgile et Horace. L'effort de la génération de Vaugelas et de Guez de Balzac culmine avec la fondation de l'Académie française en 1635 : la pureté et la clarté qui caractérisent le style classique sont donc avant tout des critères linguistiques. Cet effort grammatical s'appuie sur la norme du bon usage, qui est la « façon de parler de la plus saine partie de la cour, conformément à la façon d'écrire de la plus saine partie des auteurs du temps » (Vaugelas). Cela a conduit à une réduction du lexique : on condamne les termes techniques, populaires, et tout le vocabulaire qui concerne les métiers ou les savoirs précis. Pour créer cette langue moderne, les auteurs français pratiquent l'imitation des auteurs anciens, que l'on conçoit sur le mode de l'« émulation » (Guez de Balzac) et non comme une simple copie. Cela explique la référence constante à l'Antiquité que l'on trouve dans l'art classique : grands Romains chez Corneille, mythologie chez Racine, fables d'Ésope chez La Fontaine.

L'autre aspect frappant du classicisme est l'effort de liaison entre littérature et morale : il s'agit, comme disait le poète Horace, de « mêler l'utile à l'agréable » (*miscere utile dulci*). En liant cette double exigence à la définition d'un public idéal, les classiques finiront par répéter que la seule règle est de plaire, même si l'on y parvient en dépit des règles. Car la prétendue « doctrine classique » est notamment celle qui impose des règles : unités de lieu, de temps et d'action au théâtre, puis dans le roman ; souci de vraisemblance et de bienséance ; mais le classicisme est aussi constitué par une série de refus, refus du merveilleux invraisemblable, refus de l'outrance métaphorique et des hyperboles, refus de la confusion ou de la trop grande densité du style. Le juste équilibre s'exprime par le « je-ne-sais-quoi », et par l'affirmation d'une esthétique de la grâce, qui est la beauté en mouvement, et qui accepte une part d'irrégularité et de surprise. L'autre maître mot de cette esthétique est celui de nature, qui va de pair avec la grâce : opposé à l'effort stylistique trop visible, le naturel, sans nier cet effort, cherche à le dissimuler. Le bon style est alors celui qui semble jaillir de lui-même, et qui paraît nous mettre en contact directement avec l'écrivain. Cet idéal a été brillamment illustré par les lettres de la marquise de Sévigné, mais on le trouve partout, chez Pascal notamment et chez Molière (qui en fait un des secrets de son jeu théâtral) ; il sera l'idéal de style du roman classique. Le caractère insaisissable de cette qualité rejoint un autre pôle de la doctrine classique : la théorie du sublime qui dissocie l'efficacité du discours de l'application mécanique des règles et des niveaux de style. Nuançant ainsi l'assimilation fréquente du classicisme à un simple ensemble de règles strictes et stériles, le sublime et le naturel, sur lesquels la critique contemporaine a remis l'accent, apportent au classicisme une essentielle dimension de liberté.   (E.B.)

▷ **atticisme, baroque, imitation, invention, querelle des Anciens et des Modernes, rhétorique, style naturel, sublime, traduction littéraire, unités, vraisemblance.**

classique. Dans son *Dictionnaire* (posthume, 1690), Furetière définit comme classiques les auteurs « qu'on lit dans les classes, les écoles, ou qui y ont grande autorité », et au siècle suivant, l'adjectif désigne la littérature de l'Antiquité gréco-romaine. Au XIXe siècle, classique s'oppose à romantique pour définir les écrivains qui défendent la tradition antérieure. Aujourd'hui classique désigne, au sens strict, les écrivains de l'âge classique (de la fin des guerres de religion à la Révolution) et, de manière encore plus restreinte, les œuvres écrites pendant le classicisme. En un sens plus large et banal, sont classiques toutes les œuvres consacrées par l'admiration.   (M.J.)

▷ canon, classicisme, néoclassique, romantisme.

clausule (n. f., du latin *claudere*, « clore, terminer »). En rhétorique, fin de période particulièrement soignée (rythme, syntaxe, sonorités). En poésie, fin de poème qui se détache particulièrement du reste, soit par la pointe, comme dans l'épigramme, soit par l'effet d'une disposition particulière : vers plus bref, tiret qui introduit les derniers vers, emploi du blanc typographique, etc.   (M.A.)

▷ épilogue, épiphonème, pointe.

clerc. Au Moyen Âge, ce terme désigne toute personne ayant suivi des études universitaires, la *clergie* étant tout simplement l'instruction. La plupart des clercs n'avaient reçu que les ordres mineurs et n'avaient aucune fonction dans l'Église. Mais tous relevaient des juridictions ecclésiastiques et non des tribunaux civils, ce qui constituait un privilège apprécié. Le clerc est celui qui connaît le latin et qui sait lire et écrire. La plupart des écrivains appartenaient à ce milieu, par ailleurs dépourvu de toute unité. En face du clerc, dans la vie littéraire du Moyen Âge, il y a d'une part le chevalier poète, et d'autre part le jongleur, spécialiste de la diffusion orale.   (D.B.)

▷ copiste, goliards, jongleur, troubadour, trouvère.

cliché. Au Moyen Âge, le cliché est le fondement même de l'esthétique et de la composition poétiques, en particulier dans la poésie lyrique et dans la chanson de geste : pour la première, il est le bien commun des poètes, sur lequel chacun exerce son habileté formelle, le principe de la poésie médiévale étant moins l'invention que la variation formelle ; pour la seconde, le cliché est le schéma virtuel qu'actualisent les multiples variantes stéréotypées des motifs et des formules. Le terme n'a donc aucune valeur péjorative. Il désigne par la suite une image stéréotypée, appelée aussi poncif ou lieu commun. Le cliché est fait de termes qui ne sont pas liés par un figement mais par un appariement automatique dû à son extrême fréquence : « la verte prairie », « les rênes du gouvernement », « la fraîche jeune fille », « clair comme l'eau de roche », etc. Le cliché, par son caractère banal, attire la parodie et l'ironie. Ainsi, Laforgue, au début de la « Complainte à Notre-Dame des Soirs », se moque du cliché de la nature idéalisée :

> *L'Extase du soleil, peuh ! La Nature, fade*
> *Usine de sève aux lymphatiques parfums.* (M.A. et D.B.)

▷ **chanson de geste, image, motif rhétorique, mot-valise, périphrase, style formulaire.**

climax (n. m., du grec *klimax*, « échelle »). En rhétorique, synonyme de gradation. (M.A.)

▷ **gradation.**

clou. À l'origine, terme propre à l'argot du théâtre (début du XIXᵉ siècle) qui désigne le moment d'une représentation théâtrale dont on escompte le plus grand succès. Généralement, il s'agit d'une surprise de mise en scène. Le mélodrame du XIXᵉ siècle offre presque toujours un clou à ses spectateurs. (P.F.)

▷ **mélodrame, mise en scène, tableau.**

cobla (n. f.). Nom donné à la strophe (couplet) dans la poésie médiévale d'oc. On appelle *coblas unissonans* une succession de strophes construites sur les mêmes rimes. (D.B.)

▷ *canso*, **couplet, strophe,** *tornada.*

codex, codicologie. On appelle codex le livre manuscrit du Moyen Âge occidental, par opposition au *volumen* (rouleau) de l'Antiquité. Il peut être en parchemin ou en papier. La codicologie est la science qui étudie le manuscrit sous tous ses aspects : matériaux, techniques de fabrication, reliure, organisation, illustration, ainsi que son histoire.   (D.B.)

▷ archétype, bourdon, copiste, enluminure, incunable, lachmannisme, lettrine, manuscrit médiéval, *marginalia*, miniature, réclame, rubrique, scholie, *scriptorium*, signature, transcription diplomatique, vignette.

cohérence/cohésion. Les linguistes considèrent que l'unité d'un texte s'observe à deux niveaux. Le premier est tout simplement celui de sa continuité sémantique et logique : c'est la cohésion, que garantissent les anaphores (voir ce mot), les connecteurs entre propositions et phrases, etc. Le second est celui de la visée générale du texte, c'est la cohérence : toutes les propositions, même si aucun lien grammatical ne les lie, vont clairement dans une même direction. Un collage surréaliste peut donner de parfaites garanties de cohésion grammaticale et sémantique et rester totalement indéchiffrable parce que sans cohérence ; inversement, une série d'énoncés sans marquages cohésifs peut très bien servir une visée parfaitement identifiable, et donc trouver sa cohérence, comme les « Façons de dire » de Claude Roy, qui accumulent simplement des locutions verbales métaphoriques et offrent, sans aucun lien grammatical, une vaste transposition imagée et symphonique du quotidien.   (G.P.)

▷ anaphore, cataphore, chaîne de référence, collage, isotopie, progression thématique.

collage. Par analogie avec les techniques picturales mises au point au début du XXᵉ siècle par Picasso, et qui ajoutaient à l'aplat de peinture des papiers ou des matériaux collés sur la toile, on appelle collage en littérature le fait de juxtaposer des évocations hétérogènes. Nombre de textes surréalistes fondés sur l'écriture automatique relèvent du collage, tel ce texte intitulé « Usine », extrait des *Champs magnétiques* (André Breton et Philippe Soupault, 1920) :

> *La grande légende des voies ferrées et des réservoirs, la fatigue des bêtes de trait trouvent bien le cœur de certains*

> *hommes. En voici qui ont fait connaissance avec les cour-*
> *roies de transmission : c'est fini pour eux de la régularité de*
> *respirer. Les accidents du travail, nul ne me contredira, sont*
> *plus beaux que les mariages de raison. Cependant il arrive*
> *que la fille du patron traverse la cour. Il est plus facile de*
> *se débarrasser d'une tache de graisse que d'une feuille*
> *morte ; au moins la main ne tremble pas. À égale distance*
> *des ateliers de fabrication et de décor le prisme de surveil-*
> *lance joue malignement avec l'étoile d'embauchage.*

Le terme de collage désigne aussi le fait d'introduire dans une œuvre des fragments qui ne lui appartiennent pas (extraits de journaux, textes littéraires, articles de dictionnaire, etc.). C'est ainsi que Blaise Cendrars a introduit dans *Documentaires* (1924) des collages du roman policier de Gustave Le Rouge, *Le Mystérieux Docteur Cornélius*. (M.A.)

colophon. Formule finale d'un manuscrit médiéval, rédigée par le copiste, qui indique le lieu et/ou la date de la copie, quelquefois le nom du scribe, son âge, sa qualité, etc., à l'exclusion de toute autre indication. Beaucoup de manuscrits n'en sont pas pourvus. (D.B.)
▷ **codex**, **codicologie**, *explicit*, **manuscrit médiéval**.

comédie. Genre dramatique traditionnel (et pièce relevant de ce genre) caractérisé, depuis l'Antiquité et par opposition à la tragédie, par le ton bas ou moyen, des personnages de condition modeste ou privée, un dénouement heureux et l'intention de faire rire le spectateur. *L'Avare* de Molière, par exemple, est une comédie. Son objet est en général « l'imitation des mœurs » (Marmontel), c'est-à-dire qu'elle offre un tableau de la vie privée à tous les niveaux de la société. Il faut noter cependant que le mot comédie peut aussi avoir le sens général de pièce dramatique (par différence avec l'opéra) et désigner, par métonymie, la salle de théâtre (passer la soirée à la comédie, à la Comédie-Française, à la Comédie de Caen). On désigne aussi du nom de comédie un genre cinématographique, les films destinés à faire rire le spectateur. Le rire provoqué par la comédie définit la plupart du temps sa relation au spectateur : sympathie (chez Musset, Marivaux, Beaumarchais ou Shakespeare) ou distance, voire rejet du ridicule (Molière), rire ou sourire, inquiétude ou allégement, sans qu'on puisse définir une relation stable pour l'ensemble d'une pièce donnée. Mais la comédie ne vise pas toujours le rire, comme le montrent certains sous-genres (la comédie sérieuse, la comédie héroïque ou, pour le cinéma, la comédie dramatique). La poétique de la comédie, dont la théorie aristotélicienne n'a laissé qu'une esquisse (le manuscrit d'Aristote ayant été perdu), est fort souple, de là une grande variété de formes et la multiplication de sous-genres : on a des comédies en vers ou en prose, de grandes pièces ambitieuses, comme *Tartuffe* ou *Le Misanthrope*, en cinq actes et en vers, et des pochades en un acte (voire en une scène) comme *Il faut qu'une porte soit ouverte ou fermée* de Musset. La comédie peut se construire autour d'un caractère (*L'Avare, Le Misanthrope*), d'un « état social » ou d'une situation sociale (*La Locandiera* de Goldoni), d'une intrigue avec des personnages esquissés fermement (*Le Barbier de Séville* de Beaumarchais) ou réduits à l'état de fantoches (*Le Fil à la patte* de Feydeau). Elle peut relever de la satire sociale ou politique (*Les Philosophes* de Palissot, *Le Faiseur* de Balzac, *Le Revizor* de Gogol).   (P.F.)

▷ **action, caractère, drame, farce, genres littéraires, imbroglio, intrigue, quiproquo, théâtre de boulevard, tragédie.**

comédie à ariettes. Forme dramatique qui tient à la fois de l'opéra et de l'opéra-comique (XVIIIᵉ siècle). Sur une intrigue de comédie (plus ou moins sérieuse), le poète ou librettiste mélange passages de dialogue et airs chantés originaux. *La Fée Urgèle* est une comédie à ariettes de Favart et Duni.   (P.F.)

▷ **opéra-comique.**

comédie bourgeoise (ou **comédie de mœurs**). Sorte de comédie dont la naissance véritable se situe autour de

1815, mais dont les prodromes sont lisibles dans la comédie du XVIIIe siècle et qui se caractérise par des tableaux de mœurs et par un conformisme moralisant. Elle résulte d'une synthèse du genre sérieux, du vaudeville et de la comédie d'intrigue. Au XIXe siècle, Scribe, Casimir Delavigne et Augier lui donnent sa forme accomplie : la comédie bourgeoise est aussi souvent une « pièce bien faite ». Rejetée à cause de son moralisme et de son côté conventionnel, elle n'est aujourd'hui plus jouée. Certains auteurs méritent cependant l'intérêt : c'est le cas de Scribe, de Becque ou de Bernstein.   (P.F.)

▷ **drame bourgeois, pièce bien faite.**

comédie héroïque. Pièce de théâtre (XVIIe et XVIIIe siècles) qui ne se rattache à la comédie que par un dénouement heureux et par l'absence de périls de mort. Ses personnages (souvent héroïques) peuvent être nobles et les intérêts en jeu avoir trait aux affaires publiques ou à la conduite de l'État. Il s'agit donc d'une sorte de genre intermédiaire, aux limites incertaines, entre la comédie et la tragédie. D'origine, semble-t-il, espagnole (Lope de Vega), on la rencontre en France au XVIIe siècle (*Dom Garcie de Navarre ou Le Prince jaloux* de Molière, *Tite et Bérénice, Dom Sanche d'Aragon* de Corneille), au XVIIIe siècle (*Le Prince travesti* de Marivaux), mais aussi en Angleterre (avec Dryden). Certaines pièces de Shakespeare s'en rapprochent. Susciter le rire n'est pas en général le but poursuivi par l'auteur (mais il n'est pas exclu de la comédie héroïque), c'est plutôt la recherche du romanesque.   (P.F.)

▷ **comédie larmoyante, drame.**

comédie larmoyante. Sorte de comédie de ton élevé (XVIIIe siècle), dont le but n'est pas de faire rire, dont les héros peuvent être des nobles ou des bourgeois et dont l'intrigue ne met en jeu que des affaires privées. La comédie larmoyante vise à attendrir le spectateur, à moraliser, et non à susciter son rire. Comme la comédie héroïque, la comédie larmoyante propose des intrigues romanesques. Le terme, employé à l'origine par la critique pour dénigrer cette sorte de comédie, lui est resté malheureusement attaché et a éloigné les lecteurs et gens de théâtre d'un genre qui n'est pas sans intérêt. Les pièces de Nivelle de La Chaussée (1692-1754) ou certaines comédies de Voltaire (*L'Enfant prodigue, Nanine*) en offrent un bon exemple.   (P.F.)

▷ **comédie, comédie héroïque, drame.**

comédie-ballet. Comédie qui fait intervenir des ballets, soit comme intermèdes, soit en les liant à l'action et au dialogue. *Le Malade imaginaire, Les Fâcheux, La Princesse d'Élide, Le Bourgeois gentilhomme* sont des comédies-ballets de Molière, qui collabora, pour la musique, avec des musiciens illustres, comme Lully ou Charpentier.   (P.F.)

▷ **ballet de cour, comédie.**

comédien. *Voir* acteur.

commedia dell'arte (synonymes : *commedia all'improviso, commedia degli Zanni, a braccio, a soggeto*, comédie italienne). Cette espèce de comédie, née dans les États du nord de l'Italie, probablement au milieu du XVIe siècle, s'est vu attribuer le nom de *commedia dell'arte* (*arte* désigne le métier, l'art du comédien) par Goldoni en 1750 et ce nom est lui resté. Plus que d'un genre (ou d'un sous-genre) littéraire, il s'agit d'un genre de spectacle et d'une pratique du théâtre. Sur une intrigue dont ils n'ont que le canevas, les personnages improvisent des dialogues et accomplissent des *lazzi* (ou lazzis) (plaisanteries burlesques, jeux de scène comiques, gestes grotesques et caractéristiques du type de personnage qui les effectue). Les acteurs sont spécialisés dans un seul rôle pour lequel ils disposent de textes types (*zibaldoni*). Un, puis deux vieillards, un, puis deux serviteurs (les *zanni* ou zannis), deux, puis quatre amoureux, un capitan, une servante, tels sont les rôles qui constituent les pivots structurels de la pièce, de la troupe et du spectacle. Les personnages sont des types fixes : Pantalon, et le Docteur (les vieillards), Arlequin, Mezzetin, Trivelin ou Scapin (zannis), Léandre, Colombine (amoureux). Les vieillards et les zannis sont masqués et portent des costumes conventionnels dont le plus célèbre est celui d'Arlequin : un demi-masque de cuir noir, avec des poils, un vêtement en tissu, formé de losanges cousus les uns aux autres, la taille basse, une batte de bois en guise d'épée. Plusieurs troupes ainsi constituées ont sillonné l'Europe entre le XVIᵉ (les *Gelosi* apparaissent à la cour d'Henri III) et le XVIIIᵉ siècle. Leur jeu, leurs techniques et leur univers poétique ou visuel ont marqué tout le théâtre européen. Leurs types se sont mêlés à des types français (Pierrot) ou napolitain (Polichinelle) et se sont eux-mêmes adaptés aux pays qui les accueillaient. En France, la comédie italienne s'institutionnalise sous Louis XIV une première fois, disparaît puis reparaît avec la Régence, avec un statut de théâtre officiellement reconnu. La recherche de respectabilité et l'intégration de la *commedia dell'arte* dans l'évolution générale du théâtre au XVIIIᵉ siècle a peu à peu fait disparaître cette forme, mais on en a gardé la nostalgie (Verlaine, Apollinaire).   (P.F.)

▷ comédie, emploi, masque.

commentaire. Les commentaires de poésie de la Renaissance se distinguent par certains aspects de ceux du Moyen Âge (voir article suivant). Beaucoup sont encore écrits en latin, mais c'est en italien que l'on commente Dante et Pétrarque, et en français que l'on commente Ronsard. Tout en accordant beaucoup à la rhétorique, dont il recherche et nomme les figures dans le texte, le commentaire se montre plus attentif à la qualité littéraire du texte. Ici encore, c'est l'Italie qui donne le ton. Les commentaires du *Canzoniere* de Pétrarque apparaissent un siècle après sa mort, ceux des *Amours* de Ronsard (1552), dus à l'humaniste Muret, un an seulement après leur publication : c'est une manière de consacrer la gloire d'un auteur vivant. D'autre part, on cherche une expérience vécue derrière les vers et l'interprète, quand il a connu l'auteur, croit pouvoir expliquer l'œuvre par la vie.

D'une manière ou d'une autre, on essaie de connaître l'intention du poète. Quand celui-ci a peur d'être mal compris, il lui arrive de se commenter lui-même. Dante avait donné l'exemple avec sa *Vita nuova* (1283-1293) et c'est une sorte d'auto-commentaire que saint Jean de la Croix écrit pour son *Cantique spirituel* (1584).   (D.M.)

▷ *commentum*, **humanisme**.

commentum (n. m.). Au Moyen Âge, ce terme désigne des œuvres qui se présentent comme un commentaire suivi d'un texte sacré (la Genèse, le Cantique des Cantiques...) ou d'un texte de l'Antiquité païenne assimilé par la tradition chrétienne (l'*Énéide* par exemple, ou les *Noces de Mercure et de Philologie* de Martianus Capella : commentaires de Bernard Silvestris, de saint Bernard, etc., au XIIᵉ siècle). Ce commentaire s'appuie généralement sur les techniques de l'exégèse biblique et s'efforce de dégager les sens allégoriques de l'œuvre. Le latin est la langue habituelle, et les auteurs sont des théologiens.   (D.B.)

▷ **allégorie**, *integumentum*, **lucidaires**, **moralisation**, *senefiance*.

comparaison. Dès l'Antiquité, on distingue deux sortes de comparaisons :
– la comparaison simple (*comparatio*), qui n'est pas une image, mais qui met en rapport deux éléments appartenant au même système référentiel (« Jean est aussi grand que Paul ») ;
– la comparaison par analogie (*similitudo*), qui, elle, est une image, et qui fait appel à un univers référentiel différent de celui de l'élément comparé (*La terre est bleue comme une orange*, Eluard, *L'Amour, la poésie*, « Premièrement »).

Dans ces deux cas, la ressemblance syntaxique est totale, puisque la comparaison comporte trois éléments : le comparé, le comparant et l'outil de comparaison : *comme, aussi... que, tel, plus... que, moins... que, semblable à*, etc.   (M.A.)

▷ **figure**, **image**, **métaphore**.

compétence du lecteur. Ensemble des savoir-faire et des acquis culturels que le texte suppose chez son lecteur. En rédigeant les *Provinciales* (1657), Pascal postulait chez son lecteur une certaine familiarité avec quelques grands concepts théologiques et une ouverture aux débats de son temps. Tout auteur de pastiche ou de parodie considère que le lecteur aura la compétence culturelle qui lui permettra de repérer le texte démarqué, etc.   (G.P.)

▷ **esthétique de la réception, lecteur, poétique de la lecture.**

complainte. La complainte est un poème populaire d'origine médiévale, d'une tonalité plaintive (d'où son nom). La forme en est libre. Thomas Sébillet (1548) la classe parmi les poèmes de déploration, proche en cela de l'élégie, de l'épitaphe et de l'églogue. Exemple :

> *Vous qui passez, oyez donc un pauvre être,*
> *Chassé des Simples qu'on peut reconnaître*
> *Soignant, las, quelque œillet à leur fenêtre !*
> *Passants, hâtifs passants,*
> *Oh ! qui veut visiter les palais de mes sens ?*
> *Maints ciboires*
> *De déboires.*
> *Un encor !*

(Jules Laforgue, *Les Complaintes*, « Complainte de la fin des journées ».)
(M.A.)

▷ **églogue, élégie, *planh*.**

compliment. Le compliment (XVIIIe siècle) est, au début, une petite harangue, qui se mêle ensuite de diverses actions théâtrales et devient une petite pièce ; il est attaché au jour de la clôture pascale de la saison et à l'ouverture, trois semaines plus tard, d'une nouvelle saison. On y rappelle les événements majeurs de la saison, on plaisante, et on s'adresse au public pour le remercier de sa bienveillance ou lui promettre qu'on fera mieux.   (P.F.)

composition. *Voir* disposition.

comptine (de « compter »). Petit poème de tonalité enfantine, chantonné syllabe par syllabe, dans lequel le rythme importe plus que le sens, et qui sert à désigner, avant le jeu, celui qui tiendra une certaine place, bonne ou mauvaise. On peut considérer que « La sauterelle » de Desnos (*Chantefables*) est une sorte de comptine :

> *Saute, saute, sauterelle,*
> *Car c'est aujourd'hui jeudi.*
> *Je sauterai, nous dit-elle,*
> *Du lundi au samedi. [...]*   (M.A.)

▷ **nombre**.

comput. Traité médiéval en latin ou en langue vulgaire, à caractère didactique et encyclopédique, consacré au calendrier chrétien et au calcul de la date des fêtes mobiles (Pâques en particulier). Bède le Vénérable, au début du VIIIe siècle, a fait du comput une discipline essentielle du *quadrivium*. Le premier comput en langue vulgaire est celui de Philippe de Thaon (1113-1119).

                                                                             (D.B.)

▷ **dit**, *quadrivium*.

conative. *Voir* fonctions du langage.

concaténée. *Voir* rime concaténée.

concetto (de l'italien, que l'on peut traduire par « pensée ingénieuse »). Le principe est d'exprimer de façon virtuose une idée inattendue, que la formulation fait découvrir par un jeu d'énigme et d'attente : une part du travail est faite par l'auditeur ou le lecteur ; d'où le succès, à l'époque baroque et classique, du *concetto* dans les genres mondains (poésies, lettres, conversation), qui impliquent une participation active du public. L'obscurité, qui tient parfois du pur jeu de mots, a fait critiquer le *concetto*, comme dans le fameux « sonnet d'Oronte » du *Misanthrope* de Molière ; le P. Bouhours, dans son livre sur *La Manière de bien penser dans les ouvrages d'esprit* (1687), explique le fonctionnement et les défauts de ce genre de pointe, qu'il assigne aux Italiens (marinisme) ou aux Espagnols (gongorisme). (E.B.)

▷ antithèse, asianisme, baroque, gongorisme, marinisme, pointe.

concordance/discordance. La concordance correspond à la coïncidence des articulations métriques (césure, fin de vers) avec les articulations syntaxiques du vers. C'est un souci qui n'a commencé à animer les poètes qu'au XVIe siècle, quand a disparu l'accompagnement musical de la poésie. L'usage est alors encore flottant, et c'est au XVIIe siècle que les poètes (en particulier Malherbe puis Boileau) prônent la concordance pour l'harmonie du vers :

> *Ses attraits réfléchis // brillent dans vos pareilles,*
> *Mais il étale en vous // ses plus rares merveilles.*

Chacun de ces vers correspond à une proposition. Dans le premier, le groupe sujet occupe le premier hémistiche, tandis que le groupe verbal occupe le second. Dans le deuxième vers, la conjonction et le noyau du groupe verbal sont dans le premier hémistiche, et le complément d'objet dans le second. Les accents des principaux groupes grammaticaux correspondent aux articulations métriques.

La discordance est le phénomène contraire : la distribution des groupes grammaticaux (et donc celle des principaux accents) ne coïncide pas avec les articulations métriques fixes. On parle alors de décalage ou de discordance interne (par rapport à la césure) ou externe (par rapport à la fin de vers). On distingue trois types de décalages : l'enjambement, le rejet et le contre-rejet.

Les vers classiques, s'ils suivent majoritairement la règle de concordance, n'en sont pas pour autant les esclaves : les cas de discordance existent aux XVIIe et XVIIIe siècles, mais ils sont rares, et particulièrement marqués d'expression, comme dans ce cas de contre-rejet où s'exprime tout le trouble de Pauline mariée face à celui qu'elle aimait :

Je vous l'ai trop fait voir, Seigneur ; et si mon âme
Pouvait bien étouffer les restes de sa flamme,
Dieux, que j'éviterais de rigoureux tourments !
(Corneille, *Polyeucte*, II, 2.)

C'est l'exemple d'André Chénier qui a ensuite incité les poètes romantiques à explorer de manière plus fréquente les possibilités rythmiques et poétiques de la discordance.

(M.A.)

▷ accent, césure, contre-rejet, enjambement, hémistiche, rejet, rythme, strophe.

condensation. *Voir* critique psychanalytique.

condition. *Voir* caractère.

conduit. Dans la musique médiévale, forme de chant liturgique d'abord monodique (IVᵉ siècle), puis polyphonique (XIIIᵉ siècle), destiné à accompagner une procession. Il s'émancipe de ce cadre au XIIIᵉ siècle pour désigner des pièces en vers latins soit à portée liturgique, soit à portée politique ou satirique (qui commentent des événements d'actualité), mais toujours accompagnées de musique. Le conduit *cum cauda* introduit des mélismes plus ou moins complexes à la fin et souvent dans le corps du poème. C'est l'un des grands genres de l'*ars antiqua*.   (D.B.)

▷ *ars nova*.

conférence. *Voir* dialogue.

confident(e). Dans la tragédie des XVIIᵉ et XVIIIᵉ siècles, les confidents constituent une classe de personnages secondaires dont la fonction est de rendre vraisemblables certains discours des protagonistes qui, sans eux, seraient contraints à d'interminables monologues, ou de les rendre compatibles avec les bienséances (notamment lorsque le confident assiste le protagoniste dans une scène d'amour). Les grands auteurs ont tenté de donner du caractère à ces personnages (Œnone, dans la *Phèdre* de

Racine), de les inscrire dans l'échange ou de leur faire jouer un rôle, de conseiller par exemple (Paulin, dans *Bérénice*, qui devient substitut du chœur antique ; Narcisse dans *Britannicus*, qui est espion et traître). (P.F.)

▷ **dialogue, monologue, personnage, protagoniste.**

confrérie. Au Moyen Âge, les confréries sont des sociétés d'amateurs de poésie, liées à la bourgeoisie urbaine, en particulier dans le nord de la France (Confrérie des jongleurs et bourgeois d'Arras). Elles ont contribué à l'essor d'une poésie lyrique non aristocratique et du théâtre profane (*Jeu de la feuillée* d'Adam de la Halle à la fin du XIIIᵉ siècle) et religieux (Confrérie de la Passion, qui obtient en 1402 le monopole des représentations des mystères à Paris). Au début du XIVᵉ siècle apparaissent des confréries d'étudiants en droit, les Bazoches, qui organisent des spectacles comiques et satiriques. Au XVᵉ siècle, on voit se développer des « confréries joyeuses » orientées vers les festivités à caractère carnavalesque (Connards à Rouen, Enfants sans Soucy à Paris), et dirigées par un « Prince des Sots ». (D.B.)

▷ **carnavalesque, jongleur, mystère, Passion, poétique, puy.**

congés. Forme poétique inaugurée par Jean Bodel vers 1200, et reprise au XIIIᵉ siècle par Baude Fastoul (1272), puis par Adam de la Halle (1276-1277). Tous trois sont arrageois. Les *congés* rapportent, sur le ton du lyrisme personnel, les adieux d'un poète qui est contraint de quitter définitivement sa ville natale (Jean Bodel et Baude Fastoul avaient contracté la lèpre). La strophe utilisée est la « strophe d'Hélinand ». (D.B.)

▷ **dit, Hélinand (strophe d'–).**

conjointure (n. f.). Terme d'ancien français utilisé par Chrétien de Troyes dans le prologue de son roman *Érec et Énide* pour désigner l'organisation proprement littéraire d'une matière donnée : *Et tret d'un conte d'avan-*

ture / *Une molt bele conjointure* (v. 13-14 : « et tire d'un
conte d'aventures une très belle composition »). À sa
suite, et par référence au prologue du *Chevalier de la
charrette* du même auteur, la critique a pris l'habitude de
distinguer dans une œuvre médiévale la *conjointure*, la
matière et le *san* (*Charrette*, v. 26), les deux derniers
termes désignant respectivement le fond (légendaire réaliste) qui préexiste à l'œuvre, sa source, et la signification
morale ou plus largement idéologique que le romancier
ou son commanditaire a choisi d'y développer.   (D.B.)
▷ aventure, branche, entrelacement.

connotation. Ensemble de sèmes qui s'attachent aux
mots ou aux morphèmes de manière seconde et plus ou
moins stable, et qui concernent des jugements de valeur
ou la subjectivité du locuteur, ou encore le registre dans
lequel il se place. On peut distinguer deux ordres de
connotations :
– La connotation sociolinguistique relève d'une compétence par rapport à la langue en général. Exemple de
français oral et populaire dans *Voyage au bout de la nuit*
de Céline (1932) :

> *Y a de tout ce qu'il faut à bord ! Tous en chœur ! Gueulez
> voir d'abord un bon coup et que ça tremble !*

– La connotation individuelle et textuelle relève des
affects et des associations qui s'attachent au mot selon
un contexte et des emplois du terme par un individu
(importance dans sa vie psychique) ou un auteur (emploi
et valeurs particuliers à un auteur). On peut ainsi penser
au mot *azur* dans la poésie de Mallarmé.   (M.A.)
▷ champ sémantique, cratylisme, dénotation, fonctions
   du langage, isotopie, polysémie, sémantique, sème,
   signe linguistique.

connotation autonymique. On parle de connotation
autonymique lorsqu'un mot est employé à la fois en référence et en autonymie ; outre qu'il désigne un référent
du monde réel ou une notion, il renvoie aussi à lui-même

en tant que mot. La connotation autonymique est généralement marquée par l'italique ou les guillemets, ou par une légère pause à l'oral. Elle permet au locuteur de mettre à distance le mot ou l'expression qu'il emploie, soit par ironie, soit pour marquer l'emprunt : *Pour faire partie du « petit noyau », du « petit groupe », du « petit clan » des Verdurin, une condition était suffisante mais elle était nécessaire* (M. Proust, *Du côté de chez Swann*, 1913). La connotation autonymique ne bloque pas la commutation synonymique (*« Pour faire partie des amis des Verdurin, une condition... »*), mais laisse le sentiment de perdre un signifié secondaire. Certains théoriciens de la littérature ont d'ailleurs remarqué que les textes littéraires ne pouvaient être paraphrasés sans cesser d'être littéraires ; la littérarité d'un texte serait donc à penser sur le mode de la connotation autonymique. (G.P.)

▷ autonymie, contamination, littérarité, méta-énonciation.

consonantes (rimes). *Voir* rimes plates.

consonantique. *Voir* rime consonantique.

Constance (École de). *Voir* esthétique de la réception.

constatif (énoncé). *Voir* performatif.

contamination 1. En édition de textes médiévaux, un manuscrit est dit « contaminé » lorsqu'il a subi l'influence de familles autres que la sienne. Les copistes, en effet, pouvaient recopier une œuvre en ayant sous les yeux plusieurs manuscrits, et en choisissant de les combiner pour établir leur propre texte. (D.B.)

▷ archétype, copiste, manuscrit médiéval, *stemma codicum*.

contamination 2. Depuis les travaux de M. Bakhtine, on parle de contamination lorsque le niveau ou le registre de langue d'un texte tend à se rapprocher de celui du personnage dont il est question : dans la phrase *L'hiver* *surtout les nettoyait*, l'emploi d'un verbe populaire au lieu du verbe habituel « ruiner » provient d'une contamination de la prose du texte par la langue de Coupeau et Gervaise dont il est question dans le passage (É. Zola, *L'Assommoir*, 1877). Ces phénomènes concernent essentiellement le lexique.   (G.P.)

▷ **dialogisme.**

conte. Au Moyen Âge, ce terme désigne toute forme narrative, en vers ou en prose, quels que soient son étendue et son degré d'élaboration littéraire (sens étymologique : latin *computare*, « compter, énumérer », d'où « rapporter des événements successifs »). Le *Conte du Graal* est à nos yeux un roman (voir ce mot) ; Marie de France qualifie de *contes* ce que nous appelons ses lais. La formule *Or dit li contes* (« à présent le conte dit que ») est fréquemment employée dans les romans arthuriens en prose pour marquer les articulations importantes, mais il est difficile de savoir si le terme désigne alors l'œuvre elle-même ou sa source (qui peut être un conte oral). Après le Moyen Âge, le terme de conte désigne une forme brève liée à la tradition orale et au plaisir de raconter sans trop de sérieux, et le genre connaît des tonalités différentes selon les époques. La facétie grivoise des fabliaux se retrouve à la Renaissance puis chez La Fontaine (*Contes et nouvelles en vers*, 1665-1671). Le merveilleux prend une importance particulière à la fin du XVIIe siècle, et jusqu'au milieu du siècle suivant, avec le succès des contes de fées (Charles Perrault, Mme d'Aulnoy). Au XVIIIe siècle, si le conte en vers devient plus rare, le conte en prose s'ouvre au fantastique et à l'exotique (*Les Mille et Une Nuits* sont traduites par Galland à partir de 1704) ; mais l'époque des Lumières est aussi celle du conte philosophique, à la fois créé et très brillamment pratiqué par Voltaire, et du conte libertin. Au XIXe siècle, il est plus difficile encore qu'auparavant de distinguer le conte de la nouvelle (voir par exemple les *Contes de la bécasse* de Maupassant, 1883), même si, de loin en loin, quelques écrivains continuent de privilégier un certain merveilleux attaché à l'enfance : pensons aux *Contes du chat perché* (1939) de Marcel Aymé. (M.J.)

▷ *estoire*, fantastique, lai narratif, merveilleux, nouvelle, roman (au Moyen Âge).

conte bleu. Expression qui désigne dès le XVIIᵉ siècle les contes où une large part est faite au merveilleux, et particulièrement les contes de fées, parce qu'ils étaient à l'origine couverts de papier bleu. Cette « Bibliothèque bleue », qui perdura jusqu'au XIXᵉ siècle, était une collection populaire vendue par colportage. (M.J.)

contexte. Terme technique qui désigne l'entourage d'un élément linguistique : c'est ce qui permet d'en comprendre le sens, si le mot est susceptible d'en avoir plusieurs (polysémie) : par exemple, le mot « clé » est susceptible de sens différents selon que le contexte est musical (clé de *fa*, clé de *sol*), mécanique (clé de douze) ou fictionnel (clé de l'énigme). Cela peut aussi désigner, en théorie de l'histoire littéraire, l'analyse des éléments extérieurs à la simple référence textuelle (intertextualité) : le contexte est alors le cadre dans lequel est écrite une œuvre, avec ses référents idéologiques, sociaux ou esthétiques. Cela peut jouer un rôle important par rapport à l'horizon d'attente du public (*doxa*, présupposés implicites), qui détermine l'écriture de l'œuvre. (E.B.)

▷ *doxa*, esthétique de la réception, implicite, intertextualité, polysémie, référent, sémantique.

continue. *Voir* rime continue.

contrafacture. Au Moyen Âge, cette forme d'imitation consiste en l'adaptation d'un texte nouveau à la forme mélodique et rythmique d'un autre texte, qui opère des séries de déplacements par rapport au texte source. C'est donc une forme de l'ironie et de la parodie. Des contrafactures assez nombreuses transposent en chansons à boire des séquences liturgiques en latin. On en rencontre également dans la poésie lyrique, du XIIᵉ au XVᵉ siècle, en

particulier dans la lyrique pieuse : un accompagnement mélodique de chanson profane est souvent adapté à une célébration de la Vierge Marie.   (D.B.)
▷ **goliards, parodie.**

contre-accent. Terme forgé par Henri Morier (*Dictionnaire de poétique et de rhétorique*) pour désigner un accent qui succède immédiatement à un autre, dans la syllabe qui suit. Exemple de Baudelaire dans un vers de « L'Idéal » où à un hémistiche 3/3 succède un hémistiche 1/5 :

> *Ou bien toi, grande Nuit, // fille de Michel-Ange.* (M.A.)

▷ **accent, cadence, rythme.**

contre-assonance. Système d'homophonies finales inverse de l'assonance dans la mesure où la contre-assonance se fonde sur la répétition en finale de vers d'un phonème consonantique toujours le même, les voyelles pouvant varier. C'est ce que les troubadours appelaient *rims consonans*, et qui a été repris dans la sotie. On la retrouve dans la poésie depuis Rimbaud, mais depuis toujours aussi pour lier éventuellement une rime à une autre. Exemple du début d'un rondeau-épitaphe de Villon fondé sur une contre-assonance en [2], faisant alterner rime M en [il] et rime F en [[]l] :

> *Repos éternel donne à cil,*
> *Sire, et clarté perpétuelle,*
> *Qui vaillant plat ni écuelle*
> *N'eut oncques, n'un brin de persil.*   (M.A.)

▷ **allitération, assonance, homophonie, phonème, rime, sotie, vers libéré.**

contre-blason. Forme *a contrario* du blason, qui, au lieu de faire un éloge, décrit l'objet de façon critique. Voici le début du « Laid tétin » de Marot, qui fait pendant au « Beau tétin » :

> *Tétin qui n'as rien que la peau,*
> *Tétin flac, tétin de drappeau,*

> *Grand tétine, longue tétasse,*
> *Tétin, dois-je dire besace ?*   (M.A.)

▷ blason.

contre-rejet. Phénomène de discordance inverse du rejet, tel qu'un élément verbal bref, placé en fin d'hémistiche juste avant la césure (contre-rejet interne) ou en fin de vers (contre-rejet externe), dépend syntaxiquement de l'hémistiche ou du vers qui suit.
– Exemple de contre-rejet externe :

> *J'espérais*
> *Qu'à ma mort, tout frémirait, du cèdre à l'hysope.*
> (Laforgue)

– Exemple de contre-rejet interne :

> *Ô Beauté ? ton regard, // infernal et divin,*
> *Verse confusément le bienfait et le crime.*
> (Baudelaire)

On peut par analogie parler de contre-rejet strophique, de strophe à strophe.   (M.A.)

▷ concordance/discordance, enjambement, rejet, rythme, strophe.

contrepèterie. Permutation de phonèmes ou de syllabes d'un mot à l'autre. Double contrepèterie dans cette phrase de *Rrose Sélavy* de Desnos : *L'acte des sexes est l'axe des sectes.*   (M.A.)

contrerime. Nom donné par Paul-Jean Toulet à une structure strophique qui existait avant le recueil (posthume, 1921) auquel il a donné ce nom, et qui est fondée sur la discordance entre le système des rimes et celui des mètres. Les rimes sont embrassées et les mètres alternent dans le quatrain suivant :

> *C'est à voix basse qu'on enchante*
> *Sous la cendre d'hiver*
> *Ce cœur, pareil au feu couvert,*
> *Qui se consume et chante.*   (M.A.)

▷ hétérométrie, strophe.

conversation. *Voir* entretien.

copiste. Au Moyen Âge, le copiste est, avec le jongleur, le principal transmetteur de littérature. Or son travail n'est jamais une reproduction mécanique du texte qu'il recopie : des simples fautes aux remaniements étendus, il marque la copie de son empreinte. La philologie distingue habituellement les transformations non intentionnelles (erreurs de lecture, étourderies, changement accidentel d'un temps verbal...) et les transformations intentionnelles, qui vont de la simple variante (construction différente, remplacement d'un terme par un synonyme...) à la réécriture de cellules narratives plus ou moins importantes. Cette liberté du copiste confère ses caractères particuliers à la littérature médiévale : les œuvres s'offrent au philologue dans la diversité de leur tradition manuscrite, et non dans la forme où leur auteur aurait choisi de les figer.   (D.B.)
▷ **bourdon**, **codex**, **contamination**, **manuscrit médiéval**, **remaniement**, *scriptorium*, **variance**.

coppée. Désigne un poème, particulièrement un dizain, qui parodie ceux que François Coppée avait publiés dans le second *Parnasse contemporain* (1869) et repris dans le recueil *Promenades et Intérieurs*. Le mot semble avoir appartenu surtout au vocabulaire de Verlaine et de Rimbaud. L'*Album zutique* donne le titre de « Vieux Coppées » à une série de dizains parodiques dus notamment à Rimbaud. En 1876 parut un volume collectif de « Dizains réalistes » inspirés de Coppée ; quinze d'entre eux étaient de Charles Cros, qui les inséra dans la deuxième édition de son *Coffret de santal* (1879).   (Y.V.)
▷ **dizain**, **Parnasse**, **parodie**, **pastiche**, **réalisme**, **Zutistes**.

costume. Terme d'origine italienne (XVIIe et XVIIIe siècles), employé d'abord dans le vocabulaire technique de la peinture, et qu'on applique ensuite au théâtre, à l'histoire et à la fiction. Le costume, c'est l'ensemble des traits, des mœurs et des coutumes, des vêtements et des usages qui caractérisent une époque. Respecter le costume, dans une représentation théâtrale, c'est se conformer à tout ce que l'histoire nous apprend sur l'époque qui constitue le référent de la fiction. Puis, vêtements de théâtre. (P.F.)

▷ **bienséance(s), vraisemblance.**

couée. *Voir* strophe couée.

coup de théâtre. Incident imprévu qui survient dans le cours de l'action d'une pièce de théâtre et qui change complètement la situation dans laquelle sont placés les personnages. Le retour de Thésée, qu'on croyait mort, dans *Phèdre*, l'apparition du seigneur Anselme à la fin de *L'Avare*, celle de Don César de Bazan au quatrième acte de *Ruy Blas*, offrent l'exemple du coup de théâtre, qui peut fonder une péripétie, achever de nouer l'action, ou, au contraire, la dénouer par surprise. Son principe étant une intervention extérieure, naissant souvent du hasard ou de la rencontre d'une intrigue connexe avec l'intrigue principale, il a fait l'objet de critiques au nom du caractère organique de l'action telle qu'Aristote la définit. Diderot lui préfère ainsi le tableau. (P.F.)

▷ **action, dénouement,** *deus ex machina,* **péripétie, tableau.**

coupe. Nom donné parfois à la césure. De nombreux métriciens nomment ainsi plutôt une articulation interne à l'hémistiche ou au vers bref, et qui succède à un accent mobile. On l'indique par une barre simple, juste après la syllabe accentuée :

L'amoureux / pantelant // incliné / sur sa belle 3/3 // 3/3
A l'air / d'un moribond // caressant / son tombeau 2/2 // 3/3
(Baudelaire, « Hymne à la beauté ».)

Pour les problèmes liés à la présence d'un *e* à la syllabe de coupe, une certaine tradition, même si la chose est contestable puisque la présence de cet *e* ne pose pas le même problème que pour la césure, utilise la même terminologie que pour les césures (d'où coupes enjambante, épique, lyrique). (M.A.)

▷ accent, césure, césure enjambante, césure épique, césure lyrique, hémistiche, rythme.

coupe enjambante. Coupe que l'on fait passer avant un *e* final de mot non élidable et prosodiquement compté, la syllabe correspondante appartenant alors à ce qui suit la coupe. Elle est liée au fait qu'il n'y a pas de rupture grammaticale forte à l'endroit de la coupe :

Jusqu'au som/bre plaisir // d'un cœur / mélancolique
(La Fontaine.)   (M.A.)

▷ césure enjambante, coupe, coupe épique, coupe lyrique.

coupe épique. Coupe sur un *e* final apocopé et non élidable. Le cas est assez rare. On ne le trouve que dans la poésie moderne, ou encore dans des poèmes apocopés de tonalité populaire, comme la « Complainte du pauvre jeune homme » de Laforgue, où l'on peut citer cet octosyllabe :

Quand ce jeune homm' / rentra chez lui.   (M.A.)

▷ césure épique, coupe, coupe enjambante, coupe lyrique.

coupe lyrique. Coupe que l'on place, en décalage avec l'accent, après une finale de mot en *e* non élidable, à la faveur d'une rupture plus ou moins forte de la syntaxe (position détachée, ponctuation forte par exemple). Baudelaire détache ainsi un 4/8 dans cet alexandrin de l'« Hymne à la Beauté » :

Et le Meurtre, / parmi tes plus chères breloques,
Sur ton ventre orgueilleux danse amoureusement.   (M.A.)

▷ césure lyrique, coupe, coupe enjambante, coupe épique.

coupé(e). *Voir* rime coupée *et* style coupé.

couplet. À l'origine, groupement de deux vers dans les chansons qui accompagnaient les danses médiévales. Le terme désigne aussi, dans les traités d'art poétique jusqu'au XVIe siècle, la strophe dans la ballade et dans les poèmes strophiques. En général, le couplet est, dans une chanson, ce qui correspond librement à une strophe et est souvent suivi d'un refrain. (M.A.)

▷ refrain, stance, strophe.

cour/jardin. Au théâtre, les deux côtés de la scène. Les notions de gauche et de droite étant relatives à la position dans laquelle on se trouve, on leur substitua, sous l'Ancien Régime, celles de « côté du roi » pour désigner la droite de l'acteur qui regarde le public, et de « côté de la reine » pour désigner sa gauche, d'après les positions respectives des loges du roi et de la reine. Au moment de la Révolution, le théâtre des Tuileries se trouvant entre cour et jardin, on substitua « côté jardin » à « côté du roi » (droite de l'acteur) et « côté cour » à « côté de la reine » (gauche). Ces termes sont encore en usage aujourd'hui dans tous les théâtres. (P.F.)

▷ scène.

couronnée. *Voir* rime couronnée.

courtoisie. Au Moyen Âge, idéal de vie et fait de civilisation qui se sont élaborés et développés à partir du XIe siècle, et qui ont joué un rôle majeur aux XIIe et XIIIe siècles. Le terme, dérivé de *cort* (« cour »), s'oppose à la rusticité du monde rural des *vilains* (« paysans ») et renvoie au monde aristocratique. La courtoisie correspond d'abord, socialement, à un adoucissement des mœurs lié à un changement dans le mode de vie de l'aristocratie, devenue plus sédentaire et surtout plus riche en raison du développement de l'économie rurale. Elle se caractérise par un rejet de la force brutale et des instincts de domination, au profit d'une sociabilité fondée sur des manières attentives à autrui : un savoir-vivre où compte la noblesse du cœur, la générosité dans tous les sens du terme. Elle se caractérise également par une place importante faite à la femme et par un culte du savoir qui associe la formation intellectuelle aux exercices physiques (union de la *chevalerie* et de la *clergie*, célébrée par Chrétien de Troyes). L'élaboration et le succès de la doctrine de l'amour courtois ne sont qu'un aspect de ce fait de civilisation qui s'est développé dans le Midi, plus urbanisé, avant de se transmettre au Nord. Il a inspiré la poésie lyrique et suscité le développement de la forme romanesque (le roman courtois), qui en sont inséparables (les *Tristan*, les romans de Chrétien de Troyes, les cycles en prose du XIIIe siècle, aussi bien que les romans dits « réalistes »).   (D.B.)

▷ **chevaleresque (idéologie)**, *fin'amor*, **roman arthurien**, *translatio*, **troubadour**, **trouvère**.

coutumier. Ouvrage juridique rassemblant les coutumes d'une province ou d'une juridiction sous la forme d'une succession d'articles, souvent ordonnés en plusieurs livres. Ils reflètent à la fois la législation et la procédure, et donnent une idée précise de la politique judiciaire des ducs et des comtes, en même temps que des rapports politiques avec le roi (*Coutumes de Beauvaisis* de Philippe de Beaumanoir, fin XIIIe siècle ; *Grand Coutumier de Normandie*, première moitié du XIIIe siècle ; *Ancien Coutumier de Champagne*, fin XIIIe siècle ; *Coutumier de Bourgogne*, vers 1400).   (D.B.)

▷ **manuscrit médiéval**.

couturière. Dernière répétition d'une pièce de théâtre avant la générale ; celle où les couturières faisaient les dernières retouches aux costumes des comédiens.   (P.F.)

▷ **générale**, **première**.

crase (n. f., du grec *krâsis*, « mélange »). En grammaire grecque, contraction de la voyelle ou diphtongue finale d'un mot avec la voyelle ou diphtongue initiale du mot suivant. En français, c'est la contraction de deux syllabes en une seule, dont la synérèse peut être un cas particulier (par exemple union, toujours en diérèse dans la prosodie traditionnelle, donc en trois syllabes, est prononcé en synérèse dans la langue courante, donc en deux syllabes). La synalèphe est également un type de crase, mais elle

consiste dans l'élision d'une voyelle autre que *e* devant
initiale vocalique (qu'a = qui a).   (M.A.)

▷ synérèse.

cratylisme. Le terme tire son origine du dialogue de
Platon intitulé *Cratyle*. Dans ce dialogue, Socrate intervient dans une discussion entre deux sophistes : Cratyle,
qui défend l'idée que le langage et en particulier le vocabulaire sont motivés, et Hermogène, pour qui le langage
et le vocabulaire sont soumis à l'arbitraire et sont le résultat d'un consensus. C'est un débat qui n'a cessé de se
poursuivre jusqu'à nos jours, comme le montre l'ouvrage
de G. Genette, *Mimologiques*, 1976. Le XVIᵉ siècle, dans
la ligne des Grands Rhétoriqueurs, a prêté une grande
attention au cratylisme et à ce que portent les noms, en
particulier les noms propres. Ronsard, désireux de s'attirer l'amour de Marie, invoque son nom :

> *Marie, qui voudrait votre beau nom tourner,*
> *Il trouverait Aimer : aimez-moi donc, Marie,*
> *Faites cela vers moi dont votre nom vous prie.*

Saussure (1857-1913), en affirmant l'arbitraire du
signe, établit une barre très nette entre signifiant et signifié, laissant simplement aux onomatopées le privilège de
la motivation. Or toute une réflexion poétique montre
que, dans une communauté linguistique, au niveau individuel et à la faveur de contextes et d'associations où
opère ce que G. Genette appelle une « suggestion par le
sens », peut se produire une remotivation du signifiant.

(M.A.)

▷ anagramme, arbitraire du signe, calembour, connotation, dénotation, homonymie, homophonie, paronomase, phonème, signe linguistique.

critique. Ce terme désigne à l'origine l'*ars critica*, qui
consiste à examiner les textes anciens pour en éclaircir le
sens et à en fixer le texte à partir des différentes versions
manuscrites et de l'étude de la langue (grammaire,
lexique, etc.). À la suite de l'humanisme, le terme a
désigné toute activité d'examen des textes littéraires, phi-

losophiques ou religieux : il s'agit alors de lire et de juger les ouvrages, et non plus seulement de les éditer. A ce titre, la critique littéraire, même si elle a existé dans l'Antiquité (notamment par le biais des traités de poétique ou de rhétorique, qui analysent les œuvres pour en comprendre les règles : Aristote, Cicéron, Quintilien, Hermogène, etc.), trouve ses lettres de noblesse en Europe à partir de la Renaissance italienne, relayée par l'Europe entière à partir de la seconde moitié du XVIᵉ siècle, qui est à proprement parler l'âge de la « Renaissance de la critique » (Jehasse). Devenue très polémique à l'occasion des diverses querelles (autour du cicéronianisme, entre les Anciens et les Modernes), la critique est une activité littéraire de premier plan, qu'il s'agisse d'étudier les textes plus anciens (critique historique) ou d'évaluer les œuvres contemporaines (critique littéraire à proprement parler). Elle est la principale activité de la « République des Lettres » (XVIIᵉ-XVIIIᵉ siècles).

Au début du XIXᵉ siècle, en même temps que la littérature, naguère incluse dans les Belles-Lettres, prend le sens moderne que nous lui connaissons, la critique elle-même devient une activité autonome et, dans cet essor, le développement de la conscience historique, l'essor de la presse puis le renouveau de l'Université ont compté. Mais il s'agit d'une pratique diverse qu'exercent souvent les créateurs (Mme de Staël, Hugo, Baudelaire, Zola) et qui donne lieu aussi à l'élaboration de doctrines inspirées de modèles scientifiques (Taine, Brunetière). L'indétermination, cependant, qui permettait à une personnalité comme Sainte-Beuve d'être à la fois écrivain, critique et professeur s'efface largement au tournant des XIXᵉ et XXᵉ siècles. Désormais, il convient de distinguer trois pratiques différentes : la critique journalistique qui s'attache, dans une presque immédiateté, à discriminer et juger pour inviter à lire ou ne pas lire ; la critique d'écrivain, qui peut aussi bien éclairer son œuvre ou celle des autres, prendre la forme d'une écriture très littéraire ou définir des lois plus théoriques ; la critique universitaire enfin, qui s'attache à faire mieux connaître les œuvres, à les mieux lire par des éditions fréquemment renouvelées, à les rendre plus accessibles au lecteur – et à se constituer enfin en un vrai savoir sur la littérature où il faut distinguer, surtout après les années 1960, ce qui relève d'une théorie qui dégage des lois de fonctionnement et ce qui ressortit à une critique qui étudie les œuvres par une approche singulière. Mais ce qui réunit ces trois critiques, c'est qu'elles contribuent tacitement, par leurs choix et par leurs refus, à constituer le corpus mouvant des œuvres qui, pour chaque époque, constituent sa littérature.

(E.B. et M.J.)

▷ **commentaire, Belles-Lettres, histoire littéraire, Nouvelle Critique, philologie, querelle des Anciens et des Modernes.**

critique génétique. Depuis les années 1970, étude de la genèse des œuvres et tout particulièrement du processus de création tel qu'il apparaît dans les brouillons et autres avant-textes. Par son souci d'exhaustivité et d'érudition, la critique génétique est l'héritière de la critique philologique du début du XXe siècle, celle de Gustave Lanson et de Gustave Rudler, ou – dans une moindre mesure – d'Antoine Albalat. Mais elle ne se contente plus de relever des variantes pour enrichir les éditions critiques, elle a aussi une ambition herméneutique : non seulement elle permet de valider sur le manuscrit des hypothèses de lecture intuitives, mais elle parvient parfois aussi à renouveler complètement l'interprétation d'un texte, d'un point de vue psychanalytique par exemple. La critique génétique a enfin un évident intérêt linguistique, parce qu'elle permet d'observer finement le travail de récriture, de paraphrase et de correction. Au sens large, la critique génétique n'est pas seulement interne (étude des avant-textes), elle est aussi externe (étude des circonstances présidant à la création d'une œuvre). (G.P.)

▷ **avant-texte, critique psychanalytique, herméneutique.**

critique psychanalytique. Depuis Freud, la psychanalyse a voulu mettre ses procédures et ses concepts au service

de l'interprétation des textes littéraires (Ch. Baudouin,
J. Lacan, J. Kristeva, J. Bellemin-Noël...). La critique psychanalytique propose une herméneutique du texte sur des
bases assez proches de son interprétation du rêve : il s'agit
de remonter du contenu explicite à un contenu latent
pour mettre en évidence les pulsions fondamentales qui
ont présidé à la création, d'expliquer certains aspects du
texte par le travail de fictionalisation ou de mise en discours (avec déplacement et condensation) du fantasme
du sujet. La critique génétique a parfois été influencée
par la psychanalyse.   (G.P.)
▷ critique génétique, psychocritique.

critique thématique. On regroupe sous cette appellation différentes démarches critiques qui, au moment du
renouvellement des études littéraires en France (1950-
1970), cherchèrent dans les textes littéraires la spécificité
d'une relation au réel ou le déploiement structuré d'un
imaginaire qui sert de grille de lecture du monde. La
critique thématique fut fortement inspirée, d'une part,
par la psychanalyse et par la phénoménologie (théorie
philosophique développée par Husserl, Sartre, Merleau-
Ponty... qui prend pour objet d'étude la relation de la
conscience et du réel), et, d'autre part, par les travaux des
grands précurseurs comme M. Raymond (*De Baudelaire
au surréalisme*, 1933), A. Béguin (*L'Âme romantique et le
rêve*, 1937), G. Bachelard (*La Psychanalyse du feu*, 1938 ;
L'Eau et les rêves, 1943). La critique thématique tente
de décrire « de l'intérieur » un univers irréductiblement
personnel et de souligner la façon dont il se transforme
en un univers littéraire cohérent et structuré. On distingue parfois deux moments dans la critique thématique : d'une part, ce qu'il est convenu d'appeler l'« École
de Genève », qui regroupe G. Poulet (*Études sur le temps
humain*, 1950-1958), J. Rousset (*Forme et signification*,
1962), J. Starobinski (*L'Œil vivant*, 1961) et se propose
d'opérer une « critique de la conscience » qui prenne
aussi en considération les aspects formels et historiques
des œuvres ; d'autre part, la « critique de l'imaginaire »

qui étudie la façon dont une constellation de sensations, d'impressions, de sentiments s'organise en réseaux et féconde l'œuvre littéraire (J.-P. Richard, *Littérature et sensation*, 1954). (G.P.)

▷ **critique psychanalytique, Nouvelle Critique, psychocritique.**

croisées. *Voir* rimes croisées.

cycle (épique ou **romanesque)**. Au Moyen Âge, un cycle est un ensemble, structuré ou non, de textes appartenant au même genre et ayant entre eux des affinités thématiques, et relatant différents moments de la vie d'un héros, de son lignage, ou d'un règne, dans les domaines épique et romanesque. Dans le domaine épique, le terme de « cycle » traduit l'ancien français *geste* : cycle (ou *geste*) du roi, cycle de Guillaume d'Orange, cycle des vassaux rebelles (de Doon de Mayence). Le terme désigne également des sous-ensembles, quelquefois appelés « petits cycles » : cycle de Nanteuil, cycle des Lorrains (tous deux dans le cycle des vassaux rebelles), petit cycle de Rainouart (dans le cycle de Guillaume). Des manuscrits dits cycliques rassemblent plusieurs chansons en essayant de restituer un ordre chronologique : vie et exploits des parents, du ou des fils, des petits-enfants et des collatéraux, par exemple, en distinguant, pour le héros principal, l'*enfance*, la *chevalerie*, l'âge mûr et la vieillesse qui prend souvent la forme d'un *moniage* (voir ces mots). Dans le roman médiéval, le terme n'est employé que pour désigner l'ensemble dit du Lancelot-Graal (XIIIe siècle), et comprend cinq romans en prose qui se font suite : *Estoire del saint Graal, Estoire Merlin, Lancelot* en prose, *Queste del saint Graal, La mort le roi Artu*, qui sont ainsi transmis dans leur continuité par de nombreux manuscrits. Phénomène de transcription manuscrite, totalement indépendant de la vie orale des textes, le cycle relève du goût du XIIIe siècle pour les sommes. (D.B.)

▷ **chanson de geste,** *chevalerie, enfances, geste, moniage.*

D

dada. Mouvement de négation iconoclaste créé à Zurich en 1916, dont le principal animateur fut l'écrivain Tristan Tzara, dada ouvre une entière transgression – rupture avec l'héritage littéraire, culte de l'arbitraire, spontanéité totale du langage – et s'accompagne de violences provocatrices. Une revue du même nom paraît de 1917 à 1920 où figurent bientôt des textes d'André Breton, Philippe Soupault et Louis Aragon. C'est aussi en 1920 que, venu à Paris retrouver le poète et peintre Francis Picabia, Tzara rencontre de nombreux écrivains qui seront les tout premiers surréalistes. Des manifestations à sensation sont organisées, mais à partir de 1922, le surréalisme naissant relègue toutes les désorientations dadaïstes à une sorte de moment de fièvre désormais dépassée.   (M.J.)
▷ **surréalisme.**

dancourade (n. f.). Petite comédie à la manière de celles de Dancourt (1661-1725), c'est-à-dire des comédies de mœurs, légères et cruelles, qui font un tableau sans concession de la société mondaine de leur époque. (P.F.)

dandysme. Terme usité en France à partir de 1830, formé sur l'anglais *dandy*, et désignant un comportement marqué par une volonté de raffinement et d'anticonformisme. Sous différents noms et différentes formes, le dandysme est de toutes les époques. Baudelaire affirme que « César, Catilina, Alcibiade nous en fournissent des types éclatants ». Après les Raffinés du XVIᵉ siècle français, les Beaux d'Angleterre et les Incroyables du Directoire, les Lions de la Restauration précédèrent les dandys avant de se confondre avec eux. *La Comédie humaine* en fournit les meilleurs exemples romanesques, avec les personnages de Montriveau, Henri de Marsay, Rastignac, Maxime de Trailles, La Palférine, etc. Dans son essai *Du dandysme et de George Brummell* (1845), Barbey d'Aurevilly montre qu'au-delà du désir d'élégance, d'originalité parfois extravagante et de froideur calculée, le dandysme, étroitement lié à la société anglaise, se joue des règles tout en les respectant. Il souligne la valeur intellectuelle de Brummell, qui mit son art dans sa vie et dont le ton se retrouve dans le *Don Juan* de Byron. Plus tard, Baudelaire, après avoir longtemps songé à un essai sur le dandysme littéraire (où il aurait inclus Chateaubriand), résume dans un chapitre du *Peintre de la vie moderne* (1863) sa conception du dandysme : « C'est une espèce de culte de soi-même [...]. C'est le plaisir d'étonner et la satisfaction de ne jamais être étonné. [...] Le dandysme est le dernier éclat d'héroïsme dans les décadences [...]. » Ces textes confèrent au dandysme une dimension spirituelle qu'Albert Camus confirme à sa manière dans *L'Homme révolté* (1951), en voyant dans la révolte du dandy « une forme dégénérée de l'ascèse ».   (Y.V.)

▷ bohème, décadentisme, Jeune-France, romantisme.

danse macabre (ou **Macabré)**. À la fin du Moyen Âge et à la Renaissance (fin XIVᵉ-XVIᵉ siècle), ensemble indissociable de textes et d'images visant à rappeler le caractère inéluctable de la mort et l'égalité de tous les états sociaux devant elle. L'iconographie propose une série de squelettes entraînant chacun dans une ronde un personnage qui représente un état social (pape, empereur, cardinal, chevalier, bourgeois, moine, musicien, paysan...). Un texte sommaire, présentant un bref dialogue entre le mort et le vivant, accompagnait ou était susceptible d'accompagner chaque image. On la rencontre sous la forme de fresques dans de nombreuses églises d'Europe, mais aussi, avec ou

sans l'illustration, dans une vingtaine de manuscrits du
XVe siècle ; la danse a même pu être proposée en spectacle
théâtral au milieu de banquets et de festivités (*Jeu de la
Danse Macabré*). Apparues à la fin du XIVe siècle, ces danses
ont perduré jusqu'au seuil du XVIIe siècle. L'étymologie est
incertaine : « Macabré », forme originelle de l'expression,
pourrait être une déformation de « Macchabées ».   (D.B.)

▷ *ars moriendi*, **dit.**

débat. Au Moyen Âge, terme mal spécifié, qui sert à
désigner aussi bien des poésies morales comme le *Débat
de l'âme et du corps* (XIIe siècle), des poèmes portant sur
des questions de casuistique amoureuse (*Débat du clerc
et du chevalier* : auquel une femme doit-elle donner la
préférence en amour ?), que des formes poétiques codifiées comme la *tenson* ou le jeu-parti.   (D.B.)

▷ jeu-parti, *partimen, tenson.*

décadentisme. Courant esthétique actif en France et en
Europe dans les années 1880, apparu au confluent de facteurs historiques, philosophiques et littéraires. La hantise
d'une décadence historique, pensée sur le modèle de la
décadence de l'Empire romain, court à travers tout le
XIXe siècle. La défaite de 1871, la Commune, les débuts difficiles de la IIIe République donnent une nouvelle actualité
aux thèmes périodiquement repris de la décrépitude de la
noblesse, de la corruption de la société ou de l'arrivée de
nouveaux Barbares. En philosophie, une vague de pessi-
misme accompagne le déterminisme et le scientisme alors
régnants. « La vérité est peut-être triste », répète Renan.
Beaucoup d'esprits sont marqués par la pensée de Scho-
penhauer (1788-1860), tardivement découverte en
France. Certains en viennent à présager, voire à souhaiter,
une catastrophe finale. En littérature enfin, l'influence de
Baudelaire devient dominante. Gautier, dans sa préface
aux *Fleurs du Mal*, parle de son « style de décadence [...]
dernier mot du Verbe sommé de tout exprimer et poussé à
l'extrême outrance » ; en 1881, Paul Bourget élabore à partir de Baudelaire une « théorie de la décadence ».

Le décadentisme littéraire relève le défi de la prétendue décadence collective en y cherchant une source d'inspiration esthétique. Dans le sonnet « Langueur » que publie *Le Chat noir* en 1883, Verlaine s'identifie à « l'Empire à la fin de la décadence ». Il déclarera plus tard : « J'aime le mot de décadence tout miroitant de pourpre et d'or. J'en révoque, bien entendu, toute imputation injurieuse et toute idée de déchéance. Ce mot suppose au contraire des pensées raffinées d'extrême civilisation, une haute culture littéraire, une âme capable d'intenses voluptés. » Programme que remplit Des Esseintes, le héros du roman de J.-K. Huysmans *À rebours* (1884). Année décisive : en même temps que ce « bréviaire de décadence » paraissent *Le Crépuscule des dieux* d'Élémir Bourges, *Le Vice suprême* de Joséphin Péladan, premier volume d'une longue « Éthopée » consacrée à *La Décadence latine* ; Verlaine réunit sous le titre *Les Poètes maudits* des études sur Corbière, Rimbaud, Mallarmé ; Maurice Barrès, qui se retournera plus tard contre la « décadence », fait des débuts remarqués avec sa revue *Taches d'encre*. Il faut ajouter l'œuvre de Jules Laforgue, interrompue par la mort en 1887 ; ses recueils, *Les Complaintes* (1885) et *L'Imitation de Notre-Dame la Lune* (1886), ainsi que les proses des *Moralités légendaires* (1887), fournissent l'exemple d'une écriture « décadentiste » savamment travaillée, multipliant les néologismes, les rimes intérieures, les mots-valises et les dissonances de tous ordres.

L'écriture décadentiste fut parodiée dès 1885 (*Les Déliquescences* par Adoré Floupette, pseudonyme de Henri Beaucaire et Gabriel Vicaire). Il existe par ailleurs un « imaginaire décadent » aisément reconnaissable : prédominance des espaces clos, des crépuscules, des eaux mortes, évocations de Byzance, de Venise, paysages intériorisés, fuites dans le rêve, dans les perversions sexuelles, recherche systématique de l'artificiel. Cependant, le décadentisme ne constitua jamais une école, en dépit des efforts de l'obscur Anatole Baju, fondateur du journal *Le Décadent* (1886-1889). On ne peut plus, comme le public de l'époque et malgré de nombreuses connexions,

confondre « décadents » et « symbolistes ». Le décadentisme finit par se fondre dans la sensibilité « fin de siècle », illustrée jusqu'aux alentours de 1900 par des
écrivains comme Jean Lorrain (*M. de Phocas*, 1901),
Rachilde (*Les Hors-nature*, 1897), voire Jarry (*Messaline*,
1901).   (Y.V.)

▷ **art pour l'art, dandysme, écriture artiste, fantaisie,
   fumisme, modernité, naturalisme, romantisme, scientisme, symbolisme, Zutistes.**

décasyllabe (n. m., du grec *déka*, « dix »). Mètre de dix
syllabes. Il apparaît au milieu du XIᵉ siècle, d'abord dans
la poésie hagiographique et dans l'épopée. À partir du
XIIIᵉ siècle, il devient le grand vers lyrique, mais est
concurrencé puis éclipsé par l'alexandrin au milieu du
XVIᵉ siècle. L'époque classique l'emploie plutôt en hétérométrie, et il ne retrouve la poésie lyrique qu'à partir du
XIXᵉ siècle. Son rythme traditionnel le plus fréquent est
4/6, avec éventuellement une structure d'accompagnement en 6/4. L'autre structure traditionnelle est en 5/5,
mais elle ne se mélangeait jamais avec la précédente, ce
qui fait qu'il existe deux types de décasyllabes différents.
Jules Laforgue utilise ces trois rythmes dans *Les
Complaintes* (1885) :
– 4/6 *Vous qui passez, // oyez donc un pauvre être*
– 6/4 *Puis frêle mise au monde ! // ô Toute Fine*
– 5/5 *Jupes des quinze ans, // aurores de femmes*
mais ce qui montre qu'il s'écarte de la tradition, c'est
qu'il les emploie ensemble, dans un même poème, alors
que les 4/6 et les 5/5 appartiennent à des esthétiques tout
à fait différentes du décasyllabe.   (M.A.)
▷ **vers.**

déconstruction. Théorie et méthodologie critiques inspirées des travaux du philosophe français Jacques Derrida
(*De la grammatologie*, 1967) et particulièrement influentes
aux États-Unis dans les années 1970 et 1980 (P. de Man,
G. Hartman, J. Hillis Miller). Il s'agit de mettre en évidence les tensions, les contradictions qui traversent les

textes et empêchent qu'ils parviennent à une signification pleine, sans équivoque, totalement assumée. Toutes les analyses littéraires qui prétendent mettre en évidence le sens d'un texte procèdent dès lors d'un simple coup de force : au nom d'un sujet qui garantirait la cohérence générale du propos, on fait fi du détail du texte qui risque de gêner la construction d'une interprétation qui ignore les failles. Le projet déconstructionniste se veut donc « éthique » parce qu'il reconnaît l'altérité du texte, son statut d'artefact strictement verbal avant que d'être un objet idéologique ou esthétique. La littérature est ici conçue comme un travail pour détourner les insuffisances du langage, dépasser son incapacité à rendre compte du réel ; mais c'est un travail sisyphéen, forcément condamné à l'échec : la signification pleine n'est jamais atteinte et les textes ne parviennent jamais à dépasser leurs contradictions.   (G.P.)

▷ **grammatologie, herméneutique, logocentrisme.**

décor. Ensemble des éléments matériels qui figurent le lieu où est censée se passer l'action théâtrale. Jusqu'à la fin du XVIIIe siècle, on parle de décoration. Au XIXe siècle, on entend par décor tantôt l'ensemble des éléments matériels, y compris les accessoires et éléments mobiles, tantôt simplement les éléments fixes, toile de fond, coulisses, praticables, fermes. L'émergence du mot décor est liée à l'intégration (progressive au cours du XVIIIe siècle) dans la fiction dramatique de ce qu'on nommait auparavant décoration. Le décor traditionnel est lié au système scénographique de ce qu'on a appelé théâtre à l'italienne. Dans les systèmes scénographiques du XXe siècle, il s'est adapté aux différents types de scénographie (élément symbolique sur un plateau nu, constitution d'images non figuratives, utilisation de la vidéo, de l'hologramme, de la projection).   (P.F.)

▷ **mise en scène, scénographie.**

déduction/induction. Ce sont les deux grands modes de raisonnement reconnus par la pensée occidentale. L'induction propose une généralisation à partir d'un cas particulier pertinent (« Pierre est mort apaisé, Jean désespéré ; tu vois que face à la mort l'argent est moins fort que l'amour ») ou propose d'appliquer à un cas particulier une proposition valide pour un autre cas (« Jean est un imbécile ; son frère doit l'être aussi »). La déduction procède inversement : elle applique à un cas particulier ce qui est reconnu vrai en général (« Tous les hommes sont des goujats ; pourquoi voudrais-tu que Pierre fût différent ? »).   (G.P.)

déictique, déixis. Un pronom, un adverbe, un déterminant... est dit déictique (ou exophorique) quand son référent ne peut être trouvé qu'en prenant en considération la situation d'énonciation, c'est-à-dire les circonstances de production de l'énoncé (qui s'exprime ? pour qui ? quand ? où ?). Dans un énoncé comme : « Il y a deux siècles, Chateaubriand a rédigé *Atala* sur cette table », les compléments « il y a deux siècles » et « sur cette table » ne peuvent s'interpréter que si l'on sait à quel moment et dans quel lieu ces mots ont été prononcés. La déixis est donc ce mode de référenciation particulier qui exige la prise en compte de la situation de production d'un énoncé. Dans un énoncé narratif, les déictiques prennent généralement pour repère le lieu et le moment de l'énonciation : *Il y a quelques mois qu'une femme mariée de ce pays...* (Stendhal, *Rome, Naples et Florence*), ou bien – pour créer un effet de style indirect libre ou de point de vue – la situation spatio-temporelle du personnage : *Il avait beau parler maintenant avec beaucoup de calme, la fille n'était pas dupe* (G. Bernanos, *Nouvelle Histoire de Mouchette*). On appelle plus spécifiquement embrayeurs (voir ce terme) les pronoms personnels déictiques. (G.P.)
▷ discours/récit, embrayeur.

délibératif. On désigne ainsi un des trois genres oratoires (aux côtés du genre judiciaire et du genre épidictique, ou démonstratif). C'est le genre par excellence de la décision politique, car son rôle est de conseiller ce qu'il faut faire ou ce qu'il ne faut pas faire ; il porte donc sur l'avenir, et les valeurs qui lui servent de critère sont l'utile et le nuisible. L'argument type dont il se sert est l'exemple (on puise dans la mémoire historique les grands exemples du passé, pour comprendre et orienter l'action à venir), et il doit recourir avant tout au *logos* (raisonnement discursif), avant d'emporter l'adhésion du public par le *pathos* (en suscitant son indignation, ou sa colère). La personne de l'orateur (*ethos*) doit être digne de confiance, pour donner du poids à ses arguments (ainsi, il est difficile pour un homme politique de proposer de faire la guerre, s'il n'a pas fait lui-même preuve de courage au combat). Du point de vue littéraire, le délibératif est le genre par excellence des débats, comme dans les grandes tirades du théâtre classique (stances du *Cid*, par exemple), lorsque le héros doit se décider pour agir. La mise en avant des valeurs (courage, honneur, amour, devoir) en fait donc un des hauts lieux de l'analyse psychologique des personnages, et ses conséquences sur l'action en font souvent un des éléments structurels majeurs de l'intrigue. (E.B.)

▷ atticisme, éloquence, *ethos*, *pathos*, rhétorique, style noble, style tempéré.

démonstratif. Troisième genre oratoire, selon les théoriciens, le genre démonstratif (ou, d'après le mot grec, épidictique) est celui où l'art doit être le plus brillant. L'argument type est en effet l'amplification, car son propos porte sur des valeurs, qu'il s'agit de louer ou de blâmer : c'est donc le genre de l'éloge et du blâme, et il porte sur le présent, car il demande l'adhésion immédiate aux valeurs d'une communauté (*doxa*), déjà partagées par le public. L'épidictique est, par excellence, le genre de la célébration collective – par exemple dans la glorification de Dieu, la célébration du roi, ou des valeurs de la République –, où la communauté affirme les liens qui la constituent. Cette éloquence d'apparat se retrouve aussi bien dans la poésie élevée (ode, hymne) que dans l'épopée ou la tragédie. En prose, elle est celle des discours de réception, des panégyriques ou des oraisons funèbres. C'est pourquoi elle demeure très vivante dans la vie sociale et politique. Son style est le style élevé, avec le déploiement de toutes les figures de l'éloquence (amplification, style fleuri, etc.). Le prestige et l'efficacité de l'épidictique peuvent souvent lui donner une valeur d'argument, même dans les autres genres : on développera ainsi le thème de la grandeur de la cité ou des ancêtres dans la péroraison d'un discours judiciaire ou d'une délibération. Dans la fiction, l'épidictique joue un rôle important dans la description, où il s'agit de faire valoir la beauté d'un lieu, ou parfois, au contraire, de le caricaturer ; il joue un rôle identique dans l'art du portrait. Dans son mode négatif, il est l'arme de la satire et du pamphlet. Moins sensible aujourd'hui dans la littérature, l'épidictique demeure souvent le morceau de bravoure du théâtre ou du cinéma, quand ce n'est pas simplement dans la bonne écriture journalistique. (E.B.)

▷ **abondance**, **amplification**, *doxa*, **éloquence**, *pathos*, **rhétorique**, **style élevé**, **style fleuri**.

dénotation. Définition stable du mot telle qu'elle figure dans le dictionnaire, comme un ensemble de traits sémantiques : gifle et soufflet ont la même dénotation, ou encore le mot corbeau désigne « un grand corvidé noir ».

(M.A. et G.P.)

▷ **connotation**, **cratylisme**, **isotopie**, **polysémie**, **référent**, **sémantique**, **sème**, **signe linguistique**.

dénotative. *Voir* fonctions du langage.

dénouement. Dernier moment de l'action, ou de l'intrigue dans le système dramatique classique : après la péripétie commence le dénouement qui en résulte comme naturellement et qui lui est lié. À la reconnaissance de l'identité d'Œdipe (péripétie) succède le dénouement, mort de Jocaste, mutilation d'Œdipe. Le nœud se défait, les tensions qui le constituaient s'apaisent. La situation revient à l'équilibre. Le dénouement

peut se produire par l'effet d'un récit (celui de Théra-
mène dans *Phèdre*) ou se passer « en action », c'est-à-dire
sous les yeux des spectateurs. La notion traditionnelle de
dénouement présuppose la conception classique de l'action et il faut l'entendre dans un sens plus large dans le
théâtre symboliste ou dans le théâtre du XXᵉ siècle : il peut
« ouvrir », comme il peut « refermer » ou laisser l'action
« suspendue » en la rendant problématique.   (P.F.)

▷ **acte, action, catastrophe, coup de théâtre, intrigue,
péripétie, tableau.**

déplacement. *Voir* critique psychanalytique.

déploration. *Voir* complainte.

déprécation. Figure par laquelle un orateur ou un personnage s'interrompt pour demander à un dieu ou à une
quelconque puissance d'écarter de lui un danger. Ainsi,
par exemple, lorsque Thésée, dit dans la *Phèdre* de
Racine :

> *Qu'on rappelle mon fils, qu'il vienne se défendre,*
> *Qu'il vienne me parler, je suis prêt de l'entendre.*
> *Ne précipite point tes funestes bienfaits,*
> *Neptune ; j'aime mieux n'être exaucé jamais* (V, 5).   (M.J.)

dérimage. À la fin du Moyen Âge (XIVᵉ et XVᵉ siècles),
on appelle dérimage la mise en prose d'une ou d'un
ensemble cohérent de chansons de geste ou de romans
en vers antérieurs. Certains passages, à peine transformés
par le dérimeur, laissent apparaître clairement le texte-
source versifié dont les rimes ont pu subsister.   (D.B.)

▷ **cycle,** *geste,* **remaniement.**

dérivative. *Voir* rime dérivative.

descort (n. m.). Forme poétique médiévale de langue d'oc,
version masculine de la chanson de malmariée, dans laquelle
le désordre de l'expression et de l'accompagnement musical
traduit le désespoir du poète devant un amour non partagé.
Ce désordre peut se traduire par un mélange de diverses

langues, comme c'est le cas dans un *descort* célèbre du troubadour Raimbaut de Vaqueiras.   (D.B.)

▷ **chanson de malmariée**, *lai-descort*, **troubadour**.

description. Texte présentant sur un objet, un lieu, une personne... un ensemble d'informations suffisamment précises pour permettre la représentation imaginaire. La description procède donc par énumération et caractérisation des diverses parties ou divers aspects de l'objet présenté : pour décrire un visage, je vais énumérer ses parties (yeux, nez, bouche, front...) et proposer pour chacune une caractérisation qui peut être strictement informative (« elle avait les yeux noirs »), mais aussi analogique (« elle avait les yeux de sa mère ») ou évaluative (« elle avait des yeux fascinants »). Courant le risque du systématique et de la facilité, la description n'est pas toujours considérée comme littérairement satisfaisante, surtout dans les textes romanesques. On a souvent cherché à mieux l'intégrer dans le récit par divers procédés de « naturalisation », notamment le recours à une présentation chronographique : on ne décrit pas directement l'objet en simultanéité, on raconte les étapes de sa découverte (« Je vis d'abord... puis... enfin... »). Mais la description n'a jamais vraiment perdu le statut qui était le sien aux débuts de la littérature française, celui d'un procédé d'« ornementation » très codifié : ainsi, au Moyen Âge, la description des personnes était-elle très strictement réglementée par les Arts poétiques : de même que Dieu avait commencé les êtres par la tête, le poète ou le romancier devaient suivre l'ordre descendant des parties du corps, en terminant par l'évocation du vêtement puis, le cas échéant, du cheval sur lequel était campé le personnage.

(D.B. et G.P.)

▷ **autoportrait**, **énergie**, **éthopée**, **hypotypose**, *mimesis*.

désémantisation. Processus d'évolution sémantique dans lequel un mot perd tout ou partie de son sens ou de sa force. Les textes littéraires jouent souvent sur la désémantisation/resémantisation des termes. Dans *Je fis* *encore quelque méchant compliment* (Voltaire, *Lettres philosophiques*), l'adjectif est-il désémantisé (= quelconque, médiocre) ou non (= hypocrite) ? On a parfois lutté contre la désémantisation en jouant sur la remotivation étymologique, réelle ou factice : dis-courir, con-naître, etc. Le figement des métaphores relève du processus de désémantisation : une expression comme « avaler des couleuvres » est désémantisée parce que son origine imagée n'est plus perçue par les locuteurs qui l'emploient ou l'entendent.   (G.P.)

▷ **catachrèse, lexicalisation.**

deus ex machina. Expression latine signifiant « le dieu qui descend d'une machine ». Il s'agissait d'un procédé de théâtre auquel on avait recours souvent pour permettre le dénouement dans le théâtre grec (surtout chez Euripide) et latin : un dieu descendait d'une plate-forme (avec cordes et poulies) pour résoudre les affaires humaines qui atteignaient un paroxysme de complexité et de tension. Par extension, l'expression désigne l'artifice utilisé au théâtre pour résoudre une situation : reconnaissance, arrivée soudaine d'un personnage qu'on croyait mort ; l'arrivée du seigneur Anselme au cinquième acte de *L'Avare* de Molière en est un bon exemple.   (P.F.)

▷ **catastrophe, dénouement, machine, péripétie.**

dialogisme. Selon la théorie du poéticien russe du début du XXe siècle M. Bakhtine, le texte romanesque serait caractérisé par son dialogisme : dans chacun de ses énoncés se donnent à entendre diverses voix (narrateur, personnages), voire divers groupes sociaux (niveaux de langue, stéréotypie...). Les aspects les plus visibles de ce qu'on nomme aussi parfois polyphonie (même si ce terme a désormais pris des sens plus précis en linguistique) sont les faits de point de vue, de discours indirect libre, de contamination lexicale... et autres procédés techniques qui témoignent d'une hybridation énonciative, c'est-à-dire d'un effet de superposition des locuteurs.   (G.P.)

▷ **contamination, discours indirect libre, point de vue.**

dialogue. Type de texte qui présente les prises de parole successives de deux ou plusieurs locuteurs. Il s'agit donc d'une notion transgénérique. Le dialogue peut apparaître comme une composante parmi d'autres d'une œuvre narrative ou poétique, ou bien de façon autonome : c'est le cas dans la plupart des pièces de théâtre, c'est aussi le cas du genre précisément appelé « dialogue » qui n'est destiné qu'à la lecture et a connu son apogée en France aux XVIIe et XVIIIe siècles : « ouvrage qui est ordinairement en prose, et quelquefois en vers, où des personnes s'entretiennent avec esprit sur un sujet grave ou plaisant » (Richelet, 1680) ; « entretien de deux ou plusieurs personnes, soit de vive voix soit par écrit » (Furetière, 1690). Le genre du dialogue se distingue parfois de la conversation et de l'entretien, définis ainsi par d'Alembert dans l'*Encyclopédie* : « Ces deux mots désignent en général un discours mutuel entre deux ou plusieurs personnes ; avec cette différence que *conversation* se dit en général de quelque discours mutuel que ce puisse être, au lieu qu'*entretien* se dit d'un discours mutuel qui roule sur quelque objet déterminé. [...] on se sert aussi du mot d'*entretien* quand le discours roule sur une matière importante [...]. *Entretien* se dit pour l'ordinaire des conversations imprimées, à moins que le sujet de la conversation ne soit pas sérieux. » À ces termes on doit ajouter celui de *conférence* (« La conférence est un entretien entre des personnes assemblées pour traiter de quelques affaires générales », écrit Condillac dans son *Dictionnaire des synonymes*). Le dialogue d'idées, dont la tradition remonte à la Grèce (Platon) et qui triomphe en France (Bouhours, Fontenelle, Diderot) comme en Angleterre (Berkeley) aux XVIIe et XVIIIe siècles, est une forme idéale pour la rencontre de la littérature et de la philosophie.

Au cours du XXe siècle, de nombreux dialogues d'idées ont été portés à la scène : le dialogue, depuis des siècles, est en effet un élément pivot du théâtre, ce qui en fait un critère quasi suffisant de théâtralité. C'est Eschyle qui, le premier aux dires d'Aristote, diminuant l'importance du chœur et portant le nombre d'acteurs de un à deux,

donna une importance centrale au dialogue dans la tragédie. Au XXe siècle, la fréquence des textes scéniques qui
ne prévoient qu'un personnage conduit parfois à une
remise en cause du dialogue comme fondement du fait
théâtral.

Les textes romanesques présentent aussi fréquemment
des dialogues entre personnages. Depuis le XVIIIe siècle,
ces échanges sont le plus souvent proposés au discours
direct ; mais il s'agit là d'une pure convention liée à l'avènement progressif d'une esthétique de type réaliste : *La
Princesse de Clèves* (1678) contenait par exemple plusieurs
dialogues au discours indirect. À la suite de Sylvie Dur-
rer, on a proposé – et particulièrement pour les occur-
rences romanesques – une nouvelle typologie des
dialogues, qui prenne pour base le statut des locuteurs
dans l'échange et les modes d'enchaînement des
répliques. On distinguera ainsi : le dialogue didactique
(les intervenants ne sont pas égaux face à l'objet en
débat ; les rôles tendent à se spécialiser, avec un enchaînement question/réponse, comme dans l'interrogatoire
policier ou l'interview de type journalistique), le dialogue
polémique (chacun des locuteurs prétend connaître l'objet en débat ; les répliques s'enchaînent sur le mode asser-
tion/contre-assertion, comme dans les scènes de dispute),
le dialogue dialectique (les locuteurs n'ont pas d'idée éta-
blie sur l'objet en débat ; les répliques s'enchaînent sur le
mode proposition/évaluation, comme dans les échanges
qui doivent aboutir à une prise de décision).

(P.F. et G.P.)

▷ **accidents, aposiopèse, archi-énonciateur, dialogisme,
discours rapporté, réplique, stichomythie, tirade.**

dialogue dramatique. À la fin du XVe siècle et au XVIe siècle,
œuvre dramatique à deux personnages, de tonalité
comique. Le dialogue a été reconnu comme genre par
Gratien du Pont dans son *Art et science de rhétorique
métrifiée* (1539). Ce genre présente des types en action.
Il procède de la décadence du monologue dramatique et
marque la prééminence du jeu verbal sur l'action. Il uti-

lise ce que la critique a appelé le « staccato-style » : recherche d'une fragmentation maximale des répliques (un vers octosyllabique peut s'étendre sur quatre, voire sept ou huit répliques, chaque personnage prononçant par exemple un verbe ou un adjectif qui surenchérit sur le précédent). Le dialogue propose une observation réaliste de la vie et cherche à débusquer, derrière les apparences, l'esprit véritable des êtres qu'il représente sur scène. On peut citer le *Dialogue de Messieurs de Mallepaye et de Baillevent*, chef-d'œuvre de la fin du XVe siècle, ou le *Dialogue de Monsieur de Deça et de Monsieur de Dela* de Roger de Collerye, au XVIe siècle.   (D.B.)

▷ **farce, monologue dramatique, moralité, sottie.**

diction. Ce terme désigne, à l'époque classique, le choix des mots dans le style de la tragédie. Souvent, on l'entend comme un synonyme de style. « On est d'accord sur les qualités générales communes à toute sorte de *diction*, en quelque genre d'ouvrages que ce soit.   1. Elle doit être claire, parce que le premier but de la parole étant de rendre les idées, on doit parler non seulement pour se faire entendre, mais encore de manière qu'on ne puisse point ne pas être entendu.   2. Elle doit être pure, c'est-à-dire ne consister qu'en termes qui soient en usage et corrects, placés dans leur ordre naturel ; également dégagée et de termes nouveaux, à moins que la nécessité ne l'exige, et de mots vieillis ou tombés en discrédit.   3. Elle doit être élégante, qualité qui consiste principalement dans le choix, l'arrangement et l'harmonie des mots, ce qui produit aussi la variété.   4. Il faut qu'elle soit convenable, c'est-à-dire assortie au sujet que l'on traite » (*Encyclopédie*). Il a aujourd'hui un sens tout à fait différent : la diction au théâtre désigne le travail de l'acteur sur la prononciation de la langue : insistance sur des voyelles ou des consonnes, clarté de la prononciation, mise en évidence du rythme, de la rime, du nombre, etc. ; « la diction de l'alexandrin ».   (P.F.)

▷ **acteur, mise en scène, nombre, rythme, vers.**

didascalie (du grec *didaskalia*, « instructions pour les acteurs »). Désigne tout ce qui, dans le texte de théâtre, ne relève pas du discours des personnages mais de celui du scripteur. Dans le dialogue, le nom du personnage qui parle, en tête d'une réplique, est une didascalie. La liste des personnages, les indications décrivant le lieu de la scène, le geste du personnage, l'intonation ou l'expression constituent des didascalies. Les didascalies fixent donc partiellement les conditions de l'énonciation du dialogue. À l'époque classique, les didascalies sont rares. Des indications contenues dans le dialogue remplissent leur fonction si bien que l'on a pu parler (terme à éviter) de « didascalies internes » (*Je voudrais bien vous demander qui a fait ces arbres là, ces rochers, cette terre, et ce ciel que voilà là-haut*, Sganarelle dans *Dom Juan*, III, 2). Les didascalies se multiplient dans le texte de théâtre dès la seconde moitié du XVIIIe siècle. Elles indiquent les intentions de l'auteur quant à la mise en scène et marquent son intervention dans la représentation virtuelle de la pièce. Elles participent aussi du récit ou de la fable : certaines scènes muettes ne sont composées que d'une longue didascalie (voir le finale de *La Reine morte* de Montherlant ou *Acte sans paroles* de Beckett).

(P.F.)

▷ dialogue.

diégèse (du grec *diègèsis*, « narration »). On appelle diégèse l'ensemble des données narratives présentées dans un récit. Plus schématiquement encore, on peut dire que la diégèse est l'« histoire » que propose le récit. La diégèse doit donc être considérée indépendamment du texte narratif proprement dit : il arrive par exemple fréquemment qu'un épisode de la diégèse soit omis dans le récit. Par extension, on appelle parfois diégèse l'ensemble du matériel fictif (personnage, lieux, circonstances...) mis en scène dans un roman ou une nouvelle. (G.P.)

▷ narration.

diérèse (n. f., du grec *diairesis*, « division »). Fait de prononcer et de compter prosodiquement en deux syllabes une suite de deux voyelles dont la première est *i, u* ou *ou*. La règle traditionnelle impose la diérèse quand les deux voyelles étaient déjà présentes dans l'étymologie du mot. Trois cas peuvent ainsi se présenter :
– Les voyelles étaient déjà en contact : on prononce *pensi-on* puisque le mot est issu de *pensionem*.
– Les voyelles étaient à l'origine séparées par une consonne qui s'est amuïe : on dit *mari-er* puisque *marier* vient de *maritare*.
Exceptions déjà à l'époque classique : *bruit* (de *brugit* ou de *brugitum*) et *fuir* (de *fugere*) devraient suivre cette même règle ; or ils sont toujours en synérèse.
– Cas d'une rencontre ancienne de voyelles, par adjonction d'un suffixe à voyelle initiale, à une base à finale vocalique : *miette* est en diérèse (*mi-ette*) parce que *miette* vient de *mie* (issu de *mica*) auquel s'adjoint le suffixe diminutif *-ette*.
Dans la poésie depuis 1870 environ, et surtout dans la poésie moderne, l'usage est beaucoup plus flottant, jouant entre usage courant et tradition, prenant celle-ci parfois à rebours.   (M.A.)
▷ semi-consonne/semi-voyelle, syllabe, synérèse.

digression. Développement parenthétique sans rapport direct avec le sujet général d'un texte ; on parle aussi parfois d'*excursus*. Les digressions peuvent être d'une phrase ou de plusieurs pages. Les romans de Jules Verne, par exemple, multiplient les digressions scientifiques et techniques, qui viennent localement interrompre le fil de la narration.   (G.P.)

dilemme. *Voir* obstacle.

diplomatique. *Voir* transcription diplomatique.

discordance. *Voir* concordance.

discours/récit. On oppose, depuis É. Benveniste, les énoncés écrits ou oraux contenant des embrayeurs et autres expressions déictiques (je, demain, ici...) ou subjectives (exclamation, évaluation...), et les énoncés, généralement écrits, qui ne contiennent aucun renvoi à la situation d'énonciation. Benveniste considérait que cette opposition recoupait en français celle du passé simple (qui présente l'événement indépendamment de ses répercussions sur le présent) et du passé composé (qui situe l'événement dans l'orbite du moment de parole). On dit que les énoncés du premier type relèvent du discours (*Aujourd'hui, maman est morte. Ou peut-être hier, je ne sais pas*, A. Camus, *L'Étranger*) ; les seconds du récit (*Il arriva à Verrières un dimanche matin*, Stendhal, *Le Rouge et le Noir*). Ces termes sont parfois contestés, parce qu'ils semblent recouvrir indûment une opposition entre énoncés non narratifs et énoncés narratifs. Aussi préfère-t-on désormais parler d'énoncés embrayés (discours) et d'énoncés non embrayés (récit).   (G.P.)
▷ déictique, embrayeur, énoncé, énonciation.

discours direct (ou **style direct)**. Forme courante du discours rapporté. La citation est clairement démarquée du discours citant par un verbe introducteur, des guillemets, des italiques... ; l'énoncé cité est présenté tel qu'il a été dit, écrit ou pensé (il est du moins donné pour tel) ; les embrayeurs et les expressions déictiques (voir ces mots) sont conservés sans modification. Le discours direct affiche une grande fidélité à la citation de départ, soit pour la mettre en valeur, soit pour la mettre à distance et s'en démarquer. Contrairement au discours indirect qui réduit l'énoncé cité à son contenu sémantique, son signifié, le discours direct tend à insister sur sa forme originale, son signifiant : *Et je lui dis : Tais-toi ! Respect au noir mystère...* (V. Hugo, *Les Contemplations*).   (G.P.)
▷ discours direct libre, discours rapporté.

discours direct libre (ou **style direct libre).** Forme de
discours rapporté. Comme dans le discours direct,
l'énoncé cité est présenté tel qu'il est supposé avoir été dit,
écrit ou pensé, sans alignement des repères déictiques sur
le discours citant. Mais la citation ne fait l'objet d'aucun
marquage (ni guillemets, ni verbe introducteur, ni incise).
Comme pour un énoncé de discours indirect libre, le repé-
rage d'un énoncé de discours direct libre exige donc une
interprétation du passage par le lecteur : *L'inspectrice dévisse
son stylo, ouvre son calepin... Allons, dépêchons-nous, résu-
mons. Est-il vrai que vous ayez mordu cette pauvre enfant ?*
(N. Sarraute, *Vous les entendez ?*)   (G.P.)
▷ discours direct, discours indirect libre, discours rapporté.

discours indirect (ou **style indirect).** Forme de discours
rapporté. L'énoncé cité est réduit à son contenu sémantique présenté dans le cadre d'une proposition subordonnée ou d'une construction infinitive : *J'avais entendu dire
que George Sand était le type du romancier* (M. Proust,
Du côté de chez Swann). Cela implique généralement une
série de transformations morphosyntaxiques : transpositions des personnes de premier et second rang, des déictiques spatiaux et temporels, des modalités de la phrase,
etc. (« Il me demanda : "Viendras-tu demain ?" » » « Il me
demanda si je viendrais le lendemain »). La citation au
discours indirect peut néanmoins ne pas totalement
négliger le signifiant de l'énoncé cité et lui faire une place
sous la forme d'un « îlot » : *En disant aux Verdurin que
Swann était très « smart »...* (*ibid.*).   (G.P.)
▷ discours indirect libre, discours rapporté.

discours indirect libre (ou **style indirect libre).** Forme
de discours rapporté qui combine une transposition indirecte de l'énoncé (même si se maintiennent bien souvent
de nombreuses marques énonciatives de la citation originelle) et une insertion libre dans le discours citant, c'est-
à-dire sans recours à une construction subordonnée (mais
avec, occasionnellement, une incise). Bien qu'attesté dès

le Moyen Âge, le discours indirect libre n'entre vraiment en littérature qu'avec La Fontaine et La Bruyère, et connaît sa consécration dans le roman réaliste du XIXᵉ siècle. Particulièrement plastique, le discours indirect libre permet à Flaubert de lisser le passage du récit au discours ou à la pensée du personnage : *Léon, à pas sérieux, marchait auprès des murs. Jamais la vie ne lui avait paru si bonne. Elle allait venir tout à l'heure, charmante, agitée...* (*Madame Bovary* ; la troisième phrase est assurément du discours indirect libre, mais la deuxième est largement indécidable). Quant à Zola – inversement –, le discours indirect libre lui permet de créer de forts contrastes langagiers dans les limites d'un même passage : *On croquait ça sans pain, comme un dessert. Lui en aurait bouffé toute la nuit...* (*L'Assommoir*).   (G.P.)

▷ **discours direct libre, discours indirect, discours rapporté, locuteur/énonciateur, récit de pensée.**

discours intérieur. Production langagière entièrement mentale, le discours intérieur est parfois désigné par le terme technique d'endophasie. C'est le troisième mode de réalisation de la langue en discours, avec l'écrit et l'oral. Il s'agit donc d'une situation d'énonciation particulière, où locuteur et allocutaire se confondent. Dans un texte narratif, la citation des pensées d'un personnage peut prendre n'importe quelle forme de discours rapporté (direct, indirect, libre ou non) et ne s'écarter en rien de la norme orale, voire écrite : *Il faut renoncer à tout cela, se dit-il, plutôt que de se laisser réduire à manger avec les domestiques* (Stendhal, *Le Rouge et le Noir*). Mais, depuis la fin du XIXᵉ siècle et le travail stylistique sur le monologue intérieur, ce discours de soi à soi est souvent représenté dans la littérature sous forme de séries de propositions caractérisées par des ellipses syntaxiques (phrases averbales, chute de l'article...), des constructions rompues (anacoluthes), des tournures inacceptables à l'écrit et à l'oral (mots-valises...) : *Est-ce que je suis pauvre ? Mon pas pesant. Mon sang. Ma tête. Les jonquilles. Les violettes. Je resterai le plus fort* (E. Berl, « Saturne », 1927).   (G.P.)

▷ **discours rapporté, monologue intérieur, récit de pensée.**

discours narrativisé (ou **raconté).** Cas limite du discours rapporté, le discours narrativisé ne procède pas par citation d'un énoncé, mais considère la production langagière orale, écrite ou pensée comme un événement pareil à un autre : « *Il me salua* et sortit ». Le discours narrativisé n'indique que le statut de l'énoncé (il me remercia, il me donna de nombreux conseils, ils interrogèrent le suspect), avec une éventuelle mention allusive de son contenu (Pierre raconta alors sa vie à Paul ; Jeanne lui indiqua le chemin) : *La femme du Lion mourut : / Aussitôt chacun accourut / Pour s'acquitter envers le Prince / De certains compliments de consolation* (La Fontaine, *Fables*).   (G.P.)

discours rapporté. Il y a discours rapporté dès lors qu'il y a citation de la parole d'autrui. Le discours rapporté peut prendre quatre formes : direct (« Paul m'a fait signe et il a crié : "je viendrai demain" »), direct libre (« Paul m'a fait signe. Je viens demain ! »), indirect (« Paul m'a fait signe et a crié qu'il viendrait le lendemain »), indirect libre (« Paul m'a fait signe. Il viendrait le lendemain »). L'opposition direct/indirect correspond à une opposition maintien/transformation des éléments déictiques du discours cité (je, demain [] il, le lendemain) ; les formes sont dites libres si la citation n'est indiquée par aucun marquage (deux points, guillemets, verbe introducteur, incise...). Le discours narrativisé et la modalisation en discours second (voir ces termes) sont considérés comme des formes frontières du discours rapporté. Attention : on emploie parfois en narratologie l'expression discours rapporté comme une sorte de synonyme de discours direct.   (G.P.)

▷ discours direct, discours direct libre, discours indirect, discours indirect libre, discours intérieur, discours narrativisé, discours second, discours transposé.

discours second. Il y a discours second ou modalisation en discours second lorsque le locuteur signale que l'information qu'il apporte n'est pas de première main mais lui est parvenue par une source tierce : *Si l'on en croyait les récits* *des charretiers qui s'y attardaient, la lande de Lessay était le théâtre des plus singulières apparitions* (J. Barbey d'Aurevilly, *L'Ensorcelée*, 1854). La modalisation en discours second peut être marquée par divers procédés syntaxiques ou lexicaux (complément prépositionnel, proposition subordonnée, conditionnel, tournure impersonnelle...) : « Selon Paul, Pierre va décrocher le Goncourt », « Si l'on en croit la rumeur, Pierre va décrocher le Goncourt », « Pierre serait sur le point de décrocher le Goncourt », « Il paraît que Pierre va décrocher le Goncourt »...   (G.P.)

▷ **discours indirect, discours indirect libre, discours rapporté, locuteur/énonciateur.**

discours transposé. Catégorie sous laquelle on regroupe parfois, en narratologie, le discours indirect et le discours indirect libre.   (G.P.)

▷ **discours indirect, discours indirect libre.**

disjointe (rime). *Voir* rime orpheline.

disposition. Ce terme correspond au latin *dispositio*, et il désigne une des parties de l'art oratoire, située entre l'invention (recherche des arguments) et l'élocution (mise en forme et écriture) : il s'agit du moment où l'on dessine le plan général de l'argumentation. Le plan classique d'un discours oratoire comporte l'exorde (introduction et mise en condition du public, avec la *captatio benevolentiae*), la narration (récit des faits dont il est question), la confirmation (examen des arguments qui vont dans le sens de la thèse défendue), la réfutation (examen des arguments qui s'y opposent) et la péroraison (conclusion, où on met l'accent sur les preuves pathétiques, qui entraînent l'adhésion ou l'indignation du public).   (E.B.)

▷ **action, argumentation, exorde, invention, péroraison, rhétorique,** *topos.*

dispute (ou *disputatio*). Ce terme désigne la forme traditionnelle du débat, dans le cadre universitaire, du Moyen Âge aux Temps modernes : il s'agit d'organiser le débat sur une thèse en donnant la parole à deux étudiants, l'un qui argumente pour la thèse proposée, et l'autre contre (débat *pro* et *contra*). Après que les deux discours opposés ont été prononcés, c'est le maître qui clôt le débat en tranchant de façon autoritaire (à l'aide des textes qui font autorité sur la matière). Cette structure très rigide, fondamentale dans la formation intellectuelle d'Ancien Régime, a marqué durablement la forme des débats intellectuels, au point qu'on la retrouve même dans la littérature galante (questions d'amour) en plein XVIIe siècle.   (E.B.)

▷ **argumentation, critique, pamphlet, polémique, rhétorique.**

dissyllabe (n. m., du préfixe grec *di-*, « deux »). Mètre de deux syllabes.

Exemple d'un quatrain isométrique de dissyllabes par Jules Laforgue dans *Les Complaintes* :

> La Femme,
> Mon âme :
> Ah ! quels
> Appels !   (M.A.)

▷ **hétérométrie, isométrie, vers.**

distanciation/distance. La distance caractérise la relation du spectateur au spectacle dans l'exacte mesure où cette relation est esthétique. Le théâtre fait éprouver au spectateur des émotions distanciées dès lors qu'il lui rappelle, discrètement mais obstinément, que ce qu'il voit relève de l'illusion ou de la fiction. C'est dans ce sens qu'on a parfois interprété la catharsis à l'époque classique. L'effet de distance s'obtient par des procédés variés (mise en abyme, jeu, diction, scénographie). La distanciation est un concept spécifique, complexe et ambigu, qui prend sens dans le cadre de la réflexion de Brecht sur le théâtre. Parmi les formes de distance, la distanciation consiste à provoquer la perception par le spectateur d'une étrangeté qui introduit une tension dans l'esthétique réaliste : l'effet de réalité s'obtient contre l'illusion même de la réalité. Le terme « distanciation » traduit en effet l'allemand

Verfremdungseffekt. Brecht attache à ce procédé un sens politique, celui de la critique de l'aliénation : ce qui paraît évident ou naturel dans la société est ainsi donné comme artifice idéologique ou social. Le comédien, par son jeu, doit, non pas incarner, mais mettre le personnage qu'il joue à une distance qu'il rend sensible au spectateur. Ce serait pourtant une erreur de comprendre la distanciation, sur la foi de quelques formules un peu provocatrices de Brecht, comme un refus d'émotion. Il s'agit d'un processus d'élaboration et de transformation des émotions : de transformation, par exemple, de la pitié comme identification à la victime, en une pitié intelligente, susceptible d'être réactivée et, simultanément en un sentiment propre au théâtre. (P.F.)

▷ **catharsis, stylisation.**

distique (n. m., du préfixe grec *di-*, « deux » et *stikhos*, « vers »). Groupement de deux vers rimant ensemble et formant une unité indépendante. Exemple de Verlaine (« Colloque sentimental ») :

> *Dans le vieux parc solitaire et glacé,*
> *Deux formes ont tout à l'heure passé.*

> *Leurs yeux sont morts et leurs lèvres sont molles,*
> *Et l'on entend à peine leurs paroles.* (M.A.)

▷ **strophe.**

dit. Au Moyen Âge, ce terme désigne toute forme de poésie non chantée : le dit s'oppose à la poésie lyrique. Il peut être didactique ou narratif. Sa forme peut être strophique ou non ; le vers employé est le plus souvent l'octosyllabe à rime plate, mais il existe aussi des strophes hétérométriques (chez Rutebeuf par exemple). Le terme recouvre des inspirations diverses : poésie morale, didactique, satirique, aussi bien que poésie dite personnelle. La longueur peut varier de quelques dizaines à quelques centaines (voire plusieurs milliers) de vers. Le *Voir Dit* (1364) de Guillaume de Machaut ne diffère guère d'un roman. Le dit apparaît au XIIIe siècle. (D.B.)

▷ bible, *congés*, danse macabre, *doctrinal*, épître, états du monde, fabliau, miracle, salut d'amour.

dithyrambe (n. m.). Dans l'Antiquité grecque, le mot désignait un chant liturgique en l'honneur de Dionysos. Il désigne depuis un poème lyrique d'éloge enthousiaste.

(M.A.)

▷ panégyrique.

ditié (n. m.). Quelques auteurs des XIVᵉ et XVᵉ siècles utilisent occasionnellement cette forme pour désigner un dit (*Dittié de Jeanne d'Arc*, de Christine de Pisan, par exemple). L'*Art de dictier* d'Eustache Deschamps (1393) oppose la musique naturelle des mots à la musique surajoutée dans la poésie lyrique, et confirme ainsi l'évolution poétique vers la prédominance du dit qui caractérise le XIVᵉ siècle.   (D.B.)

▷ dit.

dizain (n. m.). Le mot date du XVᵉ siècle et désigne une strophe ou un poème de dix vers. Exemple d'un dizain de décasyllabes tiré de la *Délie* de Maurice Scève (1544), en *ababbccdcd* :

> *L'Aube éteignait Étoiles à foison,*
> *Tirant le jour des régions infimes,*
> *Quand Apollon montant sur l'Horizon*
> *Des monts cornus dorait les hautes cimes.*
> *Lors du profond des ténébreux Abîmes,*
> *Où mon penser par ses fâcheux ennuis*
> *Me fait souvent percer les longues nuits,*
> *Je révoquai à moi l'âme ravie :*
> *Qui, desséchant mes larmoyants conduits,*
> *Me fait clair voir le Soleil de ma vie...*   (M.A.)

▷ strophe.

doctes. C'est ainsi qu'on désigne ordinairement les auteurs du XVIIᵉ siècle qui ont essayé de fixer théoriquement les règles de la création littéraire (et notamment au théâtre) : écrivant le plus souvent en latin – ce qui explique le nom qui leur est donné –, ils sont les héritiers des philologues et des critiques de l'époque précédente, et leur rôle a été fondamental, dans la mesure où ils ont acclimaté, dans le domaine de la littérature française, des questions théoriques héritées de l'Antiquité (Aristote, Horace) et de l'humanisme italien (Castelvetro, Le Tasse). Avec l'avènement d'une critique plus mondaine, au milieu du siècle, les doctes vont perdre peu à peu leur prééminence, alors même que triomphe le classicisme qu'ils ont contribué à élaborer (Guez de Balzac, Chapelain). (E.B.)

▷ classicisme, critique, philologie, polémique, querelle des Anciens et des Modernes.

doctrinaires. On nommait ainsi sous la Restauration les membres d'un groupe philosophico-politique où se retrouvaient Royer-Collard, introducteur de la philosophie écossaise en France, Guizot, Villemain, Victor Cousin. Spiritualistes laïques, opposés à la monarchie absolue comme à la souveraineté populaire, ils considéraient la monarchie constitutionnelle comme issue de la raison elle-même et s'appuyaient sur un ensemble de dogmes politiques, la Doctrine. « Le tort, ou le malheur, du *parti doctrinaire*, a été de créer la jeunesse vieille. [...] Ils opposaient, et parfois avec une rare intelligence, au libéralisme démolisseur le libéralisme *conservateur* » (V. Hugo). Jusqu'en 1830 leurs opinions, notamment en esthétique, s'exprimèrent dans le journal *Le Globe*. (Y.V.)

▷ éclectisme, Idéologues, romantisme.

doctrinal (n. m.). Au Moyen Âge, le terme désigne un traité d'éducation : de morale laïque (*Doctrinal Sauvage*, vers 1266, Sauvage étant le nom de son auteur) ou de vie et de doctrine chrétiennes (*Doctrinal de Sapience*, XIVe siècle), ou encore d'éducation poétique (*Doctrinal de la seconde rhétorique* de Baudet Herenc, 1432). Le *Doctrinal de trobar* de Raimon de Cornet (XIIIe siècle) se présente comme une grammaire versifiée. (D.B.)

▷ dit.

dodécasyllabe. *Voir* alexandrin.

dominante. *Voir* rime dominante.

double (rime). *Voir* rime léonine.

double énonciation. On considère qu'il y a double énonciation lorsqu'un énoncé explicitement adressé à une personne s'adresse aussi implicitement à une autre personne, en même temps mais à un autre titre. Les situations de double énonciation sont très fréquentes dans l'oralité quotidienne : dans le bus, « Tu ne peux pas faire attention à cette gentille dame ? » est à la fois un reproche du père à son enfant et une façon de s'excuser auprès de la dame. La double énonciation est constitutive du texte théâtral (comme de toute production littéraire revêtant une forme dialoguée, tel le roman par lettres) : les répliques échangées sont à la fois adressées à un personnage de la fiction et destinées au spectateur ou lecteur. La spécificité de cette situation énonciative explique ainsi que les répliques d'une pièce mentionnent fréquemment le nom des personnages, les liens de parenté, ou les lieux de l'intrigue, tous détails qui n'ont de pertinence que pour le spectateur qui doit comprendre l'intrigue. Les répliques de théâtre auront donc aussi une double valeur illocutoire et perlocutoire (voir ces mots) selon le destinataire envisagé ; le *Gogo léger – branche pas casser* qui humilie Vladimir dans *En attendant Godot* (S. Beckett, 1953) vise aussi à faire sourire ou méditer le spectateur.

(G.P.)

▷ archi-énonciateur, illocutoire, perlocutoire.

douzain. Poème ou strophe de douze vers (définition de Baudet Herenc, *Doctrinal de la seconde rhétorique*, 1432). C'est toujours une strophe composée. Exemple d'un douzain de Victor Hugo extrait de « Napoléon II » (*Les Chants du crépuscule*, 1835), en *ababcccdeeed*, forme fréquente de ses douzains :

> *Oh ! demain, c'est la grande chose !*
> *De quoi demain sera-t-il fait ?*

> *L'homme aujourd'hui sème la cause,*
> *Demain Dieu fait mûrir l'effet.*
> *Demain, c'est l'éclair dans la voile,*
> *C'est le nuage sur l'étoile,*
> *C'est un traître qui se dévoile,*
> *C'est le bélier qui bat les tours,*
> *C'est l'astre qui change de zone,*
> *C'est Paris qui suit Babylone ;*
> *Demain, c'est le sapin du trône,*
> *Aujourd'hui, c'en est le velours !*   (M.A.)

▷ Hélinand, strophe.

douzain d'Hélinand. *Voir* Hélinand.

doxa. Ce mot d'origine grecque signifie « opinion » : on s'en sert couramment pour désigner le cadre de vraisemblance dans lequel est construite toute argumentation rhétorique ; c'est tout ce qu'un public donné peut considérer comme vrai, ou probable, et à partir de quoi on peut supposer les prémisses implicites de tout raisonnement endoxal. Au-delà de la pure argumentation, la *doxa* est au cœur de toutes les procédures de vraisemblance, que ce soit au théâtre ou dans le roman, car c'est elle qui fait que nous croyons ou non à ce qui est raconté. Certaines formes peuvent jouer avec la *doxa* de façon surprenante, comme le paradoxe.   (E.B.)

▷ **argumentation, contexte, enthymème, invention, lieux, paradoxe, rhétorique,** *topos.*

dramatisation/théâtralisation. Action de dramatiser, c'est-à-dire de donner à un texte ou à une autre forme de langage artistique une dimension théâtrale sérieuse, une tension analogue à celle d'un drame ou d'une tragédie. Il peut s'agir d'un procédé stylistique qui reste dans le cadre d'un genre non dramatique mais aussi de l'adaptation d'un roman pour le théâtre. Ne pas confondre la dramatisation et la théâtralisation, c'est-à-dire la représentation effective d'un texte, sa transposition dans des éléments visuels, dans un jeu d'acteur.   (P.F.)

▷ **drame, théâtralité.**

dramatisme. Éphémère mouvement littéraire qui se limita pour l'essentiel aux années 1913-1914 et dont le fondateur, le poète Henri-Martin Barzun, aurait souhaité faire le point de rencontre de divers jeunes courants littéraires (dont l'unanimisme et le futurisme). Son ambition était, contre le symbolisme finissant, de rapprocher la poésie des exigences de l'époque présente afin qu'elle exprime « par la polyphonie des voix le drame universel se renouvelant sur la scène du monde ». Mais Apollinaire n'ayant que fugitivement approché le dramatisme, aucune œuvre poétique de renom ne lui reste attachée.   (M.J.)
▷ futurisme, symbolisme, unanimisme.

dramaturge. Le terme de dramaturge est utilisé à partir du XVIIIᵉ siècle avec le sens d'auteur dramatique, mais avec une valeur souvent péjorative : « Mercier le dramaturge ». Sa signification aujourd'hui est marquée par la tradition brechtienne. Le dramaturge est une sorte de conseiller littéraire. Il prépare la représentation, réunit une documentation, fait un travail d'analyse, d'interprétation, et parfois d'adaptation du texte. Il rédige souvent aussi des textes d'accompagnement divers destinés au public et à la presse. Parfois, il intervient plus directement dans la mise en scène.   (P.F.)
▷ auteur, dramaturgie, mise en scène.

dramaturgie. Nom collectif qui désigne au XXᵉ siècle l'ensemble des techniques d'écriture propres au théâtre, puis le travail du dramaturge qui, pour préparer une mise en scène, met en évidence les structures formelles et idéologiques du texte, les phénomènes d'insistance, les relations à élaborer. Ce dédoublement de la mise en scène découle de la théorie brechtienne qui subordonne la mise en scène, mise en œuvre concrète des choix de la dramaturgie, à la dramaturgie, moment de la réflexion, de l'analyse littéraire et historique qui détermine l'interprétation globale de la pièce. Au XIXᵉ siècle, le mot est pris souvent comme un synonyme de « poétique dramatique » (*Hamburgische Dramaturgie*, *La Dramaturgie de Hambourg* de

Lessing, 1769). Jacques Schérer a intitulé *La Dramaturgie classique en France* son étude des structures internes de la pièce classique et des structures externes qui s'imposent à elle (formes nécessaires de la représentation, contraintes sociales, etc.).   (P.F.)

▷ biénséance(s), **dramaturge**, **mise en scène**, **scénographie**, **unités**.

drame. Le drame (du grec *drama*) désigne parfois toute œuvre dramatique. C'est dans ce sens qu'il s'introduit au XVIIIe siècle : « Poème composé pour le théâtre et représentant une action soit comique soit tragique. » (Académie, 1762). Mercier souligne que c'est le « mot collectif, le mot originel, le mot propre » (1773). Il est concurrencé, dans cet emploi, par le mot de comédie (on opposait autrefois le théâtre de comédie au théâtre lyrique). Mais dès le XVIIIe siècle, il désigne soit un genre neutre dont la définition est, en quelque sorte, négative, celui des pièces qui ne relèvent ni de la comédie ni de la tragédie, soit un genre intermédiaire, mixte, entre comédie et tragédie. Genre non marqué ou genre mixte, théâtre en général ou genre précis, ces ambiguïtés subsistent encore et les qualificatifs successifs dont on a précisé le sens du mot ne les ont pas levées. Certains (seconde moitié du XVIIIe siècle) appelleront drame, puis drame bourgeois ce que Diderot appelle tragédie domestique ou comédie sérieuse. À la même époque naît le drame historique ; un peu plus tard, au tournant du XVIIIe siècle et du XIXe siècle, le mélodrame, puis le drame romantique et enfin le drame symboliste. L'influence de l'Allemagne, dont le théâtre se constitue en grande partie contre les modèles classiques français, et la découverte de Shakespeare en France contribuent à imposer de nouvelles formes de théâtre sérieux et ambitieux qu'on nommera drames. À la fin du XIXe siècle et au début du XXe, chez Maeterlinck, Strindberg, Tchekhov, Hauptmann, Wedekind, Rolland, Claudel, on voit se dessiner un univers qu'on peut imputer au drame. Le drame n'a pas de caractéristiques formelles précises, ce qui le distingue de la tragédie. Il ne

vise pas principalement à faire rire, même s'il peut contenir des passages comiques. Il peut s'accommoder du vers
comme de la prose. Il peut s'achever par une fin heureuse
ou, au contraire tragique. Il peut être proche du roman,
de la tragédie, de la haute comédie ou ressusciter le souvenir du drame religieux médiéval. L'intérêt de ce mot,
dans l'histoire des formes dramatiques, réside précisément dans la souplesse et la diversité de ses acceptions et
des concepts qu'il désigne. Il renvoie encore aujourd'hui,
dans la presse spécialisée, à une catégorie de films (drame
psychologique, comédie dramatique).   (P.F.)

▷ comédie, comédie bourgeoise, drame bourgeois, drame
  romantique, drame symboliste, genre sérieux, mélodrame, tragédie.

drame bourgeois. Expression qui désigne la forme du
drame apparue au XVIIIᵉ siècle avec les premières pièces de
Diderot (1757-1758). Elle n'a guère été employée telle
quelle au XVIIIᵉ siècle et a servi surtout au XIXᵉ siècle, où existait en effet la comédie bourgeoise, pour désigner les
drames du siècle précédent. Au XVIIIᵉ siècle, on a plutôt
parlé de tragédie bourgeoise ou domestique pour souligner
l'opposition avec la tragédie héroïque, de drame ou de
genre dramatique sérieux (Beaumarchais). « Bourgeois »
renvoyait du reste, plutôt qu'à une définition sociologique
de classe, à la vie du citoyen, du citadin et à la vie privée.
Le drame bourgeois peut ainsi porter à la scène des héros
nobles ou même des rois ou des héros, mais ils sont présentés dans leur vie privée ou familiale. Le drame bourgeois
s'apparente ainsi par certains aspects à la comédie larmoyante. Il est en prose plus souvent qu'en vers. Il use de
ressorts pathétiques et fait appel directement à l'émotion
des spectateurs. Il doit, selon Diderot, recourir aux « tableaux » plutôt qu'aux « coups de théâtre ». Ses personnages doivent être conçus plutôt comme des « conditions »
que comme des « caractères ».   (P.F.)

▷ caractère, comédie, comédie bourgeoise, comédie larmoyante, coup de théâtre, drame, genre sérieux, mélodrame, tableau, tragédie.

drame liturgique. Premières manifestations du théâtre médiéval, les drames liturgiques sont des transpositions dramatiques d'épisodes de la Bible ou de vies de saints, accompagnées de musique. D'abord en latin, ils admettent une proportion de plus en plus grande de passages en langue vulgaire (le *Jeu d'Adam*, du milieu du XIIe siècle, est presque entièrement en français). Ils étaient habituellement représentés dans les monastères et dans les églises.   (D.B.)

▷ mystère, Passion.

drame national (ou **tragédie nationale).** Sorte de drame ou de tragédie (XVIIIe siècle) qui présentait des héros de l'histoire de France dans un épisode caractéristique de leur action. Le drame national est né à la fois du besoin de renouvellement des sujets tragiques, qui conduisit un Voltaire à rechercher des sujets dans l'histoire médiévale (*Tancrède, Zaïre*), et des nouveaux affrontements idéologiques autour de l'image royale (*Le Siège de Calais* de De Belloy). *La Mort de Louis XI, Jean Hennuyer* de Mercier, *François II* du Président Hénault, *Maillart* de Sedaine sont des drames nationaux. *Charles IX*, de Marie-Joseph Chénier, est une tragédie nationale. Ces drames nationaux n'ont souvent pu être représentés.   (P.F.)

▷ drame, fait historique, théâtre national, tragédie.

drame romantique. Le drame romantique se définit d'abord par opposition à la tragédie classique, secondairement par rapport au drame bourgeois. Depuis la fin du XVIIIe siècle, l'esthétique de la tragédie se trouvait bousculée par la découverte progressive des drames de Shakespeare, puis de Schiller, par le succès populaire de nouvelles formes dramatiques comme le mélodrame, par les critiques théoriques venues d'Allemagne (Lessing, Schlegel), répercutées par Mme de Staël et par Benjamin Constant. D'autre part, les bouleversements de la Révolution et de l'Empire révèlent le dynamisme de l'Histoire et présentent d'autres types de héros et d'actions que ceux du théâtre inspiré de l'Antiquité. Cependant, le goût classique, tout-puissant sous l'Empire, soutenu par la critique et par les institutions (l'Académie, la Comédie-Française), restait intransigeant. D'où la violence de la polémique, dont la bataille d'*Hernani* (1830) ne fut que l'épisode le plus marquant. D'emblée, les deux noms de Racine et de Shakespeare cristallisèrent les oppositions. Stendhal en fait le titre du premier manifeste romantique (*Racine et Shakespeare*, 1823). Il y définit le drame à venir : « une tragédie en prose qui dure plusieurs mois et se passe en des lieux divers ».

Le rejet des unités de temps et de lieu est commun à tous les dramaturges romantiques. Le choix de la prose ne fut pas également suivi. Dans la *Préface* de *Cromwell* (1827), éclatant manifeste du drame romantique, Hugo préconise le vers. Il écrit en vers ses premiers drames : *Cromwell* (1827), *Marion de Lorme* (1829), *Hernani* (1830), *Le roi s'amuse* (1832). Il alternera ensuite : *Lucrèce Borgia, Marie Tudor* (1833), *Angelo, tyran de Padoue* (1835) sont en prose, *Ruy Blas* (1838) et *Les Burgraves* (1843) en vers. Dumas (*Henri III et sa cour*, 1829), Musset (*Lorenzaccio*, 1834), Nerval (*Léo Burckart*, 1838), choisissent la prose. Plus essentiel est le rejet de l'unité de ton, le mélange du comique et du tragique, du pathétique et de la fantaisie ou, comme le dit Hugo, du « grotesque » et du « sublime ». C'est qu'il s'agit de faire du drame le « miroir de la totalité d'une "société" » (A. Ubersfeld). Le souci de la couleur locale, l'importance donnée aux costumes et aux décors ne sont que la conséquence de la volonté de refléter un moment de l'Histoire, dans sa vérité et la multiplicité de ses acteurs. C'est par là que le drame romantique s'oppose au drame bourgeois, même quand il s'en rapproche en choisissant un sujet contemporain (A. Dumas, *Antony*, 1831 ; Vigny, *Chatterton*, 1835). Le succès de la nouvelle formule ne fut jamais total. Musset, après un premier échec, renonça à faire représenter ses pièces. *On ne badine pas avec l'amour*, publiée en 1834, ne fut créée qu'en 1861 et *Lorenzaccio*, le plus shakespearien des drames romantiques, ne fut pas écrit pour la scène. Beaucoup virent un symbole dans l'échec des *Burgraves*. Hugo, avec le *Théâtre en liberté*, n'écrira plus que pour des lecteurs. L'ouverture apportée par le drame romantique fut cependant décisive et Malraux pouvait affirmer avec quelque raison que le drame qui répond le mieux aux préceptes de la *Préface* de *Cromwell* n'est pas *Hernani*, mais *Le Soulier de satin* de Claudel. (Y.V.)

▷ cénacle, classicisme, dialogue dramatique, drame, drame bourgeois, drame symboliste, grotesque, intrigue, mélodrame, mise en scène, romantisme, théâtralité, théâtre dans un fauteuil, tragédie.

drame symboliste. Né en France dans le milieu littéraire du symbolisme, à la fin du XIXe siècle, en réaction contre le naturalisme, qui incarnait l'avant-garde théâtrale, le drame symboliste a été particulièrement illustré par *Axël* de Villiers de l'Isle-Adam ainsi que *Tête d'or* (1889) et *La Ville* (1893) de Claudel, pièces qui d'abord n'ont pas été représentées. Il a trouvé en Lugné-Poe (théâtre d'Art dirigé par Paul Fort, puis théâtre de l'Œuvre) un metteur en scène inspiré. Il monte des auteurs scandinaves (Ibsen et Strinberg), révèle Maeterlinck (*Pelléas et Mélisande* en 1893) et Jarry (*Ubu roi* en 1896) avant de mettre en scène Claudel (*L'Annonce faite à Marie* en 1912). Le drame symboliste a profondément marqué la mise en scène théâtrale : la scène offre au spectateur les éléments partiels d'un monde qui le renvoie au-delà, à un univers imaginaire ou idéal qu'il doit recréer lui-même. (P.F.)

▷ drame, mise en scène, naturalisme, symbolisme.

dynamisme. Mouvement littéraire animé par Henri Guilbeaux, dont l'ambition fut, vers 1910, de forger une forme poétique nouvelle, dont le rythme et la thématique soient propres à exprimer la civilisation moderne, et tout particulièrement sa vitesse. (M.J.)

dysphorie. Est dysphorique tout mot, énoncé, texte exprimant le malaise ou la tristesse : *Je suis plein de regrets. Ô mes amours, dormez !* (V. Hugo, *Les Contemplations*).

(G.P.)

▷ élégie.

E

e caduc. Les aléas de sa prononciation posent des problèmes majeurs dans la diction du vers. Les règles ont à cet égard suivi l'évolution historique.

Rappel des règles fixes classiques. Exemple :

L'ombre était nuptiale, auguste, solennelle
　　1　　　　　1　　2　　　3
(Victor Hugo)

– 1. Il y a *élision* d'un *e* final de mot à l'intérieur du vers devant voyelle ou *h* non aspiré. Cette règle a toujours existé, à toutes les époques.

– 2. Il compte pour une syllabe devant consonne à l'intérieur du vers.

– 3. Il est systématiquement apocopé en fin de vers : il ne compte pas, c'est pourquoi on dit qu'il est surnuméraire, mais il a pu être prononcé pendant la période médiévale, comme il l'est systématiquement d'ailleurs dans la chanson. Si nombre de poètes contemporains suivent encore globalement ces règles, ils les traitent en toute liberté, en jouant aussi de la prononciation courante.

La suite Voyelle + *e* + Consonne *à l'intérieur du vers* : Cet *e* a été prononcé et compté jusqu'au XVIᵉ siècle (dans la langue courante, très vite, il n'est plus prononcé) :

La vie m'est et trop molle et trop dure
(Louise Labé)

Cette suite est bannie depuis l'époque classique jusque vers 1870-1880. Cependant ont toujours été admises et comptées pour une seule syllabe :

– les formes verbales en *-aient* et *-oient* et celles, correspondantes, des verbes *être* et *avoir*. Exemple :

Les anges y volaient sans doute obscurément
(Victor Hugo)

– les V + *e* + C à l'intérieur des mots (comme par exemple dans les futurs des verbes en voyelle + *er*, tel *j'oublierai*).

– À partir de la fin du XIXᵉ siècle, beaucoup de poètes ne s'en soucient plus et la prononciation de cette suite se conforme à la prononciation courante. Exemple de Laforgue :

Les moineaux des vieux toits pépient à ma fenêtre.

(M.A.)

▷ **apocope, césure, coupe, élision, licence poétique, phonème, rime, rime féminine, syllabe, syncope, vers libéré.**

éclectisme. Philosophie devenue la doctrine quasi officielle de l'Université française sous la monarchie de Juillet. Son promoteur Victor Cousin (1792-1867), d'abord assistant de Royer-Collard, avait acquis une certaine connaissance de la philosophie allemande (Kant, Hegel, Schelling, Jacobi) et par ses idées libérales s'était attiré à la fin de la Restauration la sympathie de la jeunesse étudiante. Le régime de Juillet le couvrit d'honneurs et de charges officielles. Pour Victor Cousin, « la philosophie n'est pas à chercher, elle est faite ». Tous les systèmes se ramènent aux quatre types fondamentaux du matérialisme, de l'idéalisme, du scepticisme et du mysticisme. Il ne reste plus qu'à « dégager ce qu'il y a de vrai en chacun de ces systèmes et en composer une philosophie supérieure à tous les systèmes », en suivant le critère de la raison, pont jeté entre la conscience et l'être. En tant que philosophie, l'éclectisme a sombré. Mais des échos de l'enseignement de Cousin, et notamment de son cours de 1818 « sur le fondement des idées absolues du vrai, du beau et du bien », publié en 1836, se font entendre chez la plupart des grands écrivains de l'époque.   (Y.V.)

▷ **art pour l'art, doctrinaires, Idéologues, romantisme.**

École de Constance. *Voir* esthétique de la réception.

École de Genève. *Voir* critique thématique.

École de Rochefort. Mouvement littéraire fondé en 1941 à Rochefort, précisément, par le poète Jean Bouhier et qui regroupa René Guy Cadou, Michel Manoll, Marcel Béalu, Jean Rousselot, Maurice Fombeure, Luc Bérimont – et plus tard Jean Follain et Eugène Guillevic. Diverses publications – les premiers *Cahiers de l'École de Rochefort, Position poétique de l'École de Rochefort*, puis *Anatomie poétique de l'École de Rochefort* – définissent dès 1941 la doctrine du mouvement, proche de la Résistance, qui, s'il reconnaît sa dette à l'égard du surréalisme, définit un humanisme qui s'interdit toute dimension ludique et, proche de la réalité, s'attache à « dire la vie », Pierre Reverdy et Max Jacob étant les figures tutélaires de ces jeunes poètes. Après la guerre et la mort de Cadou en 1951, l'École de Rochefort connut à Paris une seconde époque et les réunions régulières à la *Coupole* attirèrent de nouvelles figures, Jacques Réda, Pierre Garnier, Marc Alyn. S'opposant à la Poésie nationale d'Aragon, le mouvement se déclara favorable à la liberté créatrice de chacun, sans enrégimentement, mais l'émergence d'une poésie davantage soucieuse de recherches sur le langage, dont l'un des organes fut la revue *Tel Quel*, le fit refluer au début des années 1960.   (M.J.)
▷ surréalisme.

École fantaisiste. Groupe de poètes qui commença de se constituer en 1907 et dont les plus célèbres furent Paul-Jean Toulet, Tristan Derème et Francis Carco. Le terme de fantaisiste apparut en 1913 – ce fut alors l'apogée d'un mouvement qui vécut jusqu'aux années 1920 – et il définit, plus qu'une véritable doctrine, une mouvance qui, s'opposant au symbolisme finissant et au vers libre, fait place, non sans quelque auto-ironie, à l'intime et à l'allusif, cherchant une modernité proche de la vie, de ses hasards et de ses caprices. De cette école, ce sont

sans doute *Les Contrerimes* (posthume, 1921) de Toulet
qui nous restent le plus présentes.   (M.J.)

▷ symbolisme.

École lyonnaise. Un peu abusive, puisqu'il n'y eut pas
de programme défini, l'expression désigne, une vingtaine
d'années avant la Pléiade, les poètes de Lyon, où le milieu
humaniste est très ouvert à l'Italie : Maurice Scève (vers
1500-1560), ainsi que ses disciples Pernette du Guillet,
Louise Labé et Claude de Taillemont.   (M.J.)

▷ humanisme, néoplatonisme, Pléiade.

École romane. Mouvement littéraire dont Jean Moréas
et Charles Maurras furent les principaux représentants
après que la doctrine eut été formulée, le 14 septembre
1891, dans un article du *Figaro* souvent qualifié de
« Manifeste de l'École romane ». Sans revendiquer la
simple imitation de la littérature gréco-latine, les poètes
« romans » prônent un travail de la forme et une énergie
de la langue liés à une tradition de clarté – contre la
poésie de leur temps. Mais ce mouvement de réaction
assez rigide au symbolisme ne fut guère suivi que par des
poètes mineurs.   (M.J.)

▷ néoclassique, symbolisme.

écriture artiste. Expression inventée dans la seconde
moitié du XIXᵉ siècle par les Goncourt pour désigner un
type d'écriture particulièrement travaillée, proche de ce
qu'on appelait également à l'époque la « prose d'art ».
L'écriture artiste des Goncourt, telle qu'ils la mettent en
œuvre surtout dans les passages descriptifs de leurs
romans ou de leur *Journal*, est caractérisée par un lexique
recherché – associant mots rares, tournures familières,
vocabulaire technique de la peinture et des arts, néologismes abstraits –, par une syntaxe privilégiant l'énumération, la parataxe, l'emploi du pluriel, les adjectifs
substantivés, ainsi que par la multiplication des jeux
sonores, assonances ou allitérations. Cette écriture se veut

au service du rendu de la sensation, « moulée sur l'impression même » (préface d'*Henriette Maréchal*, 1866), fidèle particulièrement à la vérité de l'impression visuelle et lumineuse. Elle est donc à rapprocher de ce que réalisaient au même moment les peintres impressionnistes. Avec des préoccupations analogues, Zola et parfois Maupassant recourent à des procédés apparentés à l'écriture artiste, mais en se gardant du maniérisme auquel sacrifient les Goncourt. « Il n'est pas besoin du vocabulaire bizarre, compliqué, nombreux et chinois qu'on nous impose aujourd'hui sous le nom d'écriture artiste, pour fixer les nuances de la pensée [...] » (Maupassant, « Le Roman », *Pierre et Jean*, 1887). Huysmans au contraire pousse l'originalité et l'artifice de l'expression plus loin encore, de manière plus systématique et plus structurée que les Goncourt, passant ainsi de l'écriture artiste à une écriture en rapport avec la sensibilité « décadente ».

(Y.V.)

▷ décadentisme, naturalisme, prose d'art, réalisme.

écriture automatique. *Voir* surréalisme.

écriture gazée. Gazer consiste à dissimuler partiellement les passages trop crus ou trop indécents de l'histoire qu'on raconte : « gazer un conte ». Pour ce faire, les auteurs de textes licencieux utilisent des transpositions métaphoriques, des réticences éloquentes, des périphrases qui ne cachent que pour montrer : *répandre l'encens sur l'autel du sacrifice* est, chez Sade, une formule gazée qui a une signification indécente.   (P.F.)

▷ libertin.

églogue (n. f., du grec *ek-*, « de », et *légein*, « choisir »). Genre à l'antique cité dès le XIVe siècle, mais remis en honneur à la Renaissance. C'est le nom donné à des poèmes à thème pastoral et à tonalité lyrique, souvent ornés de dialogues. Tel est le cas de l'« Églogue au Roi sous les noms de Pan et Robin » de Clément Marot, qui compte 260 vers, et dont voici le début :

> *Un pastoureau, qui Robin s'appelait,*
> *Tout à part soi naguère s'en allait*
> *Parmi fousteaux (arbres qui font ombrage),*
> *Et là tout seul faisait, de grand courage,*
> *Haut retentir les bois et l'air serein,*
> *Chantant ainsi : « Ô Pan, dieu souverain,*
> *Qui de garder ne fus onc paresseux*
> *Parcs et brebis et les maîtres d'iceux, [...]*   (M.A.)

▷ lyrisme.

ekphrasis (n. f. sing., plur. *ekphraseis*). Terme emprunté au grec, qui désigne un exercice rhétorique consistant dans la description détaillée d'un objet, et particulièrement d'un objet d'art. Les principales qualités de l'*ekphrasis*, selon les théoriciens antiques, sont la clarté et l'évidence, car il s'agit de mettre sous les yeux l'objet décrit. L'*ekphrasis* est donc le lieu où le langage rivalise avec les autres arts, et elle convient particulièrement au genre démonstratif, puisqu'elle a recours à l'ornement, et à l'abondance des figures. À l'époque baroque, elle est souvent pratiquée pour elle-même, dans les longues digressions artistiques des romans héroïques (descriptions d'architecture, de peintures, etc.), héritées elles-mêmes du roman grec remis à la mode par Amyot au XVIe siècle.
(E.B.)

▷ abondance, asianisme, baroque, description, digression, hypotypose, ornement, roman héroïque.

élégie (n. f., du grec *elegos*, « plainte »). Genre codifié selon des règles précises dans l'Antiquité gréco-latine, mais qui n'est pas une forme fixe au moment où il est remis à l'honneur en France, au début du XVIe siècle. L'élégie est un poème lyrique à tonalité triste et mélancolique, avec souvent pour thème le malheur en amour. C'est le cas de la première *Élégie* de Clément Marot, dont voici quelques vers :

> *Pour ton amour j'ai souffert tant d'ennuis,*
> *Par tant de jours et tant de longues nuits,*
> *Qu'il est avis, à l'espoir qui me tient,*
> *Que désespoir le cours du ciel retient,*

> *À cette fin que le jour ne s'approche*
> *De l'attendue et désirée approche.*   (M.A.)

▷ **lyrisme.**

élevé. *Voir* style élevé.

élisabéthain. *Voir* sonnet élisabéthain.

élision (n. f., du latin *elidere*, « expulser, supprimer »).
Fait de ne pas prononcer une voyelle en finale absolue
de mot quand le suivant commence par une voyelle ou
un *h* non aspiré. Cette élision peut être marquée dans la
graphie par une apostrophe (« l'héroïne, l'âme, l'ennui,
s'il vient... »), mais ce n'est pas toujours le cas, même s'il
y a élision phonique (« elle a un chapeau »). En prosodie,
tout *e* intérieur de vers en finale absolue de mot devant
initiale vocalique du mot suivant est élidé :

> *Ce toit tranquill(e), où marchent des colombes*
> (Valéry, « Le Cimetière marin »).

(M.A.)

▷ **apocope, césure, coupe, *e* caduc, hiatus, syllabe.**

ellipse (n. f., du grec *en*, « dans », et *leipein*, « laisser là,
négliger », d'où *elleipsis*, « manque, omission d'un mot »).
Figure de construction qui consiste à supprimer des mots
qui seraient nécessaires à une construction complète,
mais dont l'absence n'empêche pas la compréhension.
Exemple de Laforgue :

> *Si ses labours sont fiers, que ses blés décevants !*

L'exemple canonique de l'ellipse est dans *Andromaque* (IV, 5)
où Hermione dit à Pyrrhus :

> *Je t'aimais inconstant, qu'aurais-je fait, fidèle ?* (M.A.)

▷ **ambiguïté, asyndète, figure, parataxe, syntaxe, zeugma.**

élocution (ou *elocutio*). C'est la troisième partie de la
rhétorique : après l'*inventio* (choix des arguments) et la
dispositio (plan d'ensemble du développement), l'*elocutio*
concerne en effet le choix du style approprié et surtout

la mise en œuvre des figures. C'est le travail stylistique à proprement parler, qui vise à plaire et à émouvoir par le choix et l'ordre des mots, et par l'ensemble des figures : dans l'histoire de la rhétorique, la promotion de l'élocution face aux autres parties a conduit à ce qu'on appelle parfois la « rhétorique restreinte », qui ne s'occupe plus que des figures (Dumarsais, Fontanier). (E.B.)

▷ action, disposition, invention, rhétorique, style.

éloquence. L'éloquence est la fin même de la rhétorique : on dit d'un orateur qu'il est éloquent lorsqu'il atteint son but (instruire, plaire, émouvoir). Le terme désigne donc à la fois l'art rhétorique lui-même, et surtout son efficacité. On a parlé d'un « âge de l'éloquence » (M. Fumaroli) pour désigner la littérature européenne au seuil du classicisme français : cela renvoie justement à une époque où la confiance dans la parole et dans ses effets était le modèle de la littérature, et où la rhétorique fournissait les cadres de la création littéraire, de l'invention (sources antiques, Bible, Fable ou Histoire) à l'action (l'éloquence était le modèle de jeu théâtral, de l'*actio* dramatique). L'éloquence est donc distincte de l'ensemble des règles de l'*ars rhetorica* (la simple technique), au point qu'on a pu dire, comme Pascal, que « la vraie éloquence se moque de l'éloquence » (*Pensées*). (E.B.)

▷ abondance, asianisme, atticisme, baroque, classicisme, rhétorique, sublime, *topos*.

emblème. Figure symbolique accompagnée d'une brève formule d'intitulé et d'une épigramme, le tout ayant valeur didactique et moralisante. Pour que l'on puisse parler d'emblème, la présence de ces trois éléments est nécessaire. On explique aussi, à la Renaissance, que la figure est appelée « corps », et que les deux autres éléments forment l'« âme » de l'emblème. Le premier recueil d'*Emblèmes* est celui d'Alciat (*Emblemata*, Augsbourg, 1531), qui cependant, dans sa première édition, est dépourvu d'images. La vogue de ce genre de recueils à la Renaissance s'explique par deux raisons. D'abord, l'intérêt porté à toutes les formes de langage symbolique, au premier rang desquelles il faut placer les hiéroglyphes (qui ne sont pourtant pas encore déchiffrés). Ensuite, par les relations complexes unissant les trois éléments de l'emblème. Elles rendent difficile l'interprétation, mais favorisent aussi la polysémie, ce dont profite la poésie. On peut s'en rendre compte avec la *Délie* de Maurice Scève (1544), où chaque neuvaine de dizains est suivie d'un emblème.   (D.M.)

▷ épigramme, symbole.

emboîtés. *Voir* vers emboîtés.

embrassées. *Voir* rimes embrassées.

embrayeur (embrayé/non embrayé). On appelle embrayeurs les pronoms de première et deuxième personnes (*je/tu, nous/vous ; on* comme substitut de *nous* et *vous*), les possessifs de même rang, parce que leur référent change dès lors qu'un nouveau locuteur prend la parole. Benveniste a proposé d'appeler « personnes » ces pronoms qui désignent des locuteurs susceptibles d'intervenir dans l'échange (et « non-personnes », *il(s)* et *elle(s)* qui renvoient aux êtres animés et aux objets dont on parle). Les embrayeurs fonctionnent donc bien sur un mode déictique (voir ce mot). Avec sa métaphore mécanique, le mot « embrayeur » calque le terme anglais *shifter*, employé par le linguiste R. Jakobson pour désigner les éléments linguistiques qui embrayent l'énoncé sur la situation d'énonciation, qui les articulent. Un énoncé est dit embrayé s'il contient des embrayeurs (*Longtemps je me suis couché de bonne heure*, Proust ; *La bêtise n'est pas mon fort*, Valéry), non embrayé s'il n'en contient pas (*C'était à Mégara, faubourg de Carthage, dans les jardins d'Hamilcar*, Flaubert). Les écrivains, notamment les moralistes, peuvent néanmoins jouer sur l'hésitation entre la valeur déictique et la valeur générique de certains pronoms : *Vous êtes homme de bien, vous ne cherchez ni à plaire ni à déplaire aux favoris [...] : vous êtes perdu* (La Bruyère, *Les Caractères*).   (G.P.)

▷ déictique, discours/récit, énoncé/énonciation.

émotive. *Voir* fonctions du langage.

emperière. *Voir* rime emperière.

emphase (n. f., du grec *emphasis*, « apparence »). Ce mot désigne plutôt à l'origine une figure de l'insinuation et de l'allusion qui exprime de manière indirecte la proposition énoncée ; par extension, le terme désigne une formule énergique qui « laisse plus à penser qu'elle n'exprime » (Richelet, 1680), d'où l'association avec l'énergie, qui suppose une action effective du discours, soulignée par l'exagération marquée du ton ou du geste. L'emphase appartient par excellence au genre épidictique. (E.B.)

▷ **amplification, démonstratif, énergie, hyperbole, ornement, style élevé, sublime.**

emploi. Catégorie de rôles au théâtre qui présentent un caractère particulier et ne peuvent convenir qu'à des acteurs répondant à des exigences précises, d'âge, de physique, de tempérament. Ainsi les emplois de père noble, d'amoureuse ou de soubrette. À l'époque classique, les troupes sont composées d'acteurs qui répondent aux principaux emplois du répertoire. Certains de ces emplois correspondent à des types sociaux (le valet, la reine dans la tragédie), d'autres à un caractère (l'ingénue, le traître du mélodrame), d'autres ont une désignation métonymique (les rôles à manteau, les rôles à baguette). Dans la comédie italienne, la notion d'emploi se superpose à peu près avec celle de types fixes (*tipi fissi*), c'est-à-dire des catégories de personnages. La codification rigoureuse des emplois à la Comédie-Française a longtemps été la règle, ce qui pouvait conduire à l'enfermement d'un comédien dans un seul type de rôles pour toute sa vie. La pratique du théâtre d'aujourd'hui ignore largement ces codifications et le mot est vieilli. (P.F.)

▷ *commedia dell'arte*, **masque, personnage.**

énallage (n. f., du grec *enallagè*, « changement », composé de *en*, « en », et *allos*, « autre »). Figure de construction fondée sur la substitution de morphèmes de personne, de temps, de mode, de nombre ou de genre. Exemple : *je parlons* dans le vers énoncé par Martine dans *Les Femmes savantes* de Molière (II, 6),

> *Et je parlons tout droit comme on parle cheux nous.*

Autre exemple : *Ecouté-je moi bien !*, où Desnos mêle forme interrogative et ton jussif.   (M.A.)

▷ syllepse.

energeia. *Voir* énergie.

enchaînée. *Voir* rime enchaînée.

enchaînement (ou reprise). Dans les chansons de geste médiévales, l'enchaînement consiste en la reprise, au début d'une nouvelle laisse, de tout ou partie du ou des derniers vers de la laisse précédente. Il existe des formes complexes. L'enchaînement est dit bifurqué lorsque le ou les vers repris figurent dans le corps de la laisse précédente, et sont suivis d'un élément narratif nouveau lors de la reprise : deux futurs semblent ainsi découler d'un même passé, et la perception de la logique temporelle est alors perturbée. L'enchaînement peut également consister en un parallélisme des premiers vers des deux laisses. Lorsque la reprise couvre la totalité ou la quasi-totalité des deux laisses, on parle de laisses similaires. Exemple d'enchaînement (les termes sur lesquels se fait l'enchaînement sont soulignés), extrait d'*Aliscans* (fin XIIᵉ siècle), fin de la laisse XXII et début de la laisse XXIII :

> *Parmi les morz est cele part tornez,*
> *Devant l'enfant est li quens* [le comte] *arestez ;*
> *Ne pot mot dire tant par fu adolez* [plongé dans la douleur].
>
> *Li quens Guillelmes ot mout le cuer dolant ;*
> *Mout fu iriez* [irrité] *et plains de maltallant* [hors de lui].

On voit que le dernier vers cité développe le thème de l'enchaînement.   (D.B.)

▷ chanson de geste, laisse.

encomiastique (adj., du grec *enkômion*, « éloge »). Désigne tout discours, en vers ou en prose, qui fait l'éloge d'un être, d'une chose ou d'un événement : ce terme sert à qualifier le plus souvent la poésie officielle (poésie encomiastique) qui célèbre les grands faits d'un règne (*Ode sur la Prise de Namur* de Boileau, par exemple), d'un homme ou d'un dieu. Cette poésie, dont les genres favoris sont l'ode ou l'hymne, appartient de ce fait au genre démonstratif (ou épidictique), dont elle partage les principaux traits stylistiques et thématiques.　　　(E.B.)

▷ **démonstratif, ode, style élevé.**

encyclopédies médiévales. Les encyclopédies médiévales ont pour ambition d'exposer, en latin ou en langue vulgaire, l'ensemble d'un savoir qui est, pour l'essentiel, transmis de l'Antiquité par Isidore de Séville (VIIe siècle), dont les *Etymologiae* constituent le modèle. Elles abordent des questions de théologie (en particulier sur les origines du monde et de l'homme), de cosmographie, de géographie, de sciences naturelles, de grammaire et de rhétorique, ainsi que des éléments d'histoire universelle. Cependant, chacune s'enrichit des lectures propres de son auteur (*Image du monde* de Gossouin de Metz, qui traduit et amplifie l'*Imago mundi* d'Honorius Augustodunensis, *Livre du Trésor* de Brunetto Latini, *Speculum triplex* de Vincent de Beauvais, tous du XIIIe siècle).　　　(D.B.)

▷ **chronique universelle,** *quadrivium, trivium.*

endophasie. *Voir* discours intérieur.

énergie (du grec *energeia*, « vivacité dans le discours »). Désigne à l'origine une qualité du style : celle qui donne l'impression que l'action se fait réellement sous les yeux de l'auditeur. Elle est donc une des qualités de la description (*ekphrasis*, hypotypose), et son principal effet est d'émouvoir (*movere*, troisième but de la rhétorique).　　　(E.B.)

▷ **description, éloquence,** *ekphrasis,* **hypotypose,** *mimesis,* **style simple, sublime.**

enfances. Dans la poésie épique médiévale, ce terme désigne le récit des exploits accomplis par le héros avant son adoubement, et qui précèdent donc ceux de sa *chevalerie* : *Enfances Garin de Monglane, Enfances Ogier, Enfances Guillaume, Enfances Vivien*. On voit s'y former l'image du héros prometteur, généralement séparé pour des causes diverses de ses parents, et qui révèle spontanément les qualités inhérentes à son lignage.   (D.B.)

▷ chanson de geste, *chevalerie*, cycle, *geste, moniage*.

enjambante. *Voir* césure enjambante *et* coupe enjambante.

enjambée. *Voir* rime enjambée.

enjambement. Phénomène de discordance tel qu'un syntagme solidaire se trouve réparti à peu près également de part et d'autre soit de la césure (enjambement interne), soit de la fin de vers (enjambement externe), et dans ce dernier cas il déborde sur le vers suivant.
– Exemple d'enjambement externe dans les alexandrins brisés de Laforgue :

> Minuit un quart ; quels bords te voient passer, <u>aux nuits</u>
> <u>Anonymes</u>, ô Nébuleuse-Mère ? Et puis
> Qu'il doit agoniser d'étoiles éprouvées [...].

– Exemple d'enjambement interne lié au rythme 4/4/4 dans cet alexandrin de Victor Hugo :

> Qu'importe ? il va. <u>Tout souffle</u> // <u>est bon</u> ; simoun, mistral !

On peut éventuellement, par analogie, parler d'enjambement strophique quand le phénomène se produit de strophe à strophe.   (M.A.)

▷ concordance/discordance, contre-rejet, rejet, rythme, strophe.

enluminure. Dans les manuscrits médiévaux, tout élément décoratif peint destiné à enrichir l'apparence esthétique de la page. Le terme comprend aussi bien les miniatures et les peintures que des éléments d'ornemen-

tation abstraits, comme la décoration des grandes majuscules.   (D.B.)

▷ lettrine, *marginalia*, miniature, vignette.

ennéasyllabe (n. m., du grec *ennea*, « neuf »). Mètre de
neuf syllabes. On le trouve en hétérométrie dans la poésie
lyrique médiévale ; aux XVIᵉ et XVIIᵉ siècles, il est employé
dans les genres légers. Verlaine et les symbolistes l'ont
remis à l'honneur. Vers de plus de huit syllabes, il est
césuré, mais on n'a pu dégager une structure constante.
Disons que la plus fréquente est 4/5 : c'est le rythme de
l'ennéasyllabe de Verlaine,

> *Il faut aussi // que tu n'ailles point*
> *Choisir tes mots // sans quelque méprise.*   (M.A.)

▷ vers.

énoncé/énonciation. On appelle « énonciation » l'acte
par lequel un individu produit du discours, et « énoncé »
le discours produit par cet acte. L'analyse de l'énonciation ou des marquages énonciatifs consiste à repérer dans
l'énoncé les traces de l'acte qui l'a produit, par exemple
les renvois au locuteur, à l'allocutaire, aux circonstances
de la communication. Le mot « énoncé » a un sens relativement large, mais on ne l'utilise que pour désigner du
discours considéré dans son contexte situationnel. On
veillera à ne pas le confondre avec le mot « phrase », qui
désigne un segment d'énoncé grammaticalement clos et
considéré du seul point de vue syntaxique.   (G.P.)

▷ déictique, embrayeur, phrase.

énonciateur. *Voir* locuteur.

ensenhamen (n. m.). Dans la langue d'oc médiévale, ce
terme désigne de nombreux traités (versifiés) d'éducation,
qui s'intéressent aux différents âges de la vie (généralement aristocratique) et abordent aussi bien des questions
de morale sociale que d'hygiène et de vie quotidienne
(activités, toilette, bienséances...). Certains se spécialisent

dans les conseils aux jongleurs (Guiraut de Cabrera au
XII⁰ siècle, Guiraut de Calenson et Bertran de Paris au
XIII⁰ siècle). Les formes analogues en langue d'oïl sont
dénommées *enseignements*, *doctrinal* ou *chastoiement*.

(D.B.)

▷ *doctrinal*, troubadour.

entés. *Voir* vers entés.

enthousiasme. Au sens étymologique, l'enthousiasme
est un « délire sacré qui saisit l'interprète de la divinité »
(*Le Robert*). À l'époque de la Renaissance, le mot est souvent synonyme d'inspiration ou de fureur poétique. La
philosophie néoplatonicienne a en effet répandu l'idée
que le poète était inspiré par Dieu, tout comme les prophètes de l'Ancien Testament, et comme David, l'auteur
présumé des Psaumes. La notion d'enthousiasme est liée
aussi à celle de sublime, élaborée dans l'Antiquité par
Longin (I⁰ʳ ou II⁰ siècle ap. J.-C.). Le *Traité du sublime*,
traduit par Boileau (1674), exerça une grande influence
sur l'esthétique de l'âge classique.   (D.M.)

▷ néoplatonisme, sublime.

enthymème (n. m.). Ce mot grec désigne un syllogisme
(raisonnement) dont les prémisses (principes posés préa-
lablement) sont seulement vraisemblables, et non pas
fondées sur des propositions évidentes ou démontrées ;
sa forme est déductive (au contraire de l'exemple, qui est
inductif), en ce qu'il va du général (principe admis par
tous) au particulier ; l'exemple traditionnel que l'on
donne est : « Parce qu'il est homme, Socrate est mortel », qui résume le mouvement logique suivant : il présuppose implicitement que : « Tout homme est mortel »
(majeure), puis constate que : « Socrate est un homme »
(mineure), donc (conclusion) : « Socrate est mortel ».
Comme on le voit, l'enthymème est au cœur de toute
argumentation, car il est l'outil même du *logos* (logique),
qui est censé entraîner l'adhésion intellectuelle de l'audi-

toire (par opposition au *pathos*, qui joue sur les passions
du public).   (E.B.)

▷ argumentation, *doxa*, exemple, lieux, paralogisme,
  pathos, *topos*.

entrelacement. Technique romanesque, inaugurée par
Chrétien de Troyes dans son *Conte du Graal*, et exploitée
systématiquement dans les romans en prose dès le début
du XIIIᵉ siècle, qui consiste à entrelacer les aventures de
plusieurs chevaliers, en suivant alternativement celles des
uns et des autres, et en reprenant à chaque fois celles
d'un héros donné au point où elles avaient été laissées
précédemment. En perturbant le cours linéaire du récit,
cette technique confère au roman l'épaisseur temporelle
nécessaire.   (D.B.)

▷ *conjointure*.

entretien. *Voir* dialogue.

envoi. Nom donné à la dernière strophe d'une ballade
ou d'un chant royal. Il se termine par le même refrain
que les autres strophes, et correspond généralement, pour
l'organisation des rimes, à la seconde moitié d'une
strophe. Il commence par une apostrophe au personnage
fictif ou réel à qui est dédié le poème. Voici l'envoi de la
ballade de Marot « Chant de Mai et de Vertu » :

> *Prince, fais amie immortelle,*
> *Et à la bien aimer entends ;*
> *Lors pourras dire sans cautelle :*
> *« Mes amours durent en tout temps ».*   (M.A.)

▷ ballade, chant royal, jeu-parti.

épanadiplose (n. f.). Ce terme désigne une figure de
répétition complexe : à la répétition d'un même mot ou
d'un même groupe de mots s'ajoute un jeu de structure
(parallélisme ou chiasme), du type : <u>Rien</u> *ne me verra plus,*
je ne verrai plus <u>rien</u> (Hugo), ou bien : *L'Ange devint*
<u>l'esprit</u>, *et* <u>l'esprit</u> *devint l'Homme* (*id.*).   (E.B.)

▷ abondance, amplification, ornement, style noble.

épanalepse (n. f., du grec *epanalepsis*, « reprise »). Cette figure de construction joue sur la reprise de groupes de mots complets, de façon insistante et oratoire :

> *Je veux, dit Lacenaire,*
> *Paris tremble, ô douleur, ô misère !*
> *Je veux, dit Lacenaire,*
> *Être empereur et roi !*
> (Hugo, *Châtiments*)

Cette figure joue un rôle particulièrement efficace dans le registre de l'indignation et du *pathos* ; elle correspond au style véhément, notamment dans les pamphlets ou dans les satires.   (E.B.)

▷ abondance, anaphore, chiasme, épanadiplose, pamphlet, *pathos*.

épanorthose (n. f., du grec *epanorthosis*, « correction »). Cette figure imite le mouvement vif de la pensée en corrigeant immédiatement ce qui vient d'être dit (modalisé le plus souvent par l'adverbe « plutôt ») : *Il y a beaucoup plus de vivacité que de goût parmi les hommes ; ou, pour mieux dire, il y a peu d'hommes dont l'esprit soit accompagné d'un goût sûr...* (La Bruyère) ; elle produit un effet d'oralité dans la progression du discours, et, en cela, elle est une figure qui met en valeur l'*ethos* de celui qui parle, en donnant au public l'impression de l'associer au déroulement de la réflexion.   (E.B.)

▷ argumentation, *doxa, ethos*.

épenthèse (n. f., du grec *epenthesis*, « intercalation »). Adjonction d'un phonème ou d'une syllabe à l'intérieur d'un mot. Exemple : dans *Ubu roi* d'Alfred Jarry, *merdre* ou encore *mirlitaire*.   (M.A.)

épidictique. *Voir* démonstratif.

épigramme (n. f., du grec *epi*, « sur », et *gramma*, « lettre » : *epigramma*, « inscription »). Genre à l'antique remis à l'honneur à la Renaissance, d'abord petit poème traduit ou imité du latin, puis, sous l'influence de Clé-

ment Marot, petite pièce de vers parfois satirique, mais
surtout spirituelle. Exemple d'une épigramme de Marot,
« À une dame âgée et prudente » :

> *Ne pensez point que ne soyez aimable :*
> *Votre âge est tant de grâces guerdonné*
> *Qu'à tous les coups un printemps estimable*
> *Pour votre hiver serait abandonné ;*
> *Je ne suis point Pâris, juge étonné,*
> *Qui faveur fit à beauté qui s'efface ;*
> *Par moi le prix à Pallas est donné,*
> *De qui on voit l'image en votre face.* (M.A.)

▷ madrigal, satire, valentin.

épilogue (n. m., du grec *epi*, « sur, à la suite de », et
logos, « discours »). Dans les œuvres médiévales, on
appelle épilogue les derniers vers ou les dernières lignes
dans lesquels l'auteur ou le récitant reprend la parole
pour se nommer et/ou indiquer que l'œuvre est achevée,
pour se souhaiter longue vie et célébrité, pour remercier
l'auditoire ou le lecteur et, souvent, exprimer l'espoir que
Dieu, ou le commanditaire, ou l'amie courtoise à qui
l'œuvre est dédiée, lui saura gré de son labeur. L'usage
de l'épilogue est habituel au Moyen Âge. Par la suite, le
terme désigne de manière moins codifiée la conclusion
d'une œuvre littéraire, et particulièrement d'un poème.
La Fontaine a intitulé Épilogue la dernière pièce de certains livres des *Fables*. (M.A. et D.B.)

▷ clausule, *explicit*, prologue.

épiphonème (n. m., du grec *epi*, « sur, à la suite », et
phonèma, « voix »). En rhétorique, affirmation sentencieuse par laquelle on termine un récit ou un discours
comme dans « Le Bouc et le Renard » de La Fontaine :

> *En toute chose il faut considérer la fin.* (M.A.)

▷ clausule.

épiphore (n. f., du grec *epi*, « sur, à la suite », et *phérein*,
« porter »). Répétition, en fin de phrase ou de vers, d'un

même mot ou d'une même expression. Exemple de
Michaux (extrait de *Lointain intérieur*, 1938) :

> *Dans la <u>nuit</u>*
> *Dans la <u>nuit</u>*
> *Je me suis uni à la <u>nuit</u>*
> *À la <u>nuit</u> sans limites*
> *À la <u>nuit</u>.*   (M.A.)

▷ **anaphore, antépiphore, épanalepse, refrain.**

épiphrase (n. f., du grec *epi*, « sur, à la suite » et *phraseis*,
« phrase »). Figure de construction et de pensée par
laquelle on ajoute à une phrase qui semble terminée un
syntagme ou une proposition, parfois longue, pour servir
une idée accessoire (ce qui n'est pas le cas de l'hyperbate).
Ainsi, dans cet exemple de Racine, Phèdre (IV, 6) semble
avoir conclu son discours à Œnone lorsqu'elle ajoute les
deux derniers vers :

> *Et puisse ton supplice à jamais effrayer*
> *Tous ceux qui, comme toi, par de lâches adresses,*
> *Des princes malheureux nourrissent les faiblesses,*
> *Les poussent au penchant où leur cœur est enclin,*
> *Et leur osent du crime aplanir le chemin !*
> <u>*Détestables flatteurs, présent le plus funeste*</u>
> <u>*Que puisse faire aux rois la colère céleste !*</u>   (M.A.)

▷ **hyperbate.**

épique. *Voir* césure épique *et* coupe épique.

épisode. Un épisode (du grec *épeisodion*) est une partie
dialoguée (tirade ou stichomythie) de la tragédie grecque,
formant un tout, située entre deux entrées (*eisodioi*) du
chœur (donc entre deux parties chantées par lui). L'épisode correspond donc à un moment de l'action, à un
moment du récit et à une partie de la fable. Il est plus
ou moins autonome par rapport à l'action globale. Dans
sa *Poétique*, Aristote condamne les histoires ou les actions
à épisodes (51b), « celles où les épisodes s'enchaînent sans
vraisemblance ni nécessité ». Le mot épisode s'applique

par extension aussi à l'épopée et au roman et désigne une partie de l'histoire ou une histoire annexe. (P.F.)

▷ action, chœur, épopée, fable, histoire, intrigue, récit, roman, stichomythie, tirade, tragédie.

épistolaire. *Voir* genre épistolaire *et* roman épistolaire.

épithalame (n. m., du grec *epi*, « sur, à la suite », et *thalamos*, « lit nuptial »). Genre à l'antique. Poème de circonstance, fait en l'honneur des époux, à l'occasion d'un mariage. (M.A.)

épithète homérique. Caractérisant conventionnel (adjectif ou groupe prépositionnel) d'un nom propre ou uniréférentiel, dont on trouve les premiers et les plus fameux exemples dans les œuvres d'Homère : *Hélène aux bras blancs, la mer couleur de vin, l'aurore aux doigts de rose*... L'épithète dite homérique est purement ornementale ; on la trouve surtout dans les textes épiques (*le pieux Énée, la douce France*) ou de façon parodique dans les textes modernes. L'épithète homérique est un cas d'épithète rhétorique. (G.P.)

▷ cheville, épithète rhétorique.

épithète rhétorique. Depuis le XVIIIe siècle, on appelle ainsi un caractérisant dont le but n'est pas d'apporter une information sur le substantif, mais de donner un aspect plus spectaculaire à l'expression : *les vastes campagnes couvertes de jaunes épis, riches dons de la féconde Cérès* (Fénelon, *Télémaque*). L'épithète rhétorique peut être perçue comme redondante (« le creux sillon »), mais elle insiste sur le caractère parfait ou idéal de l'objet ou de la personne caractérisée, sur sa coïncidence avec le stéréotype : l'innocente bergère, la pâle mort, la sombre forêt, la vaste mer. Depuis la fin du XIXe siècle, l'emploi trop fréquent de l'épithète rhétorique comme cheville de vers, son allure stéréotypée... l'ont fait tomber en désuétude. (G.P.)

▷ cheville, épithète homérique.

épithétisme (n. m., de *épithète*). Figure qui consiste à modifier ou à développer une idée principale par l'expression d'une idée accessoire soutenue par un caractérisant (proposition relative, adjectif). Exemple de La Fontaine : *Le héron au long bec, emmanché d'un long cou.*   (M.A.)
▷ épiphrase.

épître (n. f., du grec *epistolè*, « lettre, message »). Au Moyen Âge, l'*épistre* est une variété de dit qui se présente comme une lettre (*epistula*) envoyée à ou par un personnage réel ou imaginaire (mythologique, littéraire, allégorique...). Elle se présente généralement comme un plaidoyer et cherche avant tout à convaincre. Elle peut mêler la prose et les vers. Elle a été particulièrement pratiquée par Christine de Pisan. Les saluts d'amour sont des épîtres. À la Renaissance, l'épître en vers imitée d'Horace, qui s'adresse à un personnage réel ou fictif sur des sujets variés, est remise à l'honneur et pratiquée avec prédilection par Marot. Les épîtres restent fréquentes pendant toute la période classique et tout particulièrement chez Boileau et Voltaire (*Épître à Boileau* en 1769, *Épître à Horace* en 1772).   (M.A. et D.B.)
▷ **dit, héroïde, salut d'amour.**

épopée (n. f., du grec *epos*, « paroles d'un chant, vers », et *poïein*, « faire », d'où *epopoïa*, « poème épique »). Long poème à la gloire d'un (ou plusieurs) héros ou d'une nation, qui mêle souvent le surnaturel et le merveilleux au récit des exploits et des hauts faits. Dans son *Esthétique*, Hegel lie l'épopée et l'univers historique et humain qui l'entoure : « L'*épos*, lorsqu'il raconte ce qui est, a pour sujet une action qui, par toutes les circonstances qui l'accompagnent et les conditions dans lesquelles elle s'accomplit, présente d'innombrables ramifications par lesquelles elle se trouve en contact avec le monde total d'une nation et d'une époque. » L'épopée de référence est l'*Iliade* d'Homère, mais, dans le domaine français, on peut citer comme exemple *Les Tragiques* d'Agrippa d'Aubigné (1616).

Si le classicisme continue de considérer l'épopée comme un grand genre, aucune œuvre éclatante, cependant, ne l'illustre et *La Henriade* de Voltaire (1728), par exemple, est aujourd'hui bien oubliée. Dans le partage hérité d'Aristote entre l'épique et le dramatique, c'est le roman qui désormais prend peu à peu la place de l'épopée en vers et devient à lui seul la littérature narrative. La dimension épique s'affaiblit également dans le champ de la poésie, bien qu'elle reste présente dans *La Légende des siècles* (1859) de Hugo dont le sous-titre, *Petites Épopées*, montre bien qu'à ses yeux l'âge des longs poèmes est révolu. Néanmoins, l'épique ne disparaît pas totalement et, en 1924, l'*Anabase* de Saint-John Perse en garde certainement la trace. (M.A.)

▷ genres littéraires, poésie héroïque.

équivoquée. *Voir* rime équivoquée.

escalier. *Voir* laisse.

essai. Au sens large, tout texte d'idées d'une certaine ampleur, mais qui ne prétend pas à l'exhaustivité du traité ; au sens étroit, ouvrage de réflexion d'abord caractérisé par un ton personnel, des développements garantis par la sincérité de l'énonciateur plus que par la rigueur démonstrative, une écriture qui joue sur le discontinu, le raisonnement par analogie, le recours à une rhétorique de la persuasion plus que de la conviction. Le mot « essai » semble avoir été utilisé pour la première fois, au sens que nous lui donnons aujourd'hui, par Montaigne (1580). Le genre est désormais perçu comme hybride, insaisissable, laissant à l'auteur la possibilité d'user de tous les stratagèmes littéraires possibles : pseudo-dialogues, écriture poétique, recours au récit exemplaire... On a proposé plusieurs classifications des essais : les unes à base thématique (essai philosophique, politique, biographique, littéraire...), les autres à base rhétorique (essai polémique, doxologique...). L'essai est avec le roman

– dont il partage certaines caractéristiques, dont l'hétérogénéité interne – le grand genre de la modernité. (G.P.)
▷ **genres littéraires.**

estampie (n. f.). Forme poétique médiévale, de nature lyrico-chorégraphique, composée de strophes hétérométriques où des vers courts alternent par séries avec des vers plus longs, et qui sont associées deux à deux sur un même système de rimes et de mètres. Le nombre de vers varie d'une double strophe à la suivante. Voici les cinq premiers vers des deux premières strophes (qui en comptent chacune treize) d'une estampie : *Doucement,/ Sovant/ M'esprent/ Forment/ Amours et dame anvoixie* [joyeuse], *[...] Avenant/ Cors gent,/ Riant,/ Plaixant/ À celle qui me maistrie.* (D.B.)
▷ **strophe, trouvère.**

esthétique de la réception. On appelle réception d'une œuvre son accueil public et critique, mais aussi la façon dont elle se situe face aux positions idéologiques et esthétiques du lectorat visé, l'interprétation à laquelle elle donne lieu, la place qu'elle prend dans l'imaginaire littéraire. Les travaux critiques allemands de l'École de Constance, dont le représentant le plus important reste H. R. Jauss (*Pour une esthétique de la réception*, 1975), ont montré que l'on ne pouvait pas considérer l'œuvre indépendamment de sa réception effective et de l'évolution de cette réception dans le temps. Le concept clé de ce type d'analyse est celui d'« horizon d'attente » (*erwartungshorizont*), défini comme l'ensemble des critères (littéraires, politiques, éthiques...) à partir desquels un groupe donné de lecteurs comprend et juge une œuvre. Cet horizon d'attente est en perpétuelle évolution et notre lecture de *Madame Bovary* ou des *Fleurs du Mal* n'a rien à voir avec celle d'un lecteur de 1857 : tout se passe comme si nous n'avions plus affaire au même texte, puisque nous le lisons avec des attentes et des valeurs complètement différentes. L'esthétique de la réception se situe donc entre la sociologie de la littérature, l'histoire littéraire et la poétique de la lecture (qui considère les procédures par lesquelles le texte gère, oriente, trouble la lecture qui en sera faite). (G.P.)

▷ canon, critique, fortune de l'œuvre, lecteur, poétique de la lecture, sociocritique.

estoire (n. f.). Ce terme, issu du latin *historia*, désigne au Moyen Âge un récit, en vers ou en prose, qui prétend à la véracité : récit historique (*Estoire des Engleis* de Geffrei Gaimar, *Estoire de la guerre sainte* d'Ambroise, XIIᵉ siècle) ou récit fictif inspiré par les Écritures saintes (*Estoire del saint Graal*, qui amplifie vers 1200-1230 l'*Évangile de Nicodème*). Le terme s'oppose à fable (au sens de récit inventé) et, dans une moindre mesure, à conte, et, du point de vue formel, à chanson (de geste) dans la mesure où il exclut tout accompagnement musical. (D.B.)

▷ conte, roman (au Moyen Âge).

états du monde. Terme générique désignant, au Moyen Âge, un texte, généralement versifié, qui passe en revue les différents « états » de la société (noblesse, clergé, paysans, bourgeois, etc.) pour dénoncer les abus et définir les obligations morales et sociales de chacun d'eux. Le ton est volontiers satirique et moralisateur (*Livre des manières* d'Étienne de Fougères vers 1172, *Vers* de Thibaut de Marly, *Bible Guiot* de Guiot de Provins, *Bible au seigneur de Berzé*, *Roman de Carité* du Reclus de Molliens au XIIIᵉ siècle, etc.). (D.B.)

▷ bible, dit.

éthopée (n. f.). Au sens propre, il s'agit de la mise en scène de caractère (*ethos*), qui dans les exercices classiques de la rhétorique passait surtout par l'invention d'un discours prêté à un personnage (faire parler Ulysse retrouvant Pénélope, faire parler Andromaque après la mort de son fils, etc.). Avec le genre du « caractère », l'éthopée s'est élargie à la description des traits moraux d'un personnage donné,

comme chez La Bruyère, et cet exercice demeure au cœur des portraits littéraires en général, dans le roman ou au théâtre (*cf.* la scène des portraits dans *Le Misanthrope* de Molière) : il s'agit de montrer en quoi les caractéristiques morales du personnage animent toutes ses actions. (E.B.)
▷ description, *ethos*, rhétorique.

ethos (n. m., du grec *ethos*, « caractère », que l'on prononçait autrefois *ithos*). Désigne traditionnellement le caractère que l'orateur doit paraître avoir pour obtenir l'assentiment de son public ; c'est à ce titre, avec le *pathos*, une des preuves subjectives (par opposition au *logos*, preuve logique et objective). Il faut donc étudier et construire le caractère qu'il convient d'avoir selon les attentes du public (ce que Cicéron appelle le *decorum* et l'*aptum*), et cela intervient dès l'exorde, où l'orateur doit se concilier la bienveillance de l'auditoire (*captatio benevolentiae*). La connaissance du public est donc une partie essentielle de la préparation, et Aristote lui consacre une longue étude, dans la *Rhétorique*, qui est à l'origine de toute une caractérologie, que reprendra la tradition des moralistes : il s'agit de savoir quel *ethos* avoir selon que l'on a affaire à un public constitué de jeunes, de vieux, ou de gens mûrs. L'orateur doit se montrer digne de ce qu'on attend de lui, et il doit attirer la sympathie du public (en montrant notamment combien il lui ressemble, combien il partage ses craintes ou ses espoirs, et à quel point il est sincère et digne de confiance) : ce travail demande donc la vraie mise au point d'un rôle (*persona*) qui rapproche une nouvelle fois l'action oratoire du métier de l'acteur. La littérature occidentale a conservé longtemps les catégories psychologiques élaborées par la tradition rhétorique de l'*ethos*.   (E.B.)
▷ argumentation, exorde, *pathos*, rhétorique, *topos*.

etymologia (n. f.). Au Moyen Âge, l'*etymologia* consiste à jouer sur la paronomase pour conférer (restituer ?) à ce mot un sens qui est censé rendre compte de sa profondeur : c'est le principe appliqué par Isidore de Séville dans ses *Etymologiae* qui sont un recueil encyclopédique. Par exemple : *homo, de humo*, « homme », qui vient de « terre », allusion à la Genèse (Isidore) ; *rois, tu iés rois por droit rooier*, « roi, tu es roi pour avancer droit » [la *roie* est le sillon que trace le laboureur] (Reclus de Molliens, *Roman de Carité*, XIIIᵉ siècle).   (D.B.)

▷ amplification, paronomase.

étymologique. *Voir* figure étymologique.

étymon spirituel. Dans la stylistique de Leo Spitzer et de ses continuateurs, l'étymon spirituel est la base psychologique, le rapport personnel à l'art et au réel qui explique l'ensemble des caractéristiques langagières (lexicales, grammaticales, prosodiques...) d'un auteur. L'« effet de sourdine » racinien, par exemple, c'est-à-dire les divers choix grammaticaux par lesquels l'auteur d'*Andromaque* parvient à désindividualiser le réel (le jeu sur l'article notamment), permettrait ainsi de remonter à l'« âme » de l'œuvre, à son étymon spirituel, bien mieux qu'une analyse qui s'appuierait sur la psychologie de l'écrivain.   (G.P.)

▷ idiolecte, stylème.

euphémisme (n. m., du grec *eu*, « bien », et *phèmi*, « je dis »). Figure qui consiste à adoucir par l'expression la crudité ou la brutalité d'une idée ou d'un fait. L'euphémisme peut même aller jusqu'à employer l'antiphrase, comme dans l'exemple de Raymond Queneau (*Zazie dans le métro*) où il évoque *la foule parfumée* alors qu'il s'agit de gens qui sentent fort mauvais (le premier mot du roman est *Doukipudonktan*).   (M.A.)

▷ antiphrase, litote.

euphonie (n. f., du grec *eu*, « bien » et *phônê*, « voix »). Harmonie des sons, qui ménage une articulation aisée et à effet musical. On peut mettre sur le compte de l'euphonie des règles comme celles de l'interdiction de l'hiatus, de la prononciation des *e*, mais aussi la recherche du rythme et des rapports entre les phonèmes. Il faut aussi prendre en compte l'aspect évanescent des modes et des types de diction.   (M.A.)

▷ **allitération**, **assonance**, *e* **caduc**, **eurythmie**, **hiatus**, **phonème**, **rythme**.

euphuisme (n. m., du grec *euphuès* « bien doué par la nature »). Venu de l'Angleterre élisabéthaine où il marqua toute une mode littéraire (*Euphuès* est le titre d'un ouvrage de l'écrivain anglais John Lyly, paru en Angleterre en 1578-1580), ce terme est vite devenu synonyme de style précieux, à la fois par ses excès formels (prose complexe et abondante, faite d'amplifications, d'antithèses, de parallèles, avec des jeux sonores) et par son goût savant (citations, allusions nombreuses aux littératures anciennes).   (E.B.)

▷ **abondance**, **asianisme**, **baroque**, *concetto*, **gongorisme**, **marinisme**.

eurythmie (n. f., du grec *eu*, « bien », et *rhuthmos*, « rythme »). Combinaison ressentie comme harmonieuse des quantités syllabiques et de leur proportion, aussi bien dans le vers dans la phrase. Cela tient à la répartition des mètres les uns par rapport aux autres en cas d'hétérométrie, des accents dans le vers, ou encore des groupes rythmiques dans la phrase. Comme pour l'euphonie, cette notion présente la fragilité de ce qui touche à des faits de diction, et donc éventuellement de mode.   (M.A.)

▷ **accent**, **césure**, **contre-accent**, **coupe**, **mètre**, **vers**.

évangélisme. Terme désignant les courants religieux qui, au XVIᵉ siècle, prônent le retour à la vérité de l'Évangile. Il est apparu au milieu du XXᵉ siècle dans les travaux des historiens, quand on s'est aperçu que l'histoire religieuse de cette époque ne se réduisait pas au débat entre catholicisme et Réforme. Notre connaissance de ce mouvement doit beaucoup, en particulier, aux travaux de A. Renaudet et V.-L. Saulnier. Cette notion permet notamment de mieux comprendre le climat des années 1520-1540 et les œuvres de Marot, Marguerite de Navarre et Rabelais, qui sont tous, d'une manière ou d'une autre, les disciples d'Érasme. Ces auteurs souhaitaient donc le retour à la Bible, demandaient à la théologie de formuler l'essentiel dans un langage accessible, et militaient pour une réforme de l'Église. L'évangélisme ne fut, pour certains, qu'une étape avant le ralliement à la Réforme protestante. D'autres, comme les écrivains cités ci-dessus, restèrent fidèles à son esprit et on trouve des « évangéliques » en pleines guerres de Religion. Mal vus des deux camps, ils continuaient à refuser Rome et Genève (Th. Wanegffelen) et prêchaient, sans grand succès, la conciliation.

(D.M.)

▷ **humanisme, irénisme.**

exégèse (n. f., du grec *exègètès*, « interprète »). Explication et interprétation de textes littéraires, religieux, juridiques, etc. (M.A.)

exemple. L'exemple (en grec *paradeigma*) est au cœur de l'argumentation : il est un des deux grands types de preuves avec l'enthymème ; mais à l'inverse de ce dernier procédé, qui va du principe général au fait particulier (forme déductive), l'exemple procède, au contraire, en partant du particulier pour remonter à une loi générale (induction) qui s'applique aussi au cas dont on parle. C'est donc une preuve technique, qui repose sur l'analogie et qui sert à rendre un énoncé plausible par généralisation : Aristote explique qu'il y a deux sortes d'exemples, ceux que l'on tire de l'histoire (pour illustrer le comportement d'un tyran, on cite Hitler), et ceux qui ont été inventés (parabole, fable : pour expliquer l'injustice due à la force, on raconte « Le Loup et l'Agneau ») : c'est en cela que l'exemple a partie liée avec la fiction, et la littérature en général. Au Moyen Âge, il est même un genre littéraire propre (*exemplum*). (E.B.)

▷ **argumentation, enthymème,** *exemplum*, **fable, fiction, parabole.**

exemplum (n. m.). Forme littéraire latine médiévale, qui consiste en un récit bref, destiné à l'édification, qui prétend relater un petit événement vécu par son auteur ou qui a été rapporté à ce dernier, et dont l'auditoire est invité à tirer la leçon. Les *exempla* étaient généralement destinés à la prédication (au XIIIᵉ siècle, recueils d'*exempla* de Césaire de Heisterbach ou d'Étienne de Bourbon, par exemple).   (D.B.)

▷ exemple, sermon.

existentialisme. Bien que ce terme s'applique à la pensée de plusieurs philosophes étrangers, il désigne surtout en France celle que Jean-Paul Sartre a exposée dans *L'Être et le Néant* (1943) et dans une conférence, *L'existentialisme est un humanisme* (1946). La doctrine se définit par la formule célèbre : « L'existence précède l'essence », ce qui donne à l'homme la totale liberté de se faire lui-même et de se définir par ce qu'il fait. L'absence de toute transcendance empêche sans doute que l'existence humaine puisse être légitimée, mais l'angoisse qui en procède (voir *La Nausée*, 1938), selon Sartre, n'entrave pas l'action : « C'est en se jetant dans le monde, en y souffrant, en y luttant qu'il [l'homme] se définit peu à peu ; et la définition demeure toujours ouverte ; on ne peut point dire ce qu'est *cet* homme avant sa mort. » C'est ce qui apparaît par exemple dans ce que Sartre appelle « théâtre de situation » et qui permet à un personnage de se choisir lui-même et de construire ainsi son caractère dans une situation donnée, plutôt que de simplement agir en conformité avec ce qu'il était avant le début de la pièce. Et c'est précisément le théâtre de Sartre qui a, plus encore que ses romans, vulgarisé l'existentialisme. Bien que cette philosophie ait eu une influence considérable après la Seconde Guerre, c'est avec prudence qu'il convient de qualifier d'existentialistes les œuvres littéraires (tout particulièrement celles de Camus qui dans un entretien de 1945 a clairement déclaré : « Non, je ne suis pas existentialiste »).   (M.J.)

exophorique. *Voir* déictique.

exorde (n. m., du latin *exordium* « commencement »). C'est la première partie du discours, c'est-à-dire le moment où on prend contact avec le public, et où on doit le disposer à écouter, en le rendant « docile, bien disposé et attentif » (*Rhétorique à Hérennius*) : cela s'obtient en parlant de soi (*ethos*) pour obtenir la sympathie (*captatio benevolentiae*), et en insistant sur l'importance et l'intérêt de l'affaire, qu'il faut résumer avec clarté, pour retenir d'emblée l'attention des auditeurs. On parle aussi des auditeurs eux-mêmes, pour montrer qu'on connaît leurs intérêts et leurs attentes. Ces procédés sont le plus souvent utiles dans le genre judiciaire, moins fréquents dans le délibératif ; dans l'épidictique, l'exorde consiste à célébrer l'occasion qui donne lieu au discours, et à rappeler combien l'orateur et le public sont réunis dans des valeurs communes. Un procédé parfois utilisé est la suppression de l'exorde, et l'orateur commence *ex abrupto*.

(E.B.)

▷ argumentation, démonstratif, *ethos*, incipit, judiciaire, rhétorique.

expansion/filtrage. Tout lecteur de récit tend, d'une part, à ajouter dans les textes des informations qui ne s'y trouvent pas (selon les mécanismes de l'inférence, voir ce mot) et, d'autre part, à anticiper le développement de l'action. On appelle expansion ce travail spontané du lecteur et filtrage le fait que le texte vienne confirmer ou infirmer ces inférences ou anticipations. Ainsi peut-on imaginer qu'un début de récit mette en scène « John » et « Mary-Ann » ; le lecteur placera sans doute l'amourette dans quelque banlieue anglaise (expansion), avant que le texte ne lui apprenne (filtrage) que John et Mary-Ann sont les chats de Mme Dupont. Le texte romanesque doit ainsi prévoir et accompagner le travail d'expansion auquel se livrera le lecteur : le roman policier va conduire ce dernier à soupçonner X, pour lui révéler *in extremis* que le coupable est Y. Les débuts de récits sont des lieux particulièrement importants pour le jeu sur l'expansion et le filtrage : la première phrase de *Chéri* de Colette (1920), *Léa, donne-le-moi, ton collier de perles !* conduit le lecteur à imaginer une scène entre deux coquettes (expansion) ; la suite du texte infirmera cette inférence (filtrage) : c'est en fait le jeune amant de Léa qui s'exprime ainsi. Le travail d'expansion est fortement conditionné par les scénarios narratifs (voir ce terme) à travers lesquels nous appréhendons les textes.   (G.P.)

▷ compétence, inférence, lecteur, scénario narratif.

explétion (n. f.). Ce terme désigne, au sens strict, l'abus de termes explétifs, sans qu'ils aient pour autant de valeur modalisatrice précise ; c'est le cas par exemple des « datifs éthiques », du type : *Décroche-moi ce joli calumet qui est pendu là-bas, contre la muraille et allume-le...* (Daudet), où *moi* n'a aucune valeur sémantique ou modale. C'est donc une forme familière, ou parodique, d'abondance verbale, qui est aussi une marque du style oral ; pourtant, elle peut apparaître dans le cadre fortement oratoire du soulignement tragique : *Et que m'a fait, à moi, cette Troie où je cours ?*, Racine, *Iphigénie*, IV, 6.   (E.B.)

▷ abondance, amplification, périssologie, pléonasme.

explicit (n. m., emprunté au latin, « ici se termine l'ouvrage »). En philologie médiévale, ce terme désigne exclusivement la mention du copiste qui figure sur le manuscrit pour signaler que l'œuvre est achevée : *Explicit li rommans de Gaydon*. Quelquefois, cette mention est intégrée à l'œuvre elle-même, dont elle adopte par exemple la forme versifiée. Au-delà du Moyen Âge, on désigne ainsi plus généralement la fin d'un texte. *L'Éducation sentimentale* (1869) de Flaubert, par exemple, s'achève sur cette phrase : *C'est là ce que nous avons eu de meilleur ! dit Deslauriers.*   (D.B.)

▷ clausule, colophon, épilogue, incipit.

expolition (n. f.). Cette figure consiste à mettre en valeur une même pensée en la répétant sous plusieurs formes différentes, afin de la préciser de plus en plus :

> *Amour, sers mon devoir, et ne le combats plus.*
> *Lui céder, c'est ta gloire, et le vaincre, ta honte,*
> *Montre-toi généreux souffrant qu'il te surmonte,*
> *Plus tu lui donneras, plus il te va donner,*
> *Et ne triomphera que pour te couronner.*
> (Corneille, *Cinna*, I, 1)

C'est donc une figure apte à susciter le *pathos*, qui joue sur l'abondance et l'amplification.   (E.B.)

▷ abondance, amplification, *pathos*.

exposition. Premier moment de l'action théâtrale, l'exposition permet d'indiquer au spectateur les éléments qui lui seront nécessaires pour comprendre l'action : lieu, temps, raisons de la présence des personnages et relations qui existent entre eux, événements récents, indices de la crise à venir. À l'époque classique, l'exposition occupe en général tout ou partie du premier acte. L'art de l'auteur consiste à l'animer, à faire oublier son caractère statique, à la rendre « naturelle », parfois, dans la comédie à se jouer des conventions inévitables : *Si bien donc, cher Gusman, que Done Elvire, ta maîtresse, surprise de notre départ, s'est mise en campagne après nous, et son cœur, que mon maître a su toucher trop fortement, n'a pu vivre, dis-tu, sans le venir chercher ici ?* (Molière, *Dom Juan*, I, 1). La notion d'exposition, comme moment défini, est si bien liée au système classique qu'elle n'est plus guère pertinente dès lors que, dans le théâtre contemporain, nous trouvons une autre conception de l'action. L'exposition peut alors être fragmentée, intervenir après un début *in medias res*, reconstituée de façon implicite au cours de la pièce.   (P.F.)

▷ action, catastrophe, dénouement, incipit, nœud, péripétie.

expressive (fonction). *Voir* fonctions du langage.

extradiégétique/intradiégétique. À la suite de G. Genette, on qualifie parfois d'intradiégétiques tout narrateur et tout narrataire qui ont d'abord été des personnages d'un premier récit encadrant. Dans *La Femme et le Pantin* de Pierre Louÿs (1898), Don Mateo Diaz raconte ainsi à André Stévenol la liaison orageuse qu'il a eue avec Conchita Perez : ce type de récit enchâssé est l'exemple le plus net d'une narration intradiégétique. Est inversement extradiégétique tout narrateur qui n'est pas par ailleurs personnage d'un récit encadrant : le « je » d'*À la recherche du temps perdu* de M. Proust, par exemple. Les cas de narration intradiégétique restent quantitativement très marginaux dans la tradition française. Attention : dans certains textes critiques, les termes intradiégétique/extradiégétique recouvrent l'opposition traditionnelle entre narration à la première et narration à la troisième personne, sensiblement différente de celle que l'on vient d'exposer.   (G.P.)

▷ **hétérodiégétique/homodiégétique, narrataire, narrateur, narration.**

F

fable 1 (n. f., du latin *fabula*, « propos, récit »). Apologue en forme de récit allégorique illustrant une moralité, la fable forme par elle-même un tout littéraire autonome. Ce genre remonte à l'Antiquité (Ésope, Phèdre) et a été pratiqué dès le Moyen Âge français (*Isopets*) avant, bien sûr, d'être illustré par La Fontaine et plus tard par Florian (1792). (M.A.)
▷ **allégorie, apologue,** *Isopet,* **parabole, vers mêlés.**

fable 2. Au théâtre, on se sert du mot fable pour traduire le grec *muthos* de la *Poétique* d'Aristote. La fable (*muthos*) est, selon lui l'ensemble des faits (*pragmata*) et des actions accomplies, organisés en système. C'est l'histoire racontée par la pièce, remise à plat dans son déroulement chronologique. Elle est première par rapport aux caractères. Brecht a donné à cette conception aristotélicienne un développement nouveau : à ses yeux, la fable est un système plus logique que chronologique : le système des faits en organise le sens. La fable est alors bien autre chose qu'une trame élaborée dans un premier moment de l'écriture ; elle n'est pas seulement histoire mais récit en acte, découverte et imposition d'un sens. Instance de globalisation du sens, elle doit être reconstituée par le dramaturge ou le metteur en scène à l'occasion de chaque mise en scène. La notion de fable est donc aussi nécessaire et heuristique que problématique dès qu'on tente de la mettre en œuvre. (P.F.)
▷ **action, histoire, intrigue, récit.**

fabliau. Genre médiéval narratif bref, non animalier, en octosyllabes, dans lequel les caractères, la trame narrative (l'*aventure*, disent les textes), le registre sociologique et le ton relèvent les uns et/ou les autres, à des degrés divers, du style bas. Né à la fin du XIIe siècle, le genre disparaît au deuxième tiers du XIVe siècle. Les fabliaux étaient composés pour être récités dans des lieux et des circonstances divers : places publiques, foires, mais aussi banquets et fêtes privées. Ils affectent souvent de dégager une morale de l'aventure racontée, mais l'écart entre la leçon et le plaisir auquel invite le texte dénonce l'intention fondamentale du fabliau, « conte à rire en vers » selon la définition de Joseph Bédier : bons et mauvais tours, ruse (souvent féminine), obscénité, voire scatologie, transgression des tabous en constituent la matière. Le fabliau est l'un des ancêtres de la nouvelle.   (D.B.)

▷ **carnavalesque, conte, dit, fable, nouvelle.**

fabula préfabriquée. En narratologie, en particulier depuis les travaux d'Umberto Eco, on désigne ainsi les constructions narratives conventionnelles, suivant des enchaînements stéréotypés qui se retrouvent d'un texte à l'autre. Bien des romans policiers suivent par exemple le schéma suivant : crime, désignation d'un suspect, second crime qui disculpe le suspect, découverte du coupable. C'est ainsi le cas dans *Le Crime de l'Orient-Express* d'Agatha Christie (1934) : un meurtre est commis dans un train ; les soupçons d'Hercule Poirot se portent sur une passagère ; un nouveau crime est commis qui disculpe cette dernière ; on découvre que tous les passagers, sauf la passagère soupçonnée, ont participé au crime. Bien que le travail sur une *fabula* préfabriquée puisse avoir un important enjeu littéraire ou se retrouver derrière des constructions fort complexes (dans le roman d'éducation par exemple), les formes marginales de littérature (romans sentimentaux, romans d'aventures...) les utilisent plus souvent, parce que le caractère prévisible des épisodes narratifs autorise une concentration moindre du lecteur.   (G.P.)

▷ **scénario narratif, schéma narratif.**

fait historique (ou **trait –**). Sorte de drame historique, apparu dans les dernières années de l'Ancien Régime, mais qui connaît un grand développement pendant la décennie révolutionnaire. Le sujet de ces drames est historique, mais relève souvent de l'histoire immédiate. Il est retenu pour son exemplarité : il peut être centré sur un héros (*Agricol Viala ou Le Jeune Héros de la Durance, La Mort du jeune Bara*) ou sur une action militaire récente (*La Prise de Toulon*). Ces « traits historiques » sont représentés souvent dans des mises en scène à grand spectacle, parfois même avec spectacle pyrotechnique et évolutions militaires.   (P.F.)

▷ **drame historique.**

fantaisie. Étymologiquement lié à phantasme, fantôme et fantastique, fantaisie était autrefois synonyme d'imagination. En musique, la fantaisie désigne une pièce de forme libre, qu'on peut rapprocher du caprice en gravure (Callot, Goya). En Allemagne, Hoffmann s'y réfère dans le titre de ses *Pièces fantaisistes à la manière de Callot* (1813). L'époque romantique avait donc bien des raisons de conférer à ce mot une valeur positive. Il peut servir de titre ou de sous-titre à un poème régulier (Nerval, « Fantaisie », 1832 ; Rimbaud, « Ma bohème (Fantaisie) », 1870), mais il s'applique particulièrement à ce genre sans règle définie qu'est le poème en prose (Aloysius Bertrand, *Gaspard de la nuit, Fantaisies à la manière de Rembrandt et de Callot*, 1842 ; vingt ans plus tard, Baudelaire désignera ses *Petits poèmes en prose* comme une « tortueuse fantaisie »). La génération poétique de 1860, revenue des grands idéaux romantiques, fit de la fantaisie sa muse, privilégiant l'arabesque, l'excentricité de l'écriture, l'acrobatie technique (Théodore de Banville, *Odes funambulesques*, 1857), l'ironie, la blague, la parodie et toutes les formes ludiques de rupture avec les canons esthétiques. En 1861, *La Revue fantaisiste* rassemble des écrivains et poètes tels que Baudelaire, Banville, Catulle Mendès, Champfleury, Glatigny, etc. Il n'y eut cependant pas, au XIXe siècle, d'« École fantaisiste » à proprement parler. Beaucoup de

ces poètes se retrouveront à la fin de la décennie parmi les
« parnassiens ».   (Y.V.)
▷ art pour l'art, baroque, bohème, burlesque, carnavalesque, dandysme, fantastique, fumisme, grotesque,
  Jeune-France, Parnasse.

fantaisistes. *Voir* École fantaisiste.

fantastique. C'est au roman de Cazotte, *Le Diable
amoureux* (1772), que l'on fixe généralement la naissance
du fantastique, qui traverse, de loin en loin, toute la littérature. À la différence du merveilleux, qui suppose d'emblée, de la part du lecteur, l'acceptation de phénomènes
qui ne répondent pas aux lois naturelles (une citrouille
transformée en carrosse), le fantastique introduit des événements mystérieux dans une vie parfaitement réelle. Il
nous montre un monde familier, mais où se produisent
des événements que notre rationalité ne nous permet pas
d'expliquer. Le personnage qui en est le témoin ou la
victime peut alors y voir une illusion de ses propres sens
(et par exemple une hallucination) : dans ce cas, l'événement n'a pas réellement eu lieu ; mais s'il s'est véritablement produit, sa cause relève de lois qui nous échappent.
Pour que le fantastique prévale, il convient donc, selon
l'analyse de Tzvetan Todorov, que le personnage (et le
lecteur avec lui) résiste à l'explication rationnelle et hésite
entre une loi naturelle et une loi surnaturelle indéchiffrable.   (M.J.)
▷ merveilleux.

farce. Forme dramatique apparue à l'extrême fin du
XIVᵉ siècle. L'étymologie est incertaine (farcissure à l'intérieur d'un mystère ? idée de tromperie ?). La farce se présente comme une mise en scène de la tromperie, avec un
nombre d'acteurs limité (de deux à six). Les personnages
appartiennent au peuple des boutiquiers, des artisans et
de leurs clients. Le but de la farce n'est pas la peinture
des caractères : les personnages sont tout entiers dans
l'action, et l'esthétique de la farce est une esthétique de

la surprise (rebondissements, surprise verbale) et du dynamisme. Ce n'est pas un genre idéologique (simple morale du quotidien, résumée dans les proverbes). Le seul chef-d'œuvre du genre est la *Farce de Maistre Pathelin* (vers 1465).

La tradition de ces pièces courtes et comiques ne s'interrompt pas à la Renaissance, et Molière la fait évoluer au siècle suivant. *La Jalousie du barbouillé, Le Médecin volant* sont des farces, mais on relève des éléments d'origine farcesque dans des comédies comme *Le Malade imaginaire* ou *Monsieur de Pourceaugnac*. La farce se rencontre aux XVIIᵉ et XVIIIᵉ siècles au théâtre de la Foire et des boulevards (*Janot ou Les Battus paient l'amende* de Dorvigny en 1779). On la rencontre dans des élaborations qui la renouvellent chez Feydeau à la fin du XIXᵉ siècle (*On purge bébé*) ou dans le cinéma (Laurel et Hardy). L'intrigue des farces repose en général sur une donnée simple et quasi proverbiale : trompeurs et cocus en tous genres, arroseurs arrosés, retournements de situation. Le corps et sa maîtrise sont en jeu : le comique est souvent très gros, voire scatologique.   (D.B. et P.F.)

▷ carnavalesque, comédie, *commedia dell'arte*, dialogue dramatique, foire, monologue dramatique, moralité, mystère, sottie, théâtre de boulevard.

fatras, fatrasie (du latin *farsura*, « remplissage »). Le fatras est une forme fixe proche de la comptine pour l'esprit ; il comporte treize vers sur deux rimes seulement, les deux premiers, qui se répéteront intégralement ensuite (d'où l'emploi des majuscules) et servent d'introduction détachée, étant suivis d'un onzain. D'où la formule : AB A a b a a b / b a b a B. On la trouve dans ce « fatras impossible », c'est-à-dire dépourvu de sens, datant du début du XVᵉ siècle :

> *Or gardez mieux vos gelines*
> *Que Rembourc ne fit son coq.*
>
> *Or gardez mieux vos gelines*
> *Que trois grues orphelines*
> *N'ont fait l'âne de l'estoc,*

> *Qui a encusé par signes*
> *Le premier coq de matines,*
> *Qui s'en dormait en un noc.*
> *Et, quand il fut mat d'un roc,*
> *Il abattit ses voisines,*
> *Puis leur vendit par raccroc*
> *Son chat plus de poitevines*
> *Que Rembourc ne fit son coq.*

La fatrasie est un petit poème médiéval sur deux rimes, fondé sur le non-sens. (M.A.)

▷ **comptine, sotie.**

féerie. Sorte de pièces à grand spectacle (XIXᵉ siècle) jouées sur les théâtres de boulevard ou, plus tard, au Châtelet, où le merveilleux est prétexte à des prodiges de mise en scène illusionniste. (P.F.)

▷ **clou, mélodrame, merveilleux, théâtre de boulevard.**

féminine. *Voir* rime féminine.

feuilleton. Au XIXᵉ siècle, le feuilleton, encore appelé rez-de-chaussée parce qu'il occupe le tiers inférieur d'une feuille de journal, désigna d'abord un article de critique littéraire, dramatique ou scientifique : le premier feuilleton dramatique fut publié dans le *Journal des débats* en l'an VIII. Émile de Girardin, directeur de *La Presse*, ayant décidé en 1836 pour gagner des lecteurs d'abaisser le prix de l'abonnement et de publier des romans complets en feuilleton, on parla de feuilleton-roman ou de roman-feuilleton, puis de feuilleton tout court. *La Vieille Fille* de Balzac inaugura la formule. Le plus grand nombre des romans de Balzac, d'Alexandre Dumas, de George Sand et plus tard toute la série des *Rougon-Macquart* de Zola parurent d'abord en feuilleton. Pour des raisons financières, Chateaubriand lui-même dut consentir à la publication en feuilleton de ses *Mémoires d'outre-tombe*. Flaubert fut à peu près seul à refuser ses romans aux journaux. Le prodigieux succès des *Mystères de Paris* d'Eugène Sue en 1842-1843 prélude à une longue série d'histoires à rebondissements destinées avant tout à tenir les lecteurs en haleine et dues aux plumes fertiles de feuilletonnistes comme Paul Féval (*Le Bossu ou le Petit Parisien*, 1857), Ponson du Terrail (*Les Exploits de Rocambole*, 1859 et suiv.), Xavier de Montépin (*Les Deux Orphelines*), Paul d'Ivoi (*Les Cinq Sous de Lavarède*), etc. C'est au feuilleton que l'on doit le succès du roman policier avec Émile Gaboriau (*L'Affaire Lerouge*, 1866) et plus généralement le développement du roman populaire.   (Y.V.)

▷ **paralittérature, roman historique, roman policier, roman populaire, romantisme.**

fiction. Statut d'un énoncé qui est donné et reçu comme décrivant un état non avéré du monde (l'énoncé mensonger n'est pas fictif puisqu'il donne pour réelles des données non avérées). Selon une célèbre formule du poète anglais Coleridge, la littérature de fiction exige « la suspension momentanée de l'incrédulité » du lecteur. Par métonymie et par anglicisme, on appelle aussi fiction le genre littéraire constitué par le roman et la nouvelle.   (G.P.)

▷ **conte, illocutoire, nouvelle, roman.**

figure. Le terme est véritablement générique en matière de rhétorique, de stylistique et de poétique, et la définition qu'en donne Fontanier au début du XIXᵉ siècle en témoigne : « Les figures du discours sont les traits, les formes ou les tours plus ou moins remarquables et d'un effet plus ou moins heureux, par lesquels le discours, dans l'expression des idées, des pensées ou des sentiments, s'éloigne plus ou moins de ce qui en eût été l'expression simple et commune. » En fait, comme le signalait déjà Dumarsais un siècle plus tôt, « il n'y a rien de si naturel, de si ordinaire et de si commun que les figures dans le langage des hommes ». La notion d'écart a été abandonnée pour rendre compte de la figure, et Gérard Genette démontre bien que la figure est un mode de désignation à part entière que la traduction fait disparaître comme tel : c'est le cas si l'on désigne navire par voile. On distingue quatre types de figures :

– les figures de diction, qui concernent aussi bien des phénomènes phoniques que des phénomènes graphiques (allitération, anagramme, apocope, syncope, diérèse, synérèse, mot-valise, néologisme, paronomase) ;
– les figures de mots, qui touchent des changements dans le signifié, et où l'on range les tropes (allégorie, métaphore, symbole, catachrèse, synecdoque, métonymie, syllepse) ;
– les figures de construction, qui jouent sur la phrase, l'ordre des mots, la grammaire (accumulation, anacoluthe, asyndète, chiasme, ellipse, énallage, hypallage, inversion) ;
– les figures de pensée, qui correspondent au rapport de l'énoncé avec le référent (allusion, hyperbole, antithèse).

(M.A.)

▷ trope.

figure étymologique. Emploi du mot selon le sens de son étymon. Exemple, dans « Le Flacon » de Baudelaire :

> *[...] dans une maison déserte quelque armoire*
> *Pleine de l'âcre odeur des temps, poudreuse et noire.*

Poudreuse a ici son sens étymologique de « poussiéreuse » (et non son sens ordinaire de « couverte de poudre »).

(M.A.)

filtrage. *Voir* expansion.

fin'amor (n. f., « amour parfait »). Conception nouvelle de l'amour, apparue en pays d'oc à la fin du XIe siècle, et célébrée par les troubadours dans la *canso*, puis, dans la seconde moitié du XIIe siècle, avec quelques infléchissements, par les trouvères de langue d'oïl dans le chant courtois. Inséparable de la courtoisie, elle imprègne une bonne part de la littérature des XIIe et XIIIe siècles, en particulier le roman courtois. Cette conception repose sur la reconnaissance de l'essence de l'amour comme désir et sur le culte de celui-ci : d'où une tension, poétiquement productive, entre l'espérance d'une satisfaction et la crainte qu'elle ne fasse disparaître le désir. La Dame (*domna* en langue d'oc) est donc présentée comme d'un niveau social supérieur (obstacle à la satisfaction), comme la suzeraine de l'amant qui se définit comme son vassal (transposition au registre amoureux de la hiérarchie féodale). D'essence adultère (le mariage n'opposant pas l'obstacle nécessaire au désir), la *fin'amor* exige à la fois discrétion (les *lauzengiers*, dénonciateurs jaloux, veillent !), soumission, fidélité, service de la Dame. L'amant parfait (*fin amant*) doit mériter la Dame en manifestant toutes les vertus courtoises en même temps que son aptitude à supporter l'attente du *surplus*, euphémisme qui désigne la satisfaction charnelle. L'expression « amour courtois » a été créée au XIXe siècle pour désigner la *fin'amor* et son adaptation à la civilisation du nord de la France. En particulier, l'équivalence entre aimer et chanter, caractéristique de la *fin'amor* méridionale, et reprise par les trouvères, tend à être remplacée dans le roman par une équivalence entre aimer et combattre, l'aventure chevaleresque prenant le relais de la composition poétique. Mais dans tous les cas la *fin'amor* est conçue comme un principe d'amélioration de soi, qui signale l'appartenance à une élite du cœur. Dans le roman médiéval, le modèle même de la *fin'amor* est la relation qui unit Lancelot et Guenièvre. (D.B.)

▷ *canso*, chant courtois, chevaleresque (idéologie), *courtoisie*, troubadour, trouvère.

fleuri. *Voir* style fleuri.

focalisation. L'analyse structurale du roman appelle focalisation (ou vision) la façon dont est présentée l'information dans les textes narratifs. Il s'agit, pour faire vite, de répondre aux questions « qui perçoit ? qui juge ? ». On distingue souvent, à la suite de G. Genette, trois types de focalisation : la focalisation interne (les informations se confondent avec ce que sait ou perçoit un personnage, les jugements évaluatifs et les impressions lui appartiennent : *Il n'aurait jamais cru que les nuages, la nuit, pussent éblouir. Mais la pleine lune et toutes les constellations les* *changeaient en vagues rayonnantes*, A. de Saint-Exupéry, *Vol de nuit*) ; la focalisation externe (l'information se confond avec ce que percevrait un éventuel observateur des actions, il n'y a pas de jugement subjectif : *Ils ne disent rien. Ils sont à la limite de l'ombre. Ils regardent la table vide et les cierges [...]. De temps en temps quelqu'un tousse*, J. Giono, *Le Grand Troupeau*) ; la focalisation-zéro (l'information n'est pas limitée : le texte donne par exemple accès à la conscience de nombreux personnages ; c'est le cas de ce qu'on nomme parfois la « narration omnisciente » : *Maud et Mathieu pensaient à la guerre espagnole et ça les reposait de l'autre guerre*, J.-P. Sartre, *Le Sursis*, 1945).   (G.P.)

▷ **point de vue.**

foire. Forme de théâtre qui s'est développée dans toute l'Europe, mais surtout à Paris à l'occasion des foires. La Foire Saint-Germain se tenait du 3 février au dimanche de la Passion et la Foire Saint-Laurent du 9 août au 29 septembre. À côté des spectacles de danseurs, d'acrobates, de marionnettes, s'installèrent des troupes, dès 1640, qui développèrent un « commerce » de spectacles qui attiraient un public nombreux et d'origine sociale variée. Elles jouèrent dans de petits théâtres de bois ou « loges ». Cette installation permanente caractérise le théâtre forain français et explique en partie son développement. Les diverses persécutions dont les troupes foraines furent victimes de la part des théâtres privilégiés (notamment la Comédie-Française) contraignirent ces acteurs à l'innovation dramaturgique : pièces « à la muette » (avec des écriteaux) ou chant quand on leur interdit de parler, monologues hilarants quand on leur interdit le dialogue. Les forains inventèrent ainsi l'opéra-comique. Ils recueillirent l'esprit d'innovation et certains types de la comédie italienne pendant la période où celle-ci était chassée de France (les dernières décennies du règne de Louis XIV) et firent appel à de bons auteurs comme Lesage, Piron, Fuzelier ou d'Orneval. Dans la seconde moitié du XVIIIe siècle, certains forains s'installèrent sur les boulevards et ce fut la naissance du théâtre de boulevard.   (P.F.)

▷ comédie à ariettes, *commedia dell'arte*, farce, opéra-comique, théâtre de boulevard.

fonctions du langage. On doit à Roman Jakobson une célèbre liste des fonctions que peut ou doit remplir tout énoncé. Selon le linguiste russe, on peut associer une fonction à chacun des éléments mis en jeu dans la communication : au locuteur correspond la fonction expressive (l'énoncé met en évidence l'investissement affectif du locuteur : *Ô rage ! Ô désespoir !*) ; à l'allocutaire, la fonction conative (l'énoncé essaie d'influer sur la pensée ou l'action de l'allocutaire : *Sèche tes pleurs, Chimène*) ; au référent, la fonction dénotative (l'énoncé vise surtout à transmettre un contenu informatif : *Il estime Rodrigue autant que vous l'aimez*, P. Corneille, *Le Cid*) ; au code, la fonction métalinguistique (l'énoncé commente l'emploi même de telle formulation : *Aimer et être amoureux ont des rapports difficiles*, R. Barthes, *Fragments d'un discours amoureux*) ; au contact, la fonction phatique (l'énoncé vérifie que la communication fonctionne bien : *Allô, Mademoiselle, allô*, J. Cocteau, *La Voix humaine*) ; au message même, la fonction poétique (l'énoncé crée un effet esthétique : *Soleil cou coupé*, G. Apollinaire, *Alcools*). Ces fonctions ne sont nullement exclusives les unes des autres, un même énoncé privilégie simplement une, deux, trois... d'entre elles.   (G.P.)

▷ dénotation, locuteur, référent.

forgerie. Mot inventé complètement. Faux littéraire ou sorte de pastiche : *Fingal* et *Témora* sont des forgeries attribuées à Ossian et dont l'auteur véritable était Macpherson.   (P.F.)

▷ parodie, pastiche.

formalisme. On met sous cette étiquette toutes les démarches critiques qui privilégient dans l'étude des œuvres littéraires la recension et le fonctionnement des formes et contestent la prédominance des approches herméneutiques ou historiques. Le terme est particulièrement associé aux formalistes russes qui, dans le premier quart du XXe siècle, furent les premiers à utiliser une méthodologie linguistique pour l'analyse des œuvres et la formulation des problématiques littéraires.   (G.P.)

▷ **herméneutique, narratologie, Nouvelle Critique, poétique, sémiotique littéraire, structuralisme.**

fortune de l'œuvre. On désigne du nom de fortune l'histoire d'un texte ou d'une œuvre d'art après sa publication ou sa découverte première. C'est l'histoire des éditions, des représentations, des succès critiques ultérieurs, de l'intégration d'une œuvre dans un canon ou, au contraire, de sa disparition et de ses réapparitions. (P.F.)

▷ **canon, esthétique de la réception.**

fragments. Ce qui reste d'un texte dont l'essentiel a été perdu (*Fragments* d'Épicure) ; florilège (souvent posthume) de textes isolés, ne prétendant pas à l'unité (*Fragments* de Novalis), mais aussi genre littéraire d'une œuvre se présentant comme une série discontinue de passages réflexifs, poétiques, narratifs (R. Barthes, *Fragments d'un discours amoureux*, 1977). Ce genre a été particulièrement en vogue sous le romantisme allemand et fut théorisé par Fr. Schlegel. En France, certaines œuvres ont la forme de fragments du seul fait des modalités de leur rédaction (*Cahiers* de P. Valéry), parce qu'elles relèvent délibérément d'une esthétique du « mélange » (*Tel Quel*, P. Valéry, 1941), des « bribes et morceaux » (G. Perros, *Papiers collés*, 1960-1978), ou parce qu'elles se présentent comme des parcelles d'un texte retrouvé (*Les Tablettes de buis d'Apronenia Avitia*, P. Quignard, 1984).   (G.P.)

▷ **genres littéraires.**

fratrisée. *Voir* rime fratrisée.

frequentatio (n. f.). Figure de rhétorique très usitée au Moyen Âge, qui consiste en une accumulation d'attributs. Ainsi, dans *Le Roman de Troie* de Benoît de Sainte-Maure : *C'est lor esforz, c'est lor chasteaus, / C'est lor apuiz, c'est lor chadeaus* [chef], */ C'est lor ados* [soutien]*, c'est lor fiance* (dans ce passage, la *frequentatio* est combinée avec l'anaphore). Le *Roman de Brut* de Wace (1155) est le premier à avoir mis cette figure à l'honneur.   (D.B.)

▷ amplification, *interpretatio*, rhétorique.

frons (n. m.). Au Moyen Âge, dans la *canso* occitane et le grand chant courtois de langue d'oïl, le *frons* désigne les quatre premiers vers de la strophe, généralement en rimes croisées, qui en constituent, du point de vue formel, la première partie (la seconde porte le nom de *cauda*).   (D.B.)

▷ *canso, cauda*, **chant courtois**, *cobla*, **strophe, troubadour.**

fugitive. *Voir* poésie fugitive.

fumisme. Terme apparu à la fin du XIXe siècle à partir de *fumiste* (dont le sens de « plaisantin » remonte à un vaudeville de 1840). L'esprit fumiste est un esprit de dérision et un ton nouveau mêlant à une forte dose d'humour noir de la raillerie, de cet « esprit de goguenardise singulièrement inventif et âcre » que J.-K. Huysmans notait chez Villiers de l'Isle-Adam, et plus généralement « le sens de la révolte et de l'absurde, le goût de la jubilation verbale et du second degré » (D. Grojnowski). Le club des Hydropathes et le cercle Zutiste sur la rive gauche, le cabaret du Chat Noir à Montmartre entre 1881 et 1898, en furent les hauts lieux. L'œuvre d'Alfred Jarry, d'*Ubu roi* (1896) aux chroniques de *La Chandelle verte*, en est l'illustration suprême. Mais on peut retrouver du fumisme dans les textes les plus divers, des *Contes cruels* de Villiers de l'Isle-Adam (1883) aux monologues de Charles Cros, des facéties d'Alphonse Allais aux *Nouvelles en trois lignes* de Félix Fénéon (1906). Variante his-

torique de l'humour, « rire de la discordance et de la négation absolue » (B. Sarrazin), l'esprit fumiste annonce les formes les plus transgressives du rire moderne. (Y.V.)
▷ bohème, coppée, dadaïsme, dandysme, décadentisme, fantaisie, modernité, parodie, pastiche, Zutistes.

furor. *Voir* enthousiasme.

futurisme. Mouvement littéraire et artistique fondé par l'écrivain de langues française et italienne Filippo Tommaso Marinetti, qui publie en 1909 son *Manifeste du futurisme*, bientôt suivi par d'autres textes. Dans sa première période, de 1909 à la fin de la guerre, le futurisme rejette agressivement le passé pour privilégier la modernité de la ville, la société industrielle, la guerre et la vitesse. Les traductions littéraires de la doctrine sont les « mots en liberté », les « tableaux mot-libristes », la destruction de la syntaxe, l'usage des verbes à l'infinitif, etc., mais le mouvement trouve en France peu d'écho. Plus tard, le futurisme verra s'affirmer l'engagement politique de Marinetti, jusqu'à son soutien apporté au fascisme.

(M.J.)

▷ avant-garde.

G

galanterie. La galanterie est une valeur mondaine du milieu du XVIIe siècle : elle est à la fois un phénomène de société, lié à l'essor des salons et de la vie mondaine, et un phénomène littéraire, qui promeut les genres nouveaux (recueils collectifs de poésie, romans héroïques et nouvelles galantes). Un texte théorique illustre cette esthétique : il s'agit du *Discours* que Paul Pellisson (1624-1693) a placé en tête des *Œuvres* du poète Jean-François Sarasin (1614-1654), en 1656. Pellisson y défend les valeurs de l'enjouement et du naturel, montrant qu'elles permettent l'union réussie du « génie des lettres » et du « génie du monde » : c'est-à-dire que la littérature quitte le domaine des spécialistes (les « doctes ») et s'ouvre au public le plus large. Il loue aussi la diversité des genres pratiqués par Sarasin, et cette valeur demeurera une exigence majeure des auteurs « classiques », qui craignent avant tout d'ennuyer leur public. Les petits marquis ridiculisés par Molière nous montrent *a contrario* ce que signifiait l'art de plaire proclamé si haut par les écrivains galants : le raffinement langagier et le goût pour les formes mondaines de la littérature, où les ouvrages s'écrivent dans le dialogue et dans l'échange amical, préparaient le public des années 1660-1670 à apprécier les subtilités de *Phèdre* ou les analyses raffinées de *La Princesse de Clèves*. (E.B.)

▷ **classicisme, doctes, préciosité, roman héroïque.**

gayetés. On voit paraître au XVIᵉ siècle des recueils poétiques portant ce titre, comme celui d'Olivier de Magny (1554). Il doit beaucoup au *Livret de Folastries* publié un an auparavant par Ronsard sous l'anonymat. Celui-ci a conservé un certain nombre des pièces qui le composaient et qu'il redonne au public, en 1584, sous le titre de *Gayetez*, qui forment une section des *Œuvres complètes*. Les recueils portant ce titre possèdent en général une inspiration licencieuse, voire franchement érotique, et renouent avec une certaine forme d'inspiration païenne. Leurs auteurs se veulent satiriques (on écrit le plus souvent « satyriques », par allusion aux satyres de l'Antiquité) et réclament la liberté dans la vie et dans l'art, au grand scandale des autorités catholiques ou protestantes. Voilà pourquoi, le plus souvent, ils ne signent pas leurs productions. Cette veine d'inspiration perdure au début du XVIIᵉ siècle, à l'époque du libertinage.   (D.M.)
▷ **libertin, satire.**

gazée. *Voir* écriture gazée.

générale (répétition). La générale est la dernière répétition d'une pièce ou d'un opéra, au cours de laquelle on procède à un « filage » (le texte est dit sans interruption), en costume, dans les décors définitifs, avec les éclairages et la musique s'il y a lieu. Le metteur en scène est placé à une table discrètement éclairée à peu près au milieu du parterre. On invite à la générale seulement des amis, ou des camarades.   (P.F.)
▷ **couturière, première.**

génétique textuelle. *Voir* critique génétique.

Genève (École de). *Voir* critique thématique.

genre épistolaire. La lettre n'est pas seulement un moyen de communication. Elle est aussi, depuis l'Antiquité, un genre littéraire à part entière (Épîtres de saint Paul, correspondance de Cicéron, *Lettres à Lucilius* de

Sénèque). La lettre n'est pas alors un document destiné à une communication entièrement privée mais à une lecture plus large (les *Lettres* de Mme de Sévigné). Les lettres peuvent aussi jouer sur une fiction partielle, portant sur l'énonciation, et correspondre à la mise en forme d'un traité (Diderot, *Lettre sur les aveugles*), d'une œuvre théorique et polémique (*Lettre à d'Alembert* de Rousseau). Parfois elles constituent une fiction totale, un roman. De nombreux romans, surtout au XVIIIᵉ siècle, ont adopté la forme épistolaire. Tantôt ils ne présentent qu'un scripteur, ce qui correspond à une forme monodique (*Lettres de la Marquise* de Crébillon fils, *La Vie de Marianne* de Marivaux), tantôt ils se donnent comme une correspondance complète, mise en ordre (*La Nouvelle Héloïse* de Rousseau, *Les Liaisons dangereuses* de Laclos, *Aline et Valcour* de Sade). Le genre épistolaire permet alors la multiplication des points de vue mais aussi, à une époque où le roman a mauvaise presse auprès des autorités politiques et religieuses, la dénégation de sa nature romanesque.   (P.F.)

▷ dialogue, épître, héroïde, monologue, narrataire, narrateur, narration, roman épistolaire.

genre historique. C'est le grand genre en prose, selon la tradition rhétorique (Cicéron l'appelle « le chef-d'œuvre oratoire »), car il est l'équivalent de l'épopée dans la hiérarchie des genres. Son influence aux XVIᵉ et XVIIᵉ siècles a été déterminante dans l'histoire de la prose narrative, car il a été le modèle de l'écriture du roman héroïque, avec notamment les exemples qu'il donne du style narratif (style simple et clair), de l'art de la harangue (les longs discours que font les héros au moment d'agir) et des descriptions (descriptions de lieux, de palais ou de paysages) : il mêle tous les genres oratoires (judiciaire dans la narration, délibératif dans les harangues et démonstratif dans les descriptions) et permet l'usage de tous les niveaux de style. Mêlé à l'influence du roman grec (Héliodore, Achille Tatius, Longus) et aux souvenirs de l'épopée renaissante (*Amadis*, 1540 pour la traduction française du Livre I), il est à la source de l'écriture romanesque baroque. Ce sera encore vrai à l'époque romantique, où le genre, remis à l'honneur par Walter Scott (*Ivanhoé, Quentin Durward*), aura une influence déterminante sur Balzac, Hugo ou Vigny.   (E.B.)

▷ **narration, roman baroque, roman héroïque.**

genre métrique. On appelle genre métrique la distinction entre rimes masculines et rimes féminines. Les rimes féminines, dont la dénomination est due au fait que l'*e* termine la majorité des noms et adjectifs féminins, sont celles qui se terminent par une syllabe en *e* caduc suivi ou non d'un -*s* ou de -*nt*. Cette syllabe, qui a pu être prononcée en ancien français et qui a toujours sa note propre en musique, est appelée « surnuméraire » parce qu'elle n'entre jamais dans le décompte métrique. Les vers masculins ne comportent pas cet *e*. La question n'est nullement celle du genre des mots en finale de vers. Un vers à rime féminine ne peut en aucun cas, dans la prosodie qui va jusqu'à la moitié du XIXᵉ siècle, être apparié avec un vers à rime masculine. C'est pourquoi l'alternance est d'usage dès les premiers temps de la rime, mais elle n'est recommandée explicitement qu'au XVᵉ siècle par Jean Molinet. On trouve cependant encore au XVIᵉ siècle des poèmes ou des fragments de poèmes entièrement à rimes masculines ou entièrement à rimes féminines.   (M.A.)

▷ **alternance, rime, rime féminine, rime masculine.**

genre sérieux. La dénomination « genre sérieux », inventée par Diderot dans ses *Entretiens sur le Fils naturel*, et reprise par Beaumarchais dans l'*Essai sur le genre dramatique sérieux*, qualifie des comédies ou des pièces de théâtre qui ne sont ni des tragédies (parce qu'elles portent à la scène des personnages contemporains, de condition privée, dans une action sérieuse, mais qui n'entraîne pas forcément un péril de mort pour les héros) ni des comédies pures (parce qu'elles ne visent pas à provoquer le rire ou même le sourire chez les spectateurs). Diderot distingue encore la comédie sérieuse de la tragédie domestique. La notion de genre sérieux recouvre en réalité,

dans les textes du XVIIIe siècle, l'ensemble des genres « intermédiaires » entre la tragédie et la comédie : drame,
drame bourgeois, tragédie bourgeoise, tragédie domestique, comédie sérieuse. (P.F.)

▷ **comédie, comédie bourgeoise, drame, fait historique,
tragédie, tragédie domestique.**

genres littéraires. On a proposé, depuis l'Antiquité
grecque, différentes typologies des textes littéraires. Dans
sa *Poétique* (vers 344 av. J.-C.), Aristote, qui ne prend en
compte que les œuvres en vers, établit un partage durable
entre l'*épique* (l'épopée d'Homère), qui relève du narratif,
et le *dramatique* (tragédie, comédie), qui raconte de
manière plus directement mimétique ; mais comme toute
littérature relève pour lui de l'imitation des actions, Aristote ne traite pas de la poésie *lyrique*, qui n'est prise en
compte qu'au XVIIIe siècle, où peut alors se constituer la
célèbre distinction entre l'épique, le lyrique et le dramatique.

Triade repensée ensuite par le romantisme et par
Hegel (qui professe son *Esthétique* à partir de 1820) sans
référence désormais à l'imitation si fondamentale encore
pour l'époque classique : la poésie lyrique est alors liée
au subjectif (c'est l'expression d'un Je), la poésie épique
à l'objectif, la poésie dramatique combinant le subjectif
et l'objectif. Mais l'effacement progressif du vers rendait
problématique ce large usage du terme de poésie et dès
le XIXe siècle apparaît la classification que nous connaissons entre le théâtre, la poésie (qui n'est plus que lyrique)
et le roman (qui n'avait aucune place jusqu'ici dans le
partage hérité d'Aristote, où désormais il prend celle de
l'épique) – à quoi s'ajoute l'essai. Ce qui n'interdit bien
sûr ni la prise en compte des genres mineurs (l'autobio-
grahie) ni celle des sous-genres ou des formes souvent
mixtes (autofiction). (G.P.)

▷ **architextualité, diégèse, imitation, *mimesis*, poétique.**

geste (n. f.). Au Moyen Âge, ce terme, qui désigne étymologiquement des hauts faits (neutre pluriel latin *gesta*,

devenu féminin singulier), est employé pour désigner l'ensemble des exploits d'un héros rapportés par un ou plusieurs poèmes épiques (cf. chanson de geste). Son équivalent en français moderne est « cycle ». Ainsi Bertrand de Bar-sur-Aube écrit, dans le prologue de la chanson de geste de *Girart de Vienne* : « N'ot que trois gestes en France la garnie », avant d'énumérer la *Geste* du roi, la *Geste* de Garin de Monglane (c'est-à-dire le cycle de Guillaume, ce dernier étant l'arrière-petit-fils de Garin) et la *Geste* de Doon de Mayence (ou des vassaux rebelles). Le terme de geste désigne également le lignage du héros célébré dans la chanson ou le cycle épique.   (D.B.)

▷ **chanson de geste**, *chevalerie*, cycle, dérimage, *enfances*, *moniage*.

gnomique. On qualifie ainsi tout énoncé à valeur générale, dont chacun peut constater la validité : *La raison du plus fort est toujours la meilleure* (La Fontaine, *Fables*). On qualifie aussi de gnomique l'emploi du présent que l'on trouve dans les énoncés de ce type (par opposition au présent d'énonciation, de narration, de description...).

(G.P.)

▷ **maxime, noème, sentence.**

goliards. Clercs vaguants qui n'ont pas réussi à obtenir d'emploi après leurs études universitaires, et qui ne sont pas entrés dans la hiérarchie de l'Église. Leur nom provient de leur attachement à la figure mythique de Golias, célébrée par l'Archipoète (*Archipoeta*) dont l'identité reste mystérieuse. Leur poésie se présente comme une célébration des plaisirs temporels : vin, nourriture, sexualité (ainsi des *Carmina burana*), mêlée d'une verve satirique qui fustige les vices de la hiérarchie ecclésiastique. La poésie goliardique est souvent parodique et mêle au latin des bribes de langue vulgaire. Le mouvement goliardique s'est développé principalement en France et en Allemagne. Son type de poésie a été pratiqué également par des personnalités liées à des cours prestigieuses, comme Gautier de Châtillon, lié d'abord aux Plantagenêts, puis à Guillaume aux Blanches Mains, archevêque de Reims et oncle de Philippe Auguste. (D.B.)

▷ **carnavalesque, clerc, jongleur, parodie.**

gongorisme. Terme qui vient du nom de Luis de Góngora, poète espagnol de la fin du XVIᵉ siècle : il est synonyme de style affecté, exagérément obscur, et de mauvais goût. Son sens, dans la tradition critique française, est donc fortement péjoratif, alors que son étymologie renvoie à un mouvement brillant de la poésie baroque espagnole, lié au concettisme, et proche de l'euphuisme d'origine anglaise. (E.B.)

▷ **baroque,** *concetto*, **euphuisme, hermétisme, marinisme.**

gradation. C'est une figure qui procède par accumulation de plusieurs termes ou de plusieurs idées qui renchérissent les uns sur les autres. La gradation peut être ascendante :

> *Descriptif ! C'est un roc ! c'est un pic ! c'est un cap !*
> *Que dis-je, c'est un cap ? C'est une péninsule !*
> (Rostand, *Cyrano de Bergerac*)

Ou descendante : *Je le trouve petit, tout petit, minuscule (id.)*. Le caractère fortement oratoire de ce type de figure en fait un outil efficace du genre démonstratif. (E.B.)

▷ **amplification, démonstratif, hyperbole.**

grammatologie. Terme employé par J. Derrida (*De la grammatologie*, 1967) pour désigner une « science de l'écriture », qui ne ravalerait plus celle-ci au statut de simple substitut de l'oralité ou de système de notation du réel : l'écriture a son fonctionnement propre et entretient un rapport particulièrement complexe avec le sens. La parole et l'écrit sont ainsi en position de « supplément » l'un par rapport à l'autre : chacun peut prendre la place de l'autre (suppléer à l'autre), mais toujours en ajoutant quelque chose. De plus, parce que le texte écrit ou oral peut être repris sous la même forme dans des contextes totalement différents, il ne peut prétendre avoir de signi-

fié stable et se prête à toutes sortes d'investissements interprétatifs. La logique de production du sens doit donc se penser sur le mode de la « différance » : la signification n'est jamais atteinte, elle est toujours différée, parce que d'autres éléments signifiants viennent sans cesse la compléter, la modifier, la parasiter, etc.   (G.P.)
▷ déconstruction, logocentrisme.

Grands Rhétoriqueurs. *Voir* Rhétoriqueurs.

grotesque. Primitivement terme de beaux-arts, désignant les peintures fantasques de l'Antiquité (rinceaux, chimères, sujets hybrides) retrouvées à la Renaissance dans les « grottes » ou ruines d'Italie (on écrit parfois en ce sens *la grottesque*). Par suite, figure ou personnage caricatural, excitant le rire. Le terme peut également désigner un auteur ou artiste dont l'œuvre cultive le grotesque. Sous le titre *Les Grotesques* (1844), Théophile Gautier entreprend de réhabiliter les poètes de l'époque baroque, les auteurs burlesques comme Scarron, les écrivains irréguliers ou libertins du XVIIᵉ siècle, que méprisait le goût classique. Victor Hugo donne au mot une extension plus grande et une nouvelle portée dans la Préface de *Cromwell* (1827). Dans l'art issu du christianisme, explique-t-il, le grotesque s'oppose au sublime comme le corps à l'âme et l'ombre à la lumière. Limité dans l'art antique aux figures de satyres, tritons, cyclopes, etc., le grotesque s'épanouit au Moyen Âge, donnant naissance à « mille superstitions originales » et « imaginations pittoresques ». Les gnomes et les dragons, le sabbat, les sorcières de *Macbeth*, mais aussi Arlequin et Sganarelle, le difforme et l'horrible d'une part, le comique et le bouffon de l'autre, ressortissent au grotesque. Le « génie moderne » – représenté par Dante, Shakespeare, ou par ces « trois Homères bouffons » que sont l'Arioste, Cervantès et Rabelais – naît de « la féconde union du type grotesque au type sublime ». Selon Hugo, cette union devra faire la force du drame romantique. Pour Baudelaire, « le mélange du grotesque et du tragique est agréable à l'esprit comme les

discordances aux oreilles blasées » (*Fusées*). Il voit dans
le grotesque, par opposition au comique de mœurs, le
« comique absolu » (*De l'essence du rire*, V).   (Y.V.)

▷ baroque, burlesque, carnavalesque, **comédie**, **drame
romantique**, **fantaisie**, **fantastique**, **romantisme**.

Groupe de Coppet. On désigne ainsi les écrivains,
artistes et philosophes dont les conversations eurent lieu,
de 1805, surtout, à 1810, au château de Coppet, près de
Genève, chez Mme de Staël exilée par Napoléon. À ces
rencontres, où furent médités plusieurs ouvrages essentiels au développement du romantisme, participaient
Benjamin Constant, l'Allemand A. W. Schlegel, les
Suisses Bonstetten et Sismondi. Chateaubriand vint parfois à Coppet. Plus qu'un salon, ce fut une sorte de
cénacle uni par un humanisme cosmopolite, la foi dans
le progrès et la liberté, et par conséquent le libéralisme
politique opposé à l'Empire.   (M.J.)

▷ **cénacle**.

H

haïku (ou haïkai). Les deux mots ont un sens légèrement différent en japonais pour des raisons d'histoire littéraire. L'un n'est pas le pluriel de l'autre, mais le français utilise les deux termes indifféremment pour désigner une forme poétique d'origine japonaise composée de trois vers de 5, 7 et 5 syllabes. Les poètes français utilisent parfois le terme pour désigner des poèmes qui se signalent par leur brièveté. Il y a peu de cas où la forme elle-même est respectée, comme dans cet exemple d'Eluard :

> *Palissade peinte*
> *Les arbres verts sont tout roses*
> *Voilà ma saison.* (M.A.)

hapax (n. m., du grec *hapax*, « une fois »). Mot dont on ne trouve qu'une seule occurrence dans un corpus ou dans une langue. (M.A.)

haplologie. Chute d'une syllabe lorsque, pour des raisons morphologiques ou syntaxiques, elle se trouve redoublée à l'identique ou presque : la fusion de « tragique » et de « comique » aurait par exemple dû aboutir à « tragico-comique », mais l'usage a préféré « tragi-comique ». Les cas d'haplologie les plus fréquents sont d'ordre strictement stylistique : on dit « nous y allons », mais on évitera instinctivement « nous y irons ». Un excellent exemple se trouve dans cette phrase de Valéry : *un détachement sans* *repos et sans exception de tout ce qu'y paraît* [et non : qui y paraît], *quoi qui paraisse* (*Note et digression*, 1919).

(G.P.)

harmonie imitative. Idée selon laquelle certains effets d'allitérations ou d'assonances seraient tels qu'ils imitent les bruits de ce que les mots désignent (cratylisme appelé justement « primaire » par G. Genette). Selon une telle théorie, le vers célèbre de Racine,

> *Pour qui sont ces serpents qui sifflent sur vos têtes ?*

imiterait par l'allitération en [s] le sifflement des serpents. C'est une interprétation réductrice, qui trouve facilement son contre-exemple : que faire alors de la même allitération, combinée avec [f] dans ce vers de Laforgue :

> *Eux sucent des plis dont le frou-frou les suffoque ?*

Les phonèmes n'ont *a priori* pas plus de signification que les notes en musique. On peut parler d'harmonie, de rappel de mot en mot de tels et tels sons qui les lient entre eux, et les théoriciens (Roman Jakobson, Ivan Fonagy, Gérard Genette...) se penchent sérieusement sur cette question des sons. La notion d'harmonie imitative – toutes proportions gardées – n'est convaincante que lorsqu'il s'agit d'onomatopées (encore les onomatopées varient-elles d'une langue à l'autre).

(M.A.)

▷ **allitération, assonance, cratylisme, onomatopée.**

Hélinand (douzain ou **strophe d'–**). Douzain d'octosyllabes rimant aabaabbbabba, mis à la mode par Hélinand de Froidmont dans ses *Vers de la Mort* à l'extrême fin du XIIe siècle. Il a été réutilisé en particulier dans les *Congés* du XIIIe siècle.

(D.B.)

▷ *congés*, **douzain, octosyllabe, rime.**

hémistiche (n. m., du grec *hêmi*, « moitié », et *stikhos*, « ligne, vers »). Moitié de vers. Le point de partage entre les deux hémistiches est la césure. On ne parle d'hémistiche que pour les vers qui comportent plus de huit syllabes, et donc une césure. Exemple de Molière (*Les Femmes savantes*, II, 7) :

> *Le moindre solécisme // en parlant vous irrite.*
> 1ᵉʳ hémistiche   2ᵉ hémistiche   (M.A.)

▷ césure, concordance/discordance, coupe, rime, rythme.

hendécasyllabe (n. m., du grec *hendeka*, « onze »). Mètre de onze syllabes. Vers déjà utilisé à l'époque médiévale en hétérométrie, il tombe en désuétude à la fin du XIIIᵉ siècle. Marceline Desbordes-Valmore puis Verlaine l'ont remis à l'honneur. Le plus souvent césuré 5/6, il peut connaître d'autres rythmes (6/5, 7/4, 4/7). Exemple de Marceline Desbordes-Valmore :

> *J'ai vécu d'aimer, // j'ai donc vécu de larmes ;*
> *Et voilà pourquoi // mes pleurs eurent leurs charmes.* (M.A.)

▷ césure, hémistiche, vers.

hendiadyn (n. m., du grec *hen*, « un », *dia* « à travers », et *duoîn*, « deux »). Figure de construction qui consiste à dire en deux mots dissociés syntaxiquement (avec coordination par exemple) ce qui devrait les réunir en un syntagme solidaire (par détermination ou subordination). Exemple :

> *Un étourdissement de sève et de croissance*
> (Victor Hugo)

c'est-à-dire de sève qui fait croître.   (M.A.)

▷ figure.

heptasyllabe (n. m., du grec *hepta*, « sept »). Mètre de sept syllabes. Employé dès la littérature courtoise, on le trouve assez régulièrement dans la poésie jusqu'à nos jours, et le plus souvent en hétérométrie. Exemple de Jules Laforgue (*Les Complaintes*) :

> *De l'eau, des fruits, maints tabacs,*
> *Moi, plus naïf qu'hypocondre,*
> *Vibrant de tact à me fondre,*
> *Trempé dans les célibats.*   (M.A.)

herméneutique. Science de l'interprétation des textes. Le mot fut au départ employé pour désigner l'exégèse, l'interprétation des textes sacrés. C'est en Allemagne que l'herméneutique a donné lieu aux réflexions les plus abouties, avec notamment le philosophe romantique Fr. Schleiermacher. Selon ce dernier, l'interprétation d'un texte repose sur un « cercle herméneutique » : à chaque instant, on propose une interprétation locale d'un passage à partir d'une hypothèse globale sur la portée du texte ; en retour, celle-ci est modifiée, nuancée, confirmée ou infirmée à chaque instant, sur un modèle dialectique. Les démarches critiques visant à explorer ou expliciter les diverses facettes du sens d'une œuvre (sociocritique, critique psychanalytique, thématique, idéologique...) relèvent donc de l'herméneutique et s'opposent aux démarches « formalistes » qui cherchent à décrire le fonctionnement même des œuvres. Les premières considèrent que le texte exprime un sens qui lui préexiste, les secondes que les textes produisent du sens.   (G.P.)
▷ **critique thématique, psychocritique, sociocritique.**

hermétisme. On qualifie d'hermétique un texte dont le sens est volontairement obscur. La poésie symboliste française, et tout particulièrement celle de Mallarmé, relève en partie d'une telle esthétique. Il s'agit à la fois de détourner l'attention du sens vers la forme et, en même temps, d'exprimer des intuitions profondes qui ne se laissent pas aplatir par des formulations limpides. La poésie française du XXᵉ siècle, mais plus encore la poésie italienne, a souvent pleinement assumé sa part d'hermétisme.   (G.P.)
▷ **gongorisme.**

héroï-comique. On qualifie ainsi tout texte qui présente de façon grandiloquente, sur un mode épique par exemple, des réalités quotidiennes ou basses. Le style héroï-comique est donc fondé sur un décalage entre matière et forme ; il trouve ses premières illustrations dans diverses œuvres de l'Antiquité grecque. Comme les autres styles « bouffons », l'héroï-comique a connu son apogée au

XVIIᵉ siècle ; *Le Lutrin* de Boileau en demeure un bon exemple (1683), qui conte en six chants et en alexandrins des mesquineries de chanoines.   (G.P.)

▷ **burlesque, parodie.**

héroïde (n. f., du grec *héroïs*, *-idos*, « qui concerne le héros »). Épître en vers attribuée fictivement à un héros. Genre créé par Ovide (*Les Héroïdes*) et qui fut très en vogue dans la poésie française du XVIIIᵉ siècle : *Héloïse à Abélard* (1758) de Colardeau, *Héroïdes nouvelles* de La Harpe (1759), etc.   (M.A.)

▷ **épître, épopée, hymne.**

héros. Type de personnage surdimensionné, qui se trouve placé au centre de l'épopée, du roman, de la tragédie classique et du drame romantique et qui est proposé à l'admiration, à la pitié et à la crainte du lecteur ou du spectateur. Sa nature s'est trouvée déterminée, dès l'origine, par les exigences des genres tragique et épique. Il sert à caractériser le sens d'une dramaturgie : le héros cornélien, le héros racinien, le héros romantique. On le rencontre aussi dans le drame du XXᵉ siècle, chez Claudel, par exemple. Le dernier siècle a plutôt fait le procès du héros ou l'a complètement écrasé. Dès le Moyen Âge, il se problématise en même temps qu'il s'affirme, aussi bien dans l'épopée que dans le roman. Héros de diverses aventures, il affirme des valeurs mais devient de plus en plus ambigu. Aux XVIIᵉ et XVIIIᵉ siècles, le héros de roman est présenté comme un sujet psychologique, médiateur d'un regard sur la réalité, souvent comme un *je*. Sur le modèle du protagoniste de comédie, le héros de roman incarne, de Crébillon à Balzac, à la fois un type et un individu. Comme l'avait déjà fait Flaubert, le Nouveau Roman (Robbe-Grillet) remet en cause cette « royauté » du héros.   (P.F.)

▷ **actant, acteur, Nouveau Roman, personnage de roman, personnage de théâtre, protagoniste.**

hétérodiégétique/homodiégétique. G. Genette qualifie d'homodiégétique tout narrateur qui apparaît aussi
comme personnage de son propre récit, comme le narrateur du *Grand Meaulnes* (Alain-Fournier). Un narrateur
qui n'est pas protagoniste de son récit sera donc dit hétérodiégétique, comme celui de *La Chartreuse de Parme*
(Stendhal). On parle aussi de « récit à la première personne » et de « récit à la troisième personne ».   (G.P.)
▷ **autodiégétique, extradiégétique, narrataire, narrateur,
narration.**

hétérométrie (n. f., du grec *heteros*, « autre », et *metron*,
« mètre »). Utilisation, dans un même poème, de deux
ou plusieurs types de mètres. Le type de succession peut
être régulier ou non. Exemple de sizain 12/12/6/12/12/6
de Victor Hugo (*La Légende des siècles*, « L'Épopée du
ver ») :

> *Au fond de la poussière inévitable, un être*
> *Rampe et souffle un miasme ignoré qui pénètre*
> *L'homme de toutes parts,*
> *Qui noircit l'aube, éteint le feu, sèche la tige,*
> *Et qui suffit pour faire avorter le prodige*
> *Dans la nature épars.*   (M.A.)

▷ **contrerime, isométrie, strophe, vers libre, vers mêlés.**

Heures. Ce terme désigne d'abord les heures canoniales
et les parties du bréviaire que l'on récite à chacune d'elles.
Par extension, il désigne au Moyen Âge un recueil de ces
prières, souvent enrichi de représentations iconogra-
phiques. Quelques-uns de ces livres d'Heures figurent
parmi les témoignages les plus somptueux de l'enluminure médiévale (ainsi les célèbres *Très Riches Heures du
duc de Berry*, décorées par les frères Limbourg au début
du XVᵉ siècle).   (D.B.)
▷ **enluminure, miniature.**

hexamètre (n. m., du préfixe grec *hexa-*, « six », et
metron, « mètre »). Vers de six pieds dans un système

dont l'unité est le pied (vers grec, latin, anglais...).
L'usage fait de ce terme dans le domaine de la prosodie
française est abusif, puisque c'est un système fondé sur la
syllabe et non sur le pied.   (M.A.)
▷ **hexasyllabe.**

hexasyllabe (n. m., du grec *hex* ou *hexa-*, « six »). Mètre
de six syllabes, fréquemment employé en hétérométrie.
C'est lui qui termine les quatrains narratifs du poème
« Le lac » de Lamartine en 12/12/12/6 :

> *Ainsi, toujours poussés vers de nouveaux rivages,*
> *Dans la nuit éternelle emportés sans retour,*
> *Ne pourrons-nous jamais sur l'océan des âges*
> > *Jeter l'ancre un seul jour ?*   (M.A.)

hiatus (n. m., du latin *hiare*, « être béant » ; l'*h* du mot
français n'est pas aspiré : on dit donc « l'hiatus »). C'est
la rencontre sans élision de deux voyelles prononcées.
L'hiatus interne au mot a toujours été admis. D'un mot
à l'autre, il a posé des problèmes à partir du milieu du
XVIᵉ siècle. Désormais on l'évite, et des règles sont mises
au point à l'époque classique. Le contact direct de voyelle
de fin de mot à voyelle initiale du mot suivant est banni,
sauf
— si un *e* caduc termine le premier mot après la voyelle
prononcée :

> *Dieu me paye un tribut*
> (Victor Hugo)

— si le premier mot se termine par une consonne graphique même non prononcée :

> *Dormir dans les vallons, ou glisser sur les pentes*
> (Lamartine)

— si le deuxième mot commence par un *h* aspiré ou
exclut la liaison (*onze, oui, ouate*).
Depuis la fin du XIXᵉ siècle, l'hiatus ne pose plus de
problème. Ainsi, Laforgue, dans la « Complainte du sage
de Paris » emploie l'hiatus de manière parodique pour

souligner un jeu d'homophonies à tonalité hypocoristique :

> *C'est la grande Nounou où nous nous aimerions.* (M.A.)

▷ *e* caduc, élision.

Hirsutes. *Voir* Zutistes.

histoire intercalée. Procédé courant dans le genre du roman baroque et du roman héroïque, l'histoire intercalée est héritée des genres narratifs de la fin du Moyen Âge et de la Renaissance (*Cent Nouvelles Nouvelles*, *Décaméron* de Boccace ou *Heptaméron* de Marguerite de Navarre), où la structure dominante est une histoire cadre où se succèdent les récits faits par différents personnages. Dans le roman du XVIIᵉ siècle, ce procédé permet de ralentir le fil de la narration, provoquant des effets de suspens, tout en présentant une grande variété d'intrigues et de caractères (chaque personnage raconte soit sa propre aventure, soit une histoire passée) : il est pour beaucoup dans la richesse narrative des grands romans comme *L'Astrée*, la *Clélie* ou *Le Grand Cyrus* ; il subsiste dans le roman classique, comme *La Princesse de Clèves* et jusque chez Potocki dans le *Manuscrit trouvé à Saragosse*. (E.B.)

▷ **pastorale, roman baroque, roman héroïque.**

histoire littéraire. Discipline codifiée par Gustave Lanson au tournant des XIXᵉ et XXᵉ siècles et qui a dominé les études littéraires pendant plus de cinquante ans. À l'origine, il s'agit de s'appuyer sur la méthode historique pour réagir à une critique précédemment trop subjective, ou liée à des modèles scientifiques inadéquats, et renouveler l'enseignement des lettres jusqu'alors fondé sur la rhétorique. L'ambition de l'histoire littéraire, qui s'appuie sur les sciences auxiliaires (bibliographie, lexicographie, critique des textes, étude des manuscrits, etc.), est de définir la singularité des textes et de les réinscrire dans l'Histoire où « les œuvres faites déterminent – partiellement – les œuvres à faire » : principe qui plus tard conduira trop souvent à une simple recherche des sources. L'originalité de Lanson est aussi d'assigner à sa discipline l'analyse bien plus large de la vie littéraire, « l'histoire de la culture et de l'activité de la foule obscure qui lisait », donc de définir la fonction du public (ce qui anticipe sur l'esthétique de la réception). Dans le même temps, l'histoire littéraire accorde une place centrale au texte : dans l'enseignement, où l'explication française devient l'exercice clé fondé sur la lecture, alors que la rhétorique avait privilégié les exercices d'écriture ; dans le travail universitaire, où l'établissement philologique du texte et le développement des éditions critiques doivent permettre de parfaitement dégager à la fois le sens littéral et le sens littéraire des œuvres. Si Lanson ne voulut pas, en principe, ignorer la subjectivité du lecteur ni le plaisir qu'il peut prendre à « goûter » la littérature, l'une des limites de sa doctrine fut cependant de considérer que « les textes ont un sens en eux-mêmes, indépendamment de nos esprits et de nos sensibilités » : ce sera l'un des points contre lesquels réagira la Nouvelle Critique, en redonnant son prestige à la création personnelle du lecteur.   (M.J.)

▷ **critique, esthétique de la réception, Nouvelle Critique, philologie.**

historique. *Voir* genre historique.

holorime. *Voir* vers holorimes.

homéotéleute (n. m., du grec *homoios*, « semblable », et *teleutè*, « la fin »). Mots qui riment en dehors de tout phénomène d'homophonie finale de vers. Exemple :

    Et les serv<u>antes</u> de ta mère, grandes filles luis<u>antes</u> [...].
               (Saint-John Perse)   (M.A.)

▷ **rime.**

homodiégétique. *Voir* hétérodiégétique.

homonymie (n. f., du grec *homoios*, « semblable », et *onoma*, « nom »). Similitude phonique totale entre deux mots dissemblables par le sens et parfois même graphiquement. Par exemple, le signifiant « gui » est commun à deux mots homonymes d'origines tout à fait différentes, qui désignent l'un une plante parasite (latin *viscum*), l'autre la vergue horizontale du navire (néerlandais *giek* ou *gijk*). Saint-John Perse, dans *Éloges*, utilise l'ambiguïté créée par cette homonymie quand il décrit un bateau échoué au milieu de la végétation et qui finit par se confondre avec elle :

> *Et aussitôt mes yeux tâchaient à peindre*
> *un monde balancé entre les eaux brillantes, connaissaient le*
> *mât lisse des fûts, la hune sous les feuilles, et les guis et les vergues,*
> *les haubans de liane,*
> *où trop longues, les fleurs*
> *s'achevaient en des cris de perruches.*
> (« *Pour fêter une enfance* » II) (M.A.)

▷ **ambiguïté, calembour, cratylisme, signe linguistique.**

homophonie (n. f., du grec *homoios*, « semblable », et *phônê*, « voix »). Phénomène d'identité sonore, qui peut ne concerner que les fins de mots, comme pour la rime, l'assonance ou la contre-assonance, mais aussi, dans un sens plus large, toute ressemblance de prononciation qui permet une mise en correspondance entre les vocables, comme le calembour, l'ambiguïté ou l'homonymie. Ainsi dans ce sizain de la « Complainte du pauvre Chevalier-Errant » de Laforgue, on trouve deux procédés d'homophonie qui s'ajoutent à la rime et au caractère grinçant de la strophe :

> *Oui, sans bruit, vous écarterez mes branches,*
> *Et verrez comme, à votre mine franche,*
> *Viendront à vous mes biches les plus blanches,*
> *Mes ibis sacrés, mes chats,*
> *Et rachats !*
> *Ma Vipère de Lettres aux bien effaçables crachats.*

Entre *branches* et *franche*, c'est la consonne initiale qui change, entre *branches* et *blanches*, la liquide combinée avec le *b* initial ; entre *chats*, *rachats* et *crachats*, il y a comme une progression faussement dérivative qui ajoute à chaque fois un élément au mot précédent. (M.A.)

▷ ambiguïté, assonance, calembour, contre-assonance, cratylisme, homéotéleute, homonymie, phonème, prose poétique, rime.

honnête homme. L'honnête homme est le modèle idéal du XVIIe siècle : il constitue le public que visent Molière, Racine ou La Fontaine. Son modèle vient de l'Italie (*Le Courtisan* de B. Castiglione) et il est importé en France à l'époque de Louis XIII (*L'Honnête homme ou l'Art de plaire à la Cour*, de N. Faret, 1630). L'honnêteté est définie comme une rhétorique des comportements, faite de négligence élégante et de naturel, et ses liens avec les modèles littéraires sont essentiels ; la comédie de Molière met en scène le thème (*Le Misanthrope*) et les moralistes s'interrogent sur les valeurs que recouvre la notion (La Rochefoucauld, La Bruyère) : l'honnête homme est le contraire d'un spécialiste savant, il « ne se pique de rien », et ses principales valeurs sont le goût, le naturel et une élégance discrète. C'est pourquoi ce modèle a été déterminant dans l'élaboration d'une littérature mondaine en langue française, qui se dégage, tout en les imitant, des grands modèles de civilité hérités de l'Antiquité et de l'humanisme.   (E.B.)

▷ académie, classicisme, naturel, *neglegentia diligens*.

horizon d'attente. *Voir* esthétique de la réception.

huitain. Nom donné par Sébillet (1548) au poème ou à la strophe de huit vers. Les formules rimiques peuvent être très diverses. Exemple de formule composée de deux quatrains à rimes croisées, sur une hétérométrie 12/12/12/12/12/12/12/8, par Lamartine (« À Némésis ») :

> *Honte à qui peut chanter pendant que Rome brûle,*
> *S'il n'a l'âme et la lyre et les yeux de Néron,*
> *Pendant que l'incendie en fleuve ardent circule*
> *Des temples aux palais, du Cirque au Panthéon !*
> *Honte à qui peut chanter pendant que chaque femme*
> *Sur le front de ses fils voit la mort ondoyer,*

> *Que chaque citoyen regarde si la flamme*
> *Dévore déjà son foyer !* (M.A.)

▷ distique, quatrain, quintil, sizain, strophe, tercet.

humanisme. Terme apparu dans la langue française au
début du XIXᵉ siècle et traduit de l'allemand *Humanismus.*
Il désigne d'une façon synthétique la culture savante et
la vision du monde du XVᵉ siècle italien (le *Quattrocento*)
et du XVIᵉ siècle européen. Les humanistes ont d'abord
en commun l'amour de la littérature (en latin : *bonae
litterae* ou, expression plus significative, *litterae huma-
niores* : les lettres qui rendent plus humain). Ils prennent
pour modèles, presque insurpassables, les œuvres de l'Antiquité grecque et latine. Pas d'humanisme sans cet
amour de la beauté littéraire. Bien entendu, ils s'efforcent
de restaurer la connaissance de la langue grecque, ignorée
du Moyen Âge. Plus audacieux, certains ajoutent l'héritage hébraïque à celui de Rome et d'Athènes. Mais l'humanisme n'est pas seulement l'amour des langues
anciennes. Il apporte avec lui une philosophie où l'idée
de « dignité de l'homme » (*dignitas hominis*) tient une
place essentielle. « On ne naît pas homme, on le
devient », écrit Érasme. Cela signifie que l'homme possède une liberté dont il peut faire un bon ou un mauvais
usage. Telle est l'idée majeure exprimée par Pic de la
Mirandole dans son grand *Discours de la dignité de
l'homme* (1496). L'humanisme est inséparable de la
recherche, intellectuelle et morale. Quelle qu'ait été leur
philosophie personnelle, les humanistes s'opposent en
général à toute forme de dogmatisme. À cet égard, et
surtout dans ses derniers livres, qui racontent la quête de
Pantagruel et de Panurge, Rabelais est un humaniste.
Cette recherche de la vérité peut prendre des formes individuelles (Érasme) ou collectives : le mouvement des Académies, dont la plus connue est l'Académie platonicienne
fondée à Florence par Marsile Ficin à la fin du *Quattrocento*, est l'une des formes possibles que peut revêtir la
réflexion collective. Les humanistes s'efforcent de créer
également des lieux d'enseignement qui possèdent une

liberté plus grande que les Universités (Collège des lecteurs royaux, qui deviendra le Collège de France).

Presque tous les humanistes de la Renaissance ont été chrétiens. Dans la mesure où ils rejettent les commentaires proliférants et veulent revenir au texte de la Bible, lue en hébreu pour l'Ancien Testament, en grec pour le Nouveau, ils se sont heurtés à l'enseignement officiel de la théologie, représenté en France par la Sorbonne. Ils ne pensaient pas que la révélation chrétienne s'opposât aux plus hautes philosophies de l'Antiquité, en particulier à celle de Platon. Socrate était un sage que l'on pouvait comparer à Jésus. Les humanistes les plus lucides, comme Érasme, distinguaient fort bien ce qui, dans l'Antiquité, était compatible avec le message chrétien, et ce qui ne l'était pas, l'épicurisme par exemple. Ils se réservaient donc un droit d'inventaire.

Un premier clivage oppose les idolâtres de la beauté littéraire, qui ne jurent que par Cicéron pour la prose et par Virgile pour la poésie, et ceux qui se soucient des « choses » (ce que l'on a à dire) plus que des mots. Montaigne appartient à la seconde catégorie, et avant lui Érasme. On a vu s'opposer ceux qui croyaient aux capacités de la langue française (Du Bellay et ses amis de la Pléiade) et ceux qui lui déniaient toute possibilité de devenir une langue artistique ou philosophique. S'opposèrent aussi un humanisme du Nord, plus religieux, et un humanisme du Sud (italien) gagné parfois par certaines formes de paganisme. Pour plusieurs historiens, d'ailleurs, l'humanisme a vécu en Italie dès le sac de Rome par les armées de Charles Quint (1527). Non seulement parce que les bibliothèques et les églises furent pillées par la soldatesque, mais parce que les espoirs des humanistes dans un triomphe de la culture prennent fin à ce moment-là. En ce qui concerne la France, on a écrit parfois que les guerres civiles, qui commencent en 1562, sonnaient le glas du « beau XVIᵉ siècle » et de l'humanisme. C'est oublier que de grandes entreprises (éditions de textes, travaux d'érudition) voient le jour à cette époque-là et se prolongent loin dans le XVIIᵉ siècle.   (D.M.)

▷ académie, esthétique de la réception, philologie, Pléiade, querelle des Anciens et des Modernes.

Hydropathes. *Voir* Zutistes.

hymne (du grec *humnos*, « chant », « chant en l'honneur d'un dieu », « chant de deuil »). Au masculin (emploi le plus fréquent), le mot désigne un poème à la gloire d'un dieu ou d'un héros, ou encore d'une personne ou d'une idée (nature, sentiments, patrie) : genre qui se développe à partir du XIVᵉ siècle, et surtout à la Renaissance (*Hymnes* de Ronsard). Au féminin, le sens est plus restreint et plus ancien (XIIᵉ siècle) : chants à la louange de Dieu dans la liturgie chrétienne. (M.A.)

▷ épopée, héroïde.

hypallage (n. f., du grec *hupallagè*, « échange »). Figure de construction qui lie un mot syntaxiquement à un autre alors qu'il se rattache logiquement et sémantiquement à un terme extérieur. Ainsi Laforgue, dans la « Complainte du fœtus de poète » parle de

> *Déchirer la nuit gluante des racines*

Or ce sont les *racines* qui sont *gluantes*, non *la nuit*.

(M.A.)

▷ figure, syntaxe.

hyperbate (n. f., du grec *huper*, « sur, au-delà », et *bainein*, « aller »). Figure de construction par laquelle à une phrase qui paraît terminée l'auteur ajoute un élément syntaxiquement très lié à cette phrase. Exemple de Saint-John Perse *(Anabase I)* :

> *Les armes au matin sont belles et la mer.* (M.A.)

▷ épiphrase, figure, inversion, syntaxe, tmèse.

hyperbole (n. f., du grec *hyperballein*, « jeter au-dessus »). C'est une figure de l'exagération, qui grossit excessivement ce dont elle parle, comme lorsqu'on dit de quelqu'un qui est grand, « c'est un géant ». La Fontaine, lorsqu'il décrit le Chêne dans la fable « Le Chêne et le Roseau », use de l'hyperbole pour rendre sensible l'impression d'immensité qui s'en dégage en comparaison du faible roseau : *Celui de qui la tête <u>au ciel</u> était voisine / Et dont les pieds touchaient à <u>l'empire des morts</u>*. Lorsque l'exagération est inversée vers le petit et le négatif, on parle plutôt de tapinose.   (E.B.)

▷ **amplification, démonstratif, tapinose.**

hyperonyme/hyponyme. En lexicologie, l'hyperonymie est la relation qui unit un terme spécifique (dit hyponyme) à un terme générique (dit hyperonyme), selon un rapport d'inclusion sémantique. Dans *albatros, vastes oiseaux des mers* (Baudelaire), *oiseaux* est donc l'hyperonyme d'*albatros*, et serait un hyponyme d'« animal ». Dans une définition traditionnelle, on commence par donner l'hyperonyme du terme à définir avant de préciser quelles spécificités le distinguent des divers hyponymes possibles. Pour définir « voiture », je dirai d'abord « véhicule », avant de dire ce qui distingue la voiture des autres véhicules comme l'avion ou le train...   (G.P.)

▷ **sème, synonymie.**

hypertextualité. Relation entre deux textes dont l'un est une récriture de l'autre, que ce soit au titre du pastiche, de la parodie, de la transposition, de l'imitation. Dans la terminologie de G. Genette, le texte source est nommé hypotexte (*hypo* : « dessous »), le texte issu de la transposition est nommé hypertexte (*hyper* : « dessus »). Le quatrième chant de l'*Odyssée* d'Homère est ainsi l'hypotexte de nombreuses transpositions, comme *Les Aventures de Télémaque* de Fénelon (1699) ou d'Aragon (1922), ou le premier chapitre de l'*Ulysse* de James Joyce (1922).

(G.P.)

▷ **parodie, pastiche.**

hypocorisme (n. m., du grec *hupocorizeïn*, « désigner par de petits mots caressants »). Emploi de diminutifs ou d'appellations familières. Exemple de Jean Tardieu (*La Comédie du langage*) :

> MONSIEUR Z..., *toujours aussi digne.*
> *Coucou à la mémère ! Bozou à la dadame à bibi !* (M.A.)

hyponyme. *Voir* hyperonyme.

hypotaxe. *Voir* parataxe.

hypotexte. *Voir* hypertextualité *et* intertextualité.

hypotypose (n. f., du grec *hypotyposis,* « esquisse, tableau »). L'hypotypose désigne une figure de rhétorique qui fait la description d'une chose, comme si elle la mettait devant les yeux, de façon animée et vivante. Cela peut tantôt être une notation de quelques mots, qui fixent des détails frappants (sons, couleurs), tantôt une longue description, comme dans les récits des héros tragiques : ainsi Andromaque décrivant la ruine de Troie, dans *Andromaque* (III, 8), ou Néron évoquant l'arrivée de Junie, dans *Britannicus* (II, 2) :

> *Cette nuit je l'ai vue arriver en ces lieux,*
> *Triste, levant au ciel ses yeux mouillés de larmes,*
> *Qui brillaient au travers des flambeaux et des armes...*

L'hypotypose est une figure privilégiée du genre démonstratif et un des principaux ornements du discours efficace, en poésie comme en prose. (E.B.)

▷ description, *ekphrasis*, énergie.

I

iambe (n. m., du grec *iambos*, de même sens). Pied composé de deux syllabes, la première brève, la seconde longue. Dans les systèmes prosodiques accentuels, c'est le pied formé d'une syllabe non accentuée et d'une syllabe accentuée. À la fin du XVIIIe siècle, André Chénier a donné ce nom, *Iambes*, à son dernier recueil, fondé sur une alternance régulière d'alexandrins et d'octosyllabes. Exemple :

> *La patrie allume ma voix ;*
> *La paix seule aguerrit mes pieuses morsures :*
> *Et mes fureurs servent les lois.*   (M.A.)

▷ lyrisme, pied.

idéogramme lyrique. Apollinaire avait pensé appeler ses calligrammes des « idéogrammes lyriques » lorsqu'en 1914 il avait mis le recueil projeté en souscription.   (M.A.)
▷ calligramme.

Idéologues. Groupe de philosophes et de savants qui, sous la Révolution et l'Empire, tâchèrent de mettre en œuvre les objectifs de la philosophie des Lumières. Ce sont les intellectuels de la Révolution. On leur doit le système métrique (Lagrange, 1795), les grandes Écoles (Lakanal, Monge), l'organisation de l'Institut de France (Daunou, 1795). Héritiers de Condillac, hostiles aux spéculations métaphysiques, ils s'attachent avec leur principal théoricien Destutt de Tracy (1754-1836) à l'analyse des facultés humaines (*Éléments d'Idéologie*, 1801-1815). Les *Rapports du physique et du moral* du médecin Georges Cabanis (1757-1808) inspirent d'autres médecins comme Bichat, Broussais, Pinel et contribuent à la naissance de ce qui est alors nommé « sciences morales », annonçant l'anthropologie moderne. Philosophiquement, les Idéologues font le lien entre le XVIIIe siècle et le positivisme d'Auguste Comte. Suspects au pouvoir napoléonien, ils seront honnis sous la Restauration. Le courant romantique issu de Chateaubriand dénonce leur matérialisme. À peu près seul parmi les écrivains de sa génération, Stendhal s'affirme leur disciple en ramenant tout au jeu des passions et des sentiments de l'individu. Les Idéologues sont de médiocres écrivains. Cependant l'ouvrage de Volney *Les Ruines ou Méditations sur les révolutions des empires* (1791) restera pour tout le romantisme une référence majeure et l'idée de la perfectibilité de l'homme, que Volney énonce quatre ans avant Condorcet, nourrira tout le courant progressiste du XIXe siècle.   (Y.V.)

▷ **doctrinaires, éclectisme, romantisme, scientisme.**

idiolecte. Ensemble des usages langagiers d'un individu, ou – plus spécifiquement – terme ou tournure caractéristique d'une personne. L'idiolecte d'un individu se forme en effet au contact des diverses pratiques linguistiques (sociales, professionnelles, dialectales...) qu'il croise. Certains écrivains ont fortement caractérisé leurs personnages par leur idiolecte : ainsi Rabelais, dont l'écolier limousin s'est forgé un langage propre, combinant avec prétention une syntaxe française et un vocabulaire latin (*Pantagruel*, 1532). On peut dire que le style d'un auteur est son idiolecte.   (G.P.)

▷ **étymon spirituel, style, stylème.**

idiotisme (n. m., du grec *idios*, « particulier »). Expression ou construction particulière à une langue. On distingue :
– les idiotismes de figure : « être aux pièces » ;
– les idiotismes grammaticaux : « l'échapper belle ».

(M.A.)

▷ **figure, syntaxe.**

idylle (n. f., du grec *eidullion*, « petit tableau », diminutif de *eidos*, « forme »). Petit poème hérité de la littérature antique (Théocrite par exemple) à thème amoureux dans un cadre bucolique. C'est à la Renaissance que le genre a été remis à l'honneur et il restera pratiqué pendant tout l'âge classique : *Idylles* de Rampalle (1648) et *Idylles* de Chénier à la fin du XVIIIe siècle.   (M.A.)
▷ **pastourelle.**

illocutoire. En pragmatique, on appelle valeur illocutoire ou force illocutoire le statut d'un énoncé : question, conseil, information, menace, salutation, promesse... On considère donc que « Il pleut sur la ville » et « Pleut-il sur la ville ? » ont le même contenu propositionnel (ou valeur locutoire), mais des statuts illocutoires différents : les mêmes faits sont soit avancés à titre d'information, soit soumis à la validation de l'allocutaire. Le statut illocutoire d'un énoncé se dégage parfois du contexte : « Entre ici... » est-il un ordre, une invitation, une autorisation ? Le statut illocutoire des énoncés littéraires (notamment dramatiques ou fictionnels) a donné lieu à des débats fort complexes.   (G.P.)
▷ **acte de langage indirect, double énonciation, perlocutoire.**

image. Dans l'analyse littéraire, le terme désigne de manière générique des figures qui mettent en rapport deux référents qui diffèrent : l'un (comparé, imagé) désigne proprement ce dont parle le texte, l'autre (comparant, imageant) peut être pris dans un autre référent et éclaire ou illustre le premier, ou encore jette sur lui une lumière nouvelle en utilisant ce qu'ils ont d'analogue ou de proche. Ce sont en premier lieu les figures d'analogie (comparaison, métaphore, allégorie, symbole) qui sont concernées, mais on peut considérer que synecdoque et métonymie sont aussi des images en ce qu'elles présentent la chose sous un jour différent. L'image varie aussi dans son originalité, allant du cliché ou de la lexicalisation par catachrèse à la recherche de l'étrange : « Plus les rapports des deux réalités rapprochées seront lointains et justes, plus l'image sera forte – plus elle aura de puissance émotive et de réalité poétique », écrit Pierre Reverdy en 1918 (*Nord-Sud*). Chaque image a sa logique propre, qu'il est important d'analyser du côté de l'imageant : l'image n'est pas une simple illustration ni un ornement : elle sert le sens et donc l'avancée du texte.

(M.A.)

▷ **allégorie, catachrèse, cliché, comparaison, figure, isotopie, métaphore, métonymie, personnification, syllepse, symbole, synecdoque.**

imbroglio. L'imbroglio (mot emprunté à l'italien et qui signifie « embrouille ») est une intrigue de comédie très compliquée et très rapide. L'intrigue du *Barbier de Séville* de Beaumarchais est un imbroglio. L'imbroglio repose sur des situations dramatiques complexes et fragiles qu'un mot pourrait détruire. Il doit provoquer un effet de suspens passionné et comique tout à la fois. Il exige une vraie virtuosité de la part de l'auteur, du metteur en scène et des acteurs.

(P.F.)

▷ **action, comédie, intrigue, quiproquo.**

imitation. L'imitation est au cœur de la tradition littéraire classique : elle engage soit l'imitation littéraire des modèles (imitation « interne » à la littérature : Racine imite Euripide, Molière imite Plaute, Balzac imite Walter Scott, etc.), soit l'imitation du réel (imitation « externe » : *mimesis*). Les auteurs classiques pensaient que, pour bien imiter la nature, il suffisait d'imiter ceux qui y étaient le mieux parvenus, à savoir les auteurs anciens. C'est pourquoi l'imitation a une configuration complexe dans la doctrine classique, où elle joue à la fois sur les modèles littéraires et sur une conception stylisée de la « belle nature » (il faut choisir ce qui est beau dans le réel) ; avec l'avènement du réalisme, au XIXe siècle, la problématique de l'imitation interne semble perdre de son importance, alors que la confrontation au réel prend tout son poids (refus de la « belle nature », choix du grotesque, subversion des hiérarchies stylistiques traditionnelles). Pourtant, l'écriture d'un Zola ou d'un Proust doit encore beaucoup à « l'innutrition » et à l'imitation de modèles, notamment en fait de style (Flaubert, les Goncourt), comme le montre la fonction du pastiche littéraire chez Proust. De même, le statut de la parodie en littérature, même contemporaine (de Laforgue à Perec), atteste la continuité du problème.   (E.B.)

▷ classicisme, invention, *mimesis*, parodie, pastiche, réalisme, styles, traduction littéraire.

impair. *Voir* vers impair.

implicite. On regroupe sous ce terme deux types de faits linguistiques sensiblement différents, mais qui ont en commun de concerner des données qui ne sont pas ouvertement (explicitement) présentées dans l'énoncé. On considère d'abord comme implicite ce qui relève de la présupposition : sont présupposées toutes les propositions qui sont considérées comme vraies par l'énoncé et qui restent vraies quand on change la polarité de celui-ci ; les deux phrases de sens contraire : « La décadence des mœurs explique la chute de l'Empire romain » et « La décadence des mœurs n'explique pas la chute de l'Empire romain » tiennent toutes deux pour acquis qu'il y a bien eu décadence des mœurs et que l'Empire romain s'est bien effondré. On peut normalement dégager sans difficulté les présupposés de tout énoncé. L'autre type d'implicite, le sous-entendu, exige en revanche un travail d'interprétation : « Il fait chaud ici » peut vouloir dire « Sortons ! » ou « Ouvre la fenêtre ! ». Contrairement au présupposé, le sous-entendu fait directement partie du message qu'on veut transmettre.   (G.P.)

▷ perlocutoire.

imprécations. Vœux et souhaits dictés par la colère et par la haine. Chez les Anciens, les imprécations pouvaient même constituer un rite public dirigé contre un criminel. L'efficacité des imprécations, qui lient parole et action sur le monde, a une valeur théâtrale forte et la scène d'imprécations est devenue une scène topique dans la tragédie. Exemples célèbres : les imprécations de Camille contre Rome dans l'*Horace* de Corneille : *Rome, l'unique objet de mon ressentiment ! / Rome à qui vient ton bras d'immoler mon amant !* etc. (IV, 5) ; celles de Thésée qui appelle sur son fils Hippolyte la vengeance de Neptune dans *Phèdre* (IV, 2). (P.F.)

▷ **tragédie.**

impromptu. Court poème improvisé, sorte d'épigramme de circonstance qui relève du divertissement mondain. Sorte de comédie qui se donne faussement pour improvisée et joue souvent sur une dimension autoréférentielle : *L'Impromptu de Versailles* de Molière en est le modèle.

Certaines pièces se donnent pour des impromptus, surtout à la fin du XVIIIᵉ siècle, mais aussi au XXᵉ siècle (Giraudoux, *L'Impromptu de Paris* ; Pirandello, *Ce soir on improvise*). D'autres comédies jouent sur l'idée de la pièce de théâtre en train de naître ou sur la représentation en préparation, sans pour autant se donner explicitement comme impromptus : *Est-il bon ? Est-il méchant ?* de Diderot, *La Répétition interrompue* de Favart, *Les Acteurs de bonne foi* de Marivaux. (P.F.)

▷ **comédie,** *commedia dell'arte,* **mise en abyme.**

in absentia. On dit d'une métaphore qu'elle est *in absentia* lorsque le terme comparé est implicite et que seul figure le comparant. Exemple :

> *Cette faucille d'or dans le champ des étoiles.*
> (Victor Hugo)

Le comparé n'est pas dit mais il est évident : c'est le croissant de lune (*le croissant fin et clair*) dont il est question dans le précédent quatrain. (M.A.)

▷ *in praesentia,* **métaphore.**

in medias res. *Voir* incipit.

in praesentia. Une métaphore est dite *in praesentia* lorsqu'elle présente les deux termes, le comparant et le comparé :

> *Mille pensers dormaient, chrysalides funèbres*
> (Baudelaire)

Comparé : *mille pensers* ; comparant : *chrysalides funèbres*. (M.A.)

▷ *in absentia*, **métaphore**.

incidence. Dans les manuscrits cycliques, au Moyen Âge, ce terme désigne l'insertion de tout ou partie d'une chanson de geste au milieu d'une autre, dans l'intention de relater à leur place chronologique relative des événements qui sont censés être contemporains. Ainsi, dans l'un des manuscrits du cycle de Guillaume d'Orange, les *Enfances Guillaume* sont insérées au milieu de la chanson des *Narbonnais*, puis le *Siège de Barbastre* et *Guibert d'Andrenas* au milieu des *Enfances Vivien*, enfin la *Mort Aimeri* prend place au milieu du *Moniage Rainouart* : le mot *incidence* figure à deux reprises dans des rubriques (*Incidences. Ici comence la bataille des Sagytaires et la mort d'Aymeri*). (D.B.)

▷ **chanson de geste, cycle,** *geste*.

incipit (n. m. inv., mot emprunté au latin signifiant « [ici] commence »). Dans son acception philologique, il désigne, en particulier pour les littératures du Moyen Âge et de la Renaissance, le premier vers ou les premiers mots d'un texte, qui peuvent tenir lieu de titre (les éditions d'œuvres poétiques donnent fréquemment une table des incipit). Dans son acception narratologique, plus fréquente, il désigne le début d'un roman ou d'une nouvelle, l'ouverture d'un récit. L'incipit a ici une double fonction : il présente le dispositif narratif (le récit est-il à la première personne ? etc.) et permet la mise en place de l'univers fictionnel. L'incipit qui insiste essentiellement sur la première fonction fait office de *captatio benevolentiae*, il instaure d'abord un rapport entre un narrateur et un lecteur dont il capte l'intérêt et l'attention (le narrateur explique par exemple comment il a eu accès à ce qui suit : *Ces cahiers ont été trouvés parmi les papiers d'Antoine Roquentin*, J.-P. Sartre, *La Nausée*, 1938). L'incipit qui insiste essentiellement sur la seconde fonction prend soit la forme d'une présentation réaliste de l'univers de référence (*Madame Vauquer, née de Conflans, est une vieille dame...*, H. de Balzac, *Le Père Goriot*, 1835), ou alors d'un début *in medias res* (« au milieu de l'action », expression venue de l'*Art poétique* d'Horace, v. 148), procédé qui consiste à faire comme si le lecteur avait déjà connaissance des données fondamentales de la fiction (*Tchen tenterait-il de lever la moustiquaire ?*, A. Malraux, *La Condition humaine*, 1933).   (D.B. et G.P.)

▷ exorde, *explicit*, prologue.

incunable (du latin *incunabula*, « du berceau » [de l'imprimerie]). Ce terme désigne les tout premiers livres imprimés, antérieurs aux années 1500-1520. Les premiers datent des années 1450-1460, mais le procédé de l'impression existait probablement depuis les années 1436-1440. La typographie est celle des manuscrits (gothique bâtarde en particulier pour les textes littéraires) ; cependant, l'usage des abréviations tend rapidement à disparaître. Les incunables ont été imprimés principalement à Paris et à Lyon, par des imprimeurs comme Trepperel ou Antoine Vérard.   (D.B.)

▷ codicologie, manuscrit médiéval.

indiciaire (n. m.). Fonction de chroniqueur officiel à la cour des ducs de Bourgogne, au XVe siècle, qui semble procéder du désir des ducs de calquer pour leur État la tradition historiographique que l'abbaye de Saint-Denis jouait au service des rois de France. Les indiciaires sont chargés d'écrire l'histoire dans un but de justification politique et de glorification dynastique. Georges Chastellain, Jean Molinet et Jean Lemaire de Belges ont été indiciaires. Leur art est très marqué par la grande rhétorique qui fleurit dans la poésie à la même époque (eux-mêmes

ont composé de la poésie et appartiennent au courant des Grands Rhétoriqueurs).   (D.B.)
▷ **Rhétoriqueurs.**

individualisme. Le terme désigne, en médiévistique, la théorie, inaugurée par Joseph Bédier dans *Les Légendes épiques* (Paris, 1908-1913), selon laquelle les chansons de geste, loin d'être le fruit d'une création populaire et collective étalée dans le temps, doivent leur composition à un individu précis, conscient de son art : « Au commencement était le Poète. » Cette théorie s'oppose au traditionalisme.   (D.B.)
▷ **cantilène, chanson de geste, jongleur, traditionalisme.**

induction. *Voir* déduction.

inférence. En narratologie, on appelle inférence toute information que le lecteur tend à ajouter spontanément à celles que le texte lui fournit. Les faits d'inférence sont des phénomènes cognitifs complexes, mais dont chacun peut constater le rôle dans notre interprétation des énoncés : ainsi, l'énoncé « il y avait un poisson et un canari » conduit l'auditeur à imaginer un poisson jaune ou rouge, tandis que l'énoncé « il y avait un poisson et une mouette » appelle l'image d'un poisson gris, parce que « canari » guide les inférences vers un univers domestique, et « mouette » vers un univers marin. La compréhension d'un énoncé passe donc par la gestion d'informations de deux types, les unes prédiquées (exprimées), les autres inférées : dans notre exemple, la nature de l'oiseau est prédiquée, tandis que celle du poisson est seulement inférée. Les mécanismes d'inférence ont une importance considérable dans la création de la diégèse. On voit bien qu'il suffit de faire commuter les prénoms dans une phrase telle que l'ouverture d'*Aurélien* d'Aragon (1944) pour que l'univers référentiel que construit le lecteur ne soit plus du tout le même : *La première fois qu'Aurélien* [Kevin/Enzo/Georges] *vit Bérénice* [Lætitia/Grazia/Marcelle], *il la trouva franchement laide.* Tandis que la paire

Kevin/Lætitia conduit le lecteur à placer spontanément le récit dans les années 1990 et un milieu social populaire, Enzo/Grazia amène logiquement le lecteur à situer l'action en Italie ; Georges/Marcelle recule l'action de plusieurs décennies, ou semble mettre en scène des personnages sensiblement plus âgés que Kevin et Lætitia.

(G.P.)

▷ expansion/filtrage, implicite, scénario narratif.

infinitif de narration. Emploi verbal de l'infinitif précédé de « de » et avec un sujet exprimé : *Et mon chat de crier, et le rat d'accourir* (La Fontaine, *Fables*, « Le Chat et le Rat »). Il appartenait à la langue non soutenue au XVIIᵉ siècle, mais est aujourd'hui perçu comme archaïque ou littéraire. Il ne se rencontre plus qu'en contexte narratif, où il tend à marquer une accélération de l'action menant le plus souvent à sa conclusion.   (G.P.)

injonction. Une des quatre modalités de la phrase (avec l'assertion, l'exclamation et l'interrogation), l'injonction est le statut de tout énoncé qui exprime l'ordre ou l'interdiction. Plus encore que le recours à l'impératif (« Sors d'ici ! ») ou à une phrase averbale (« Hors d'ici, tout de suite ! »), cette modalité est caractérisée à l'oral par une intonation mélodique descendante qui suffit à rendre injonctifs des énoncés sans aucune marque morphosyntaxique (« Tu te tais immédiatement ! »). Les énoncés injonctifs se limitent rarement à cette seule valeur illocutoire, ils cumulent le plus souvent – particulièrement dans les textes littéraires – des valeurs secondaires (émotives, argumentatives ou phatiques, par exemple) : *Va, cours, vole, et nous venge !* (P. Corneille, *Le Cid*, I, 5).

(G.P.)

▷ fonctions du langage, illocutoire.

innutrition. Terme utilisé en critique littéraire pour rendre compte de la théorie de l'imitation exposée par Du Bellay dans la *Deffence et Illustration de la langue françoyse* (1549) et, plus généralement, par les poètes de la Pléiade.

La comparaison entre la lecture d'un auteur et la nourriture ne date pas de la Pléiade : elle remonte à la Bible. Du Bellay demande aux poètes français de son temps de « se transformer » (I, 8) dans les grands auteurs de l'Antiquité qu'ils liront : ils s'incorporeront leurs vers, qui deviendront une véritable nourriture. Cette véritable imitation ne s'oppose pas à l'originalité : Érasme explique qu'il faut choisir d'imiter un auteur avec lequel on se sent en affinité.   (D.M.)

▷ **humanisme, imitation, traduction littéraire.**

integumentum (ou ***involucrum***) (n. m., emprunté au latin, « enveloppe, couverture »). Terme d'herméneutique appartenant au vocabulaire de l'allégorie médiévale et particulièrement répandu dans les travaux de l'École de Chartres au XIIe siècle. Bernard Silvestris le définit comme « une sorte de démonstration cachée sous un récit fabuleux, enveloppant la compréhension de la vérité ». Ainsi, selon l'herméneutique de Bernard, l'*Énéide* de Virgile serait à interpréter comme l'histoire des tribulations de l'âme incarnée (*Commentaire sur les livres de l'Énéide*, composé sans doute autour de 1150).   (D.B.)

▷ **allégorie,** *commentum,* **herméneutique, lucidaires, moralisation,** *senefiance.*

intercalée. *Voir* histoire intercalée.

intérêt. Au XVIIIe siècle, émotion forte qui naît d'une lecture ou d'un spectacle, qu'il soit réel ou théâtral. L'*Encyclopédie* définit ainsi la notion : « INTÉRÊT (*Belles-Lettres. Poésie.*) affection de l'âme qui lui est chère, et qui l'attache à son objet. Dans un récit, dans une peinture, dans une scène, dans un ouvrage d'esprit en général, c'est l'attrait de l'émotion qu'il nous cause, ou le plaisir que nous éprouvons à en être émus de curiosité, d'inquiétude, de crainte, de pitié, d'admiration, etc. » Il s'agit à la fois d'une illusion puissante, comme lorsque aujourd'hui nous nous disons passionnés par une lecture, et d'une émotion fortement moralisée qui nous coûte des larmes :

la jeune fille qui pleure son oiseau mort (un tableau de Greuze) est « intéressante ». L'intérêt résulte souvent d'un effet pathétique. (P.F.)

▷ action, intrigue, pathétique.

interjection. Catégorie grammaticale assez hétérogène, dans laquelle on place des mots qui ont pour points communs, d'une part, de ne pas s'insérer directement dans le tissu syntaxique de la phrase et, d'autre part, de marquer une position subjective du locuteur face au contenu de l'énoncé ou à la situation : « hélas », « ah », « eh bien »... On y inclut parfois, sans doute abusivement, des mots-phrases comme « chut ! » ou « allô ! ». Outre leur évidente valeur expressive, les interjections jouent un rôle rythmique considérable dans le vers, la réplique théâtrale ou la phrase romanesque : *Las ! Où est maintenant ce mépris de fortune ?* (Du Bellay, *Les Regrets*), *Merdre !* (A. Jarry, *Ubu roi*). (G.P.)

▷ cheville.

intermède. Divertissement proposé aux spectateurs entre les actes d'une pièce. En général, il s'agit simplement d'un divertissement musical destiné à faire prendre patience aux spectateurs, mais il lui arrive de prendre la forme d'un ballet, parfois, en Italie notamment au XVIIe siècle, d'une courte pièce mythologique. Les intermèdes ont pu acquérir de l'autonomie jusqu'à former une courte comédie, éventuellement mêlée de musique. *Le Devin de village* de Jean-Jacques Rousseau est un intermède. (P.F.)

▷ comédie-ballet, lever de rideau.

interpretatio (n. f., emprunté au latin, « traduction, éclaircissement »). Dans la rhétorique médiévale, cette figure de l'amplification consiste à répéter deux ou plusieurs fois de suite la même idée ou le même élément narratif ou descriptif sous des formes voisines. Elle répond aux exigences de l'esthétique médiévale, fondée sur le goût pour les jeux de la variation au sein de la répétition. Ainsi, dans le *Roman d'Énéas* (milieu XIIe siècle) : *Jamais n'avrez nul bien du mort, / Faites du vif vostre deport* [plaisir] ; / *ou* [au] *mort n'a mais recovrement : / Faites du vif vostre talent* [désir] [...]. / *Tenir estuet le mort a mort, / le vif au vif, ce est confort*).   (D.B.)

▷ amplification, *oppositum*.

intertextualité. On regroupe sous cette étiquette toutes les relations qui unissent un texte à d'autres textes, et tout particulièrement les faits de citation et d'allusion. La reprise tronquée du titre d'une cantate de Bach pour le roman de Giono *Que ma joie demeure* (1935) ou l'allusion au conte de Perrault dans le titre de Catherine Pozzi *Peau d'âme* (1935) relèvent ainsi de l'intertextualité, citationnelle dans le premier cas, allusive dans le second. Le mot « intertextualité » a été proposé par Julia Kristeva, à la fin des années 1960, dans le cadre d'une théorie générale de l'intertexte inspirée de M. Bakhtine : « Tout texte se construit comme une mosaïque de citations, tout texte est absorption et transformation d'un autre texte » (*Séméiotiké*, 1969).   (G.P.)

▷ hypertextualité, parodie, pastiche.

intradiégétique. *Voir* extradiégétique.

intrigue. Assemblage des événements, des actions et des circonstances qui sont amenés par le hasard ou les desseins contradictoires des personnages d'une pièce de théâtre et qui donnent l'impression d'un enchevêtrement (le mot vient du latin *intricare*, « emmêler, embrouiller »). Certains auteurs, surtout à la période classique, identifient l'intrigue au nœud. D'autres la confondent avec l'action, l'argument ou la fable. Il est cependant nécessaire de distinguer l'intrigue, forme qui organise l'action devant les yeux et la conscience du spectateur, qui mêle à tel ou tel moment les desseins des personnages, qui les fait se rencontrer à tel ou tel instant, qui leur prête une vue plus ou moins complète ou partielle de l'action, de l'action proprement dite, qui se situe à un niveau second, plus profond. La comédie d'intrigue, comme *Un chapeau de paille d'Italie* de Labiche, joue sur la complexité étourdissante de l'intrigue.   (P.F.)

▷ action, argument, fable, imbroglio, nœud, obstacle.

invention. Au sens strictement rhétorique, l'invention est la première partie de l'art oratoire, avant la disposition et l'élocution. Elle consiste en la recherche des arguments qui vont constituer le fond du discours : elle repose donc sur la topique, qui va explorer méthodiquement le réel grâce à la méthode des lieux communs, et la mise en place des preuves (techniques, extratechniques). Son domaine est la logique du vraisemblable (ou *doxa*), car elle joue sur l'univers des croyances probables de son public. Elle fait ensuite appel aux preuves éthiques (construction de l'*ethos* de l'orateur pour convaincre de sa bonne foi), puis aux preuves pathétiques (recherche des éléments susceptibles d'émouvoir les passions de l'auditoire : colère, indignation, pitié, etc.). L'articulation des preuves les unes aux autres appartient plutôt à la disposition, même si celle-ci doit tenir compte des effets escomptés en fonction des impératifs de la topique. L'élocution aussi, dans la mesure où elle est étroitement liée aux effets que doivent produire les preuves, constitue le terme du processus d'invention (chaque type de preuve suppose un style différent : style simple pour la narration des faits ou l'exposé des témoignages, style élevé pour la péroraison, qui en appelle aux passions du public).

(E.B.)

▷ argumentation, disposition, *doxa*, élocution, rhétorique, style élevé, style simple, *topos*.

inversée. *Voir* rime inversée.

inversion. Figure de construction qui consiste à inverser l'ordre canonique des mots dans la phrase. L'inversion grammaticale (celle qui concerne par exemple l'interrogation) n'est pas une figure. L'inversion au sens stylistique et rhétorique peut être due soit à un désir de mise en relief, soit à des contraintes prosodiques dans le vers traditionnel. Les deux soucis peuvent se superposer pour un effet de relief tragique :

> *Figure-toi Pyrrhus, les yeux étincelants,*
> *Entrant à la lueur de nos palais brûlants,*
> *Sur tous mes frères morts se faisant un passage,*
> *Et de sang tout couvert échauffant le carnage.*
> *Songe aux cris des vainqueurs, songe aux cris des mourants*
> *Dans la flamme étouffés, sous le fer expirants.*
>
> (Racine, *Andromaque*, III, 8)   (M.A.)

▷ **chiasme, concordance, hyperbate, licence poétique, syntaxe.**

irénisme (du grec *eiréné*, « paix »). Attitude d'esprit visant à apaiser les querelles religieuses. Les irénistes songent d'abord à ce qui peut rapprocher les croyants. Ils sont à la recherche du « terrain commun ». Leur « idéal n'est pas tant la tolérance que la réduction des divergences religieuses par un loyal effort de conciliation » (J. Lecler). On trouve des irénistes dès le XVe siècle (Nicolas de Cuse) et à l'époque des conflits religieux du XVIe siècle (Cassander). Mal vus des camps en présence, ils continuèrent leurs efforts au XVIIe siècle (Grotius, Leibniz).   (D.M.)

▷ **évangélisme.**

ironie. Procédé rhétorique reposant sur un dédoublement énonciatif : le locuteur avance un énoncé tout en indiquant qu'il ne l'assume pas, qu'il le récuse. Les signaux ironiques peuvent être fort divers : contextuels, intonatifs, gestuels, lexicaux (hyperbole, changement de registre : « Monsieur est satisfait ? »). On a parfois réduit l'ironie à un simple fait d'antiphrase : je dis le contraire de ce qu'il faut entendre (« Félicitations ! » dit le professeur en rendant sa copie au cancre). On considère aujourd'hui que l'ironie combine une théâtralisation de la parole et un jeu sur les postures énonciatives. L'ironie peut être très diffuse dans un texte et exiger un travail interprétatif fin : bien des lecteurs ne voient pas la portée ironique d'un texte comme « L'Enfance d'un chef » de J.-P. Sartre (*Le Mur*) et considèrent que le texte promeut les valeurs qu'il stigmatise. (G.P.)

▷ **antiphrase, implicite, locuteur/énonciateur, persiflage, pragmatique littéraire.**

isocolie. *Voir* prose poétique.

isométrie (n. f., du grec *isos*, « égal en nombre », et *metron*, « mètre »). Utilisation, dans un même poème ou dans une même strophe, d'un seul type de vers ou de mètre. (M.A.)

▷ **hétérométrie, strophe.**

Isopet (n. m., dérivé du nom d'Ésope). Nom médiéval des recueils de fables en langue vulgaire, inspirés d'Ésope et surtout de Phèdre par l'intermédiaire d'Avianus et de compilations dites *Romulus*. Les *Isopets*, d'abord versifiés (*Isopet* de Marie de France, XIIe siècle, *Isopets* de Paris et de Chartres, XIIIe-XIVe siècle), sont rédigés en prose à la fin du Moyen Âge (*Isopet* du Lyonnais Julien Macho, XVe siècle). (D.B.)

▷ **fable.**

isotopie (n. f., du grec *isos*, « égal en nombre », et *topos*, « lieu, situation »). Terme introduit par A. J. Greimas qui désigne un réseau de signifiés beaucoup plus large qu'un champ sémantique : il réunit tous les vocables ou syntagmes qui, dans un texte, renvoient par dénotation, connotation ou analogie à une certaine « totalité de signification » (Greimas, *Sémantique structurale*). (M.A.)

▷ **champ sémantique, connotation, dénotation, image, polysémie, sème, signe linguistique.**

ithos. *Voir ethos.*

J

jansénisme. Cette doctrine, issue de saint Augustin (354-430) et de son commentateur Jansénius (1585-1638), a eu une influence considérable sur la littérature et la pensée du XVIIᵉ siècle. À la différence des jésuites, pour qui la liberté de l'homme décide de l'efficacité de la grâce divine, les jansénistes sont fidèles à la doctrine de la prédestination de saint Augustin. Et c'est cette tradition augustinienne que Pascal défend dans les dix-huit lettres des *Provinciales* (1656-1657), brillante polémique contre les jésuites qui, en même temps qu'elle met à la portée d'un public profane la question de la grâce, ouvre un débat esthétique sur le classicisme – dont les « Petites Lettres » peuvent être considérées comme la première manifestation éclatante – et le baroque, auquel demeure encore attachée la Compagnie de Jésus. La dénonciation par Port-Royal de la corruption de la nature humaine est solidaire d'une expression littéraire qui tend à effacer les traces d'un moi « haïssable » (Pascal, *Pensées*, 1670) et à mettre au jour, en consonance avec les moralistes français de la seconde moitié du XVIIᵉ siècle (La Rochefoucauld, *Maximes*, 1665), les ruses de l'amour de soi dans les conduites apparemment les plus altruistes. Le jansénisme a également marqué le théâtre de Racine et, paradoxalement, n'est pas sans attache avec le courant des précieuses, qui étaient surnommées « les jansénistes de l'amour ».   (M.J.)

▷ **baroque, classicisme, préciosité.**

jardin. *Voir* cour.

Jemenfoutistes. *Voir* Zutistes.

jeu. Au Moyen Âge, le terme désigne tout type de forme dramatique, aussi bien profane que religieux : *Jeu d'Adam* (XIIᵉ siècle), qui relate au théâtre l'histoire théologique des origines de l'humanité ; *Jeu de saint Nicolas* de Jean Bodel, qui transpose sur la scène le miracle de saint Nicolas (restitution de trésors) en combinant l'inspiration religieuse avec des scènes de taverne (vers 1200) ; *Jeu de la Feuillée* d'Adam de la Halle qui est le premier chef-d'œuvre du théâtre profane (1276). Le terme n'implique pas de critères formels particuliers, hormis la représentation théâtrale. Au XVIᵉ siècle, le mot désigne encore des pièces du théâtre comique, comme le célèbre *Jeu du prince des sots* de Gringore (1511). Il désigne aussi des œuvres poétiques qui se présentent comme des récréations : ainsi des *Jeux rustiques* de Du Bellay (1558) ; dans ce cas, il s'agit d'un genre apparemment mineur, transposition du *lusus* des néo-latins.   (D.B. et D.M.)

▷ **carnavalesque, comédie, confrérie, dialogue dramatique, drame liturgique, fantaisie, monologue dramatique, mystère, Passion.**

jeu-parti. Genre médiéval fondé sur un dialogue strophe après strophe entre deux poètes sur un sujet fixé, chacun défendant l'un le pour, l'autre le contre, et terminant sa partie sur un envoi adressé aux arbitres.   (M.A.)

▷ envoi, *partimen.*

Jeune-France. Terme désignant autour de 1830 la fraction la plus exaltée de la jeune génération romantique. À côté des « bousingots », Jeunes-France républicains de tendance anarchiste, et après les déceptions qu'entraîna l'établissement de la monarchie de Juillet, une Jeune-France esthète se plut à marquer de la manière la plus tapageuse possible l'opposition entre les artistes et les bourgeois. Nourris de Byron, de Hugo, de Hoffmann, de Balzac, les Jeunes-France, par leur accoutrement, leur coiffure, leur barbe, leurs mœurs, tentèrent de vivre à la manière des héros du romantisme alors à la mode. Théophile Gautier, qui fut l'un d'eux en compagnie des membres du Petit Cénacle, leur a consacré un volume à la fois ironique et complice : *Les Jeunes-France, Romans goguenards* (1833).   (Y. V.)

▷ **bohème, cénacle, dandysme, romantisme.**

Jeux floraux. Académie provinciale, fondée à Toulouse, au XIVe siècle, par des troubadours. On s'y réunissait pour réciter des poèmes et discuter de poésie. Chaque année, elle organisait un concours, dont le vainqueur recevait, à l'origine, une violette d'or. Les Jeux floraux étaient toujours bien vivants au XVIe siècle. Ils attribuèrent à Ronsard, en 1554, leur « églantine d'or ».   (D.M.)

▷ **académie, troubadour.**

jongleur. Au Moyen Âge, le terme désigne tout professionnel du divertissement (étymologie : *joculator*). Les jongleurs sont les héritiers des mimes de l'Antiquité latine. Certains étaient spécialisés dans les spectacles de foire (montreurs d'ours, bateleurs, acrobates, danseurs...), d'autres dans la récitation, voire dans la composition d'œuvres littéraires de diffusion orale (chansons de geste, fabliaux, dits...) ; beaucoup devaient combiner ces deux activités. Le jongleur était un itinérant, qui se faisait rétribuer en argent ou, souvent, en nature, par son public : badauds des places publiques, des foires, et des lieux de pèlerinage, ou seigneurs des châteaux visités. Leur activité était condamnée par l'Église, mais celle-ci tolérait les jongleurs qui récitaient chansons de geste et vies de saints. On le distingue du ménestrel et surtout du clerc, spécialiste de l'écriture. Aux XIIe et XIIIe siècles, le jongleur est le principal diffuseur de la culture dans l'ensemble de la population, puisqu'il est le spécialiste de la « performance » orale.   (D.B.)

▷ **chanson de geste, clerc, copiste, fabliau, goliards, ménestrel, oralité, performance.**

journal intime. Cahier personnel où un scripteur tient
– idéalement chaque jour – le registre de ses actions ou
de ses pensées. La pratique du journal intime s'est développée en Europe dès le XVIIe siècle et a connu son plus
grand essor au XIXe siècle, où elle est souvent conçue
comme typiquement féminine. En France, la pratique du
journal intime ressortit à la littérature par au moins
deux aspects : le développement depuis la fin du
XIXe siècle du « journal d'auteur », destiné à la publication, où l'écrivain consigne en plus de la matière quotidienne sa réflexion sur son travail de création (les
exemples les plus célèbres sont les journaux d'Amiel,
des Goncourt, de Gide ou de Jules Renard) ; l'utilisation
du journal intime comme support d'une narration
romanesque (*Le Horla*, G. de Maupassant, 1887 ; *Journal
d'un curé de campagne*, G. Bernanos, 1936 ; *La Nausée*,
J.-P. Sartre, 1938, etc.)   (G.P.)
▷ **autobiographie, autofiction.**

judiciaire. C'est le premier genre de la rhétorique classique (avec le délibératif et le démonstratif) : il s'inscrit
dans le cadre d'un procès, car son rôle est de juger ce qui
a été fait ; il porte donc sur le passé et les valeurs qui lui
servent de critère sont le juste et l'injuste. L'argument
type dont il se sert est l'enthymème (on fait appel aux
principes généraux pour les appliquer au cas particulier
qui est jugé présentement), et son argumentation doit
recourir au *logos* (raisonnement discursif), avant de faire
appel aux passions du public (*pathos* : indignation ou
colère). Le genre judiciaire est centré sur la narration, car
il s'agit d'exposer les faits sous le jour le plus favorable à
la cause défendue ; le récit doit respecter trois qualités :
la brièveté (refus des digressions et des faits inutiles), la
clarté (maîtrise de la chronologie et de l'ordre des faits)
et la vraisemblance (connaître l'*ethos* probable des acteurs
de l'action et tenir compte des circonstances avec habileté). On imagine facilement les conséquences littéraires
de cet aspect ; comme l'a montré récemment l'écrivain
P. Quignard à propos du rhéteur romain Albucius, les

exercices rhétoriques liés au genre judiciaire sont une des sources possibles de la fiction narrative, et les canevas légués par la tradition sont souvent des esquisses d'intrigues romanesques. (E.B.)

▷ argumentation, enthymème, *ethos, pathos*, rhétorique, *topos*.

K

kakemphaton (n. m., du grec *kakemphatos*, « malson-nant », d'où « inconvenant »). Suite de sons malencon-treuse qui aboutit à une équivoque involontaire. Exemple du vers 42 de *Polyeucte* de Corneille :

> *Et le désir s'accroît quand <u>l'effet se recule</u>.*   (M.A.)

L

lachmannisme, lachmannien. Technique d'édition des textes médiévaux, mise au point vers 1830 par Karl Lachmann, qui invite l'éditeur à reconstituer le *stemma codicum* selon la méthode de la recherche des fautes communes à plusieurs manuscrits, pour reconstituer ensuite le texte critique à éditer en corrigeant constamment le manuscrit de base d'après l'ensemble des manuscrits, selon la valeur accordée à chacun d'eux. Cette méthode a été critiquée par Joseph Bédier, partisan de l'édition d'un unique manuscrit choisi en raison de ses qualités propres, et que l'éditeur corrige le moins possible. Les deux méthodes sont restées aujourd'hui concurrentes et ont chacune leurs partisans. (D.B.)

▷ **archétype, copiste, oralité,** *stemma codicum,* **variance.**

lai. Terme emprunté au celtique et ayant la même origine que l'irlandais *laid,* « chant, poème », qui désigne des types variés de formes poétiques chantées (accompagnées par des instruments à cordes) ou narratives (les *Lais* de Marie de France, par exemple), sans accompagnement musical. (M.A.)

▷ **dit, fabliau, hétérométrie, lai lyrique, lai narratif.**

lai lyrique. Cette expression sert à désigner trois types de poèmes du Moyen Âge. 1. Au XIIᵉ siècle, des poèmes celtiques dont le sujet a fourni la matière des

lais narratifs.   2. Dans des romans arthuriens en prose
tardifs (*Tristan en prose, Perceforest*), des pièces lyriques
insérées dans la narration, souvent disposées en quatrains d'octosyllabes, qu'un personnage adresse à un
autre et où il exprime des sentiments généralement
douloureux (amour non partagé, rigueur de la séparation, désir de mourir...) ; on les appelle quelquefois lais
arthuriens.   3. Dès le XIIIᵉ siècle, mais surtout au XIVᵉ
et au XVᵉ siècle, une forme mal fixée, dans laquelle le
schéma métrique, la disposition des rimes et la mélodie
varient à chaque strophe. Ce lai, également appelé
grand lai, comprend habituellement douze strophes de
longueur variable, dont la dernière reprend circulaire-
ment la structure de la première (lais de Guillaume
de Machaut, d'Eustache Deschamps, de Christine de
Pisan).   (D.B.)

▷ lai, lai narratif, *lai-descort*, trouvère.

lai narratif. Genre de poème narratif en vers (XIIᵉ-
XIIIᵉ siècle), plutôt bref (quelques centaines de vers, parfois moins), qui relate dans un langage choisi et d'une
manière volontiers elliptique une aventure qui met le
héros en présence d'une épreuve exceptionnelle, merveil-
leuse ou non. Il est d'essence aristocratique et utilise fréquemment le cadre arthurien (*Lais* de Marie de France
au XIIᵉ siècle, lais anonymes aux XIIᵉ et XIIIᵉ siècles comme
ceux de *Guingamor* ou de *Tyolet*). Il faut noter que Marie
de France emploie pour les désigner le terme de *conte* et
paraît réserver celui de *lai* à ses sources.   (D.B.)

▷ conte, courtoisie, dit, matière de Bretagne.

lai-descort. Forme poétique de langue d'oïl, héritée sans
doute du *descort* de langue d'oc, et caractérisée par un
nombre variable de strophes (de 5 à 13 en général, quelquefois davantage), ayant elles-mêmes un nombre
variable de vers hétérométriques. Les strophes sont chacune accompagnées par une mélodie différente, proche
d'un récitatif. La thématique est celle de la courtoisie. Au

XIVe siècle, le *lai-descort* tend à se figer dans la forme fixe qui est celle du grand lai.   (D.B.)

▷ **courtoisie**, *descort*, **lai lyrique**.

laisse. Au Moyen Âge, on appelle laisse une strophe souple, de longueur variable, construite sur une même rime ou une même assonance. On la rencontre dans les chansons de geste, dont elle est un trait formel obligé, dans le *Roman d'Alexandre* et, de façon isolée, dans quelques textes atypiques comme la partie dite « chronique ascendante » du *Roman de Rou* de Wace (vers 1160-1170). La laisse épique recevait un accompagnement musical assez proche d'une psalmodie, qui était différent pour le premier et le dernier vers. Ceux-ci, dénommés respectivement par la critique vers d'intonation et vers de conclusion, revêtent fréquemment des caractères formels particuliers : un vers d'intonation peut soit commencer par le nom du personnage qui va agir ou parler (*Carles li reis, nostre emperere magnes*), soit comporter une inversion dite épique (du type : *Halt sunt li pui et li val tenebros, Chanson de Roland*) ; un vers de conclusion clôt fermement la laisse (affirmation synthétique d'un personnage ou du jongleur, résumé de situation). Les laisses peuvent être liées entre elles par des enchaînements (ou reprises) ou se succéder en présentant des phénomènes marqués de répétition : laisses similaires et laisses parallèles. On parle de laisses similaires lorsque les éléments narratifs sont absolument identiques et que les variations se situent au seul niveau de l'expression : l'action n'avance plus, le temps paraît se répéter, parce que la répétition est de l'ordre du chant, du lyrisme, et non de l'ordre de la diégèse. Les laisses sont dites parallèles lorsque, derrière une similarité de l'expression, l'action progresse néanmoins : le locuteur change tout en tenant le même discours que le précédent, ou bien l'acteur change tout en effectuant la même action (plusieurs attaques à la lance, effectuées par des guerriers différents, peuvent par exemple être relatées avec des variations minimales dans des laisses successives). L'art de la chanson de geste repose en grande partie sur les combinaisons de laisses de longueurs et de structures variables.   (D.B.)

▷ **chanson de geste, enchaînement.**

langue/parole. Depuis F. de Saussure (1857-1913), cette opposition fonde la linguistique contemporaine. La langue est une réalité sociale, un « trésor » collectif constitué par des unités lexicales (le vocabulaire) et des règles (morpho-)syntaxiques permettant de les combiner (la grammaire). Ces unités et ces règles forment un système. La parole (on dit parfois le discours) est la mise en œuvre de ce système par un locuteur.   (G.P.)

▷ **locuteur, structuralisme.**

lapidaire (n. m.). Genre littéraire didactique qui expose, dans des articles successifs, les caractères distinctifs des pierres pour en dégager une signification allégorique de type spirituel. Le principe est le même que celui des bestiaires.   (D.B.)

▷ **allégorie, bestiaire,** *commentum, integumentum,* **plantaire, volucraire.**

lazzi. *Voir commedia dell'arte.*

leçon. En édition de textes anciens et médiévaux, on appelle leçon (du latin *lectio*) la lecture d'un passage que propose un manuscrit, lecture qui peut différer plus ou moins sensiblement d'un manuscrit à l'autre. Une leçon rejetée est un mot, ou un groupe de mots, qui figure dans le manuscrit mais qui, contredit par les meilleurs témoins de la tradition manuscrite, est remplacé dans l'édition critique par une leçon meilleure donnée par d'autres manuscrits. La *varia lectio* est la leçon donnée par les autres manuscrits lorsque la leçon du manuscrit de base est la meilleure. On appelle *lectio difficilior* une leçon isolée et inattendue, propre à un seul manuscrit, mais qui paraît être la bonne, face à toutes les autres.

(D.B.)

▷ archétype, contamination, copiste, lachmannisme, manuscrit médiéval, transcription diplomatique, variance.

lecteur. Allocutaire final d'un texte écrit qui lui est destiné (soit spécifiquement ; soit génériquement : un roman est *a priori* destiné à tous les lecteurs de romans) ; ou simple récepteur d'un texte écrit destiné à un autre (je peux être lecteur d'une lettre de Gide dont Valéry est l'allocutaire). Ce mot familier recouvre en effet des réalités hétérogènes. On doit, selon les circonstances, distinguer au moins les figures suivantes : le lecteur invoqué, c'est-à-dire interpellé dans le texte, comme figure générique (« Hypocrite lecteur, mon semblable, mon frère », Baudelaire, *Les Fleurs du Mal*, 1857) ou comme figure idéale (« Nathanaël, à présent, jette mon livre », A. Gide, *Les Nourritures terrestres*, 1897) ; le lecteur modèle (ou lecteur institué, ou archilecteur), qui est le lecteur que prévoit le texte, en vue duquel il est écrit, à partir de ce que l'auteur a supposé être ses pratiques de lecture et sa compétence lexicale ou culturelle : c'est de ce lecteur modèle que le texte calcule les inférences, l'aptitude à comprendre les renvois intertextuels, etc. On peut s'amuser par exemple à remarquer que Mérimée écrit pour un lecteur qui sait le latin, mais pas l'anglais. Le lecteur effectif ne se confond évidemment pas avec ce lecteur modèle : les développements de *L'Esprit des lois* ou du *Contrat social* sont faits pour obtenir l'adhésion d'un lectorat qui n'a pas l'expérience des régimes politiques républicains ou démocratiques, non pour le lectorat occidental du début du XXIe siècle.   (G.P.)

▷ allocutaire, compétence, esthétique de la réception, inférence, narrataire, poétique de la lecture.

lecture. *Voir* poétique de la lecture.

léonin(e). *Voir* rime léonine *et* vers léonin.

lettre. *Voir* épître, genre épistolaire, héroïde, roman épistolaire.

lettrine. Lettre ornée dans un manuscrit médiéval. L'ornementation peut consister en un simple coloriage (généralement en rouge ou en bleu), ou présenter une décoration plus élaborée (follicules, petits personnages ou petits animaux entrelacés avec la structure de la lettre, etc.). Le terme recouvre donc plusieurs types : la lettre ornée (entrelacs, rinceaux, volutes...), la lettre historiée (comportant une représentation humaine ou animale), la lettre champie (dorée sur un fond de couleur, et décorée de fils blancs ou orange), entre autres variétés.   (D.B.)
▷ **codex, enluminure, vignette.**

lettrisme. Le mot « lettrisme » est inventé en 1942 par Isidore Isou. Son but est de mettre en avant exclusivement ce qu'il considère comme la base matérielle et première de toute poésie : la lettre. Les poèmes sont librement ordonnés sans souci de signification et cet art nouveau, à proférer comme une partition, porte le nom de « lettrie ». Les productions lettristes sont aussi bien de nature sonore et ludique (cris, onomatopées, création de néologismes) que de nature graphique et typographique (idéogrammes, dessins, signes). La recherche ne se limite pas à l'art poétique ; elle s'étend à d'autres domaines, artistiques ou non : essai, cinéma, collage, affiche, peinture, théâtre, économie, politique, érotisme, etc.   (M.A.)
▷ **collage, idéogrammes lyriques.**

lever de rideau. Courte pièce en un acte jouée avant la pièce principale à partir du XIXᵉ siècle mais, le plus souvent, après la grande pièce depuis Molière (aux XVIIᵉ et XVIIIᵉ siècles, on disait « la petite pièce »). On jouait parfois à la suite, et après un prologue, trois petites pièces au XVIIIᵉ siècle, formant un « ambigu-comique » (usage, semble-t-il, inventé par Lesage). Ce « petit » genre a néanmoins connu des chefs-d'œuvre comme *L'Île des esclaves* de Marivaux, *Il faut qu'une porte soit ouverte ou fermée* de Musset, *L'Affaire de la rue de Lourcine* de Labiche ou *Feu la mère de Madame* de Feydeau.   (P.F.)
▷ **comédie.**

lexème (n. m.). On utilise parfois le terme de lexème de préférence à « mot », jugé trop ambigu. Un lexème est donc une unité lexicale formant un tout : « roman » est un lexème simple ; « mise en scène » est un lexème composé, c'est-à-dire formé de plusieurs lexèmes ayant, par ailleurs, une existence autonome (mise, en, scène).

(G.P.)

▷ lexicalisation, morphème.

lexicalisation. Processus de figement d'une composition lexicale ; les conséquences syntaxiques de ce figement sont nombreuses (inséčabilité, non-variation en degré...) : on peut dire : « Je tombe des nues », mais pas « Des nues, j'en tombe souvent quand... », « Je tombe des plus hautes nues »... L'expression « tomber des nues » est donc lexicalisée. Le sens du syntagme lexicalisé ne se confond pas avec la somme des signifiés des composants (« sage-femme » ne désigne plus une femme qui aurait pour caractéristique d'être sage) ; cependant, les textes littéraires ont souvent cherché à remotiver la composition première : *elle accoucha de moi sans sage-femme, si l'on ne veut appeler sages celles de la compagnie qui étaient alentour d'elle* (Ch. Sorel, *Histoire comique de Francion*, 1623).

(G.P.)

▷ lexème.

lexie. Synonyme de lexème (voir ce mot).

lexique. Ensemble des mots, simples et composés, des tournures que possède une langue ou dont dispose un locuteur. Lexique est le plus souvent considéré comme un synonyme de vocabulaire. La lexicologie, science du lexique, étudie la morphologie (formation) et la sémantique (sens) des unités lexicales ; la lexicographie recense ces unités et en dresse des dictionnaires. On considère traditionnellement qu'une langue (et donc un texte) est la mise en jeu d'unités signifiantes (le lexique), organisées selon des règles combinatoires (la grammaire).   (G.P.)

▷ antonyme, morphème, morphologie, sémantique, sème, synonyme.

libéré. *Voir* vers libéré.

libertin. Adjectif devenu substantif, ce terme désigne tout d'abord des libres-penseurs (du latin *libertinus*, « affranchi »), qui s'inscrivaient dans la lignée de la philosophie matérialiste défendue par certains courants humanistes ; il en est venu peu à peu à désigner toute personne vivant avec des mœurs très libres, comme on en voit dans la littérature du XVIIIe siècle, de Crébillon fils au marquis de Sade. Le mot a donc une histoire complexe. En réalité, l'image du libertin est très difficile à bien cerner, car nombre des audaces qui lui sont attribuées viennent de ses adversaires (comme le P. Garasse). Mais cela a contribué à dessiner un type d'intellectuel libre de parole et peu soucieux des convenances sociales qui triomphera avec l'esprit des Lumières, même s'il semble alors devenu plus soucieux de débauche que de critique philosophique, rejoignant ainsi l'image immorale qu'avaient esquissée les polémistes de la première moitié du XVIIe siècle. Ce courant a influencé la littérature : roman, avec Sorel (*Francion*, 1623) et Cyrano (*L'Autre Monde*, 1657) ; poésie, avec Théophile de Viau (1590-1626) ou Mme Deshoulières (1637-1694).   (E.B.)

libre. *Voir* vers libre.

licence poétique. Liberté que donne l'expression poétique de transgresser certaines normes de la langue. C'est particulièrement vérifiable dans la poésie classique, soumise à des règles assez strictes (licences orthographiques, comme d'écrire « avec » *avecque* ou encore *avecques* selon les exigences du décompte syllabique, inversions grammaticales, ellipses, etc.). Dans la poésie moderne, le lan-

gage est en liberté, et parler de licence poétique peut
paraître obsolète.   (M.A.)

▷ *e* caduc, ellipse, hiatus, inversion, rime.

lieu commun. *Voir topos.*

lieux. *Voir topos.*

lipogramme (n. m., du grec *leipein*, « laisser », et
gramma, « lettre »). Œuvre littéraire fondée sur une
contrainte : l'abandon, dans son écriture, d'une ou de
plusieurs lettres. Voici les premières phrases du « Lipogramme en A, en E et en Z » de Raymond Queneau :

> *Ondoyons un poupon, dit Orgon, fil d'Ubu. Bouffons*
> *choux, bijoux, poux, puis du mou, du confit, buvons non*
> *point un grog : un punch. Il but du vin itou, du rhum, du*
> *whisky, du coco, puis il dormit sur un roc.*   (M.A.)

▷ OuLiPo.

lisible/scriptible. Selon R. Barthes (*S/Z*, 1970), tout
texte littéraire obéit à l'une de ces deux esthétiques : celle
du « lisible » (le lecteur n'a pas d'effort particulier à faire
pour accéder à un sens qui lui est directement présenté par
le texte ; c'est le cas de la plupart des œuvres littéraires dites
classiques) ; celle du « scriptible » (le texte exige un fort
investissement du lecteur pour qu'il comprenne tout à la
fois sa signification la plus immédiate et son sens le plus
profond ; c'est le cas de la plupart des œuvres dites
modernes). Dans *Le Plaisir du texte* (1973), Barthes dou-
blera l'opposition texte lisible/texte scriptible d'une opposition texte de plaisir/texte de jouissance, selon une
gradation fondée sur une analogie sexuelle. La distinction
lisible/scriptible recoupe en partie l'opposition proposée
par Umberto Eco (*L'Œuvre ouverte*, 1962) entre « œuvres
fermées » (laissant peu de jeu au lecteur dans la production
du sens) et « œuvres ouvertes » (qui ne proposent pas au
lecteur une signification constituée).   (G.P.)

▷ **expansion/filtrage**, *fabula* préfabriquée, **poétique de la
lecture**.

litanie (n. f., du grec *litaneia*, « prière »). Au singulier, le mot désigne une énumération longue et ennuyeuse, et au pluriel, une prière formée de courtes invocations, telles les « Litanies de Satan » de Baudelaire, dont voici le début :

> *Ô toi, le plus savant et le plus beau des Anges,*
> *Dieu trahi par le sort et privé de louanges,*
> *Ô Satan, prends pitié de ma longue misère !*
>
> *Ô Prince de l'exil, à qui l'on a fait tort,*
> *Et qui, vaincu, toujours te redresses plus fort,*
> *Ô Satan, prends pitié de ma longue misère !*   (M.A.)

litote (n. f.). Cette figure de rhétorique consiste à utiliser une tournure qui atténue l'expression pour faire entendre un signifié beaucoup plus fort. L'exemple topique qui est cité est celui de Chimène qui dit à Rodrigue : *Va, je ne te hais point*, pour lui faire comprendre qu'elle l'aime toujours passionnément.   (E. B.)

▷ antiphrase, énergie, ironie.

littéralisme. Courant poétique des toutes dernières décennies du XXᵉ siècle, héritier pour une part de Ponge, qui s'attache à réduire la place de la métaphore et à ramener le langage à une certaine littéralité. Un représentant du littéralisme, Jean-Marie Gleize, oppose ainsi au vers célèbre d'Eluard : *La terre est bleue comme une orange*, celui de Marcelin Pleynet : *Le mur du fond est un mur de chaux*. L'ambition du littéralisme, à l'opposé de tout lyrisme, peut alors signifier le désir de dire la réalité au plus près, indépendamment du *je*, ou se radicaliser en des énoncés fragmentés, dépouillés, marqués par des blancs. « Quand je dis que ce que j'écris est littéral, note Emmanuel Hocquard, je veux dire que mes énoncés sont à prendre au pied de la lettre, tels qu'ils sont reproduits noir sur blanc » (*Cette histoire est la mienne*, 1997).   (M.J.)

▷ lyrisme.

littérarité. Caractère de ce qui est littéraire, de ce qui appartient à la littérature. Le mot traduit le terme russe *literaturnost* forgé par Roman Jakobson. De nombreux théoriciens ont cherché à donner une définition satisfaisante de la littérarité, mais aucune ne s'est imposée à ce jour. Notons néanmoins que deux types d'approches dominent : on considère soit que la littérarité est à chercher au niveau de la nature et du fonctionnement langagier des textes mêmes (mise en valeur du rythme, densité des images et des figures, caractéristiques lexicales et grammaticales...), soit qu'elle n'est rien d'autre qu'un statut qu'on attribue par convention à certains textes et qui commande la lecture de plaisir qu'on en fait.   (G.P.)

▷ **connotation autonymique, style, stylistique.**

livre. En ancien français, ce terme apparaît quelquefois dans le titre d'un ouvrage. Il peut alors désigner soit une mise en recueil (*Livre des cent ballades*, par exemple, fin XIVᵉ siècle), soit un ouvrage qui prétend avoir un contenu à valeur spirituelle (*Haut Livre du Graal*, autre titre du *Perlesvaus*, début XIIIᵉ siècle), soit une composition historique qui se présente comme le recueil des hauts faits d'un chevalier exceptionnel (« *Livre des faits* » *de Jacques de Lalaing* ; ou *de Jean le Meingre dit Boucicaut*, ou encore *de Gilles de Chin*, au XVᵉ siècle). Quelques traités techniques (*Livre de Jean Roisin*, recueil de législation flamande, XIVᵉ siècle) ou encyclopédiques (*Livre du trésor* de Brunet Latin, XIIIᵉ siècle) utilisent également ce terme, issu de l'usage des traités en latin (qui s'intitulent fréquemment *Liber de*...). On retrouve toujours derrière ce terme les connotations de dignité qui s'attachent au Moyen Âge à l'écrit.   (D.B.)

▷ **biographie chevaleresque, conte, encyclopédies médiévales,** *estoire*, **roman.**

locus amoenus. Au sens propre, cela signifie « lieu agréable » : c'est un des « lieux » (au second sens de *topos*, celui que lui donne E.-R. Curtius : une image conventionnelle) les plus célèbres de la tradition littéraire occidentale. Cette expression désigne en effet le cadre idéal de la vie rustique, où les bergers, les bergères et les nymphes vivent leurs amours au son des flûtes et au rythme de la vie pastorale. Ses éléments sont avant tout l'ombre d'un arbre et les eaux d'un ruisseau – héritage de l'univers antique de la bucolique grecque et latine, où l'ombre et la fraîcheur sont des biens précieux au regard de la chaleur méditerranéenne –, agrémentées de fleurs (car la saison attachée à ce lieu est la « reverdie », le printemps). Cela s'oppose au *locus terribilis*, escarpé et menaçant, où la sensibilité romantique ira chercher le sentiment du sublime. On le trouve donc dans les principaux genres liés à la pastorale, théâtre, roman et poésie, et il inspire les décors concrets de la scène aussi bien que la peinture de paysage, au moins jusqu'à l'impressionnisme. (E.B.)

▷ **pastorale, reverdie,** *topos.*

locuteur/énonciateur. Depuis O. Ducrot, on distingue le locuteur qui produit les paroles et l'énonciateur qui les assume. Le plus souvent, locuteur et énonciateur ne font qu'un. Parfois, leur division est franche : le traducteur, par exemple, produit des énoncés sur le contenu desquels il ne s'engage pas ; parfois aussi, la distinction est plus subtile, par exemple dans le cas du discours indirect libre ou de l'ironie. Dans les lignes de Marivaux qui suivent, Sylvia est ainsi le locuteur de l'ensemble du passage, mais elle n'est pas l'énonciateur des mots soulignés, où elle reprend – pour s'en irriter – les propos de sa servante : *Voyez-vous le mauvais esprit ! <u>moi, je vous querelle pour lui ! j'ai bonne opinion de lui</u> ! Vous me manquez de respect jusque-là !* (*Le Jeu de l'amour et du hasard*). Le mot « valideur » est souvent préféré à « énonciateur », parce qu'il est moins ambigu. (G.P.)

▷ **discours indirect libre, discours second, ironie, point de vue.**

logocentrisme. Caractéristique du rapport occidental au langage conçu comme vecteur idéal du vrai : on considère qu'il est possible de former des énoncés qui rendront exactement compte du réel, et que produire de tels énoncés est le but principal de la réflexion humaine. Ce logocentrisme (cette obsession du mot) passe aussi par un phonocentrisme qui donne la priorité et le primat à l'oral sur l'écrit. L'écrit serait au mieux une simple transcription de l'oral, au pire une représentation biaisée et morte de la parole en contexte. La grammatologie se définit comme contestation de cette hiérarchie et de la métaphysique sur laquelle elle repose.   (G.P.)

▷ **déconstruction, grammatologie.**

logogramme (n. m., fabriqué en 1958 à partir du grec *logos*, « parole », et *gramma*, « lettre »). Poème calligraphié dans une écriture dessinée de telle manière qu'elle est pratiquement illisible, comme en témoignent les *Logogrammes* (1964 et 1966) de Christian Dotremont.

(M.A.)

▷ **calligramme.**

lucidaires (n. m. plur.). Ensemble de textes médiévaux qui s'offrent comme une traduction en langue vulgaire, en vers ou en prose, de l'*Elucidarium* d'Honorius Augustodunensis (XIIe siècle). Ce sont des exposés de doctrine chrétienne destinés à « éclairer » le lecteur sur les vérités transcendantes. Le *Livre de Sidrac* se rattache à cet ensemble mais se présente, par surcroît, comme une encyclopédie.   (D.B.)

▷ **allégorie,** *commentum,* *integumentum,* **moralisation,** *semblance, senefiance.*

Lumières. Image utilisée pour désigner un vaste mouvement qui marque la littérature, l'art, la philosophie, la culture, les pratiques politiques au XVIIIe siècle. Il ne concerne pas seulement la France mais l'ensemble de l'Europe et atteint les colonies américaines (la formation des États-Unis est marquée par les Lumières). L'image de la lumière a été associée à ce mouvement presque partout :

Aufklärung, Enlightenment, Illuminismo. Ces termes ne recouvrent pourtant pas partout exactement la même réalité. La lumière qui était associée depuis longtemps à l'intelligence divine, devient désormais lumière « naturelle », celle de la raison et de l'intelligence humaine, du progrès et de la science. Elle a valeur universalisante. Le pluriel « lumières » suggère à la fois la pluralité des intelligences, la relativité des croyances et des formes de pensée, la variété dans leur mode d'action et l'étendue des domaines qui tombent sous leur juridiction. Donc unité et diversité des Lumières. Il n'est pas simple de les définir, car il ne s'agit pas d'une école littéraire ou d'une philosophie précise mais d'un mouvement de pensée qui s'incarne dans plusieurs philosophies différentes et dans des attitudes diverses. La définition la plus célèbre est celle de Kant dans un texte répondant à la question *Qu'est-ce que les Lumières ?* : « Les Lumières, c'est la sortie de l'homme hors de l'état de tutelle dont il est lui-même responsable [...]. *Sapere aude !* [Ose avoir du jugement !] Aie le courage de te servir de ton propre entendement sans la conduite d'un autre. » Courage donc de la pensée libre, indépendante et adulte, qui s'affranchit de la tutelle religieuse et politique.

Les Lumières se sont aussi incarnées dans une devise, proposée par Dumarsais dans un essai souvent repris et qui définit le philosophe, devise empruntée à Térence : « Je suis homme et rien de ce qui est humain ne m'est étranger. » Cela revient à souligner le lien des Lumières avec l'humanisme de la Renaissance. Cette attitude philosophique prend sens dans différents domaines. Du point de vue métaphysique et religieux, les positions sont assez variées : Voltaire est déiste, Diderot et d'Holbach athées, d'Alembert sceptique, mais tous s'accordent pour donner à la métaphysique une importance secondaire par rapport à la morale. C'est l'intervention active du philosophe dans le monde qui est importante et non pas la spéculation abstraite. Cette intervention doit être dirigée contre toutes les formes de préjugés, qu'ils soient religieux ou sociaux. Les Lumières luttent ainsi pour la tolérance religieuse. On sait les combats menés par Voltaire dans ce domaine au moment de l'affaire Calas, du nom d'un protestant injustement condamné à mort et dont le philosophe obtint la réhabilitation (*Traité sur la tolérance*). L'Église est le grand adversaire de ce mouvement et pourtant elle-même n'y est pas insensible et connaît des évolutions dans ce sens. La laïcisation de la pensée juridique et politique enfin conduit à des attitudes politiques diverses qui vont d'un éloge de la monarchie tempérée au choix d'une république à l'antique, en passant par le despotisme éclairé dont on voit des modèles en Frédéric II de Prusse, Catherine II de Russie ou Joseph II en Autriche.   (P.F.)

lyrique. *Voir* césure lyrique *et* coupe lyrique.

lyrisme. La poésie lyrique est dans un premier temps une poésie chantée, accompagnée d'abord à la lyre puis par tout autre instrument, comme l'a d'ailleurs été la poésie jusqu'au XVe siècle. Les genres hérités de l'Antiquité (ode, élégie, ïambe) appartiennent à la poésie lyrique, mais aussi des formes fixes comme le sonnet. Au début du XIXe siècle, la notion de lyrisme en poésie met l'accent sur un aspect qui se faisait déjà jour depuis l'Antiquité – l'expression de sentiments personnels, favorisée par la montée du romantisme. C'est ainsi que, abandonnant la référence concrète à la musique pour n'en plus garder que l'idée d'harmonie et de mélodie, le lyrisme désigne plutôt en poésie une subjectivité vibrante et une émotion personnelle (amour, élan religieux, admiration devant la nature, etc.). Avec l'effacement de la narration à la fin du XIXe siècle, la poésie devient entièrement lyrique, alors que le *je* se trouve largement remis en cause et que Baudelaire convoite une « impersonnalité volontaire ». Le lyrisme moderne devient ainsi problématique, et à la fin du XXe siècle, le retour d'un chant plus personnel chez les néolyriques se trouve fréquemment opposé au littéralisme.   (M.A.)

▷ littéralisme.

M

mabinogi (n. m. sing., plur. *mabinogion*). Terme gallois qui désigne des contes du pays de Galles inspirés par la mythologie celtique, et dont la composition et les réécritures s'étagent entre le IXᵉ et le XIIIᵉ siècle. Les relations entre les *mabinogion* et la littérature arthurienne ont été très discutées : trois de ces contes sont très proches des romans de Chrétien de Troyes (*Gereint et Énid, Owein et Lunet, Peredur*), mais l'influence a pu jouer dans les deux sens.   (D.B.)

▷ conte, roman arthurien.

macaronisme (n. m., du vénitien *macaroni*, « pâtes en forme de tubes »). Genre de composition littéraire burlesque où les mots français sont accommodés avec des formes latines de fantaisie, comme à la fin du *Malade imaginaire* de Molière :

> *Puissent toti anni*
> *Lui essere boni*
> *Et favorabiles,*
> *Et n'habere jamais*
> *Quam pestas, verolas,*
> *Fievras, pluresias,*
> *Fluxus de sang et dyssenterias.*   (M.A.)

machine. Les Grecs déjà utilisaient des machines au théâtre pour faire surgir des êtres surnaturels. Le théâtre médiéval ne les a pas ignorées. Les XVIIᵉ et XVIIIᵉ siècles en usent de préférence à l'opéra mais le théâtre les emploie quelquefois : *Andromède* de Corneille, *Psyché* et *Amphitryon* de Molière sont des « pièces à machines ». Il s'agit d'éblouir les spectateurs par des illusions calculées selon des formes dramatiques topiques : nacelles mues par des cordages et dissimulées par des nuages peints, chars volants, effets de mer et de tonnerre, effets pyrotechniques, apparitions, envols et chutes. Relèvent aussi de la machine les apparitions de spectres dans le théâtre du XVIIIᵉ siècle (*Sémiramis* de Voltaire).

« MACHINE (*Littérature*.) en poème dramatique se dit de l'artifice par lequel le poète introduit sur la scène quelque divinité, génie, ou autre être surnaturel, pour faire réussir quelque dessein important, ou surmonter quelque difficulté supérieure au pouvoir des hommes. Ces machines, parmi les anciens, étaient les dieux, les génies bons ou malfaisants, les ombres, etc. Shakespeare, et nos modernes français avant Corneille, employaient encore la dernière de ces ressources » (*Encyclopédie*). Presque toutes ces machines, dont l'*Encyclopédie* nous a conservé les plans et des images, ont disparu. Les doctes, à la suite d'Aristote, ont toujours traité ces formes théâtrales avec un certain dédain. Le XXᵉ siècle les a redécouvertes avec une certaine fascination.   (P.F.)

▷ *deus ex machina.*

madrigal (n. m., emprunté à l'italien *madrigale* au XVIᵉ siècle). Petit poème au tour galant, fondé sur un trait d'esprit, comparable à l'épigramme amoureuse et souvent pratiqué de la Renaissance au XVIIIᵉ siècle.   (M.A.)

▷ **épigramme, valentin.**

majeure. *Voir* cadence majeure.

malmariée. *Voir* chanson de malmariée.

maniérisme. Terme emprunté à l'histoire de l'art où il désigne, à partir du XXᵉ siècle, le style dominant de la peinture italienne dans les années 1540-1560. Le mot a été formé sur l'italien *maniera*, utilisé souvent par Vasari, peintre et critique d'art, auteur des *Vies des peintres toscans* (1550), pour parler du style, de la manière particulière de certains artistes de son temps. « Considéré de façon péjorative, il était regardé comme un phénomène de décadence et d'épuisement » (G. Weise). Depuis quelques décennies, on a mis l'accent sur la rupture féconde représentée par cette nouvelle manière de peindre qui prenait congé de l'« idéal naturaliste et objectif » (Cl.-G. Dubois) et mettait en valeur un style personnel. Le transfert de ce terme des arts plastiques à la critique littéraire pose des problèmes analogues à celui du baroque. En poésie et en prose, il existe peut-être un style maniériste, que l'on reconnaîtra à son mouvement, sa composition décentrée, son goût exubérant des images. Ronsard a été parfois maniériste (certains sonnets à Marie, des poèmes à Marie Stuart), mais le maniérisme s'épanouit en France à l'époque d'Henri III, et avec des poètes de cour comme Desportes. On ne recherche plus des sujets nouveaux, on essaie de briller en reprenant des thèmes connus, parfois même usés. Le style des *Essais* de Montaigne a été parfois qualifié de maniériste.   (D.M.)

▷ **baroque, imitation, style.**

manuscrit médiéval. Le manuscrit était, avant le milieu du XVe siècle, l'unique support de la transmission écrite. La reproduction des œuvres passait donc par le travail d'un ou de plusieurs copistes, avec tous les risques de transformations qui en découlaient. Si certains chefs-d'œuvre comme le *Roman de la Rose* nous ont été transmis par environ 250 manuscrits, d'autres, comme la *Chanson de Guillaume*, n'ont survécu que dans un manuscrit unique (*unicum*). Mais le fait majeur de la transmission manuscrite est le remaniement constant des textes, la copie donnant fréquemment lieu à une réécriture, au moins au plan de l'expression, et quelquefois au plan narratif (remaniement).   (D.B.)

▷ **archétype, chansonnier, codex, colophon, copiste, enluminure, incunable, lachmannisme, leçon, lettrine,** *marginalia*, miniature, réclame, remaniement, scholies, *scriptorium*, signature, transcription diplomatique, variance, vignette.

marginalia (n. m. plur., emprunté au latin, « qui occupe les marges »). Dans les manuscrits médiévaux, éléments décoratifs disposés dans les marges, autour du texte, et sans rapport avec le contenu de la page. La fantaisie du décorateur s'y donne libre cours : feuillages, petits animaux (lapins, oiseaux, etc.), grotesques de toute nature, monstres... Mais le mot désigne aussi des annotations de lecteur. Au sens moderne, les *marginalia* sont les remarques ou commentaires qu'un écrivain porte en marge d'un texte. L'édition peut les reproduire, comme c'est le cas pour l'*Introduction à la Méthode de Léonard de Vinci* de Paul Valéry dans la réédition de 1931.   (D.B.)
▷ enluminure, manuscrit médiéval, scholies.

marinisme. Ce terme désigne un style très figuré et virtuose, avec une connotation péjorative dans certains cas. Il est dérivé du nom de Giambattista Marino (1569-1625, appelé le « cavalier Marin »), qui fut l'un des plus grands poètes italiens de sa génération ; son influence fut décisive dans la France de Louis XIII : il a en effet publié à Paris son grand poème héroïque, l'*Adone*, en 1623, avec une préface du futur académicien Jean Chapelain. Les débats autour de cette œuvre eurent un rôle immense dans l'élaboration d'une poétique moderne, et Saint-Amant, comme La Fontaine (*Adonis*) devaient s'en souvenir. Avec l'avènement du classicisme, cette tendance devint synonyme de style affecté, de mauvais goût : on en trouve la critique chez Boileau (*Art poétique*, 1674), et chez le père Bouhours (*Entretiens d'Ariste et d'Eugène*, 1671), qui dénonce les outrances et l'obscurité de ce style, trop figuré et trop fleuri. Pourtant, l'influence réelle de l'esthétique italienne demeurera une constante, même au cœur du classicisme, comme en témoigne le succès des opéras de Lully en plein règne de Louis XIV. (E.B.)

▷ asianisme, classicisme, *concetto*, gongorisme, pointe, style fleuri.

marotique. *Voir* sonnet.

masculine. *Voir* rime masculine.

masque. 1. La tradition du masque au théâtre est aussi ancienne que le théâtre et manifeste son origine anthropologique et religieuse. On la rencontre en Orient, en Afrique, aussi bien qu'en Grèce, à Rome ou dans la *commedia dell'arte*. Elle a disparu au XIXᵉ siècle avec le développement du théâtre psychologique, dans lequel l'expression du visage est primordiale, et a reparu au XXᵉ siècle avec la critique de ce théâtre et le renouvellement des formes d'expression du corps. Dans l'Antiquité, le masque tragique se distinguait du masque comique et avait, entre autres, une fonction de porte-voix. Les masques, qu'ils soient neutres ou marqués, ont eu un rôle essentiel dans la genèse et dans l'histoire du personnage de théâtre. 2. Le masque est aussi un genre dramatique anglais proche du ballet et de l'opéra. (P.F.)

▷ caractère, *commedia dell'arte*, personnage.

matière de Bretagne. Au Moyen Âge, on désigne sous ce terme à la fois les sources celtiques des romans et des lais arthuriens, et la littérature française elle-même qui s'en inspire. Le terme de Bretagne désigne principalement l'actuelle Grande-Bretagne, et particulièrement le pays de Galles. (D.B.)

▷ lai, lai lyrique, lai narratif, *mabinogi*, roman arthurien.

maxime (n. f.). Genre bref qui connut un grand succès au XVIIᵉ siècle en France. Son nom vient du latin *maxima sententia*, « pensée très importante », et elle fait partie des preuves techniques de l'invention rhétorique, au titre des arguments d'autorité. Apparentée à la sentence, la maxime s'en distingue dans la mesure où elle exprime une pensée de façon particulièrement brillante, grâce à une syntaxe très charpentée (antithèse, parallèle) et par la recherche d'un *concetto* (pointe surprenante). Cette technique se rattache à une tradition latine issue de Sénèque et de Tacite. Elle est donc particulièrement en situation dans les genres moraux (*Maximes* de La Rochefoucauld, 1665), où elle sert à illustrer une vérité générale (contrairement à l'exemple, qui est illustration d'un cas singulier). Du point de vue rhétorique, elle constitue le segment minimal d'une argumentation (enthymème).   (E.B.)

▷ **antithèse, argumentation,** *concetto,* **enthymème, invention, sentence,** *topos.*

maximes conversationnelles. On appelle ainsi, depuis les travaux de P. Grice, les règles que doit respecter tout locuteur pour que son énoncé soit interprétable ; ces « lois du discours » sont au nombre de six. Trois concernent la formation des énoncés : exhaustivité (l'énoncé doit contenir toutes les informations nécessaires à sa compréhension) ; modalité (les mots utilisés doivent être compréhensibles pour l'allocutaire) ; informativité (l'énoncé doit avoir un contenu et donc ne pas être tautologique ou redondant). Les trois autres maximes régissent le statut de l'énoncé dans la communication elle-même : coopération (les interlocuteurs doivent être d'accord sur la nature de l'échange en jeu) ; sincérité (chacun garantit implicitement que son propos n'est pas trompeur) ; pertinence (tout énoncé doit avoir un rapport avec l'échange en cours). Le non-respect d'une de ces règles entraîne inévitablement un « échec communicationnel ». Bien des dialogues relevant du « théâtre de l'absurde » montrent ainsi le néant de la communication humaine en multipliant les atteintes aux maximes de Grice : informativité (*Le plafond est en haut, le plancher est en bas*), modalité (*Mouche pas la touche,* E. Ionesco, *La Cantatrice chauve,* 1950), exhaustivité (*– Attendons de voir ce qu'il va nous dire. – Qui ?,* S. Beckett, *En attendant Godot,* 1952), etc.   G.P.

▷ **théâtre de l'absurde.**

mêlés. *Voir* vers mêlés.

mélodrame. Le mélodrame est un genre littéraire qui apparaît sur les petites scènes parisiennes pendant la décennie de la Révolution française. Le mot avait fugitivement désigné un drame mêlé de musique, le *Pygmalion* de J.-J. Rousseau, mais ne s'est pas imposé dans ce sens. C'est le développement simultané du théâtre commercial, du public populaire et du drame noir qui est à l'origine de l'apparition du mélodrame, genre nouveau, avec ses auteurs (Pixerécourt, Caigniez, Ducange), ses décorateurs (Gué, Cicéri), ses théâtres (Gaîté, Ambigu-comique, Porte Saint-Martin, les théâtres du « Boulevard du Crime ») et ses acteurs spécialisés (le célèbre Frédéric Lemaître). L'âge d'or du mélodrame commence avec *Cœlina ou l'Enfant du mystère* de Pixerécourt en 1800 et s'achève avec *L'Auberge des Adrets* d'Antier, Saint-Amand et Paulyanthe en 1823. Le mélodrame ne disparaît pas pour autant, comme le prouve le succès des *Deux Orphelines* d'Adolphe-Philippe d'Ennery en 1875. Au-delà du genre *stricto sensu*, le mélodrame se rencontre au XXᵉ siècle dans le théâtre de boulevard, au cinéma, en France comme aux États-Unis, dans les productions de télévision. Conçu pour le peuple (plutôt que genre populaire), le mélodrame a toujours su toucher toutes les classes sociales. Manichéen et moral, il est toujours fondé sur des structures simples, mises en œuvre dans une intrigue complexe : un drame de famille, des victimes innocentes, un traître châtié à la fin. On y reconnaît des éléments structurels empruntés à la tragédie (le secret de famille) et à la comédie (la fin heureuse) et des ressorts qui sont ceux du drame (le pathétique). Son succès reposait aussi sur des mises en scène très soignées, avec leur indispensable clou, et des décors réalistes magnifiques.   (P.F.)
▷ **clou, drame, drame bourgeois, tableau, tragédie.**

mémoires. *Voir* autobiographie.

ménestrel. Au Moyen Âge, ce terme désigne d'abord (XIIᵉ-XIIIᵉ siècle) un professionnel de la musique et de la récitation attaché à un personnage important, entretenu par lui (à la différence du jongleur, indépendant et itinérant) : c'est l'élite de la profession. À partir du XIVᵉ siècle, le champ sémantique du terme s'étend vers le bas et il sert souvent à désigner un simple jongleur.   (D.B.)

▷ **jongleur, oralité, performance.**

merveille. Au Moyen Âge, la merveille est d'abord ce qui suscite l'étonnement (latin *mirabilia*, de *mirari*, « s'étonner »). La merveille joue un rôle important dans la poétique des premières formes romanesques. Il faut distinguer merveille et merveilleux : il existe une catégorie de merveilles sans merveilleux (des créations de l'art humain), c'est-à-dire sans surnaturel, particulièrement cultivée par les romans d'Antiquité du XIIᵉ siècle (automates, architectures extraordinaires...). Lorsqu'elle est marquée par le surnaturel, la merveille se présente, dans les romans médiévaux, comme une *semblance* dont la *senefiance* doit être décryptée par le chevalier errant. La quête de la merveille devient, chez Chrétien de Troyes, l'un des buts de l'errance chevaleresque, en concurrence avec l'aventure.   (D.B.)

▷ **lai narratif, merveilleux, roman antique, roman arthurien,** *semblance, senefiance.*

merveilleux. À la différence du fantastique, qui suppose que le personnage et le lecteur, face à un événement étrange, hésitent entre une explication naturelle et une explication surnaturelle, le merveilleux repose sur l'acceptation immédiatement donnée d'un surnaturel qui ne suscite aucune surprise. Historiquement, le merveilleux traverse la littérature selon des modalités diverses. Le Moyen Âge distingue trois types de merveilleux : le *miraculosus* (merveilleux chrétien : interventions divines, apparitions d'anges, etc.), qui est toujours bénéfique ; le *magicus*, d'origine diabolique, que peuvent maîtriser les enchanteurs ; le *mirabilis* (qui suscite l'étonnement), qui désigne à la fois le merveilleux et la merveille (qui ne suppose pas nécessairement le surnaturel). À côté du merveilleux chrétien qui se rencontre dans tous les types de textes narratifs, le merveilleux celtique envahit dès le XIIᵉ siècle la production romanesque et les lais narratifs. La Renaissance n'ignore pas le merveilleux, mais on le trouve surtout au XVIIᵉ siècle, où se fait jour un conflit entre ceux qui acceptent qu'on cherche le merveilleux dans la mythologie païenne (Boileau) et ceux qui, à l'inverse, l'écartent au bénéfice du merveilleux chrétien. Mais c'est naturellement le conte de fées, très présent à la fin du siècle, qui représente le plus pur merveilleux. Bien des degrés restent de toute manière possibles dans l'ordre du surnaturel, et la littérature ultérieure, par exemple, fera droit (songeons à Jules Verne) à une sorte de merveilleux scientifique qui tient moins à l'irrationnel qu'à des lois non encore découvertes, et c'est ce qu'on nomme aujourd'hui science-fiction. Quant au véritable merveilleux, s'il disparaît très largement d'une littérature qui n'est pas destinée aux enfants, le surréalisme lui a redonné ses lettres de noblesse, mais c'est alors surtout sa valeur d'expérience qui importe, comme le montre *Nadja* (1928) chez Breton. (M.J.)

▷ **conte, conte bleu, fantastique, merveille, querelle des Anciens et des Modernes.**

mesnagier. Au Moyen Âge, manuel qui s'intéresse aux soins du ménage, et en particulier aux obligations et aux activités des épouses : obligations de l'épouse chrétienne et de la maîtresse de maison, arts de la table, alimentation, jardinage, chasse, etc. Le *Mesnagier de Paris*, composé vers 1393, est célèbre pour les recettes de cuisine et les types de menus qu'il nous a transmis. (D.B.)

mesurés. *Voir* vers mesurés.

métabole (n. f.). Au sens étymologique, ce terme signifie « changement » ; il s'agit en fait d'un mode d'accumulation, où l'on répète quelque chose sous différentes formes pour le faire sentir avec plus de force ou plus de nuance, en jouant à la fois sur la synonymie et le changement : *La Méditerranée, sans une ride, sans un frisson, lisse, sem- blait une plaque de métal polie et démesurée* (Maupassant). Comme on le voit, cette figure diffère de la synonymie à proprement parler dans la mesure où elle porte sur des syntagmes plutôt que sur des mots. C'est une figure de la variation et de l'amplification, aux effets très sensibles, notamment dans la description.   (E.B.)

▷ **amplification, hyperbate, inversion, répétition, syno-nymie.**

métadiscours. *Voir* métalangage.

méta-énonciation. Depuis les travaux de J. Authier-Revuz, on nomme méta-énonciation toutes les « bou-cles » que fait le discours sur lui-même, quand il se prend pour son propre objet. Cette autoreprésentation de l'énonciation dans l'énoncé peut prendre diverses formes, depuis l'italique ou les guillemets qui permettent au locu-teur de marquer une distance par rapport aux mots qu'il emploie, jusqu'au complément très développé. Dans tous les cas, les commentaires méta-énonciatifs signalent un problème dans la coïncidence entre l'intention du locu-teur et les mots qui l'expriment : caractère impropre d'une expression (« On dit parfois "idéologie domi-nante". *Cette expression est incongrue* »), gêne face à la polysémie (« cette seconde lecture, appliquée (*au sens pro-pre*) »), emprunt à un discours autre (« la stylistique, la rhétorique, *disait Nietzsche* », R. Barthes, *Le Plaisir du texte*, 1973).   (G.P.)

▷ **autonymie, connotation autonymique, métalangage.**

métalangage/métadiscours. On appelle métalangage tout vocabulaire technique permettant de rendre compte d'une production langagière : les mots narrataire, diégèse... appartiennent par exemple au métalangage narratolo-gique. On appelle métadiscours tout énoncé qui porte sur le langage en général ou sur la forme particulière d'un autre énoncé, que ce soit de façon technique ou non : *Le mot « amour », comme le mot « Dieu », évoque l'absolu, l'infini...* (N. Sarraute, *L'Usage de la parole*, 1980). Cette propriété qu'a le langage articulé de se prendre lui-même pour objet fonde l'une des six fonctions du langage recensées par R. Jakobson et oppose le langage verbal à tous les autres systèmes de signes (signaux animaux, systèmes sémiotiques humains). (G.P.)

▷ autonymie, connotation autonymique, fonctions du langage, méta-énonciation.

métalepse. À la suite de G. Genette, on nomme parfois métalepse le fait qu'un récit s'interrompt pour mettre en scène le narrateur et ou le lecteur. La métalepse peut prendre des formes diverses et avoir les enjeux les plus variés : *Nous le laisserons reposer dans sa chambre et verrons dans le suivant chapitre ce qui se passait en celle des comédiens* (P. Scarron, *Le Roman comique*). *Aujourd'hui, 22 avril 1963, je corrige ce manuscrit au dixième étage d'une maison neuve* (J.-P. Sartre, *Les Mots*, 1964). (G.P.)

métalinguistique. *Voir* fonctions du langage.

métaphore (n. f., du grec *metaphorein*, « transporter »). Figure d'analogie ou de similarité qui, selon Fontanier, consiste « à présenter une idée sous le signe d'une autre idée plus frappante ou plus connue, qui, d'ailleurs, ne tient à la première par aucun autre lien que celui d'une certaine conformité ou analogie ». La métaphore peut avoir un support substantival, adjectival, adverbial ou verbal (« la chaleur d'une voix », « une voix chaude », « parler chaleureusement », « réchauffer par des mots »), et occasionnellement prépositionnel.

Quand le comparé et le comparant sont tous deux présents dans la phrase, on parle de métaphore *in praesentia*. Seules les métaphores substantivales peuvent faire l'objet d'une utilisation *in praesentia*. Le lien entre les deux peut se présenter syntaxiquement de différentes manières :
– avec un *est* d'équivalence (Verlaine) :

> *Votre âme est un paysage choisi*

– par une apposition, avec ou sans démonstratif (Baudelaire) :

> *Mille pensers dormaient, chrysalides funèbres*

– un rapport substantif/verbe (Laforgue) :

> *Un tic-tac froid rit en nos poches*

– un rapport de détermination (Laforgue) :

> *le lait caillé des bons nuages*

Quand ne figure que le comparant, on parle de métaphore *in absentia*. C'est ce que l'on trouve au début du « Cimetière marin » de Valéry, le comparé n'étant éclairé que par la suite du poème :

> *Ce toit tranquille où marchent les colombes,*
> *Entre les pins palpite, entre les tombes.*

La métaphore exige d'être reconnue (dans « le vieux chêne est mort », parle-t-on de mon grand-père ou d'un arbre du jardin ?), pour être ensuite construite (on isole un sème qui prend, du coup, une valeur hyperbolique : « Paul est un oiseau » n'a pas le même sens si Paul est à table ou sur une piste de danse).

Quand la logique de la métaphore se poursuit sur plusieurs syntagmes, on parle de métaphore filée, comme dans ces quelques vers de Corneille (*Le Cid*, II, 8) :

> *Je vous l'ai déjà dit, je l'ai trouvé sans vie ;*
> *Son flanc était ouvert ; et, pour mieux m'émouvoir,*
> *Son sang sur la poussière écrivait mon devoir ;*
> *Ou plutôt sa valeur en cet état réduite.*
> *Me parlait par sa plaie, et hâtait ma poursuite ;*
> *Et pour se faire entendre au plus juste des rois,*
> *Par cette triste bouche elle empruntait ma voix.*

L'usage très fréquent de la métaphore fait qu'elle peut facilement se figer (métaphore usée) ou se lexicaliser (catachrèse). Il peut aussi y avoir défigement d'une métaphore usée : par exemple si on dit : « À un moment d'intense fatigue, le fauteuil m'a tendu les bras. »   (M.A. et G.P.)

▷ allégorie, catachrèse, cliché, comparaison, figure, image, métonymie, personnification, polysémie, sème, syllepse, symbole, synecdoque, trope.

métathèse (n. f., du grec *metathesis*, « transposition »). Permutation de phonèmes ou de syllabes à l'intérieur d'un mot, très fréquente dans la langue populaire car elle est liée à de fausses étymologies : *infractus, aréoplane, hynoptisme, carapaçon*.   (M.A.)

▷ anagramme.

métonymie (n. f., du grec *metonumia*, « changement de nom »). Figure de contiguïté qui désigne un objet par le nom d'un autre objet, indépendant du premier mais qui a avec lui un lien nécessaire, d'existence ou de voisinage. La nature de ce lien définit différents types de métonymies parmi lesquels :
— le contenu pour le contenant, ou l'inverse : « boire une bonne bouteille » ;
— l'effet pour la cause, ou l'inverse : « contempler un Matisse » (un tableau de Matisse) ;
— le lieu d'origine pour l'objet ou la personne : « du champagne » (du vin de Champagne) ;
— l'abstrait pour le concret, ou l'inverse :

> *Ce pin où tes honneurs se liront tous les jours*
> (Ronsard)

(*tes honneurs* = les mots écrits en ton honneur) ;
— la matière pour l'objet :

> *Le fer qui les tua leur donna cette grâce*
> (Malherbe)

(*le fer* = l'épée, le poignard).   (M.A.)

▷ antonomase, catachrèse, ellipse, figure, image, métaphore, personnification, symbole, synecdoque, trope.

mètre (n. m., du grec *metron*, « mesure »). Mesure indiquée par le nombre de syllabes prononcées et prosodiquement comptées dans le vers. Le mètre est donc le type de vers, structuré ou non, selon sa longueur, par la césure.

(M.A.)

▷ accent, césure, coupe, métrique, nombre, rythme, syllabe, trimètre, vers, vers libre, verset.

métrique (n. f.). La métrique étudie les systèmes récurrents inhérents aux techniques de la poésie versifiée : structuration interne du vers, rythme, strophes et formes fixes. Comme adjectif, métrique s'applique à tout ce qui concerne le mètre.   (M.A.)

▷ **mètre, prosodie, strophe, vers.**

mimesis (n. f., emprunté au grec, « imitation »). Dans sa *Poétique* (vers 344 av. J.-C.), Aristote considère que la *mimesis* est le fondement de la littérature non lyrique mais une telle représentation du réel (et d'abord des actions des hommes) n'est pas une plate copie. Cette théorie de l'imitation a été un des principes de la poétique de l'âge classique, et de manière générale, selon le critique E. Auerbach (*Mimesis*, 1946), la représentation du réel serait un des buts fondamentaux de la littérature occidentale.   (G.P.)

▷ **imitation, poétique, réalisme.**

mimologie. On nomme ainsi la tentative de rendre compte à l'écrit des spécificités de prononciation et d'intonation de l'oral (accent, débit, défaut de prononciation, par exemple). Balzac peut ainsi transcrire l'accent alsacien du baron de Nucingen : *Égoudez ein gonzèle t'ami* [Écoutez un conseil d'ami] (*La Cousine Bette*).   (G.P.)

▷ **contamination, idiolecte, sociolecte.**

mineure. *Voir* cadence mineure.

miniature. Dans les manuscrits médiévaux, petit tableau de dimensions variables, ayant généralement la largeur de la colonne de texte, destiné à illustrer un épisode, un chapitre, un paragraphe. Lorsque la miniature prend des dimensions imposantes (la moitié de la page, voire une page entière), on emploie le terme de peinture.   (D.B.)

▷ **enluminure, lettrine, manuscrit médiéval.**

minnesang (n. m., emprunté au haut allemand, « chant d'amour »). Nom donné à la poésie courtoise allemande du Moyen Âge, particulièrement florissante en Allemagne du Sud de la fin du XIIe siècle au début du XIVe siècle, héritière de la lyrique française d'oc et d'oïl (Walther von der Vogelweide, Hartmann von Aue, adaptateur d'*Érec et Énide*, Wolfram von Eschenbach, auteur du *Parzifal*, Johann Hadlaub vers 1300). (D.B.)

▷ courtoisie, *fin' amor*, ménestrel, troubadour, trouvère.

miracle. Au Moyen Âge, il existe deux formes littéraires qui portent ce nom en raison de leur contenu (un miracle accompli par un saint) : le miracle narratif (*Miracles* de Gautier de Coinci, XIIIe siècle) et le miracle par personnages, qui est destiné à la représentation théâtrale (*Miracle de Théophile* de Rutebeuf, vers 1260, ou les quarante *Miracles de Nostre Dame par personnages* du manuscrit de Cangé, au XIVe siècle). Très souvent, le second n'est que la transposition pour la scène d'un miracle narratif préexistant. Le miracle du saint ou de la Vierge est transposé dans le cadre de la société contemporaine.

(D.B.)

▷ dit, mystère, Passion.

miroir (en latin, *speculum*). Genre didactique médiéval, dépourvu de toute unité, dont le contenu peut être soit encyclopédique (*Speculum triplex* de Vincent de Beauvais), soit moral (les « Miroirs des princes » sont des traités de théorie politique, le *Miroir des Dames* de Durand de Champagne, fin XIIIe siècle, est un traité d'instruction morale à l'usage des femmes), soit historique (*Mirouer historial abrégé de France*, au XIVe siècle). (D.B.)

▷ dit, *ensenhamen*.

mise en abyme. Expression empruntée à l'héraldique (il y a mise en abyme lorsque la totalité d'un blason est représentée dans une de ses parties). Il y a mise en abyme (ou abîme) textuelle lorsqu'un texte se prend lui-même pour objet, ou se présente lui-même comme élément du récit (roman dans le roman), de la pièce (théâtre dans le théâtre)... On parle parfois aussi d'« effet de miroir », par analogie avec deux miroirs mis face à face et se réflétant. C'est André Gide qui a fait le succès de l'expression : dans *Les Faux-monnayeurs* (1925), il met ainsi en scène un romancier qui écrit *Les Faux-monnayeurs*.   (G.P.)

mise en scène. L'expression a deux significations : elle signifie tantôt l'acte de mettre en scène une pièce de théâtre (« la Comédie-Française confie la mise en scène de *Bérénice* au metteur en scène allemand Gruber »), tantôt son résultat, c'est-à-dire l'ensemble des moyens réunis sur la scène, décor, costumes, jeu des comédiens, et l'interprétation qu'ils mettent en œuvre (« la mise en scène de *Bérénice* était passionnante »). L'expression apparaît, d'après Veinstein, en 1820. Elle est symptomatique de la lente montée, à travers le XVIIIᵉ siècle, d'une exigence d'unité de la représentation et du besoin d'un univers fictif séparé de celui du spectateur (scène boîte). Mais alors elle n'est pas encore justiciable d'une spécialisation artistique : un acteur de la troupe ou l'auteur lui-même veille à la mise en place des acteurs et tente d'unifier leur jeu et leurs costumes. Pixérécourt (que les comédiens appelaient « férocios poignardini » à cause de son exigence et de son tempérament) explique fort bien le rôle de ce qu'il appelle « l'entente de la scène » dans le succès de ses mélodrames. Ce n'est qu'à la fin du XIXᵉ siècle, avec Antoine ou Lugné Poë, puis Stanislavski et Appia que la chose vient vraiment répondre au mot. La mise en scène résulte de deux nécessités qui ne sont contradictoires qu'en apparence, celle du réalisme minutieux et celle de la poésie idéalisante du théâtre symboliste : dans les deux cas, il s'agissait en effet de proposer au spectateur un univers clos, cohérent, fictif et séparé de lui. Et si un choix de ce type implique une mise en scène, c'est aussi vrai du choix inverse, celui d'une représentation épique (comme l'implique le prologue du *Soulier de satin* de Claudel).

Une autre raison explique l'importance qu'a prise progressivement la mise en scène : l'existence exponentielle d'un répertoire dont l'origine s'éloigne de plus en plus dans le temps, qui rend impossible une approche totalement naïve de ses chefs-d'œuvre et exige une interprétation, une « lecture » renouvelée. Il ne s'agit plus seulement de « fédérer » les différents éléments hétéroclites qui composent la représentation, mais d'établir un texte ancien dans l'absolu présent de la représentation théâtrale. La mise en scène implique donc nécessairement le choix des relations que le spectacle va entretenir avec le public : distance, distanciation, illusion, adhésion, etc. Acte interprétatif global et acte créatif simultanément, la mise en scène s'est imposée, au cours du XXe siècle, dans une rivalité croissante avec l'art individuel de l'acteur (parfois réduit, dans la ligne d'une interprétation littérale des textes de Gordon Craig, au statut de marionnette) et avec l'écriture dramatique qu'elle a parfois totalement remplacée (c'est le cas chez Bob Wilson, Romeo Castellucci ou Carles Santos). (P.F.)

▷ **acteur, auteur, dramaturge, théâtre épique.**

modalisation. On parle de fait de modalisation lorsque le locuteur nuance son adhésion au contenu de son énoncé. Ce marquage évaluatif peut prendre des formes diverses : il peut s'agir, par exemple, d'adverbes tels que « peut-être », « probablement », « vraiment »..., de compléments énonciatifs comme « d'après moi », « sauf erreur »... ou de termes impliquant une position subjective. Dans un récit en focalisation interne, les modalisateurs sont attribués au personnage focalisant : *il la trouva franchement laide. Elle lui déplut, enfin* (L. Aragon, *Aurélien*). (G.P.)

▷ **discours second, focalisation, point de vue, subjectivème.**

Modernes. *Voir* querelle des Anciens et des Modernes.

modernisme. *Voir* modernité.

modernité. Terme apparu au XIXe siècle avec plusieurs acceptions différentes :   1. Synonyme de la période que les historiens nomment les Temps modernes et qui s'étend de la fin du Moyen Âge à l'époque contemporaine (sens attesté dès 1823 chez Balzac. Il serait commode d'écrire en ce cas le mot avec une majuscule). 2. Caractère de ce qui est moderne, par opposition à ce qui est ancien, traditionnel ou permanent (« La vulgarité, la modernité de la douane [...] contrastaient avec l'orage, la porte gothique, le son du cor et le bruit du torrent », Chateaubriand, *Mémoires d'outre-tombe*, 4e partie, épisode en date du 19 mai 1833).   3. Au XXe siècle, l'approfondissement de la réflexion sur l'époque moderne conduit à combiner ces deux sens : modernité peut désigner tout ce qui fait la spécificité de l'époque moderne, dans le domaine technique mais aussi culturel, philosophique, voire anthropologique. Au sens le plus général, la modernité peut alors être définie comme la condition historique de l'homme moderne, condition que l'anthropologue Georges Ballandier caractérise par « le mouvement, plus l'incertitude ».   4. Cependant, l'importance de la notion de modernité en littérature et en esthétique provient du sens particulier que Baudelaire a donné à ce mot, encore senti comme un néologisme à son époque.

Dans son opuscule sur *Le Peintre de la vie moderne* (1863, écrit en 1860), Baudelaire définit la modernité comme ce qui passe avec la mode, mais dont l'artiste ne peut se dispenser de tenir compte ; c'est « le transitoire, le fugitif, le contingent, la moitié de l'art, dont l'autre moitié est l'éternel et l'immuable ». Il serait donc vain de vouloir cerner cette modernité par des traits permanents, repérables une fois pour toutes. La modernité est au contraire ce qui change, « l'estampille que le *temps* imprime à nos sensations » (Baudelaire), « une fonction du temps » (Aragon, 1929), « la faculté de présent » (Meschonnic, 1988). En faisant de la modernité « la moitié de l'art », Baudelaire, le premier, donne au mot un contenu esthétique positif. L'émergence de la notion en 1860 est certes en rapport avec le contexte historique général : développement de l'urbanisation, des chemins de fer, etc. Mais fondamentalement, Baudelaire délie cette notion d'une époque particulière : « Il y a eu une modernité pour chaque peintre ancien ». Il refuse de privilégier le moderne ou l'ancien (« Emporte-moi wagon ! Enlève-moi frégate ! » : bon exemple de la mise en parallèle, sur un même plan de valeur, d'une réalité ancienne et d'une nouveauté contemporaine de l'auteur). C'est dire que la modernité baudelairienne n'est pas le *modernisme*. Ce mot connote un choix délibéré en faveur du moderne ou du plus récent et une valorisation systématique de l'innovation. C'est le fait des avant-gardes, que l'on se gardera de confondre avec la modernité. Avec le décadentisme (et dans une certaine mesure le naturalisme) de la fin du XIXᵉ siècle, on peut même parler d'une « modernité anti-moderniste », le monde contemporain étant perçu d'une manière à la fois aiguë et largement négative.   5. Au pluriel, modernités peut désigner à l'occasion des réalités, comportements ou sentiments propres à l'époque moderne (Jean Lorrain, *Modernités*, 1885). Mais dans la critique contemporaine, ce pluriel renvoie en général aux esthétiques nécessairement diverses qui résultent, dans la perspective baudelairienne, du caractère fugace de la modernité elle-même.   (Y.V.)

▷ avant-garde, décadentisme, fantaisie, fumisme, naturalisme, querelle des Anciens et des Modernes, réalisme, romantisme, surréalisme, symbolisme.

modulation. Passage d'une tonalité à une autre, changement d'intensité ou de hauteur dans la voix et dans la diction, variation dans le style, dans le timbre des phonèmes (voyelles et consonnes).   (M.A.)

▷ accent, allitération, assonance, cadence, contre-accent, euphonie, eurythmie, rythme.

moniage (n. m., littéralement, « état de moine »). Ce terme désigne, dans la production épique médiévale, un récit qui relate la retraite d'un héros célèbre dans un monastère à la fin de sa vie : retraite souvent agitée, qu'agrémentent généralement des incursions de Sarrasins ou de brigands (*Moniage Guillaume, Moniage Rainouart*).   (D.B.)

▷ chanson de geste, *chevalerie*, cycle, *enfances*, *geste*.

monodie (n. f., du grec *monos*, « un seul », et *odè*, « chant »). Chant à une seule voix sans accompagnement, et, dans la tragédie antique, monologue lyrique.   (M.A.)

monodrame. Courte pièce avec un personnage unique. Le monodrame fut à la mode en Allemagne entre 1775 et 1780. Il est assez fréquent dans le théâtre contemporain.
                                    (P.F.)

▷ drame, monologue.

monologue. Plus rarement, « soliloque ». Discours que tient un personnage en scène et qui n'est adressé à aucun autre personnage, soit qu'il se trouve seul en scène, soit qu'il s'agisse d'un aparté. Souvent critiqué pour son aspect artificiel (« Il n'y a rien cependant de si contraire à l'art et à la nature, que d'introduire sur la scène un acteur qui se fait de longs discours pour communiquer ses pensées à ceux qui l'entendent » *Encyclopédie*), le monologue ne choque nullement les spectateurs pourvu qu'il soit bien intégré du point de vue dramatique. Il répond à plusieurs fonctions et revêt plusieurs formes : récit, expression d'un débat intérieur, d'un dilemme, discours délibératif, confidence lyrique, flux de conscience, interpellation d'êtres absents ou de dieux, adresse épique au spectateur. Exemple : le monologue de Figaro au dernier acte du *Mariage de Figaro*.   (P.F.)

▷ aparté, confident, dialogue, parabase, stance, tirade.

monologue dramatique. Forme littéraire de la fin du Moyen Âge et de la Renaissance, intermédiaire entre le narratif et le dramatique, qui procède peut-être du ser-

mon joyeux. Il se présente comme un récit burlesque
mettant en scène un personnage plaisant, qui offre au
public le spectacle comique de ses vices et de ses travers.
L'acteur ne se contente pas de réciter un texte, comme
c'était le cas par exemple dans le *Dit de l'herberie* de Rutebeuf, il joue un véritable rôle sur la scène. Le monologue
dramatique s'affirme pleinement comme genre à la fin
du XVe siècle, mais la frontière avec le dit narratif reste
quelquefois floue. Il est considéré comme un genre populaire et bourgeois.   (D.B.)

▷ dialogue dramatique, dit, sottie.

monologue intérieur. Dans un texte narratif, long passage de discours intérieur, généralement au discours direct
libre. *Ulysse* (1922), du romancier irlandais J. Joyce, est
considéré comme l'exemple le plus abouti du travail sur
le monologue intérieur et a eu une importance considérable dans l'histoire du roman. Il peut arriver que la totalité d'une nouvelle ou d'un roman soit constituée d'un
long monologue intérieur. C'est le cas, par exemple, du
roman d'Édouard Dujardin *Les lauriers sont coupés*
(1887), qui est à l'origine de l'épanouissement de cette
forme littéraire : *Sur une chaise, mon pardessus et mon
chapeau. J'entre dans ma chambre ; les deux bougeoirs en
cigognes à doubles branches ; allumons ; voilà.*   (G.P.)

▷ discours direct libre, discours intérieur, psychorécit.

monorimes. *Voir* vers monorimes.

monostiche (adj. et n. m., du grec *monos*, « seul », et
stikhos, « vers »). On trouve aussi « monostique ». Vers
isolé qui constitue à lui seul un poème : *Et l'unique cor-
deau des trompettes marines* (Apollinaire). On parle aussi
d'épigramme monostique.   (M.A.)

▷ vers blanc, vers orphelin.

monosyllabe. Vers d'une syllabe. On le trouve surtout
en hétérométrie, avec une valeur d'écho souvent paro-

dique, ou encore pour servir un effet de comptage, comme au début de ce poème en vers progressifs de Xavier Forneret (1809-1884) intitulé « Un en deux » :

> *Moi,*
> *C'est toi,*
> *Nous, c'est toi-moi ;*
> *NÔUS DEUX c'est UNE fois ;*
> *Cœurs-de-nous, c'est, Dieu-Ciel en soi ;*
> *Si un jour, SEULE et SEUL... Enfer d'effroi !!!*
> *Jamais ! Elle est ma reine, et Moi je suis son roi.*

Le vers monosyllabe est à distinguer du vers monosyllabique, formé, lui, de mots monosyllabiques.   (M.A.)

▷ **rime, vers, vers-écho.**

moralisation. Au Moyen Âge, pratique littéraire qui s'applique à dégager d'une œuvre antérieure ou d'une histoire un sens moral ou allégorique. L'*Ovide moralisé* (XIVe siècle) traduit les *Métamorphoses* d'Ovide en faisant suivre chaque épisode d'un commentaire détaillé qui s'efforce de conférer une signification chrétienne aux fictions de l'Antiquité païenne.   (D.B.)

▷ **allégorie,** *commentum, integumentum,* **lucidaires.**

moralité. Genre dramatique de la fin du Moyen Âge et de la Renaissance (XIVe-XVIe siècle), de type allégorique, dans lequel les personnages sont des personnifications de notions abstraites : valeurs morales (Vertus et Vices), entités diverses (la Mort, les Maladies, l'Argent, l'Âge d'or, le Temps, la Grâce de Dieu, etc.), voire groupes sociaux (Tout le Monde, Chacun, Pécheur, Pauvre Peuple...). L'action suit les schémas traditionnels de l'allégorie narrative médiévale : pèlerinage de vie humaine, psychomachie, vicissitudes de la vie (roue de Fortune). Les personnages portent un costume et des attributs symboliques, qui permettent de les identifier d'emblée. C'est un théâtre conventionnel, qui vise exclusivement à l'édification : son but est l'enseignement de la morale chrétienne, et gravite autour de la question du choix entre le Bien et le Mal (*Moralité de Bien Advisé et Mal Advisé,*

Moralité des Quatre Âges, Moralité des Povres Deables). Le personnage du Fol apparaît fréquemment pour fustiger la folie du monde (thème de la sagesse des fous dans un monde à l'envers), ce qui place certaines moralités aux frontières de la sottie. Quelques-unes profitent de la relative neutralité des figures allégoriques pour développer à couvert une véritable satire politique ou sociale et se faire l'écho des doléances du peuple contre les puissants. Il existe également des formes parodiques, dites Moralités joyeuses, dont l'esprit se rapproche plus encore de celui de la farce et de la sottie. (D.B.)

▷ **dialogue dramatique, farce, monologue dramatique, sermon joyeux, sottie.**

morphème. En lexicologie, on appelle morphème toute composante d'une unité lexicale à laquelle est attribuée une valeur sémantique stable : dans « chantons », on distingue deux morphèmes : le premier *chant-* désignant une action, le second *-ons* précisant le sujet de l'action (nous). C'est par la commutation que l'on fait apparaître les différents morphèmes qui composent un mot : *chant-* peut par exemple commuter avec *parl-* (« parlons »), *-ons* peut aussi commuter avec *-ez* « chantez ». Le mot théâtre est composé d'un seul morphème (je ne peux attribuer un sens indépendant à *thé-* ou à *-âtre*, ni rien combiner sur cette base), alors que le sens du mot pédiatre (« médecin pour les enfants ») est issu de la combinaison du sens de ses deux morphèmes : *péd-* (« enfant »), *-iatre* (« médecin »), chacun de ses deux morphèmes pouvant d'ailleurs entrer, sans changer de sens, dans d'autres combinaisons (« pédagogue », « psychiatre »). (G.P.)

▷ **lexique, morphologie, sémantique.**

morphologie. Partie de la linguistique qui étudie la formation des unités lexicales ; l'unité de base de la morphologie est le morphème. On parle plus précisément de morphologie lexicale quand il s'agit d'observer la formation des mots (dérivation et composition), de morphologie grammaticale quand il s'agit d'étudier les marques de flexion (genre, nombre, personne...). Par extension, on parle parfois de morphologie pour la partie de la critique littéraire qui s'attache à faire apparaître les unités invariantes qui se combinent dans les œuvres et tout particulièrement dans les textes narratifs.   (G.P.)

▷ **lexique, morphème, narratologie, syntaxe.**

motet (n. m., dérivé de « mot »). Genre médiéval : chant à deux voix, d'abord en latin, puis, à partir du début du XIIIe siècle, en français. Les strophes sont hétérométriques, sur deux rimes.   (M.A.)

▷ **hétérométrie.**

motif/thème. Alors que le thème est une notion qui rend compte de manière globale et souvent abstraite de l'œuvre (par exemple « L'Horloge » de Baudelaire a pour thème le temps qui fuit), le motif est un élément plus circonscrit et plus concret, qui a une fonction précise, ainsi le spectre de la Mort dans nombre de poèmes de Baudelaire.   (M.A.)

motif rhétorique. Nom donné, dans les études sur les chansons de geste, aux stéréotypes d'expression, par opposition aux stéréotypes de diégèse dénommés motifs narratifs. Une même action est relatée d'une façon toujours semblable, avec seulement de légères variantes lexicales ou syntaxiques, au moyen de formules stéréotypées qui actualisent le cliché. Ainsi, le motif rhétorique de l'attaque à la lance comprend sept éléments dans sa forme canonique : éperonner le cheval, brandir la lance, frapper, briser l'écu de l'adversaire, rompre son haubert (sa cotte de mailles), lui passer la lance au travers du corps/le manquer, l'abattre de son cheval. Certains éléments connaissent des variantes qui sont autant d'options narratives : l'écu est ou n'est pas complètement transpercé, le haubert se rompt ou ne se rompt pas, etc. Parmi les motifs les plus répandus au XIIe siècle, on peut citer : l'attaque à la lance (*Roland*, v. 1197-1205...), le chevalier sous les armes (*Roland*, v. 682-684...), le rire (*Charroi de*

Nîmes, v. 44...), les menaces et insultes (*Couronnement de Louis*, v. 1030-1034...), la lamentation funèbre (*Roland*, v. 350-356...), les « prières du plus grand péril » prononcées par le héros au cœur du danger ou au moment de mourir (*Roland*, v. 3100-3109...). On distingue quatre formes distinctes du motif rhétorique : la forme canonique ou moyenne (où tous les clichés sont énoncés), la forme ornée (où ils sont développés en vue de l'amplification), la forme brève ou squelettique (les clichés sont remplacés par une simple énonciation générale), la forme disjointe (un élément étranger au motif vient s'intercaler). Certains motifs, comme le rire, se réduisent généralement à la forme squelettique (*s'en a un ris geté*). (D.B.)

▷ chanson de geste, jongleur, oralité, performance, style formulaire.

motivation. *Voir* arbitraire du signe *et* cratylisme.

mot-valise. Mot composé inventé par Lewis Carroll ; il désigne un terme néologique fabriqué en rattachant par leurs éléments communs deux mots différents. On trouve par exemple *s'y crucifige* (« s'y crucifie » + « s'y fige ») dans ces vers de Laforgue :

> *Yeux des portraits ! Soleil qui, saignant son quadrige,*
> *Cabré, s'y crucifige !*   (M.A.)

▷ cliché.

moyen (style). *Voir* style tempéré.

muzain (n. m.). Forme poétique rare, formée d'un quatrain suivi d'un quintil.   (M.A.)

mystère. Genre dramatique religieux de la fin du Moyen Âge (XIVᵉ-milieu XVIᵉ siècle), qui transpose sur la scène la vie entière d'un saint, un ou plusieurs livres de la Bible, ou des épisodes essentiels de la vie du Christ (les nombreux *Mystères de la Passion*, d'Eustache Marcadé, Arnoul Gréban ou Jehan Michel, les *Mystères de la Résurrection*) ou des Apôtres. Le texte sacré devient prétexte à une prolifération de tons et de

registres, du religieux au comique et au fantastique des dia-
bleries, en passant par les scènes de torture : il doit donner
des exemples de vie, instruire et pour cela inviter le public à
s'identifier aux situations présentées sur la scène, et dont
l'enjeu est le salut de l'âme. La représentation d'un mystère
était une entreprise d'une très vaste envergure, qui pouvait
s'étendre sur plusieurs jours en raison de la longueur des
textes (62 000 vers pour le *Mystère des Actes des Apôtres*) et se
présentait comme un spectacle total, avec des dizaines, voire
des centaines de personnages. Elle a été définitivement inter-
dite par le Parlement de Paris en 1548, en raison des troubles
causés à l'ordre public. Du point de vue scénographique,
tous les espaces étaient visibles simultanément (pas de changements de décor) : une ville, une montagne, la chambre de
Marie, le Paradis, la gueule de l'Enfer, pour ne citer que les
principaux lieux topiques.   (D.B.)
▷ farce, miracle, Passion.

mythe/mythème. Récit fabuleux transmis par la tradition, le mythe, contrairement à la légende qui a une portée très limitée (elle est attachée à un lieu par exemple),
a vocation à une signification universelle (cosmologique,
métaphysique ou anthropologique). Les mythes s'organisent en cycles, qui forment à leur tour de vastes
ensembles, des mythologies, qui fondent l'imaginaire des
cultures dites traditionnelles. La littérature française a
abondamment puisé dans la mythologie biblique, gréco-
latine et, dans une moindre mesure, celtique. Au-delà de
l'allusion poétique à telle figure, du retraitement dramatique de tel récit mythique, la littérature a pu aussi prétendre nourrir ou doubler la mythologie nationale
(univers rabelaisien, théâtre de Maeterlinck). L'analyse
structurale des mythes a tenté de mettre en évidence les
récurrences thématiques et formelles qui les organisent.
Cl. Lévi-Strauss a proposé d'appeler mythème (par analogie avec phonème, morphème...) tout trait ou tout
schéma qui apparaît dans un certain nombre de récits
mythiques : le mythème (amour incestueux) est présent
dans le mythe d'Œdipe, d'Électre, de Lot...   (G.P.)

N

narrataire. Destinataire (allocutaire) d'un récit. Le narrataire peut être un personnage (auditeur d'un récit par exemple, comme les voyageurs de *L'Heptaméron* de Marguerite de Navarre qui se racontent entre eux des histoires, 1559), une figure du lecteur que le texte interpelle (comme dans *Jacques le Fataliste* de Diderot), ou encore le « cher journal » auquel le diariste confie sa journée, etc. Le narrataire peut aussi être totalement implicite (on dit qu'il est « effacé ») ; on doit alors envisager la relation narrataire/lecteur, sur le modèle de la relation narrateur/auteur. Comme tout texte, le récit est composé en vue d'un lecteur modèle, qui a la compétence nécessaire pour interpréter les données ou faire les inférences que le texte cherche à provoquer. (G.P.)

▷ allocutaire, extradiégétique, hétérodiégétique, inférence, lecteur, poétique de la lecture.

narrateur. Tout locuteur d'un récit (« conteur »). Le narrateur peut apparaître explicitement dans le *je* qui prend en charge certains récits (dits « à la première personne », comme *À la recherche du temps perdu* de Proust, 1913-1927). Le personnage d'un récit peut aussi se retrouver en position de narrateur, le temps d'un récit enchâssé. On considère traditionnellement que tout récit a un narrateur, même si celui-ci n'est jamais désigné dans le texte ; on parle alors de narrateur implicite ou effacé (comme dans *L'Éducation sentimentale* de Flaubert) et on a soin de distinguer cette instance énonciative, qui gère le récit de fiction, de l'auteur du texte. Dès lors, il y a lieu d'étendre cette notion de narrateur aux cas où l'on ne peut lui attribuer directement aucun énoncé, mais où il gère le déroulement général du récit, comme dans le roman dialogué ou le roman par lettres. Dans ce dernier cas, on parle pourtant plus précisément d'archi-énonciateur.   (G.P.)

▷ **archi-énonciateur, auteur, autodiégétique, extradiégétique, hétérodiégétique.**

narration. Fait de raconter un événement, de produire un récit. La narration s'oppose donc au récit, comme l'énonciation (acte de production) à l'énoncé (texte produit). Ressortissent à l'analyse de la narration l'ensemble des choix techniques de présentation des données narratives, tels que le mode (première personne ou narration impersonnelle), le point de vue, le rythme narratif, etc. Pour le sens rhétorique, voir l'article *disposition*.   (G.P.)

▷ **diégèse, narrateur, narratologie.**

narratologie. Partie de la linguistique et de la critique littéraire qui s'attache au récit, à son fonctionnement, à ses modalités, etc. Les deux grandes questions traditionnelles de la narratologie sont celles de la structure du récit (intrigue, temporalité...) et celle de l'instance narrative. Mais le narratologue travaille aussi sur des composantes secondaires comme la question du personnage, le rôle des informations non narratives, etc. Il s'agit dans tous les cas de mettre en évidence des invariants et de proposer des classifications sur une base formelle. La narratologie contemporaine est essentiellement redevable au formalisme russe des années 1920 (Vladimir Propp, par exemple) et au structuralisme français des années 1960-1970 (Lévi-Strauss, Greimas, Barthes, Genette).   (G.P.)

▷ **formalisme, narration, récit, roman, schéma narratif, structuralisme.**

national. *Voir* drame national.

naturalisme. Mouvement littéraire qui se développe à la suite du réalisme, principalement dans le domaine romanesque, dans le dernier tiers du XIXᵉ siècle. Dès 1863, le critique d'art J.-A. Castagnary parlait d'une « école naturaliste » en peinture. É. Zola reprend le mot et fait bientôt du naturalisme un drapeau, notamment à travers deux « campagnes » qu'il mène dans la presse, en 1865-1866 (articles repris dans *Mes haines*, 1866) et en 1877-1881 (repris dans *Le Roman expérimental*, 1880 et dans *Les Romanciers naturalistes, Le Naturalisme au théâtre* et autres recueils en 1881). Pour Zola, le naturalisme, défini comme « un coin de la nature vu à travers un tempérament », est à situer dans la perspective du mouvement scientifique moderne qui, depuis les Lumières, cherche à analyser les lois du comportement humain. Plus que par une poétique ou une thématique, le naturalisme se caractériserait par une méthode partiellement empruntée à la science expérimentale, à la médecine (étude de cas, influence de l'hérédité), mais aussi à l'enquête sociologique (étude des milieux), voire journalistique (utilisation de faits divers). Il faut « tout voir et tout peindre » (Zola). Tous les niveaux de la société doivent être étudiés. Pour la première fois, la vie ouvrière entre dans la littérature.

Sans qu'on puisse parler d'« école » au sens strict, un grand nombre de romanciers, admettant tout ou partie des principes énoncés par Zola, se laissent au moins pour un temps rattacher au naturalisme, dans une atmosphère d'intenses polémiques. Les Goncourt, dont le roman *Germinie Lacerteux* (1865) fait figure de premier roman naturaliste, ne se laissent pas embrigader mais mènent un combat parallèle, tout en rappelant leur antériorité. Le jeune J.-K. Huysmans est un partisan convaincu, Alphonse Daudet un compagnon de route. Selon la périodisation d'Yves Chevrel, une « première lame de fond naturaliste » se situe en 1879-1881. En 1880, *Les Soirées de Médan*, recueil de nouvelles sur la guerre de 1870 signées Zola, Maupassant, Huysmans, Henri

Céard, Léon Hennique et Paul Alexis, imposent l'existence d'un groupe. Les années 1885-1888 sont celles du « naturalisme triomphant », non seulement en France mais en Europe (Zola, *Germinal*, Maupassant, *Bel-Ami*, 1885 ; au théâtre : Tolstoï, *La Puissance des ténèbres*, 1886, Strindberg, *Mademoiselle Julie*, 1888). Le début de la décennie 1890 voit passer la « dernière vague naturaliste ». La publication du *Docteur Pascal* en 1893 marque l'achèvement de la grande fresque des *Rougon-Macquart*, régulièrement poursuivie par Zola depuis *La Fortune des Rougon* (1871) à raison d'un volume annuel.

Le naturalisme suscita des réactions violentes, des critiques acerbes (Brunetière, *Le Roman naturaliste*, 1882), des dissensions internes et des défections. Dès 1884, *À rebours* de J.-K. Huysmans, roman à un seul personnage, écrit en partie sur le mode du soliloque et proclamant que « la nature a fait son temps », ouvrait la voie du décadentisme. Huysmans expliquera plus tard que le naturalisme zolien commençait à lui paraître une impasse (préface de 1903). Bien des thèmes sont communs cependant au naturalisme et à la littérature de la « décadence », l'optimisme final affiché par Zola ne pouvant suffire à compenser la somme de tares, de névroses, de crimes et de malheurs que le naturalisme met au jour dans la peinture d'un monde moderne à la fois révéré et condamné.   (Y.V.)

▷ **décadentisme**, **écriture artiste**, **feuilleton**, *mimesis*, **modernité**, **réalisme**, **roman de mœurs**, **scientisme**, **vérisme**.

naturel. *Voir* style naturel.

naturisme. Mouvement fondé autour de 1895 par Saint-Georges de Bouhélier et Maurice Leblond qui, contre le symbolisme, prône « une joyeuse acceptation du monde » qu'il convient de célébrer au plus près de ce qu'il est, le naturisme est une philosophie de l'existence autant qu'une doctrine littéraire. Des œuvres s'en réclamèrent jusque vers 1910, mais aucune d'entre elles n'eut vraiment d'éclat, et si André Gide, Francis Jammes ou Paul Fort témoignèrent un moment de la sympathie pour le mouvement, ils restèrent en dehors de lui.   (M.J.)

neglegentia diligens. Cette expression due à Cicéron, que l'on peut traduire littéralement par « négligence diligente », désigne une notion cruciale de la pensée rhétorique classique : elle est liée à l'idée de naturel et appartient aux qualités du style simple. Elle vise l'idéal d'élégance de la parole souple et improvisée de la conversation (*sermo*), et s'oppose donc aux aspects trop artificiels d'une rhétorique publique : cet idéal nourrit tout l'imaginaire de la conversation classique, qui est elle-même le « patron » de la littérature mondaine (romans, nouvelles, comédies, poésies), et correspond aussi au naturel rêvé d'une langue française où l'on s'efforce de définir le « bon usage » en voulant échapper au pédantisme des grammairiens. Venue de la rhétorique, cette notion est au cœur de la sociabilité mondaine qui s'instaure alors autour de l'idéal d'honnête homme : elle a été relayée par l'Italie (avec la *sprezzatura* décrite dans *Le Courtisan* de Baldassare Castiglione) et aboutit au « je-ne-sais-quoi » défini par le P. Bouhours, qui qualifie ainsi ce qui fait l'élégance d'un discours sans qu'il soit possible de le définir avec précision (*Entretiens d'Ariste et d'Eugène*, 1671).   (E.B.)

▷ **atticisme, galanterie, honnête homme, style naturel, style simple.**

néoclassique. Cet adjectif désigne généralement l'esthétique qui a dominé, en Europe, de la veille de la Révolution française jusqu'au romantisme : il caractérise un retour aux formes antiques, redécouvertes notamment par l'archéologie et l'histoire de l'art du second XVIIIe siècle (*Histoire de l'art de l'Antiquité* de Winckelmann, 1764), et il correspond à une réaction contre les excès de l'esthétique rococo dominante au milieu du siècle. En littérature, néoclassique s'applique par extension aux œuvres qui s'inspirent à nouveau des sources grecques et latines, à la fois par goût de la simplicité, et par nostalgie pour les grands modèles classiques de la littérature du XVIIᵉ siècle : à ce titre, Fénelon, auteur du *Télémaque* (1699), est un grand modèle pour les années 1770-1780. Le poète André Chénier (1762-1794) est caractéristique de cette tendance esthétique, qui sera dominante pendant le Premier Empire (au point de s'identifier avec cette période), quitte à dériver vers un académisme un peu artificiel. Contemporain du romantisme, Maurice de Guérin (1810-1839) poursuit cette tendance dans les années 1830 (*Le Centaure*, 1835), et, à la fin du XIXᵉ siècle, une nouvelle tentative de retour aux sources helléniques, liée à l'École romane, peut être qualifiée aussi de néoclassique (Jean Moréas, *Les Stances*, 1905).   (E.B.)

▷ atticisme, classicisme, École romane, imitation, style simple.

néopétrarquisme. Ce nom dérive du poète italien Pétrarque (1304-1374), dont la poésie amoureuse a été imitée très tôt en Italie (Serafino, Tebaldeo), puis en France dans la seconde moitié du XVIᵉ siècle, par Du Bellay (*L'Olive*), Ronsard (*Sonnets pour Hélène*), et surtout Desportes. Le néopétrarquisme est d'abord une rhétorique dont les figures essentielles sont l'antithèse, l'oxymore, la métaphore. Il est parfois associé à la philosophie platonicienne de l'amour. La domination du style pétrarquiste fut telle, dans la décennie 1550-1560, qu'il suscita un mouvement de rejet et inspira un certain nombre de satires, dont l'une est de Du Bellay lui-même. Le néopétrarquisme est un relais majeur, dans l'histoire de la poésie, entre les hautes ambitions de la poésie de la Renaissance et les raffinements de la poésie baroque du premier XVIIᵉ siècle, qui seront relayés à leur tour par l'esthétique des précieuses et la virtuosité des poètes galants (Voiture, Sarasin, Pellisson).   (E.B. et D.M.)

▷ baroque, *concetto*, galanterie, imitation, marinisme, sonnet.

néoplatonisme. Après la traduction latine et le commentaire du *Banquet* de Platon par le Florentin Marsile Ficin (1433-1499), cette doctrine, issue de la relecture chrétienne du platonisme à la Renaissance, a eu une influence considérable sur l'inspiration poétique et la poésie amoureuse, par exemple sur *Délie* (1544) de Maurice Scève. La seule réalité étant celle des idées, dont les objets terrestres ne sont que le reflet imparfait, l'amour né de la contemplation féminine est pensé comme le reflet de l'amour de Dieu ; l'amour doit donc, bien au-delà de la réalité physique, s'élever à la beauté des âmes puis à celle de Dieu. Ainsi se rejoignent la patristique du Moyen Âge, qui avait porté l'amour entre deux êtres au niveau de l'amour de Dieu, et l'idée développée par Platon dans *Le Banquet*, selon laquelle la vraie voie de l'amour est de monter vers la beauté surnaturelle. (M.J.)

néotraditionalisme. *Voir* traditionalisme.

neuvain (n. m.). Strophe ou poème de neuf vers. Les formules sont très variées. Exemple d'un neuvain d'octosyllabes, composé d'un quintil (ababb) et d'un quatrain à rimes embrassées (cddc), qui est la première strophe d'une ballade de Charles d'Orléans :

> *Las ! Mort, qui t'a fait si hardie*
> *De prendre la noble Princesse*
> *Qui était mon confort, ma vie,*
> *Mon bien, mon plaisir, ma richesse !*
> *Puisque tu as pris ma maîtresse,*
> *Prends-moi aussi son serviteur,*
> *Car j'aime mieux prochainement*
> *Mourir que languir en tourment,*
> *En peine, souci et douleur !*   (M.A.)

▷ quatrain, quintil, strophe, tercet.

noble. *Voir* style noble.

noème (n. m.). Réflexion s'apparentant à la maxime par son caractère didactique, à la sentence par sa forme gnomique (emploi de tournures syntaxiques génériques) et à la formule par la recherche d'un brio (parallèle, allitérations, paradoxe...) : *Que reste-t-il ? Tout un homme, fait* *de tous les hommes et qui les vaut tous et que vaut n'importe qui* (J.-P. Sartre, *Les Mots*). (G.P.)

▷ gnomique, maxime, sentence.

nœud. Parfois confondu avec l'intrigue tout entière, le nœud correspond à une étape de l'action dramatique et se définit comme un moment de l'intrigue : il s'agit de la partie de la pièce qui s'étend entre le moment où, après l'exposition, le conflit se noue dans une confrontation ou à la suite d'un événement extérieur, et le moment où, après la péripétie, il se dénoue. Le nœud se situe, en un mot, entre l'exposition et le dénouement, au moment où apparaît l'obstacle qui détermine le conflit. Le mot (qui traduit le grec *dèsis*, « action de lier », dans la *Poétique* d'Aristote, par opposition à *lusis*, « délier ») suggère bien l'enchevêtrement des fils qui caractérise l'intrigue lorsqu'elle est nouée. Le nœud peut aussi être défini du point de vue de la dynamique de l'action comme moment d'exaspération des conflits entre les actants et donc de la tension dramatique. (P.F.)

▷ action, dénouement, exposition, intrigue, obstacle, péripétie.

nombre. La notion de nombre est centrale en poésie. Les manuels d'art de seconde rhétorique, à la suite des théoriciens antiques, appellent « nombres » des phénomènes qui relèvent du rythme, comme les systèmes de répétitions, les différents mètres, les rapports de quantité syllabique des mots ou groupes de mots, mais aussi l'organisation de la période. C'est un des aspects fondamentaux de la structure signifiante. (M.A.)

▷ arts de seconde rhétorique, comptine, mètre, période, répétition, rythme, strophe, vers.

nominalisme. Théorie philosophique qui considère que les concepts abstraits n'ont pas de pertinence, qu'ils n'ont d'autre réalité que le mot par lequel nous les désignons, et qu'en cela les abstractions sont des illusions que l'esprit s'invente. C'était tout l'enjeu de ce qu'au Moyen Âge on appela la « querelle des universaux ». Mais le nominalisme ne saurait être limité à la descendance intellectuelle de Guillaume d'Occam (début du XIVe siècle), et bien des penseurs et écrivains modernes (Montaigne, Stendhal, Valéry) ont tenu des positions tout à fait comparables à celles du penseur anglais. Les conséquences du parti pris nominaliste sont nombreuses : en mettant en doute la capacité du langage à rendre compte du réel, on tend à affirmer le primat de la connaissance sensible sur l'intellection ; par ailleurs, le nominalisme implique un relativisme au moins langagier – chacun donne aux mots le sens que lui souffle l'irréductible expérience personnelle – qui jette un doute sur la capacité des consciences à communiquer entre elles. (G.P.)

normande. *Voir* rime normande.

Nouveau Roman. Mouvement littéraire français qui atteignit son apogée dans les années 1950-1960. On regroupe sous l'étiquette « Nouveau Roman » des écrivains aussi différents que Nathalie Sarraute (*Le Planétarium*, 1959 ; *Les Fruits d'or*, 1963), Claude Simon (*L'Herbe*, 1958 ; *La Route des Flandres*, 1960), Michel Butor (*La Modification*, 1957 ; *Degrés*, 1960), ou Alain Robbe-Grillet (*Les Gommes*, 1953 ; *La Jalousie*, 1957), qui en fut le principal théoricien. On leur adjoint souvent Samuel Beckett, Marguerite Duras ou Jean Ricardou. Jérôme Lindon et les Éditions de Minuit ont joué un rôle considérable dans l'identification et la promotion du mouvement. L'expression Nouveau Roman a d'abord été employée de façon péjorative au début des années 1950, avant d'être revendiquée par les acteurs du mouvement, notamment à l'occasion du manifeste de Robbe-Grillet, *Pour un nouveau roman* (1963). Il eût été néanmoins plus juste de reprendre l'étiquette d'« antiroman », proposée par Sartre en 1948 dans une très remarquable préface à *Portrait d'un inconnu* de Nathalie Sarraute. En effet, le Nouveau Roman est moins défini par un ensemble de choix esthétiques positifs que par le rejet des préoccupations majeures du roman français hérité du XIXᵉ siècle, comme le personnage, l'intrigue, les idées, le réalisme... Indépendamment de cette simple posture d'avant-garde, les Nouveaux Romanciers ont en commun le désir de renforcer l'aptitude des textes littéraires à rendre pleinement compte de la réalité : celle du monde et des objets chez Robbe-Grillet, des pensées et des sentiments chez Sarraute, des relations sociales et des signes chez Butor, etc. Il s'agit donc pour les Nouveaux Romanciers d'utiliser les fondements du roman (la narration et la fiction) dans le cadre d'une expérimentation visant à explorer les choses, les sensations et les discours, et non plus comme de simples supports à la construction d'un matériel « romanesque ». Le Nouveau Roman ne doit cependant pas être pensé indépendamment d'autres mouvements artistiques ou intellectuels contemporains, comme le Théâtre de l'absurde (aussi appelé Nouveau Théâtre ou antithéâtre), de la Nouvelle Vague cinématographique, voire de la Nouvelle Critique.   (G.P.)

▷ **avant-garde, fiction, Nouvelle Critique, personnage, sous-conversation, théâtre de l'absurde, tropisme.**

nouvelle. Récit de fiction en prose, de longueur réduite, différent du conte car le matériel narratif de la nouvelle n'est emprunté à aucune tradition (il est nouveau) et différent du roman car la nouvelle est conçue pour une lecture non fractionnée. Cette dernière contrainte a d'importantes conséquences esthétiques : traditionnellement, la nouvelle n'a qu'un fil narratif et présente un nombre réduit de personnages. Elle est souvent construite en vue d'une fin bien préparée. Au Moyen Âge, la nouvelle, centrée sur une anecdote unique dont elle s'efforce de dégager une leçon, est toujours présentée en recueils. Elle apparaît en 1414 avec la traduction du *Décaméron* de Boccace, et, vers le milieu du XVᵉ siècle, les *Cent Nouvelles nouvelles* se présentent comme un renouvellement de ce recueil. Elle se développe ensuite dans divers cadres et au gré de flottements terminologiques qui n'ont pris fin qu'au XVIIIᵉ siècle : grands recueils avec ou sans récit encadrant (*L'Heptaméron* de Marguerite de Navarre, 1558), récits enchâssés dans le roman héroïque, récits autonomes. L'âge classique a durablement subi l'influence des *Nouvelles exemplaires* de Cervantès, traduites en 1615 : le récit-cadre y est abandonné et chaque narrateur devient autonome. Le traducteur de Cervantès, François de Rosset, publie ses *Histoires tragiques* en 1614, Robert Challe *Les Illustres Françaises* en 1713, et c'est par ce genre que passe alors largement le renouvellement de la fiction : les techniques sont diverses, mais, à la différence du roman, la nouvelle prend les apparences d'une histoire vraie. Depuis la fin du XIXᵉ siècle, on assiste au développement de la « nouvelle d'atmosphère » qui ne privilégie plus la base anecdotique pour son intérêt narratif mais pour sa valeur de révélateur psychologique ou social.

(D.B. et G.P.)

▷ conte, fabliau, *novas*, récit/roman.

Nouvelle Critique. Dans les années 1950-1970 en France, on a regroupé sous cette étiquette toutes les tentatives de renouvellement des pratiques critiques en opposition avec les approches essentiellement philologiques, biographiques et historiques (critique des sources, histoires des éditions...) qui jouissaient encore d'un très grand prestige, notamment dans les universités. La Nouvelle Critique, nourrie de l'ensemble des sciences humaines (linguistique, anthropologie, sociologie, phénoménologie...), se présente comme un regroupement hétérogène de méthodes d'analyse et de commentaire : narratologie structurale, critique psychanalytique, critique thématique, sociocritique, etc. L'unité de la Nouvelle Critique a cependant été particulièrement affirmée en 1966 à l'occasion de la polémique entre R. Barthes et R. Picard à propos de Racine.

(G.P.)

▷ critique psychanalytique, critique thématique, narratologie, sociocritique, structuralisme.

nouvelles à la main. « Recueil manuscrit d'articles donnant des informations d'actualité selon l'ordre chronologique » (François Moureau). Les nouvelles à la main ont, au XVIIe siècle, précédé la gazette imprimée mais n'ont nullement disparu avec son apparition : elles circulent jusqu'à la fin du XVIIIe siècle. Parfois satiriques ou scandaleuses, elles recueillent ce que le circuit de la presse imprimée ne pouvait accepter. Leurs auteurs sont souvent d'obscurs tâcherons de la bohème littéraire, mais parfois aussi des écrivains reconnus. Les *Mémoires secrets pour servir à l'histoire de la République des Lettres en France depuis 1762* de Bachaumont, avec des articles qui relèvent de l'actualité culturelle et des nouvelles scandaleuses qui donnent au lecteur l'impression d'être dans le secret des Grands, sont un modèle de ces nouvelles à la main. La *Correspondance littéraire* de Grimm (à laquelle collabora Diderot), avec son petit nombre d'abonnés des cours princières, offre l'exemple d'une revue littéraire et culturelle ambitieuse, dont la liberté est liée à la circulation manuscrite : Diderot y publia plusieurs de ses œuvres majeures.   (P.M.)

novas (n. f. plur.). Terme désignant un genre de la littérature occitane intermédiaire entre le conte et le roman, correspondant à la nouvelle, dont il apparaît comme l'ancêtre (les premières semblent dater de la fin du XIIe siècle). Les *novas* racontent, en octosyllabes à rimes plates, une aventure unique (d'où leur plus grande simplicité), qui se déroule toujours dans le milieu aristocratique ou, plus tardivement, dans la bourgeoisie, mais elles sont toujours marquées par l'influence courtoise. Les plus célèbres et les plus anciennes qui nous soient parvenues sont le *Castia Gilos* de Raimon Vidal de Besal (fin XIIe siècle) et *Las novas del Papagai* d'Arnaut de Carcassès (début XIIIe siècle).   (D.B.)

▷ **conte, nouvelle, troubadour.**

O

obstacle. L'action dramatique implique la dynamique d'un désir (ou d'une volonté) qui, au moment où commence le nœud, rencontre un obstacle qui ne l'arrête pas mais lui impose le conflit, la lutte. L'obstacle peut consister en un désir rival, un interdit religieux, politique, moral ou parental, une résistance ou un refus, une pesanteur matérielle ou sociale (l'argent). Il peut être intérieur (c'est souvent le cas chez Marivaux) ou extérieur (Rome dans *Nicomède* de Corneille) ; parfois il est à la fois extérieur et intérieur (Rome dans *Bérénice*). La diversité des obstacles contraste avec leur similitude fonctionnelle et leur situation, au point d'intersection des fils de l'intrigue. L'obstacle relève des structures actancielles et, en ce sens, se rencontre aussi dans les structures du récit en général. La dramaturgie aristotélicienne lui donne une place centrale dans l'écriture théâtrale. (P.F.)
▷ **actanciel, nœud.**

octosyllabe (du grec *oktô*, « huit »). Mètre de huit syllabes. Il date du Xe siècle. C'est le vers le plus utilisé à la période médiévale (en dépit de la prédominance du décasyllabe dans les chansons de geste), mais il a toujours été régulièrement employé. L'octosyllabe ne comporte pas de césure fixe. Exemple d'octosyllabes de Villon (*Testament*, XXIII), tous de rythme 4/4 :

> *Allé s'en est, et je demeure,*
> *Pauvre de sens et de savoir,*
> *Triste, failli, plus noir que* meure* [mûre],
> *Qui n'ai ni cens, rente, n'avoir.*

Ces rythmes peuvent être variés (5/3, 3/5, 2/6, 6/2).

(M.A.)

▷ **mètre, vers.**

ode (n. f., du grec *odè*, « chant »). Genre hérité de l'Antiquité et repris par la poésie française à la Renaissance. On l'appelle aussi alors « chant lyrique », en lien avec la chanson. Il y a deux sortes d'odes, de tonalité radicalement différente : l'ode anacréontique et l'ode pindarique.

S'écartant de ces formes de référence, des poètes dès le XVIᵉ siècle, mais aussi Victor Hugo (*Odes et ballades*, 1826) ou encore Claudel ont appelé odes des poèmes de tailles variées et de formes diverses, pour en retenir la tonalité lyrique, telle l'« Ode à Monsieur Marcil » de Claude Garnier, qui prend la forme d'une épître en vers ïambiques, et dont voici le début :

> *Comme un cygne qui vole entre mille corneilles,*
> *Pressé de leurs rumeurs,*
> *Je vais parmi la France, accompli de merveilles,*
> *Entre mille Rimeurs.*   (M.A.)

▷ **lyrisme, ode anacréontique, ode pindarique, odelette.**

ode anacréontique. Genre lyrique sur le modèle antique, réutilisé en poésie française à partir du XVIᵉ siècle. De longueur variable, l'ode anacréontique est divisée en strophes, telle cette ode de Ronsard de quatre strophes dont voici les première et dernière :

> *Les Muses lièrent un jour*
> *De chaînes de roses Amour*
> *Et, pour le garder, le donnèrent*
> *Aux Grâces et à la Beauté,*
> *Qui, voyant sa déloyauté,*
> *Sur Parnasse l'emprisonnèrent.*
>
> *[...]*

> *Courage doncques, amoureux,*
> *Vous ne serez plus langoureux :*
> *Amour est au bout de ses ruses ;*
> *Plus n'oserait ce faux garçon*
> *Vous refuser quelque chanson,*
> *Puisqu'il est prisonnier des Muses.*   (M.A.)

▷ lyrisme, ode, ode pindarique, strophe.

ode pindarique. Ode de tonalité héroïque, composée de triades (strophe, antistrophe – toutes deux sur le même schéma –, suivies de l'épode, de structure différente) récurrentes. Elle était chantée et dansée dans l'Antiquité. Le genre a été repris à la Renaissance, particulièrement illustré par Ronsard.   (M.A.)

▷ lyrisme, ode, ode anacréontique.

odelette. Poème bref de tonalité lyrique, soit en une seule strophe (dizain ou douzain), soit en quelques strophes, comme les *Odelettes* de Nerval (1832-1835), elles-mêmes de formes variées. En voici une composée de trois quatrains d'octosyllabes :

> *Elle a passé, la jeune fille*
> *Vive et preste comme un oiseau :*
> *À la main une fleur qui brille,*
> *À la bouche un refrain nouveau.*
>
> *C'est peut-être la seule au monde*
> *Dont le cœur au mien répondrait,*
> *Qui venant dans ma nuit profonde*
> *D'un seul regard l'éclaircirait !...*
>
> *Mais non, – ma jeunesse est finie...*
> *Adieu, doux rayon qui m'as lui, –*
> *Parfum, jeune fille, harmonie...*
> *Le bonheur passait, – il a fui !*   (M.A.)

▷ lyrisme, ode.

onomatopée (n. f., du grec *onoma, onomatos*, « nom », et *poïein*, « faire »). Mot censé être formé par imitation du bruit qu'il désigne ou de ce qu'il désigne : par exemple

le frou-frou de la robe désigne le bruit que fait le tissu
de la robe quand on marche.   (M.A.)
▷ **harmonie imitative.**

onzain. Strophe de onze vers, toujours composée. Les
formules de composition peuvent être très variées. Les
onzains de la « Complainte du pauvre jeune homme » de
Jules Laforgue, étant éléments d'une chanson, sont
fondés sur des structures de répétition très nettes
(AAbabbbCdCc), avec de plus hétérométrie étranglée au
milieu de la strophe (88881388888) :

> *Quand ce jeune homm' rentra chez lui,*
> *Quand ce jeune homm' rentra chez lui ;*
> *Il prit à deux mains son vieux crâne,*
> *Qui de science était un puits !*
> > *Crâne,*
> > *Riche crâne,*
> *Entends-tu la Folie qui plane ?*
> *Et qui demande le cordon,*
> *Digue dondaine, digue dondaine,*
> *Et qui demande le cordon,*
> *Digue dondaine, digue dondon !*   (M.A.)

▷ **distique, quatrain, quintil, septain, sizain, strophe.**

opéra-comique. Genre dramatique et musical tout à la
fois (du XVIIIᵉ au XXᵉ siècle), caractérisé par la succession
de passages parlés (dialogués ou non) et de passages
chantés. Nom d'un théâtre parisien, d'abord salle foraine,
puis salle proche des boulevards, jusqu'à une date
récente : la salle Favart. *Carmen* de Bizet est un opéra-
comique. L'origine de ce genre se trouve dans la comédie
italienne du XVIIᵉ siècle, dans la parodie (reprise d'airs
d'opéra sur lesquels on adaptait d'autres paroles) et dans
le vaudeville (chansons, introduites dans les comédies,
avec des paroles nouvelles sur des airs déjà connus). Par
la suite, on introduisit des airs originaux (comédie à
ariettes). C'est en 1715 que les comédiens de la Foire,
après négociation avec l'Académie royale de musique,
donnèrent à leur genre de spectacles et à un théâtre le

nom d'opéra-comique. C'est au XVIIIe siècle le genre le plus vivant, encore très proche du théâtre. À la fin du XVIIIe siècle, il donne asile aux compositeurs de musique les plus novateurs et la musique y prend dès lors une place dominante. (P.F.)

▷ comédie à ariettes, foire, vaudeville.

oppositum (n. m., emprunté au latin, « opposé »). Figure de rhétorique du Moyen Âge, qui consiste à répéter la même idée sous deux formes contraires, l'une positive, l'autre négative (ou inversement). Exemples : *N'i estoit mie, aillors estoit (Énéas)* ; *il n'avoit pas robe de soie, / ainz avoit robe de floreites (Roman de la Rose).* C'est une variété de l'*interpretatio*. (D.B.)

▷ amplification, antithèse, *interpretatio*.

oraison (n. f., du latin *oratio*, « discours »). Discours qui peut prendre la forme d'une prière ou d'un sermon. L'exemple le plus célèbre est celui des *Oraisons funèbres* de Bossuet. (M.A.)

oralisation. Procédé stylistique qui consiste à donner à des énoncés écrits des caractéristiques de la langue parlée (chute du *ne* de négation, apostrophe d'apocope, changement de niveau de langue...) : *Il n'aima pas comment elle était habillée* (L. Aragon, *Aurélien*). Il s'agit le plus souvent d'aligner l'écriture du passage sur la norme langagière du personnage dont il est question dans le texte. (G.P.)

▷ contamination, dialogisme.

oralité. Au Moyen Âge, l'oralité constitue une part importante de la vie littéraire. Comme l'a montré P. Zumthor, elle peut prendre place à cinq moments de la vie des œuvres : production, transmission, réception, conservation, répétition. Dans les civilisations d'oralité pure (sans écriture), ces cinq phases sont orales. Mais le Moyen Âge est aussi une civilisation de l'écrit : il faut donc distinguer en particulier ce qui est de l'ordre de la transmission-réception, où l'oralité peut être essentielle (par exemple pour les chansons de geste, les vies de saints, les fabliaux, etc., récités par des jongleurs), la conservation et la répétition, qui peuvent être concurremment de l'ordre de l'oral (la mémoire des jongleurs, l'apprentissage des textes à partir de leur seule audition) et de l'écrit (les textes sont recopiés dans des manuscrits, qui peuvent servir à leur apprentissage par cœur). Il faut souvent admettre, entre deux maillons de la tradition manuscrite, un maillon oral qui seul permet d'expliquer certaines déformations. Quant à la composition (production), il est aujourd'hui admis que pour la très grande majorité des textes qui nous sont parvenus, même pour ceux qui sont le plus marqués par l'oralité, elle a commencé par une phase écrite. Mais, dans le détail des œuvres, ces questions restent controversées.   (D.B.)

▷ **chanson de geste, cliché, fabliau, jongleur, ménestrel, motif rhétorique, performance, style formulaire.**

ornement. Terme de rhétorique concernant l'*elocutio* (style) qui désigne à l'origine tout ce qui rend le style élégant (le terme latin qui désigne cette qualité est *ornatus*). Selon Quintilien, c'est tout ce qui s'ajoute au simple mérite de l'invention, que tout le monde, avec un peu de bon sens et de méthode, peut partager : en revanche, avec l'art de l'ornement, on entre dans l'évaluation esthétique, qui vise le « jugement des connaisseurs » (*judicium doctorum*). L'élégance doit être recherchée au moyen des figures, du choix des mots, et elle doit mettre en jeu toutes les « vertus du style » (*virtutes dicendi*) : son but est de susciter l'admiration chez l'auditeur ; c'est dire à quel point l'éloquence fait ici cause commune avec la poésie (dont le but ultime, selon Aristote, est de susciter l'admiration). On voit combien la notion d'ornement, d'origine rhétorique, définit une stylistique au sens littéraire du terme, qui va bien au-delà de la simple justesse des termes et de la clarté grammaticale. Le style orné par excellence est le style moyen (style fleuri, où il faut utiliser les tropes, et notamment les métaphores et les métonymies), mais les effets puissants du style élevé, qui convient au mieux pour émouvoir les passions, sont aussi du domaine de l'ornement. (E.B.)

▷ asianisme, atticisme, figure, style, style fleuri, style noble, style tempéré.

orphelin(e). *Voir* rime orpheline *et* vers orphelin.

OuLiPo. L'Ouvroir de Littérature Potentielle (d'abord appelé Séminaire de Littérature Expérimentale) fut créé en 1960 par le mathématicien François Le Lionnais et Raymond Queneau. Il regroupa d'abord des écrivains et mathématiciens : Noël Arnaud, Jacques Bens, Claude Berge, André Blavier, Jacques Duchateau, Latis, Jean Lescure, Jean Queval et Albert-Marie Schmidt, auxquels s'adjoindront plus tard François Caradec, Italo Calvino, Michèle Métail, Georges Perec, Jacques Roubaud, etc. L'OuLiPo n'est pas un mouvement littéraire, mais un groupe de travail (car la recherche est collective) dont les membres tout à la fois analysent et appliquent les contraintes en littérature, qu'elles soient anciennes (anagramme, palindrome, etc.) ou nouvelles. Même si l'OuLiPo a moins pour but l'achèvement de l'œuvre que la recherche de formes et de structures liées à des contraintes, on peut citer deux réalisations célèbres : dans *Cent mille milliards de poèmes* (bien que le livre paraisse, en 1960, avant la création du groupe), Raymond Queneau propose dix sonnets de rimes identiques superposés, dont chaque vers est inscrit sur une languette qui peut être soulevée ; on peut ainsi associer successivement tous les vers et obtenir cent mille milliards de poèmes. Quelques années plus tard, Georges Perec a pratiqué le lipogramme, c'est-à-dire le renoncement à une lettre de l'alphabet, en écrivant *La Disparition* (1969), roman où ne figure aucun *e*. (M.J.)

▷ lipogramme.

oxymore (n. m., du grec *oxus*, « pointu », et *môros*, « émoussé », d'où en rhétorique *oxumôron* qui désigne

une alliance de mots contradictoires). Syntagme antithé-
tique qui unit deux termes de sens contradictoires, telle
la notion de *tempête solide* qu'utilise Segalen (*Stèles*, 1912)
pour évoquer le relief montagneux :

> *Porte-moi sur tes vagues dures, mer figée, mer sans reflux ;*
> *tempête solide enfermant le vol des nues et mes espoirs.*
> *Et que je fixe en de justes caractères, Montagne, toute*
> *la hauteur de ta beauté.*   (M.A.)

▷ **antithèse.**

oxyton (n. m., du grec *oxus*, « pointu », et *tonos*, « ton »).
Mot dont l'accent porte sur la syllabe finale.   (M.A.)
▷ **accent, paroxyton.**

P

pair. *Voir* vers pair.

palindrome (n. m., du grec *palin*, « de nouveau », et *dromos*, « course »). Mot, phrase ou texte qui se lit aussi bien de gauche à droite que de droite à gauche. Exemples : *Roma / Amor ; élu par cette crapule.*   (M.A.)

palinod, palinodie. *Voir* poésie palinodique.

pamphlet. Le pamphlet est le genre de la polémique par excellence. Il appartient, du point de vue rhétorique, au genre démonstratif (ou épidictique), dont le registre joue sur les valeurs axiologiques (morales), c'est-à-dire sur la louange et le blâme. Comme la satire, le pamphlet va recourir de préférence au blâme, même s'il peut parfois utiliser l'éloge de façon paradoxale et par antiphrase. Son champ de prédilection est donc la *doxa*, sur laquelle vont jouer ses principaux procédés (couplage notionnel, jeu sur les maximes idéologiques et sur les présupposés implicites du lecteur) et son but essentiel est la réfutation. L'appel au réel, contre le mauvais usage des mots, et la dénonciation des paralogismes et des sophismes de l'adversaire sont les principaux outils de son argumentation.
(E.B.)

▷ **argumentation, blâme, démonstratif,** *doxa*, **ironie, paradoxe, polémique, satire.**

panégyrique (n. m.). À l'origine, ce mot désigne tout discours prononcé devant une assemblée (du grec *panêgu-ris*, « assemblée générale du peuple »). En général, il s'agit d'un discours à la gloire d'un homme, d'un pays ou d'une ville, ce qui le rattache au troisième genre de l'éloquence : le démonstratif (qui consiste à louer ou à blâmer). Au XVIIᵉ siècle, le genre se spécialise dans l'éloge des saints. On connaît, à ce titre, les fameux *Panégyriques* de Bossuet (de saint François d'Assise, 1653, de saint Paul, 1657, etc.). Comme le sermon, le panégyrique s'ouvre sur une citation biblique qui oriente tout le propos, divisé claire-ment en plusieurs points. Pour l'orateur sacré, ce discours est l'occasion de tirer des leçons exemplaires de la vie du saint, rappelant ainsi ses auditeurs à une plus grande piété et à une méditation sur la vie chrétienne en ce monde. Dans une acception plus moderne, panégyrique prend un sens légèrement péjoratif, en définissant un discours où les louanges paraissent un peu exagérées.   (E.B.)
▷ **démonstratif, sermon.**

pantomime. La pantomime est l'art du jeu théâtral muet, par le seul secours des gestes et de l'expression du visage. Le spectacle de pantomime est donc un spectacle entièrement muet. Il n'en a pas toujours été ainsi. À Rome, des acteurs nommés pantomimes jouaient mas-qués et muets des pièces qui étaient simultanément chan-tées par un chœur. Au XVIIIᵉ siècle, le développement de la comédie italienne et une nouvelle conception du jeu dramatique remirent à la mode la pantomime, qui dési-gnait alors toutes les formes du jeu muet, même intégrées dans un spectacle parlé. Au cours des XVIIIᵉ et XIXᵉ siècles se développèrent sur les boulevards des spectacles auto-nomes composés de pantomimes, de musique, de danses et d'évolutions diverses, qui prirent le nom générique de pantomimes. Plus tard, le cinéma muet a donné à la pan-tomime un rôle essentiel.   (P.F.)
▷ *commedia dell'arte*, **théâtre de boulevard.**

pantoum (n. m.). On dit aussi pantoun. Forme fixe d'origine malaise évoquée par Victor Hugo dans une note des *Orientales* (1829). Le nombre de quatrains (en principe d'octo- ou de décasyllabes) est libre. Le deuxième et le quatrième vers de chaque strophe deviennent respectivement le premier et le troisième vers du quatrain suivant, et le dernier vers du poème répète le premier. Sur le plan thématique, deux sujets s'entrecroisent : l'un descriptif, l'autre sentimental. La plupart des pantoums français s'écartent de ce modèle pour l'interpréter librement par des systèmes de reprises avec ou sans variations, tels « Harmonie du soir » de Baudelaire (*Les Fleurs du Mal*), ou encore ce pantoum octosyllabique de Laforgue intitulé « Complainte de la bonne Défunte » :

> *Elle fuyait par l'avenue,*
> *Je la suivais illuminé,*
> *Ses yeux disaient : « J'ai deviné*
> *Hélas ! que tu m'as reconnue ! »*
>
> *Je la suivis illuminé !*
> *Yeux désolés, bouche ingénue,*
> *Pourquoi l'avais-je reconnue,*
> *Elle, loyal rêve mort-né ?*
>
> *Yeux trop mûrs, mais bouche ingénue ;*
> *Œillet blanc, d'azur trop veiné ;*
> *Oh ! oui, rien qu'un rêve mort-né,*
> *Car, défunte elle est devenue.*
>
> *Gis, œillet, d'azur trop veiné,*
> *La vie humaine continue*
> *Sans toi, défunte devenue.*
> *— Oh ! je rentrerai sans dîner !*
>
> *Vrai, je ne l'ai jamais connue.* (M.A.)

▷ villanelle.

parabase. Jeu de scène du chœur de la comédie grecque qui s'avançait vers le public pour s'adresser à lui ; d'où cette adresse elle-même, discours qui comprenait traditionnellement sept parties et était prononcé tantôt par le coryphée, tantôt par le chœur tout entier. En dehors de la comédie grecque, ce terme est utilisé pour des discours du même type adressés au public par un personnage. On a pu parler de parabase à propos du monologue de Figaro dans *Le Mariage de Figaro*. Le théâtre épique recourt volontiers à la parabase, qui permet un effet de distanciation.   (P.F.)

▷ **chœur, distanciation, monologue, tirade.**

parabole. La parabole est un récit qui illustre une vérité morale ou mystique sous le couvert d'une anecdote simple. À ce titre, elle est apparentée au fonctionnement de l'allégorie et de la métaphore. Son usage le plus fréquent apparaît dans les textes religieux ou moraux (paraboles du Christ, parabole de l'Enfant prodigue), et nécessite toujours une explication qui en éclaire le sens. Au sens strictement rhétorique, elle appartient à la catégorie de l'exemple fictif (preuve technique).   (E.B.)

▷ **allégorie, amplification, exemple, fable, fiction, métaphore, sermon.**

parade. La parade est un court spectacle burlesque exécuté sur un balcon extérieur en bois placé au-dessus de l'entrée des « loges » des théâtres de la Foire à Paris, avant le début de la représentation d'une pièce ou d'un ensemble de numéros à l'intérieur de la salle. À l'origine, cette pratique a un but publicitaire. Il s'agit pour les forains de donner au public, amassé devant le balcon, l'envie de pénétrer dans la salle, et de distraire ceux qui font la queue pour entrer. Entre 1730 et la Révolution, ce genre de pièces connaît une vogue étonnante dans les théâtres privés de l'aristocratie qui aime s'encanailler, mais a aussi un intérêt ethnologique pour un comique grossier que l'évolution de la civilité tend à faire disparaître. Beaumarchais a ainsi écrit des parades comme *Jean Bête à la Foire* (1760-1765). Le genre est alors plutôt pseudo-populaire que populaire. Les ressorts de la parade sont une stylisation grotesque fondée sur l'exagération des effets, de multiples plaisanteries et facéties accompagnées souvent de musique, des personnages conventionnels comme Arlequin, Colombine, Cassandre, Pierrot,

Gilles, Isabelle et Léandre. Les canevas des parades appartenaient à un fonds ancien de farces, souvent fort obscènes, telles que les avaient pratiquées les comédiens italiens aux origines de la *commedia dell'arte* ou les farceurs, depuis le Moyen Âge. Souvent, on singeait les traits les plus saillants du parler populaire campagnard ou urbain. (P.F.)

▷ comédie, *commedia dell'arte*, foire, grotesque.

paradigmatique (axe). *Voir* syntagmatique (axe).

paradoxe. Formule qui paraît contenir une contradiction : *On est quelquefois aussi différent de soi-même que des autres* (La Rochefoucauld, *Maximes*). Parce qu'il heurte l'intuition, conteste l'évidence, le paradoxe est un instrument rhétorique très apprécié pour donner une formulation particulièrement frappante à une opinion. (G.P.)

▷ *doxa*, maxime, noème.

paragramme (n. m., du grec *para*, « presque », et *gramma*, « lettre »). Emploi d'une lettre pour une autre, coquille volontaire. C'est le cas par exemple dans le titre du recueil de Desnos *L'Aumonyme*, qui est à la fois un paragramme (remplacement du *ho* par un *au*) et un mot-valise (*aumône* + *homonyme*). (M.A.)

▷ anagramme.

paralipse (n. f.). Dans un récit, la paralipse consiste à ne pas donner au lecteur certaines informations qu'il serait légitime de lui livrer dès le début. L'identité du narrateur de *La Peste* de Camus n'est ainsi révélée qu'aux dernières pages de l'ouvrage. (G.P.)

paralittérature. Terme qu'on préférera à celui de « littérature populaire » employé parfois. Forme de littérature de grande diffusion, destinée à la consommation. La paralittérature n'est pas intégrée dans le canon social de la littérature. Il s'agit du roman policier, du roman pornographique, du roman à l'eau de rose à la manière de Barbara Cartland ou de Delly. On peut ajouter le roman-feuilleton, le roman-photos et le théâtre de boulevard. Certains auteurs, comme Simenon ou Léo Malet, sont aux marges de la littérature reconnue, cependant de grands auteurs puisent dans ces formes (Dostoïevski, Balzac).   (P.F.)

▷ canon, roman, théâtre de boulevard.

paralogisme (n. m., du grec *para*, « à côté de », et *logos*, « raisonnement » ; littéralement, ce qui est « à côté du raisonnement »). Cela correspond à une fausse démonstration, soit parce qu'on est parti de principes erronés, soit parce qu'on a sauté une étape dans le raisonnement, sans la démontrer. Il se distingue toutefois du sophisme en ce que le paralogisme est une erreur involontaire de raisonnement, alors que le sophisme est une erreur volontaire de raisonnement pour induire une conclusion fausse. Dans l'argumentation en général, et dans la polémique en particulier, la recherche et la dénonciation des paralogismes de l'adversaire sont un mode efficace de réfutation.   (E.B.)

▷ argumentation, enthymème, invention, pamphlet, polémique, rhétorique, sophistique.

paraphrase. La paraphrase consiste à répéter en l'expliquant de façon plus longue et plus détaillée ce que dit le texte d'un auteur. En tant que genre littéraire, elle est apparentée à la traduction littéraire et elle concerne le plus souvent, aux XVIe et XVIIe siècles, la littérature religieuse (*Paraphrase du Cantique des Cantiques, Paraphrase des Psaumes*), où il s'agit de développer le sens de formules parfois très denses afin de les faire mieux comprendre et méditer par le lecteur. Elle est à la base de la structure du sermon, qui part d'un « mot » de l'Écriture pour nourrir son développement. Avec un sens péjoratif, la paraphrase peut désigner une mauvaise imitation, ou la reprise maladroite d'un thème déjà mieux traité par un autre auteur.   (E.B.)

▷ amplification, imitation, invention, sermon, style élevé, traduction littéraire.

parataxe (n. f.). On parle de parataxe lorsque les différentes propositions constituant une phrase complexe ne sont pas organisées entre elles de façon hiérarchisée (par subordination, on dit aussi hypotaxe), mais seulement coordonnées, voire juxtaposées. Le cas extrême de la parataxe est en effet l'asyndète, l'absence de tout connecteur grammatical. Dans ce dernier cas, les rapports logiques entre propositions restent implicites et on peut avoir, selon la terminologie des siècles classiques, un effet de « style coupé » : *J'entends, Monsieur le Comte : trois promotions à la fois ; vous, compagnon Ministre ; moi, casse-cou politique, et Suzon, dame du lieu, l'Ambassadrice de poche, et puis fouette courrier !* (Beaumarchais, *Le Mariage de Figaro*, I, 2).   (G.P.)
▷ asyndète, collage, phrase, style coupé, syntaxe.

paratexte. Ensemble formé par les titre, prière d'insérer, préface, épigraphe, notes, quatrième de couverture... qui accompagnent le texte proprement dit. Ces énoncés d'escorte jouent un rôle considérable dans l'interprétation d'un texte. Il peut arriver que le paratexte soit aussi long que le texte introduit (c'était le cas de l'édition de *Madame Edwarda* de G. Bataille en 1956) ; Alphonse Allais a pu écrire des chapitres de nouvelles qui se réduisaient à leur seul paratexte : *Chapitre* III. *Où nos amis se réconcilient comme je vous souhaite de vous réconcilier souvent, vous qui faites vos malins./ « Hold your tongue, please »* (« Un drame bien parisien », *À se tordre*).   (G.P.)
▷ exergue, préface, titre.

parlure. *Voir* sociolecte.

Parnasse. Courant poétique de la seconde moitié du XIXᵉ siècle. À l'origine du Parnasse se situe une opération de librairie lancée par le poète Catulle Mendès et l'éditeur Alphonse Lemerre en vue de publier, sous forme de fascicules réunis ensuite en volumes, un choix des meilleurs poèmes du moment, sous le titre *Le Parnasse contemporain, Recueil de vers nouveaux*. Le premier volume parut en 1866. En tête figuraient des poèmes de Théophile Gautier, Théodore de Banville, José-Maria de Heredia, Leconte de Lisle. On y trouvait plus loin seize poèmes de Baudelaire, sept de Verlaine et onze de Mallarmé. « J'aime [...] tous les bons Parnassiens », écrivait Rimbaud à Banville en mai 1870, avec l'espoir d'être publié lui-même « à la dernière série du *Parnasse* ». Le deuxième volume (1871), retardé par la guerre franco-prussienne, s'ouvrait sur le *Kaïn* de Leconte de Lisle, suivi de *La Cithare* et de *Dix Ballades joyeuses* de Théodore de Banville. À côté de poèmes de Sully Prudhomme, Victor de Laprade, Albert Glatigny, Albert Mérat, François Coppée, etc., figuraient encore cinq poèmes de Verlaine et le *Fragment d'une étude scénique ancienne d'un Poëme de Hérodiade* de Mallarmé. Le troisième et dernier volume (1876) rassemblait dans ses 451 pages un grand nombre de poèmes de qualité très inégale. En revanche, les envois de Verlaine, de Mallarmé (*L'Après-midi d'un faune*), de Charles Cros furent refusés à l'instigation d'Anatole France. Le Parnasse ne fut donc pas une école groupée autour d'un chef et pourvue d'une doctrine. Il serait abusif d'y voir un mouvement intermédiaire entre le romantisme et le symbolisme, qui ne se situent pas sur le même plan et dont l'ampleur est bien plus considérable. Cependant, l'adjectif parnassien fut rapidement employé pour qualifier un type de poésie caractérisé par la fidélité aux formes poétiques traditionnelles (retour du rondeau, du dizain, de la ballade et surtout du sonnet), le souci de la perfection formelle, le culte de l'art pour l'art, positions communes à Gautier, Banville, Leconte de Lisle et leurs disciples. Ainsi se perpétua dans le dernier quart du siècle un courant parnassien, illustré notamment par la publication tardive (1893) du recueil de José-Maria de Heredia, *Les Trophées*.   (Y.V.)

▷ **art pour l'art, ballade, coppée, décadentisme, dizain,** fantaisie, romantisme, rondeau, sonnet, symbolisme, Zutistes.

parodie. Imitation caricaturale d'un texte, du style d'un auteur, etc. Dans son *Virgile travesti* (1648-1653), Scarron réécrivit ainsi l'*Énéide* en donnant des allures ridicules à la matière épique (Didon est une « dondon »). Le comique vient du décalage entre la parodie et le texte démarqué ; la parodie ne fonctionne donc que si le lecteur reconnaît ce dernier.   (G.P.)

▷ burlesque, héroï-comique, hypertextualité, pastiche.

parole. *Voir* langue.

paronomase (n. f.). Cette figure de diction joue sur la ressemblance phonétique de termes dont le sens est différent. Pierre Fontanier (*Figures du discours*, 1827) donne l'exemple canonique tiré de Montaigne : *Je m'instruis mieux par fuite que par suite*. Cet usage littéraire de la continuité phonique, qui tient parfois du jeu de mots, peut produire aussi des effets poétiques heureux, comme dans ces vers de Verlaine : *Il pleure dans mon cœur / Comme il pleut sur la ville*. La poésie moderne a volontiers tiré parti des effets d'analogie qui sont susceptibles d'être produits par le rapprochement phonétique, ainsi que des jeux sonores parfois proches de l'onomatopée : *Les moutons bêlent Qu'elle est belle* (Aragon) ; *Faux marbre fou d'ambre et d'ombre* (Cocteau).   (E.B.)

paroxysme. Mouvement littéraire du tout début du XXe siècle, théorisé par Nicolas Beauduin, qui cherche à définir en poésie un lyrisme moderne qui travaille sur le rythme et le mouvement, l'ordre et le dynamisme. (M.J.)

paroxyton (n. m., du grec *para*, « presque », et *tonos*, « ton »). Mot dont l'accent porte sur l'avant-dernière syllabe.   (M.A.)

▷ accent, oxyton.

partimen (ou **joc-partit**) (n. m.). Jeu littéraire pratiqué dans la France médiévale de langue d'oc, qui suit les règles de la *canso*, et consiste en une discussion entre deux interlocuteurs-poètes autour d'un thème donné, généralement lié aux préoccupations de la société courtoise méridionale contemporaine.   (D.B.)

▷ *canso*, débat, jeu-parti, troubadour.

pas d'armes. Forme très codifiée et ritualisée de tournoi de la fin du Moyen Âge, qui faisait partie des festivités dans lesquelles la chevalerie s'amusait à jouer le rêve de la littérature arthurienne ou plus généralement courtoise. Des chevaliers entreprenaient de défendre pendant des semaines, voire des mois, un lieu baptisé pour la circonstance d'un nom qui faisait référence à des souvenirs de cette littérature : Pas de la Belle Pèlerine, Pas de la Fontaine de Pleurs, Pas du Chevalier au Cygne. Des textes littéraires portant le même nom s'appliquent à relater ces jeux qui inversent les rapports ordinaires entre le réel et l'imaginaire.   (D.B.)

▷ **biographie chevaleresque, chevaleresque (idéologie).**

pasquinade, pasquin, pasquille. Du nom d'une statue mutilée sur laquelle, à Rome, dès le XIVe siècle, on avait pris l'habitude de coller des satires contre des faits ou des personnages du jour. Une pasquinade est une raillerie bouffonne, un pasquin une épigramme satirique, une pasquille (de l'italien *pasquillo*, « brocard ») une plaisanterie grossière.   (M.A.)

▷ épigramme, satire.

Passion. Au Moyen Âge : 1. Poème narratif d'inspiration religieuse, relatant la Passion du Christ, dont le premier témoin est l'un des plus anciens textes en langue vulgaire, la *Passion de Clermont* (fin Xe-début XIe siècle). Il a existé à la fin du XIIe siècle une *Passion des jongleurs* en octosyllabes à rimes plates, aux frontières des genres narratif et dramatique. 2. Passions dramatiques : elles apparaissent et prolifèrent au XIVᵉ et au XVᵉ siècle, où elles sont une variété de mystère spécialisée dans l'évocation sur scène de la Passion du Christ (*Mystères de la Passion*, d'Arnoul Gréban, de Jehan Michel...).   (D.B.)

▷ mystère.

pastiche (n. m.). Imitation d'un texte ou d'un auteur. Proust est célèbre pour les différentes versions « à la manière de » Balzac, Flaubert, Renan... qu'il a données de l'affaire Lemoine (*Pastiches et mélanges*, 1919). Le pastiche se distingue de la parodie en ce qu'il n'est pas caricatural, mais tente de transposer le plus fidèlement possible le modèle, au point que le lecteur puisse s'y méprendre. Mais la limite entre les deux exercices n'est pas toujours nette : le pastiche du *Journal* d'Edmond de Goncourt par Proust dans *Le Temps retrouvé* ne fonctionne comme pastiche que par la reprise des tics de style les plus visibles de l'écrivain ; il prête alors à sourire et confine à la parodie.   (G.P.)

▷ hypertextualité, imitation, intertextualité, parodie.

pastoral(e). *Voir* poésie pastorale *et* roman pastoral.

pastorale (n. f.). Ce genre met en scène des personnages de la vie rustique (bergers, nymphes, bergères) dans un cadre bucolique, où sont célébrés la poésie et l'amour. Inspirée à l'origine de la poésie grecque et latine (*Idylles* de Théocrite, *Bucoliques* de Virgile), qui mettait en scène des dialogues entre bergers, la pastorale, à la Renaissance, va trouver ses lettres de noblesse sur les scènes de théâtre, après avoir été illustrée par des œuvres romanesques mêlées de poésie (comme l'*Arcadia* de l'Italien Sannazar, 1504). Les pastorales dramatiques italiennes, l'*Aminta* du Tasse (1573) et *Il Pastor fido* de Guarini (1580), furent en effet tout de suite imitées en France. La pastorale dramatique repose en général sur l'histoire d'un amour contrarié entre un berger et une bergère, avec l'usage de tous les procédés efficaces de l'intrigue sentimentale (jalousie, quiproquo, méconnaissance de ses propres sentiments). L'analyse psychologique peut s'y développer en

longs monologues – ce qui prépare à l'esthétique galante et précieuse –, et l'intervention fréquente de magiciens apporte une touche de merveilleux – ce qui prépare à l'esthétique de l'opéra. Donc, même si, après une floraison remarquable (dont *Les Bergeries* de Racan, 1625), le genre ne domina plus la scène dans la seconde moitié du XVIIe siècle, il contribua cependant à nourrir en profondeur l'esthétique et l'imaginaire du théâtre classique, tout en persistant avec force dans l'idéal romanesque.   (E.B.)
▷ **églogue, élégie, merveilleux, poésie pastorale, roman héroïque, roman pastoral.**

pastourelle. Poème de langue d'oïl, en vogue aux XIIe et XIIIe siècles, la pastourelle est composée d'une alternance de couplets et de refrains et accompagnée d'une mélodie. Elle raconte la tentative de séduction d'une bergère par un chevalier. Genre de type populaire également pratiqué au XIIIe siècle par les trouvères lyriques.   (M.A.)
▷ **trouvère.**

pathos (n. m., emprunté au grec, « passion »). En rhétorique, le *pathos* désigne les mouvements que l'orateur doit s'efforcer de susciter chez les auditeurs (cf. la troisième fin de la rhétorique : émouvoir, *movere*). C'est une des clés de la persuasion, aux côtés du *logos* (raisonnement discursif) et de l'*ethos* (ou *ithos* : caractère de l'orateur). Le *pathos* suppose donc une connaissance de la psychologie de l'auditoire, et sa mise en œuvre requiert le plus souvent les figures spectaculaires du style élevé (amplification, prosopopée, apostrophe, etc.) : le moment idéal pour le susciter dans le discours est la péroraison. L'importance du *pathos* en littérature est décisive, elle détermine tout l'art des effets à produire sur le public, et explique la part importante de la psychologie dans le fonctionnement de la fiction.   (E.B.)
▷ **argumentation, *ethos*, invention, péroraison, prosopopée, rhétorique, style élevé, sublime.**

pause (n.f., du latin *pausa*, « arrêt »). Fait de diction : à la fin d'un groupe de souffle, ou à la faveur d'un blanc typographique, ou encore dans le traitement de la césure classique longtemps considérée comme un temps de « repos », la pause correspond à une suspension momentanée de la voix. Par exemple, à la fin d'« Éloges », IX de Saint-John Perse, le blanc typographique suivi d'un alinéa après le *Ô* est marqué par une légère pause qui en souligne l'émerveillement :

> *... Actes, fêtes du front, et fêtes de la nuque !...*
> *et ces clameurs, et ces silences ! et ces nouvelles en voyage*
> *et ces messages par marées, ô libations du jour !... et la pré-*
> *sence de la voile, grande âme malaisée, la voile étrange, là,*
> *et chaleureuse révélée, comme la présence d'une joue... Ô*
> *bouffées !... Vraiment j'habite la gorge d'un dieu.* (M.A.)

▷ césure, ponctuation.

pauvre. *Voir* rime pauvre.

peinture. *Voir* miniature.

pentasyllabe (n.m., du grec *penta*, « cinq »). Vers de cinq syllabes, le plus souvent employé en hétérométrie. On le trouve cependant parfois en isométrie, comme dans ce rondeau de Charles d'Orléans dont voici le premier quatrain :

> *En faites-vous doute*
> *Que vôtre ne soie ?*
> *Si Dieu me doint joie*
> *Au cœur, si suis toute.*

Tous ces vers ont un rythme 2/3, mais le pentasyllabe, vers bref, a un rythme aléatoire et très diversifié. (M.A.)

▷ hétérométrie, isométrie, mètre, vers.

performance. En médiévistique, néologisme inauguré par P. Zumthor, à partir de l'anglais *to perform*, pour désigner la prestation orale des jongleurs du Moyen Âge et, plus généralement, des récitants (griots africains, bardes, etc.). La situation de performance suppose que les textes cultivent une esthétique de la vocalité très différente de l'esthétique littéraire des textes écrits (rôle de la répétition, du rythme, du souffle, de l'énergie en général, style stéréotypé répondant à des exigences de mémorisation, etc.). Par ailleurs, le mot anglais *performance* (qui désigne l'acte de représenter une pièce) a été francisé pour définir une forme d'art contemporaine intermédiaire entre le théâtre, la danse et les arts plastiques, fondée sur l'action du corps dans un temps et un espace donnés, sur un temps et un espace ainsi transformés. Il s'agit en général d'actions improvisées qui jouent sur des effets imprévisibles et sont souvent uniques, irrépétables (on parle aussi de *happenings*). Ce genre a connu une mode dans les années 1960-1990.   (D.B. et P.F.)

▷ **énergie, jongleur, oralité, style formulaire.**

performatif. En pragmatique, on oppose les énoncés constatifs, qui peuvent faire l'objet d'un jugement de vérité (de l'énoncé « il fait beau », je peux dire qu'il est vrai ou qu'il est faux), et les énoncés performatifs, qui peuvent faire l'objet d'un jugement de pertinence (de l'énoncé « sors d'ici ! », je ne puis dire qu'il est vrai ou faux, mais seulement qu'il a lieu d'être ou non). Dans un sens plus étroit, on appelle performatif tout énoncé qui contient un verbe de parole à la première personne et au présent de sorte que cet énoncé accomplit l'acte qu'il décrit : « je t'affirme qu'il n'est pas là », « je t'ordonne de venir », « je vous remercie », « je vous salue bien bas ». Dans un sens très large, on dira qu'est performatif tout énoncé qui « accomplit » quelque chose par le seul fait d'être proféré (depuis la formule magique jusqu'à la menace ou la poésie). Performatif est dès lors utilisé comme une sorte de synonyme d'efficace. C'est en ce sens que l'on dit parfois que l'énonciation littéraire est performative.   (G.P.)

▷ **acte de langage indirect, illocutoire, perlocutoire.**

période. Théorisée par les rhéteurs de l'Antiquité (Cicéron, Quintilien, Hermogène), la période est l'élément central de la prose d'art : idéalement, elle correspond au développement d'un argument et, à ce titre, elle peut avoir la structure logique d'un enthymème ; comme l'écrit Hermogène, « la période est au sens propre le regroupement contraignant de l'argument tout entier et son verrou en quelque sorte, et la véritable période est celle qui énonce entièrement l'argument et le conclut » (*L'Invention*). La période peut être simple (c'est-à-dire constituée par un seul membre, binaire (protase/apodose), ternaire (protase/protase/apodose) ou carrée (protase/apodose, protase/apodose). Chaque membre (*kôlon*) est une proposition qui a un sens complet : tout l'art de la période consiste en leur articulation, à la fois logique et sonore. Jusqu'à l'époque moderne, où l'oralité domine, la longueur de la période est déterminée par le souffle de l'orateur. À la Renaissance et au XVIIᵉ siècle, la période est au cœur des préoccupations des traducteurs et des grammairiens, qui s'appliquent à en faire la théorie à partir des exemples antiques (surtout latins). Sa pratique est fréquente dans la grande éloquence, comme les oraisons et les sermons, mais on en trouve aussi la trace dans le souci d'équilibre et de symétrie qui caractérise la maxime. Le style périodique s'oppose au style « coupé », bref et segmenté ; il est associé au style élevé. À l'époque romantique et moderne, la période survit dans l'éloquence politique ou dans l'écriture historique, mais on en trouve aussi des traces dans la pratique du verset (Claudel, Saint-John Perse) et dans la prose poétique. (E.B.)

▷ **acmé, apodose, asianisme, enthymème, oraison, prose d'art, protase, sermon, style élevé, sublime, verset.**

péripétie. À l'époque classique, retournement de l'action. Moment de l'intrigue où s'articulent le nœud et le dénouement. Un événement survient qui va permettre de dénouer le conflit et de conduire l'intrigue à son achèvement. Certains identifient la péripétie et le dénouement : ainsi une scène de reconnaissance comme celle de l'arrivée du seigneur Anselme à la fin de *L'Avare* fait-elle à la fois figure de péripétie et de dénouement. On peut aujourd'hui, dans la terminologie dramaturgique moderne, qualifier de péripétie tout événement qui survient dans l'action et qui provoque des bouleversements : le retour de Thésée dans *Phèdre* constitue, dans ce sens, une péripétie.   (P.F.)

▷ **action, dénouement, nœud, obstacle.**

périphrase (n. f., du grec *peri*, « autour », et *phrasis*, « expression »). Désignation par circonlocution : un syntagme descriptif remplace le nom, ainsi dans ces vers de Racine, où Hippolyte, parlant de Phèdre, la désigne de manière à rappeler sa lourde hérédité :

> *Cet heureux temps n'est plus. Tout a changé de face*
> *Depuis que sur ces bords les Dieux ont envoyé*
> <u>*La fille de Minos et de Pasiphaé.*</u>
>   (*Phèdre*, I, 1)   (M.A.)

▷ **antonomase, cliché.**

périssologie (du grec *perissologia*, « discours excessivement détaillé »). Ce terme désigne une forme de pléonasme, et cela consiste à ajouter des termes surabondants, soit pour compléter un vers (cheville), soit pour obtenir des effets comiques, illustrant notamment la maladresse du langage ; on en trouve des exemples fameux, comme dans le discours des « comices agricoles » de Flaubert (*Madame Bovary*) : *Qu'il me soit permis d'abord (avant de vous entretenir de l'objet de cette réunion d'aujourd'hui, et ce sentiment, j'en suis sûr, sera partagé par vous tous), qu'il me soit permis, dis-je, de rendre justice à l'administration supérieure, au gouvernement, au monarque, messieurs, à notre souverain, à ce roi bien-aimé à qui aucune branche de la prospérité publique ou particulière n'est indifférente et qui dirige à la fois d'une main si ferme et si sage le char de l'État parmi les périls incessants d'une mer orageuse...* (E.B.)

▷ **accumulation, amplification, battologie, burlesque,**
   cheville, pléonasme, redondance.

perlocutoire. Alors que la valeur illocutoire d'un énoncé est définie par son statut principal, généralement explicite (un énoncé est une question, une promesse, un conseil, une menace...), on appelle perlocutoires l'ensemble des valeurs dérivées de l'énoncé, l'ensemble des effets secondaires qu'il vise : « Couvre-toi bien ! » est un conseil (valeur illocutoire), mais peut aussi être une façon d'exprimer son affection, de marquer son désir de réconciliation après une dispute, etc. (valeurs perlocutoires). Les valeurs perlocutoires d'un énoncé s'apprécient en contexte. Dans *L'Usage de la parole* (1980), N. Sarraute a montré ainsi comment un simple « mon petit » dans une conversation entre amis peut être perçu comme la pire marque d'humiliation. (G.P.)
▷ illocutoire, pragmatique littéraire.

péroraison (n. f.). C'est la dernière des cinq parties du discours. Elle conclut en résumant les principaux points de l'argumentation (*enumeratio*, récapitulation), pour bien mettre en évidence ce qui a été confirmé et ce qui a été réfuté ; c'est aussi le moment où l'orateur peut utiliser l'amplification afin d'exciter l'indignation ou la colère chez les auditeurs. Il s'agit en effet de bien faire ressortir, grâce au déploiement d'une rhétorique spectaculaire, tout ce que le crime a d'odieux, en faisant appel aux autorités qui le condamnent, en mettant en lumière ses conséquences, et celles qu'aurait un éventuel acquittement ; selon Quintilien (*Institution oratoire*, Iᵉʳ siècle ap. J.-C.), c'est le moment où il faut faire preuve de tout son art pour émouvoir les passions de l'auditoire. Les principales figures sont donc utilisées dans ce but afin de mettre sous les yeux, avec vivacité, toutes les circonstances de l'action condamnable ; Quintilien recommande notamment l'usage de la prosopopée (en faisant parler la victime), ce qui rapproche l'orateur de l'action théâtrale. L'autre voie possible est celle de la compassion (*commiseratio*) qui joue elle aussi sur les sentiments, et vise le troisième but de la rhétorique, l'émotion (*movere*). Cette partie est donc, avec la narration, une des parties les plus littéraires du discours, c'est-à-dire celle qui a sans doute eu une influence déterminante sur certains genres, comme le théâtre tragique.   (E.B.)

▷ action, amplification, *pathos*, prosopopée, rhétorique.

persiflage. Forme de langage mondain qui associe l'ironie, souvent l'antiphrase et la moquerie agressive. Persifler consiste par exemple à louer quelqu'un ironiquement, à « rendre quelqu'un instrument et victime de la plaisanterie par les choses qu'on lui fait dire ingénument » (Féraud). Le persiflage fut à la mode au XVIIIe siècle dans les milieux mondains et dans la littérature.   (P.F.)

▷ antiphrase, ironie, libertin.

personnage de roman. Il est différentes façons d'appréhender le personnage de roman. D'un point de vue sémiotique, le personnage est un nom qui permet une représentation mentale que le lecteur construit à partir d'une série d'informations éparses dans le texte. D'un point de vue actanciel, le personnage est défini comme un agent du récit, il assume une fonction donnée dans la diégèse (obstacle, aide...) et n'existe que par rapport aux autres personnages, en système. Mais le personnage n'est pas seulement une catégorie formelle du récit ; parce qu'il est une représentation de la personne humaine, son analyse mobilise l'ensemble des sciences de l'homme et il est un objet sensiblement différent selon qu'on l'envisage d'un point de vue psychanalytique, sociologique, philosophique... Aussi toutes les théories du roman sont-elles, d'une façon ou d'une autre, d'abord des théories du personnage romanesque.   (G.P.)

▷ actant, roman psychologique, schéma actanciel.

personnage de théâtre. Notion extrêmement complexe. L'origine latine du mot, *persona*, le masque, nous invite à mettre en avant la dissociation entre la personne de l'acteur et le personnage joué, alors même que l'évolution du théâtre occidental a longtemps été caractérisée par leur confusion progressive. Aristote, mettant l'accent sur l'action, désignait les personnages comme « ceux qui agissent » et « ceux qui parlent ». Le « caractère » leur est donné par surcroît. À l'époque classique et romantique, cette position est plus ou moins nettement remise en cause par un mode d'élaboration du personnage qui privilégie le caractère, la condition, la fiction d'une individualité subjective, psychologiquement définie, responsable de l'action. L'approche actancielle du personnage entre ainsi en tension avec une approche traditionnelle psychologique. Le personnage se caractérise à l'époque classique par une sur-dimension théâtralisante : héros dans la tragédie, caractères dans la comédie. Ce phénomène, bien perçu par Marmontel et par Diderot, est pourtant pratiquement de plus en plus souvent dénié, à partir du XVIIIᵉ siècle, à mesure que s'impose une esthétique théâtrale plus réaliste.

Le personnage est pris dans une tension d'un autre genre encore : tantôt sa définition tend vers l'individualité, comme c'est le cas pour des héros tragiques connus dans l'Histoire (Titus ou Néron) ou dans la fable (Phèdre), tantôt elle tend vers la généralisation (l'avare, le bourgeois gentilhomme). Cette tension figure évidemment l'opposition de la tragédie et de la comédie. Dès le XVIIIᵉ siècle, elle a pourtant fait l'objet de vives critiques idéologiques, poétiques et politiques de la part de Diderot et de Lessing, au nom de la représentation de l'homme, universel à travers sa nature particulière. Le théâtre du XXᵉ siècle a fait voler en éclats ces clivages en pluralisant et en contestant de toutes les façons le personnage, dont l'incarnation peut être limitée à une voix dans l'obscurité, se démultiplier, être partagée entre plusieurs acteurs, réduite à l'état de marionnette ou de fantoche. Parfois son incarnation est refusée, il est alors mis à distance. Ses rapports avec le comédien sont remis en cause, tantôt dans la direction représentée par le travail de Leo Strasberg et de son célèbre *Actors studio* ou, en France, par Tania Balachova, tantôt dans celle de Diderot ou de Brecht.   (P.F.)

▷ actant, acteur, caractère, chœur, condition, distanciation, protagoniste, schéma actanciel.

personnification. Image par laquelle l'auteur donne à
un animal, un objet ou même à une abstraction des sentiments ou des comportements propres aux humains.
Ainsi, la lune est personnifiée en amoureuse du soleil
levant dans ce sizain de Saint-Amant (1594-1661) :

> *La Lune, qui le voit venir,*
>   *En est toute confuse ;*
> *Sa lueur, prête à se ternir,*
>   *À nos yeux se refuse,*
> *Et son visage, à cet abord,*
>   *Sent comme une espèce de mort.*   (M.A.)

▷ **allégorie, image, métaphore, métonymie, prosopopée,
symbole, synecdoque.**

pétrarquisme. *Voir* néopétrarquisme.

phatique. *Voir* fonctions du langage.

philologie (n. f., du grec *philo-*, « qui aime », et *logos*,
« le discours, le raisonnement » ; au sens strict, désigne
« l'amour du discours »). C'est la science des textes, tant
sur le plan de la grammaire que sur le plan de la rhétorique ou du contenu historique, savant ou artistique ; elle
a été inventée dans l'Antiquité, à Alexandrie, lorsqu'on a
voulu fixer les grands textes classiques de la culture
grecque (Homère, les Tragiques). C'est grâce à elle
qu'ont subsisté les principales œuvres de l'Antiquité à
travers la transmission des manuscrits au Moyen Âge. À
la Renaissance, elle a été le savoir central des humanistes
qui faisaient ainsi renaître toute la civilisation antique
(Budé, Érasme) ; à ce titre, elle est synonyme de « critique », car il s'agit d'étudier les textes dans leur totalité,
en établissant avec soin leur cohérence, quitte à remettre
en cause les erreurs de la tradition : elle a donc joué un
rôle considérable dans le développement des idées nouvelles (avec, par exemple, le *Dictionnaire historique et critique* de Pierre Bayle, 1696). Au XIXᵉ siècle, la philologie
est constituée en une méthode rigoureuse de rétablisse-
ment des textes anciens, et elle devient plus strictement

synonyme d'édition critique, qui repose sur un classement systématique des manuscrits, et la reconstitution minutieuse des textes originaux à partir de l'établissement d'un arbre généalogique des copies successives.   (E.B.)
▷ **critique**, **lachmannisme**, *stemma codicum*.

phonème (n. m., du grec *phônè*, « voix »). Unité discrète d'articulation dépourvue de sens et impossible à diviser en unités distinctes successives, le phonème permet de distinguer les mots d'une langue (*blanche* [blɑ̃ʃ] et *branche* [brɑ̃ʃ] se distinguent en français). Des traits distinctifs liés aux points d'articulation dans la bouche lui donnent son caractère propre :
– pour les consonnes : sourde/sonore, orale/nasale, occlusive/continue, bilabiale/dentale/palatale/vélaire, etc.

Tableau des consonnes

		Point d'articulation	sourdes	sonores	
				orales	nasales
O C C L U S I V E S		bilabiales	[p]	[b]	[m]
		dentales	[t]	[d]	[n]
		palatale			[ɲ]
		palato-vélaire	[k]	[g]	[ŋ]
C O N T I N U E S	FRI CA TI VES	labio-dentales	[f]	[v]	
		alvéolaires	[s]	[z]	
		post-alvéolaires	[ʃ]	[ʒ]	
	VI BRAN TES	alvéolaire		[l]	
		dorso-vélaire		[r]	

– pour les voyelles : antérieure/postérieure, ouverte/fermée, arrondie/non-arrondie, orale/nasale, simple/composée.

Tableau des voyelles

	antérieures		postérieures	
	orales	nasales	nasales	orales
Labialisation :	- +		+	+
Fermées	[i]			[u]
Mi-fermées	[e] [ɥ]			[o]
Mi-ouvertes	[ɛ] [ø]	[ɛ̃]	[5̃]	[ɔ]
Ouvertes	[a] [œ]	[œ̃]	[ɑ̃]	[ɑ̃]

– S'y ajoute la catégorie intermédiaire des semi-voyelles, appelées aussi semi-consonnes.

Semi-voyelles

– à [i] correspond le [j]
– à [y] correspond le [ɥ]
– à [u] correspond le [w]   (M.A.)

▷ **allitération, assonance, cratylisme,** *e* **caduc, semi-consonne, syllabe.**

phrase. Unité d'analyse grammaticale, la phrase se définit comme un groupe de mots perçus comme formant un tout, parce que donnant – au moins en contexte – le sentiment d'une complétude logique (voir thème/prédicat), sémantique et syntaxique, complétude qu'entérine à l'oral l'achèvement du mouvement prosodique et le jeu des pauses rythmiques. Parce que la phrase comme unité linguistique est relativement instable, l'analyse littéraire garde le plus souvent la définition scolaire, graphique, de ce terme : ensemble de mots compris entre deux ponctuations fortes (points). Une phrase peut être constituée d'une ou plusieurs propositions : on oppose alors phrase simple et phrase complexe. La phrase, dans son ensemble, peut connaître un changement de modalité, selon la

façon dont le locuteur envisage le contenu informatif :
on parle alors de phrase assertive (« Tu viens demain »),
interrogative (« Tu viens demain ? »), exclamative (« Tu
viens demain ! »), injonctive (« Viens demain ! »). (G.P.)
▷ **énoncé, parataxe, période, syntaxe, thème/prédicat.**

picaresque. *Voir* roman picaresque.

pièce bien faite. Expression née au XIXᵉ siècle pour désigner les comédies et les drames dont l'intrigue témoigne
d'un savoir-faire consommé ; puis catégorie générique.
Les pièces bien faites sont celles qui obéissent à toutes les
règles de composition, aux recettes dramaturgiques les
plus éprouvées. L'auteur de l'expression, Scribe, en offre
aussi le modèle. C'est souvent un autre nom de la comédie bourgeoise.   (P.F.)
▷ **comédie bourgeoise, drame, théâtre de boulevard.**

pied. Terme de métrique pour les systèmes soit accentuels, soit à opposition entre voyelles longues et brèves
(on évitera donc de l'employer, au sens de syllabe, pour
le vers français). On appelle pied un groupement de syllabes qui forme unité. Les principaux pieds sont le tro-
chée (– ∪), l'ïambe (∪ –), le spondée (– –), le dactyle
(– ∪ ∪), l'anapeste (∪∪ –), le tribraque (∪ ∪ ∪), le pyrr-
hique (∪ ∪), le molosse (– – –), le crétique (– ∪ –),
l'amphibraque (∪ – ∪).   (M.A.)
▷ **prosodie, syllabe, vers mesurés.**

pindarique. *Voir* ode pindarique.

pitié. La pitié est, avec la terreur, l'un des deux sentiments qui, dans la conception classique, caractérise l'effet
de la tragédie sur le spectateur. Selon Aristote, elle doit
faire l'objet d'une épuration (la catharsis). Le spectateur
doit éprouver de la pitié pour le personnage tragique,
mais ce sentiment, en soi désagréable, doit se transformer
en sentiment agréable.   (P.F.)
▷ **catharsis, terreur, tragédie.**

plan (premier plan/arrière-plan). Dans un texte narratif, les informations s'organisent sur deux plans : les données proprement narratives, dynamiques, forment ce que l'on appelle le premier plan ; les données complémentaires, qui relèvent des circonstances, forment l'arrière-plan. Cette opposition est moins intuitive que grammaticale : dans un récit au passé, les données de premier plan sont au passé simple (ou composé), tandis que les données d'arrière-plan seront par exemple à l'imparfait ou à toute autre forme imperfective. Dans cette phrase de Voltaire : *En approchant de la ville, ils rencontrèrent un nègre [...] ; il manquait à ce pauvre homme la jambe gauche et la main droite* (*Candide*), on a deux informations d'arrière-plan (*En approchant..., il manquait...*) qui complètent l'information de premier plan (*ils rencontrèrent...*).   (G. P.)
▷ description, présent de narration.

planh (n. m., « plainte, lamentation »). Dans la poésie médiévale d'oc, complainte sur la mort d'une amante, d'un ami, d'un grand personnage, ou sur des événements dramatiques. Son origine est la déploration funèbre de l'Antiquité. Douleur, piété, mélancolie en sont les caractéristiques principales. On en a conservé une quarantaine, parmi lesquels ceux de Gaucelm Faidit sur la mort de Richard Cœur de Lion ou de Bertrand de Born sur celle d'Henri le Jeune, fils d'Henri II Plantagenêt.   (D.B.)
▷ complainte, troubadour.

plantaire (n. m.). Au Moyen Âge, traité allégorique qui expose les particularités des plantes en leur conférant un sens spirituel. C'est l'équivalent du bestiaire pour le domaine de la botanique.   (D. B.)
▷ allégorie, bestiaire, *integumentum*, lapidaire, *senefiance*, volucraire.

plates. *Voir* rimes plates.

Pléiade (la). Terme apparu dans un poème de Ronsard, en 1556, pour désigner les six poètes qui, avec lui, représentaient le groupe dominant de la poésie française. Il possède un sens cosmologique (les sept étoiles formant la constellation de ce nom) et fait aussi allusion aux étoiles de la poésie alexandrine. La liste a changé plusieurs fois sous la plume de Ronsard. En ont fait partie, à des dates diverses, outre Ronsard, Baïf et Du Bellay : Belleau, Tyard, Peletier du Mans, Jodelle, Des Autels, La Péruse, Dorat. Avant que Ronsard ne constitue ce groupe, assez fictif, beaucoup de jeunes poètes se sont retrouvés dans la « Brigade », beaucoup plus nombreuse, et encore plus informelle. La Pléiade n'est donc pas une école littéraire comme il y en eut plus tard. Il existe beaucoup de divergences entre ceux qui la constituent. On peut dire néanmoins qu'ils essaient de mettre en pratique le programme de Du Bellay dans sa *Deffence et Illustration de la langue françoise* : usage du français comme langue de la poésie, imitation des Anciens, culte de l'inspiration, ce qui n'exclut pas le travail de l'art. Même si, selon la formule d'E. Balmas, la « saison de la Pléiade » a été brève (en gros, le règne d'Henri II), son bilan est impressionnant. Elle a remis à l'honneur des genres oubliés, comme l'hymne et l'ode ; réinventé la tragédie ; retrouvé le goût des petits genres lyriques chers aux Alexandrins ; cultivé la poésie philosophique. (D.M.)

▷ **genres littéraires, humanisme, imitation.**

pléonasme (n. m., du grec *pléonadzeïn*, « être surabondant »). Figure où le sens se répète inutilement dans plusieurs termes. Il y a des pléonasmes involontaires, dus à un emploi maladroit de la langue : « Je suis monté en haut. » En matière de style, le pléonasme est une manière de surenchère ou d'insistance. Dans *Les Femmes savantes* (II, 6), Molière utilise le caractère populaire du pléonasme grammatical de Martine,

Et tous vos biaux dictons ne servent pas de rien

pour le faire souligner de manière pédante par Bélise :

De pas mis avec rien tu fais la récidive,
Et c'est, comme on t'a dit, trop d'une négative.   (M.A.)

▷ **battologie, redondance, tautologie.**

pli analytique/pli catalytique. En narratologie, on dit
parfois que les différents éléments du récit se déploient
selon un double système de relations. D'une part, tout
élément narratif est susceptible de se décomposer en une
série d'actions secondaires : dans un roman policier, l'élément « crime » va ainsi prendre la forme d'une série
« préparation-action-fuite » ; on parlera ici d'un pli analy-
tique. D'autre part, un élément peut s'articuler à un autre
élément de même niveau, selon une relation de succession ou de causalité : par exemple, si c'est un chagrin
amoureux qui conduit au crime, si le crime est l'occasion
d'une rencontre, etc. on dira que ces trois éléments narratifs s'enchaînent selon un pli catalytique, c'est-à-dire
selon une dynamique propre au récit.   (G.P.)

▷ **schéma narratif.**

poème en prose. L'expression date du XVIIIe siècle (où
elle souligne la qualité poétique d'épopées en prose ou de
romans comme *La Princesse de Clèves*), mais c'est seulement en 1842, avec les poèmes d'Aloysius Bertrand, *Gaspard de la nuit*, qu'elle s'applique à une forme poétique
nouvelle et autonome. Un poème en prose est une structure qui forme un tout et qui est fondée non sur des
phénomènes prosodiques et métriques, mais sur des
recherches de rythme, de sonorités, d'images, qui sont
propres à la prose mais en donnent une utilisation qui
n'a rien à voir avec la prose au sens traditionnel du terme.
C'est dans la seconde moitié du XIXe siècle que le poème
en prose a véritablement pris son essor, avec les poèmes
de Baudelaire, de Rimbaud, puis, au XXe siècle, de Claudel, Cendrars, Léon-Paul Fargue, Saint-John Perse, Francis Ponge, etc. Voici un court poème en prose de Max
Jacob, à la fois plein d'humour et d'amertume, extrait de
ses *Derniers poèmes* (1945) et intitulé « Amour du pro-
chain » :

> Qui a vu le crapaud traverser une rue ? C'est un
> tout petit homme : une poupée n'est pas plus minuscule. Il
> se traîne sur les genoux : il a honte, on dirait... ? Non ! Il
> est rhumatisant. Une jambe reste en arrière, il la ramène !
> Où va-t-il ainsi ? Il sort de l'égout, pauvre clown. Personne
> n'a remarqué ce crapaud dans la rue. Jadis personne ne me
> remarquait dans la rue, maintenant les enfants se moquent
> de mon étoile jaune. Heureux crapaud ! tu n'as pas l'étoile
> jaune.
> (M.A.)

▷ figure, homophonie, image, prose poétique, séquence,
syntaxe, vers blanc, verset.

poésie fugitive. Genre de petites poésies (XVIIᵉ-
XIXᵉ siècle) brèves, isolées, sur des sujets légers et qui, ne
pouvant être publiées sous forme de recueil, s'exposaient
à disparaître après leur publication dans un journal ou
une revue. C'est souvent une œuvre de circonstance. Le
terme désigne aussi de courtes pièces poétiques que l'on
place comme inscription, par exemple dans les jardins.
C'est le cas de ce quatrain de Malherbe, « Pour une fontaine » (1627) :

> Vois-tu, passant, couler cette onde,
> Et s'écouler incontinent ?
> Ainsi fuit la gloire du monde :
> Et rien que Dieu n'est permanent.
> (P.F.)

poésie héroïque. À l'âge classique, on désigne ainsi le
genre le plus élevé de la poésie narrative. Le grand modèle
en est l'épopée antique (Homère, Virgile), relayée par
le *romanzo* italien de la Renaissance (*Roland furieux* de
l'Arioste, *La Jérusalem délivrée* du Tasse). Comme le
roman héroïque, ce type de narration, dont la forme est
versifiée, doit mettre en scène des héros exceptionnels,
dont les actions éclatantes appartiennent à l'histoire ou à
la mythologie. Un des grands théoriciens de la poésie
héroïque au XVIIᵉ siècle est Jean Chapelain, qui décrit le
genre dans sa préface à l'*Adone* du poète italien Marino
en 1623, et qui essaiera de donner à la littérature française une épopée, consacrée à Jeanne d'Arc : *La Pucelle*
(1656). La poésie héroïque a donné lieu aux débats les

plus vifs au moment de la querelle des Anciens et des Modernes, où Boileau (partisan des Anciens) contestait la validité des modèles italiens et s'opposait à l'usage du « merveilleux chrétien » (intervention de Dieu et des anges dans les actions des héros). Dans la littérature française, la poésie héroïque n'est pas parvenue à s'affirmer, même si Voltaire a tenté de chanter les exploits d'Henri IV (*La Henriade*, 1728) : on en trouve toutefois les traces les plus spectaculaires chez Hugo (*La Légende des siècles*, 1859) et des échos remarquables chez un Leconte de Lisle, par exemple (*Poèmes antiques*, 1852, *Poèmes barbares*, 1862).   (E.B.)

▷ épopée, imitation, merveilleux, querelle des Anciens et des Modernes, roman héroïque, style élevé.

poésie palinodique (du grec *palin*, « de nouveau », et *ôdê*, « chant »). Au Moyen Âge et jusqu'au début de la Renaissance, le palinod est le refrain de certains poèmes en l'honneur de la Vierge ; par extension, le mot désigne aussi le poème lui-même et le puy où cette poésie était pratiquée. Le serventois, qui en était le genre principal depuis le XIIIᵉ siècle, a été progressivement supplanté par le chant royal palinodique, né à Amiens en 1391, et qui s'est développé dans toute la moitié septentrionale de la France.   (D.B.)

▷ chant royal, confrérie, puy poétique, serventois.

poésie pastorale. On désigne ainsi la poésie qui choisit pour décor la vie rustique, où les bergers, les bergères et les troupeaux constituent les principaux personnages. La tradition remonte à la bucolique grecque (Théocrite, *Idylles*) et latine (Virgile, *Bucoliques*), qui a fixé le cadre topique de cet univers : c'est un monde où règnent la paix et l'amour (par opposition à la poésie héroïque, qui met en scène des guerriers et des combats), et qui vit au rythme de la nature : le *topos* du *locus amoenus* lui est étroitement lié (bord d'un ruisseau, ombre des arbres, nature en fleur). C'est le lieu de la plainte lyrique amoureuse, dans le style simple de l'églogue. La vitalité de l'imaginaire lié à cette poésie très ancienne, et dont les avatars médiévaux ont été aussi très brillants (*reverdie*), explique qu'elle a envahi tous les genres à l'époque de la Renaissance et de l'âge baroque : roman, théâtre, et, un peu plus tard dans le siècle, opéra. On lui doit aussi indirectement toute une esthétique du paysage, qui conduira au sentiment préromantique de la nature, présent tant dans la peinture que dans la littérature (par exemple, chez André Chénier, *Bucoliques*, 1785) et qui dominera encore les *Méditations poétiques* de Lamartine (1820). (E.B.)

▷ églogue, élégie, *locus amoenus*, roman pastoral, reverdie, style simple.

poésie sonore. Ensemble d'expériences assez diverses qui, depuis le milieu du XXᵉ siècle, font une place privilégiée à la voix, soit qu'elle travaille seulement sur la diction, soit qu'elle se trouve amplifiée par un microphone, soit qu'elle intervienne dans une création qui recourt à des techniques plus sophistiquées, du magnétophone à l'informatique. Ainsi la voix peut être nue ou bien associée à des sons ou à des musiques. La part du sens se trouve donc minorée au profit du corps et des ressources de l'oralité, et le livre ne peut accueillir dans sa plénitude cette poésie qui parfois travaille sur les unités minimales du langage (on a pu parler de « poésie phonétique »). Les plus importants représentants de la poésie sonore sont Henri Chopin, François Dufrêne et Bernard Heidsieck. (M.J.)

poétique (n. f., du grec *poïein*, « faire »). Le terme désigne aujourd'hui, d'une façon très générale, l'étude des formes littéraires en vue d'en établir la classification et d'en décrire le fonctionnement. C'est l'intérêt porté à cette dimension formelle qui a conduit la Nouvelle Critique à placer cette notion au centre de sa réflexion. La poétique est donc très largement une théorie des genres ; mais le mot s'est un peu galvaudé et la critique, de manière assez vague, place souvent sous la catégorie de poétique l'ensemble des traits qui caractérisent la création littéraire d'une époque ou d'un écrivain (poétique du naturalisme, poétique de Chateaubriand, etc.). La *Poétique* d'Aristote (vers 344 av. J.-C.) est évidemment l'ouvrage fondateur de la discipline, mais il faut garder ici au mot son sens le plus étroit. Aristote y distingue l'art de composer des vers et la rhétorique, art de persuader, en même temps qu'il analyse les formes et les genres. Si l'ouvrage n'accueille pas la comédie, qui devait être traitée dans un autre volume, il faut surtout noter qu'il exclut le lyrisme qui, subjectif, ne permet pas l'imitation, notion clé ; ce dont traite Aristote, ce n'est donc pas toute la poésie, mais la production en vers (épique et dramatique) qui relève de l'imitation et représente les actions humaines par le langage. Il ne faut donc pas confondre *la* poétique et ce qui est pour nous *le* poétique, même si pendant longtemps la poétique s'est illustrée par des *arts poétiques*, recueils de conseils et techniques pour écrire de la poésie. On voit souvent en Paul Valéry le refondateur moderne de la poétique puisqu'il l'a enseignée au Collège de France de 1937 à 1945 et redéfinie, au plus près de l'étymologie, comme l'art de production des œuvres.

(M.J. et G.P.)

▷ arts poétiques, formalisme, genres littéraires, imitation, *mimesis*, narratologie, *poïèsis*.

poétique (fonction). *Voir* fonctions du langage.

poétique de la lecture. Cette expression traduit l'anglais *reader-response theory* : il s'agit de voir quelle place et quel rôle le texte a prévus pour le lecteur, quel lecteur-modèle est visé par le texte, comment le lecteur gère son rapport esthétique à l'œuvre. Les théoriciens les plus importants de la poétique de la lecture sont W. Iser (*L'Acte de lecture*, 1976) et U. Eco (*Lector in fabula*, 1979).   (G.P.)

▷ esthétique de la réception, lecteur, lisible/scriptible.

poïèsis (n. f., emprunté au grec, « création, acte de produire une œuvre »). On oppose parfois la poïétique comme étude du processus de création littéraire, notamment dans sa dimension psychologique, et la poétique comme étude du fonctionnement des œuvres littéraires. (G.P.)

▷ **poétique.**

point de vue. Il y a création d'un effet « point de vue » dans un récit lorsque le texte donne le sentiment que l'ensemble des informations est filtré par la conscience d'un personnage. On parle aussi de focalisation interne : *Non, ce n'était pas l'Inconnue. On avait cherché, on avait manifestement cherché à rappeler sa coiffure, le découpage du masque, mais c'étaient d'autres traits, la bouche surtout...* (L. Aragon, *Aurélien*, 1944). Ce procédé est particulièrement important dans le roman depuis la seconde moitié du XIXe siècle ; il repose sur le passage d'un premier plan narratif vers un arrière-plan perceptif ou évaluatif et sur l'utilisation de modalisations, d'embrayeurs ou de subjectivèmes assumés par la conscience du personnage focalisant. (G.P.)

▷ **dialogisme, embrayeur, focalisation, locuteur/énonciateur, modalisation, plan, subjectivème.**

pointe. Ce terme désigne une formule sentencieuse qui surprend l'esprit par l'ingéniosité de son tour ; elle est théorisée au XVIIe siècle et connaît une grande vogue dans les genres mondains (maximes, poésies), mais aussi dans les tirades théâtrales. Elle se rattache au *concetto* (pensée ingénieuse), qui surprend à la fois par la structure et par le caractère énigmatique de son développement : elle fait parfois percevoir une vérité par le rapprochement inattendu de réalités éloignées. La pointe nourrit l'esthétique de la surprise chère aux esprits baroques, et son abus sera critiqué par les théoriciens du classicisme, qui lui reprochent son obscurité et une complexité trop maniérée (Bouhours, *La Manière de bien penser dans les ouvrages d'esprit*, 1687). (E.B.)

▷ **asianisme, baroque, *concetto*, gongorisme, marinisme, maxime, oxymore.**

poissard. *Voir* style poissard.

polémique (n. f., du grec *polémos*, « guerre »). Au sens strict, ce terme désigne toute dispute par écrit. Le champ de la polémique recouvre de nombreux genres littéraires, pamphlet, satire, factum, diatribe, invective, libelle. C'est par excellence le lieu de l'argumentation, qui utilise volontiers le registre démonstratif, ou épidictique (louange et blâme), et l'attaque *ad hominem* (on dénonce explicitement son adversaire). La vie littéraire est constituée régulièrement de polémiques, qui rythment parfois les grandes inflexions de l'esthétique (querelle du cicéronianisme au XVIe siècle, querelle du *Cid* en 1637, Anciens et Modernes, bataille d'*Hernani*, manifestes surréalistes, etc.) : la polémique est souvent l'occasion de clarifier les positions dans le champ littéraire, et de donner aux notions toute leur cohérence et leur force (classicisme, romantisme, symbolisme, naturalisme, etc. sont nés, avant tout, des polémiques suscitées autour d'eux).   (E.B.)

▷ argumentation, avant-garde, démonstratif, *doxa*, pamphlet, querelle des Anciens et des Modernes, satire.

polyisotopie. Un texte est polyisotopique s'il développe plusieurs thèmes à la fois, ou, plus exactement, s'il permet plusieurs lectures à la fois. Le poème « La Géante » de Baudelaire (*Les Fleurs du Mal*) est à la fois la description sensuelle d'une femme en chair et un manifeste poétique, c'est-à-dire un texte où le poète expose sa conception de l'art et de la beauté. Le *Journal d'un curé de campagne* de Georges Bernanos est à la fois un récit naturaliste et un récit hagiographique : la vie du jeune curé qui sombre dans l'alcoolisme par atavisme se donne aussi à lire comme l'histoire d'un village qui accède au salut parce que, par sa déchéance, le prêtre prend sur lui les péchés de ses ouailles.   (G.P.)

▷ polysémie.

polyphonie. *Voir* dialogisme.

polyptote (n. m.). Il s'agit d'une figure d'élocution, selon la terminologie de Pierre Fontanier (*Les Figures du discours*, 1827), c'est-à-dire une figure qui joue sur le choix des mots et leur juxtaposition selon différents procédés. Dans ce cas précis, le procédé est la répétition, dans une même phrase ou un même membre de phrase, de formes différentes d'un même mot ; tantôt avec des variations de mode, de temps ou de personne pour un verbe : *Rome vous craindra plus que vous ne la craignez* (Corneille), tantôt avec des variations de nombre ou de déterminant pour un nom : *Ô vanité des vanités, et tout n'est que vanité !* (Ecclésiaste, I, 2). Cela peut aboutir parfois à des effets très subtils, comme dans cette réplique de *Bérénice* de Racine (I, 5), où le polyptote est mis en valeur par une symétrie rigoureuse accentuée par la versification :

> *L'hymen chez les Romains n'admet qu'une Romaine.*
> *Rome hait tous les Rois, et Bérénice est Reine.* (E.B.)

▷ **antanaclase, antépiphore.**

polysémie. Est polysémique un mot qui a plusieurs sens distincts ; on appelle généralement sens « premier » l'acception étymologique du mot. Les sens secondaires sont le plus souvent obtenus par dérivation figurée (métaphorique par exemple, si l'on pense aux différents sens du mot « canard »). Il n'est pas toujours aisé de distinguer les cas de polysémie des cas de simple homonymie (deux mots distincts rendus similaires par l'évolution phonétique) : « canard » est un cas de polysémie (un seul mot avec une large gamme de sens) ; « voler » est un cas d'homonymie ; les sens multiples du mot « canon » combinent des faits d'homonymie et de polysémie. L'antanaclase et la syllepse sont les principales figures jouant sur la polysémie. (G.P.)

▷ **antanaclase, métaphore, polyisotopie, syllepse.**

polysyndète (n. f., du grec *polus*, « nombreux », et *sundeïn*, « joindre »). Multiplication des mots de liaison entre groupes syntaxiques. Exemple de Laforgue (« Complainte à Notre-Dame des Soirs ») :

> *Eux sucent des plis dont le frou-frou les suffoque ;*
> *Pour un regard ils battraient du front les pavés ;*
> *Puis s'affligent sur maint sein creux, mal abreuvés ;*
> *Puis retournent à ces vendanges sexciproques ;*
>   *Et moi, moi Je m'en moque !*   (M.A.)

▷ asyndète.

ponctuation. La ponctuation a plusieurs fonctions : syntaxique (groupements de syntagmes, de propositions...), rythmique (répartition des pauses), sémantique (rapports de sens entre les mots), émotive (marquage des modalités). À l'inverse, la suppression de toute ponctuation dans la poésie moderne, inaugurée par Mallarmé et reprise par Apollinaire, se marque par les ambiguïtés qu'elle permet ; c'est alors le blanc typographique qui est chargé de signification. Le début du « Pont Mirabeau » d'Apollinaire ménage ainsi un double statut au deuxième vers, à la fois coordonné à *la Seine* et en dislocation avec reprise anaphorique par *en* au troisième vers :

> *Sous le pont Mirabeau coule la Seine*
>   *Et nos amours*
>   *Faut-il qu'il m'en souvienne*
> *La joie venait toujours après la peine*   (M.A.)

▷ ambiguïté, syntaxe.

pragmatique littéraire. La pragmatique est la partie des sciences du langage qui a pour objet l'étude des énoncés dans leur contexte de communication. On considère généralement que la base de cette approche est la théorie des « actes du langage » proposée dans les années 1950 par le philosophe britannique John L. Austin. Selon ce dernier, un énoncé est autant appréhendé par son statut (conseil, question, information...), par ses effets secondaires (flatterie, menace...), que par son contenu informatif. La pragmatique littéraire s'intéressera donc à la façon dont les textes gèrent cette situation d'énonciation fort particulière qu'est le protocole de lecture littéraire ;

comme réflexion critique à part entière, elle réunit un ensemble de problématiques très diverses, mais qui permettent de mieux cerner la spécificité de la communication littéraire : statut du locuteur (du narrateur, par exemple), du lecteur, implicite, statut des énoncés fictifs ou lyriques, etc... (G.P.)

▷ archi-énonciateur, discours/récit, lecteur, lecture, locuteur/énonciateur.

préciosité. Ce terme du milieu du XVIIᵉ siècle désigne un phénomène littéraire qui est aux confins de l'histoire de la langue et de la société mondaine. Il est dérivé de « précieuse », qui désigne la femme qui se donne un « prix » supérieur aux autres : il correspond à l'effort grammatical et linguistique de certains cercles de femmes lettrées pour affiner la psychologie amoureuse telle qu'on la définissait dans les salons. La difficulté majeure pour le saisir est que ce courant est surtout connu par les critiques qu'il a suscitées (*Les Précieuses ridicules* de Molière en 1659, *La Précieuse* de l'abbé de Pure en 1656), et on a même pu aller jusqu'à dire que les précieuses n'avaient pas existé ! Au sens strict, il recouvre un phénomène propre aux années 1650, qui se caractérise par un langage très raffiné, goûtant les métaphores hardies, les pointes, la substantivation des adjectifs, et en général un mélange d'abstraction subtile et d'images déroutantes. On a pu en faire un courant fondamental de la littérature française, qui irait des cours d'amour médiévales au raffinement stylistique d'un Giraudoux, mais cela lui ôte peut-être la portée fondatrice qu'il a dans la littérature et la civilisation du XVIIᵉ siècle français. Effort linguistique, la préciosité prélude en effet à cet art d'analyser subtilement le cœur humain qui caractérise le classicisme (Mme de La Fayette, Mme de Sévigné, Racine), déclinant toutes les nuances de l'âme amoureuse, à la manière dont Madeleine de Scudéry traçait les linéaments de sa carte du Tendre (*Clélie*, 1654-1660). Socialement, même si elle fut sévèrement critiquée, soit par les moralistes, soit par le théâtre, la préciosité incarne l'instance féminine qui régna alors sur la naissance d'une littérature purement française et d'essence mondaine, opposée aux savoirs du collège (masculin et latin), qui sont le propre des pédants. Il faut donc lui reconnaître un rôle fondamental dans l'essor d'une littérature vernaculaire qui se préoccupe de psychologie et de morale amoureuses, annonçant la casuistique subtile des sentiments qui, de Marivaux à Proust, sera un des fleurons les plus remarquables de la littérature française.   (E.B.)

▷ **asianisme, classicisme, galanterie, roman héroïque, style fleuri.**

prédicat. *Voir* thème.

préface. Discours d'introduction à un texte. La préface peut être strictement informative ou constituer un commentaire éclairant les enjeux de ce qui suit. Dès le XVIIᵉ siècle, les dramaturges jugèrent utile de faire précéder leurs pièces d'un « examen » ; mais la préface, sous sa forme moderne, apparaît au siècle suivant avec le roman, genre nouveau dont la légitimité est particulièrement contestée et qu'il faut donc défendre. À partir de la fin du XVIIIᵉ siècle, la préface a souvent valeur de manifeste et est un lieu particulièrement propice à la polémique. Parmi les plus célèbres, on citera les préfaces de *La Nouvelle Héloïse* (J.-J. Rousseau, 1761), *Cromwell* (V. Hugo, 1827), *Mademoiselle de Maupin* (Th. Gautier, 1836), *Pierre et Jean* (G. de Maupassant, 1888). Au XXᵉ siècle, en revanche, l'usage est plutôt de confier la préface à un auteur reconnu qui apporte en quelque sorte sa caution au texte : certaines préfaces de Malraux, Sartre, Barthes... ont ainsi joué un rôle très important dans l'histoire littéraire. Contrairement au prologue ou à l'introduction qui appartiennent pleinement au texte, la préface est donc un élément de paratexte ; on emploie parfois le mot « avant-propos » dans le même sens (« Avant-propos à *La Comédie humaine* », H. de Balzac, 1842). On appelle postface le même type de texte situé en fin de volume.   (G.P.)

▷ **paratexte, prologue.**

première. Première représentation d'une pièce de théâtre. C'était autrefois une première rencontre avec le public. Aujourd'hui, c'est encore une représentation plus élégante que les suivantes, mais les salles des premières sont largement composées d'amis, de professionnels et de critiques et sont donc plus complaisantes.　　　(P.F.)

▷ couturière, générale.

présent de narration. Emploi du présent dans un récit pour évoquer des faits passés (on parle aussi de « présent aoristique » ou de « présent historique », avec parfois des nuances dans l'usage de ces dénominations). Particulièrement plastique, le présent peut en effet se substituer au seul passé simple ou bien à l'ensemble des temps du passé, certains auteurs n'hésitant pas à mêler les deux usages : *[on] me passe le manuscrit du* Vent, *qui devait paraître [...]. Je demande à rencontrer cet auteur dont j'ignore tout* (A. Robbe-Grillet, *Les Derniers Jours de Corinthe*, 1994). L'emploi du présent en lieu et place des temps du passé n'est en rien réservé à la littérature (il est fréquent dans l'oral familier : « Hier, je vais aux *Vaches folles* et qui est-ce que je trouve ? Annie ! »), mais la littérature en a tiré des effets importants : en plus de créer l'illusion d'une énonciation contemporaine de l'action évoquée, le présent de narration tend à donner un caractère plus subjectif au récit et à rendre plus flous les repères chronologiques, parce qu'il neutralise l'opposition des plans narratifs (voir ce mot ; d'où l'ambiguïté d'énoncés comme « Louis XIV règne lorsque Mazarin meurt »). La tradition stylistique attribue d'ailleurs au présent de narration l'aptitude de rendre plus vivant le récit, aussi l'hypotypose se faisait-elle fréquemment au présent : *Cette obscure clarté qui tombe des étoiles / Enfin, avec le flux, nous fait voir trente voiles* (Corneille, *Le Cid*, IV, 3). Imité des Anciens, le présent de narration a été particulièrement en vogue aux XVIIe et XVIIIe siècles.　　　(G.P.)

▷ hypotypose, plan.

prétérition (n. f., du latin *praetereo*, « passer sous silence »). Cette figure consiste à dire qu'on ne dit pas ce qu'on est en train de dire explicitement. Pierre Fontanier (*Les Figures du discours*, 1827) la classe parmi les figures d'expression par opposition, aux côtés de l'ironie. En semblant ne pas insister sur quelque chose, on le met encore plus en évidence, car tout en ayant l'air de ne pas adhérer à l'énoncé que l'on produit, on en insinue le contenu dans l'esprit de l'auditeur ou du lecteur, sur le mode de la connivence ou de l'évidence partagée (d'où l'usage fréquent de cette figure dans le genre démonstratif, où il s'agit de célébrer des valeurs communes à l'orateur et à l'auditoire).   (E.B.)

▷ **démonstratif**, *doxa*, **ironie**.

progression thématique. Mode d'enchaînement des divers thèmes qui se succèdent de phrase en phrase. La condition élémentaire du bon fonctionnement de tout texte est en effet qu'il ne soit ni incohérent, ni redondant. À chaque étape du discours, on apporte donc une information nouvelle (le prédicat) sur un élément (le thème) conservé de l'étape qui précède. On distingue généralement trois configurations principales : progression à thème constant (reprise du thème de la phrase qui précède : *Un de nos deux amis sort du lit en alarme : / Il court chez son intime, éveille ses valets*) ; progression linéaire (l'élément apporté dans la phrase qui précède sert d'élément de reprise : *La mort ne surprend point le sage ; / Il est toujours prêt à partir*) ; progression à thèmes dérivés (le thème est décliné sous plusieurs aspects successifs : *Deux voleurs se battaient : / L'un voulait le garder, l'autre le voulait vendre*, La Fontaine, *Fables*).   (G.P.)

▷ **cohérence/cohésion**, **thème/prédicat**.

prolepse (n. f., du grec *pro*, « devant », et *lêpsis*, « action de prendre »). Dans un récit, rupture de la ligne chronologique pour mentionner une action qui s'est déroulée après l'action principale. La prolepse peut être fort brève (*[...] une petite fille blonde qui ne quittait pas sa chaise*

longue et qui devait mourir quelques années plus tard,
J.-P. Sartre, *Les Mots*) ou très longue : elle constitue alors
un récit enchâssé. (G.P.)

▷ analepse.

prologue (n. m.). Au Moyen Âge, discours liminaire dans
lequel l'auteur ou le récitant cherche à capter l'attention de
son public (*captatio benevolentiae*), en vantant les mérites
de l'œuvre qui va être lue ou entendue, et/ou en rendant
hommage à son commanditaire. Progressivement, le prologue envahit tous les genres et peut contenir des éléments
(souvent sommaires) d'esthétique ou de théorie du genre.
C'est souvent là, ou dans l'épilogue, que figure le nom de
l'auteur. C'est encore le sens du mot dans les « prologues »
de romans de Rabelais, au XVIᵉ siècle ; le prologue a ici une
fonction paratextuelle qui le rapproche de ce que nous
nommons désormais une préface. Depuis le XVIIᵉ siècle, le
terme tend à reprendre le sens qui était le sien dans le
théâtre antique : dialogue ou monologue qui précède l'entrée dans l'action et offre, souvent de façon indirecte, un
accès à la matière diégétique de la pièce (lieux, personnages,
situation...). Il s'agit en quelque sorte d'une scène d'exposition. Le mot a pu, avec cette acception non paratextuelle,
être occasionnellement employé pour des ouvertures de
romans. (D.B. et G.P.)

▷ incipit, paratexte, préface.

pronostication. Ce mot ne désigne pas à proprement
parler un genre littéraire. Il s'agit plutôt d'un écrit, le
plus souvent en vers, où l'on trouve des renseignements
astronomiques (phases de la lune), des prévisions météo-
rologiques et des conseils d'hygiène. Le développement
de l'imprimerie assure le succès de ces opuscules. Certains
ne s'en tiennent pas là et leurs auteurs se mêlent de prévoir l'avenir grâce à leur connaissance de l'astrologie.
Cette prétention ne pouvait laisser insensibles ceux qui la
considéraient comme une science incertaine et qui esti-
maient que l'avenir est dans les mains de Dieu. Bonaven-
ture des Périers fait paraître en 1537 une *Prognostication*

des Prognostications qui raille les prétentions des astrologues. Rabelais lui-même parodie en 1532 (*Pantagruéline prognostication*) le langage de l'astrologie et affirme avec force que le gouvernement du monde n'appartient qu'à « Dieu le créateur, lequel par sa divine parole tout régit et modère ». Il annonce l'indignation de Calvin et de la Réforme, beaucoup plus sévères à l'égard des « prognostiqueurs » que la majorité des auteurs catholiques (à l'exception de Montaigne). (D.M.)

▷ évangélisme.

prose cadencée. Forme intermédiaire entre la poésie en vers et la prose. C'est en fait un élément important de la prose poétique (effets d'isocolie ou encore de rhétorique) : la phrase s'organise de manière à faire entendre des récurrences rythmiques très nettement perceptibles. (M.A.)

▷ prose poétique.

prose d'art. À partir de la Renaissance, le renouveau de la rhétorique classique et les efforts des grands traducteurs ont conduit à rechercher une perfection formelle en prose qui pût concurrencer les plus grandes réussites de la poésie ; l'attention au rythme, l'équilibre de la syntaxe et la perfection à la fois sémantique et sonore de la période caractérisent les grandes œuvres de ce qu'on appelle la prose d'art, comme les sermons (Bossuet), les maximes (La Rochefoucauld), mais aussi les lettres (Guez de Balzac) ou l'histoire.

L'expression prose d'art désigne également aujourd'hui la description d'un tableau ou d'une gravure qui prend presque le style d'un poème en prose. Par exemple, les natures mortes de Chardin décrites par les Goncourt (*L'Art au* XVIIIᵉ *siècle*) :

> *Sur un de ces fonds sourds et brouillés qu'il sait si bien frotter, et où se mêlent vaguement des fraîcheurs de grotte à des ombres de buffet, sur une de ces tables à tons de mousse, au marbre terreux, habitués à porter sa signature, Chardin verse les assiettes d'un dessert, – voici le velours pelucheux de la pêche, la transparence d'ambre du raisin blanc, le*

> *givre de sucre de la prune, la pourpre humide des fraises, le grain dru du muscat et sa buée bleuâtre, les rides et le verruqueux de la peau d'orange, la guipure des melons brodés, la couperose des vieilles pommes, les nœuds de la croûte du pain, l'écorce lisse du marron, et jusqu'au bois de la noisette. Tout est là devant vous, dans le jour, dans l'air, comme à la portée de la main.*   (M.A.)

▷ genre épistolaire, maxime, période, poème en prose, rhétorique, sermon, traduction littéraire.

prose poétique. L'expression désigne le style de passages dans des œuvres en prose – à partir du XVIIIᵉ siècle surtout – où toute action cesse au profit d'une stase (arrêt devant la nature, des sentiments, une contemplation) et où l'écriture emprunte à la poésie certains effets lyriques (réseau plus serré d'images, effets de sonorité, de répétition, recherches rythmiques). Ainsi la prose poétique est souvent soutenue par la reprise de groupes syllabiques dans ce qu'on appelle isocolie. Exemple de Chateaubriand :

> *Quitté de mes compagnes, je me reposai au bord d'un massif d'arbres : son obscurité* (5)*, glacée de lumièr(e)* (5)*, formait la pénombr(e)* (5) *où j'étais assis* (5)*.*   (M.A.)

▷ allitération, assonance, figure, homéotéleute, image, poème en prose, prose cadencée, syntaxe, vers blanc.

prosimètre (n. m.). Nom donné par Paul Zumthor à des œuvres du XVᵉ et du XVIᵉ siècle, écrites en français, et qui associent la prose et les vers. La plupart des Grands Rhétoriqueurs ont pratiqué ce genre, notamment Molinet (*Compleinte de Grèce, Le Trosne d'honneur, Le Chapelet des dames*) et Jean Lemaire de Belges (*Temple d'Honneur et de vertus, La Concorde des deux langages, La Couronne margaritique*). En fait, le prosimètre est plus ancien. La *Vita nuova* de Dante en est un. Ce genre eut un succès qui déborda le cadre de la Grande Rhétorique. *Arcadia* de Sannazar (1504), écrite en latin, fait elle aussi alterner la prose et les vers. R. Belleau l'imite dans les deux Journées de sa *Bergerie* (1565 et 1572). Une esthétique soucieuse de *varietas* trouvait dans ce genre des ressources stylistiques qu'elle ne s'est pas privée d'exploiter.

                                                                    (D.M.)

▷ Pléiade, prose poétique, rhétorique.

prosodie (n. f., du grec *prosodia*, « chant pour accompagner la lyre »). Organisation des sonorités vocaliques et consonantiques dans un texte, mais aussi des accents et par là des rythmes.   (M.A.)

▷ accent, allitération, assonance, homophonie, métrique,
   pied, rythme, signe linguistique, syllabe.

prosopopée (n. f.). Cette figure consiste à faire parler un être absent, imaginaire, abstrait ou disparu. L'exemple canonique de cet usage est le passage du *Discours sur les sciences et les arts* où Rousseau fait parler le général romain Fabricius pour dénoncer le luxe contemporain qui contraste avec la simplicité des mœurs de l'ancienne République romaine : *Ô Fabricius, qu'eût pensé votre grande âme, si, pour votre malheur, vous eussiez vu la face pompeuse de cette Rome sauvée par votre bras [...] : Dieux, eussiez-vous dit, que sont devenus ces toits de chaume et ces foyers rustiques qu'habitaient jadis la modération et la vertu ?...* La prosopopée sert assez souvent à faire parler une autorité (ici, un grand ancêtre), ou une valeur (la liberté, la nature, etc.), elle est donc fréquente dans le genre démonstratif (épidictique) où il s'agit de célébrer des valeurs communes ou de dénoncer des vices. En permettant l'action d'un personnage ou d'une entité imaginaire, elle fait appel aux effets les plus spectaculaires de la rhétorique ; Quintilien en recommande l'usage dans la péroraison, où il s'agit justement d'émouvoir les passions de l'auditeur. À ce titre, elle est un des principaux exercices scolaires de la rhétorique classique. Son influence littéraire est déterminante sur les grands monologues de la tragédie classique, ainsi que sur la poésie épique, au moins jusqu'à Victor Hugo.   (E.B.)

▷ démonstratif, éthopée, *pathos*, péroraison.

protagoniste. Acteur qui jouait le premier rôle dans la tragédie grecque. Aujourd'hui, personnage principal d'une pièce de théâtre. La notion de protagoniste met l'accent sur la fonction première (*prôton*) du personnage dans l'action et on doit donc éviter d'utiliser le terme de protagoniste comme synonyme de personnage, qu'il s'agisse de théâtre ou de roman. (P. F.)

▷ **acteur, action, caractère, chœur, personnage.**

protase (n. f., du grec *pro*, « avant », et *tithêmi*, « je place »). Première partie, ascendante, de la phrase périodique. (On trouvera un exemple de période à l'article acmé.) (M.A.)

▷ **acmé, apodose, période.**

proverbe. Formulation condensée et frappante d'une vérité de l'expérience quotidienne. Au Moyen Âge, les proverbes ont été mis en recueils (*Proverbes au vilain*) ; ils sont souvent cités dans des œuvres littéraires, dont ils sont censés rehausser le style : le proverbe fait alors partie de l'arsenal rhétorique admis jusque dans le style élevé. Il fonctionne en effet comme le recours à l'autorité. Le XVIᵉ siècle utilise les recueils médiévaux et en voit naître de nouveaux. L'œuvre de Rabelais, où abondent les proverbes, leur accorde un certain crédit. La culture de la Pléiade, de type aristocratique, s'intéresse aussi à l'antique sagesse contenue dans les proverbes. (D.B. et D.M.)

▷ **adage, énoncé/énonciation, rhétorique, style.**

proverbe dramatique. Forme de comédie, dans laquelle s'illustrèrent successivement Carmontelle (1717-1806) et Musset, destinée à l'origine à un jeu de société : les spectateurs doivent découvrir le proverbe illustré par une petite comédie en un acte. *Il faut qu'une porte soit ouverte ou fermée* est un proverbe dramatique de Musset (1845). (P.F.)

▷ **impromptu, lever de rideau, théâtre de société.**

psaume (n. m.). Au départ, c'est un cantique ou un chant sacré des Hébreux (les Psaumes de David, dans l'Ancien Testament). Du XVIᵉ au XVIIIᵉ siècle, les Psaumes ont été paraphrasés en vers français par des poètes comme Marot, Baïf, Desportes, Malherbe, Racan, J.-B. Rousseau, Lefranc de Pompignan...   (M.A.)

psychocritique. Méthode critique mise au point par Ch. Mauron dans le sillage de la critique psychanalytique (*Des métaphores obsédantes au mythe personnel*, 1963). L'objectif est de mettre en évidence le fonctionnement psychique d'un écrivain en observant les récurrences structurelles et thématiques, pour repérer des « réseaux » fantasmatiques qui s'organisent en un véritable « mythe personnel ».   (G.P.)
▷ critique psychanalytique, critique thématique.

psychomachie. Genre littéraire allégorique hérité de l'Antiquité tardive (*Psychomachia* de Prudence, *Consolation de Philosophie* de Boèce), dans lequel les acteurs sont des vices et des vertus qui se livrent bataille dans la poitrine, siège des passions, en combattant par paires antagonistes dans des duels successifs. La psychomachie se présente donc comme une systématisation du procédé de l'*abstractum agens* répandu dans la rhétorique antique ; le récit peut prendre un tour proprement épique, en opposant des légions démoniaques aux armées de Dieu (*Tournoiement Antéchrist* d'Huon de Méry). Les psychomachies adoptent généralement la fiction initiale du songe.   (D.B.)
▷ allégorie, songe.

psychorécit. *Voir* récit de pensée.

puy poétique. Au Moyen Âge, académies littéraires du nord de la France (en particulier à Rouen, Arras, Amiens), d'origine bourgeoise, qui sont animées par un Prince du puy, et qui cultivent quelques genres précis comme le serventois, le chant royal et la ballade. Les puys organisaient des concours poétiques. À Arras, le puy était lié à la Confrérie des jongleurs et bourgeois, à laquelle devait appartenir, dès la fin du XIIe siècle, un poète comme Jean Bodel. Au début du XVIe siècle, la ballade, le chant royal et le rondeau sont cultivés dans les Puys des Palinods en Flandre, Picardie et Normandie, où concoururent plusieurs des Grands Rhétoriqueurs. Une « devise palinodiale », c'est-à-dire une sentence en vers, était proposée au candidat qui, à partir d'elle, composait son poème. En 1521, Jean Marot et son fils Clément participèrent au Puy de Rouen.　　　　　　　　　(D.B.)

▷ **chant royal, confrérie, poésie palinodique, serventois.**

Q

quadrature (ou **carrure**). Forme de strophe isométrique dite carrée, dans laquelle le nombre des vers est égal au nombre de syllabes de chacun d'eux : huitains d'octosyllabes, dizains de décasyllabes, etc. ; au Moyen Âge, François Villon l'a fréquemment utilisée dans ses ballades, mais surtout dans le *Lais* et dans le *Testament*, composés en huitains d'octosyllabes. (D.B.)

▷ **ballade, strophe carrée.**

quadrivium. Au Moyen Âge, ensemble des quatre disciplines scientifiques qui étaient enseignées à l'Université après le *trivium* : arithmétique, géométrie, musique, astronomie. L'ensemble constitue les « sept arts », au-delà desquels se situe l'enseignement de la théologie. (D.B.)

▷ **comput,** *trivium.*

quartier. Groupement de vers interne à une strophe ou à un couplet, et qui reproduit sa structure quatre fois. C'est une division strophique qui se rencontre dans la poésie médiévale (le lai, la rotrouenge par exemple), et parfois dans la chanson traditionnelle. (M.A.)

▷ **couplet, lai lyrique, rotrouenge, strophe.**

quatorzain (n. m.). Strophe de quatorze vers. C'est une strophe assez rare, et toujours composée, avec des structurations internes (type quatrain + dizain, ou l'inverse). (M.A.)

▷ **strophe.**

quatrain (n. m.). Strophe de quatre vers. C'est une strophe simple, la plus fréquente en poésie française. Les deux types de disposition des rimes sont :
– embrassées abba (Théophile de Viau, « La Solitude ») :

> *Dans ce val solitaire et sombre,*
> *Le cerf, qui brame au bruit de l'eau,*
> *Penchant ses yeux dans un ruisseau,*
> *S'amuse à regarder son ombre.*

– croisées, ou alternées, abab (Victor Hugo, *La Légende des siècles)* :

> *Vous ne m'allez qu'à la hanche ;*
> *Quoiqu'altier et hasardeux,*
> *Vous êtes petit, roi Sanche,*
> *Mais le Cid est grand pour deux.*

Le quatrain peut être aussi monorime aaaa ou à rimes plates, ou suivies, aabb. (M.A.)
▷ alternance, rime, strophe.

quatrième mur. Terme d'esthétique dramatique : il s'agit du quatrième mur virtuel qui sépare un spectacle de théâtre de ses spectateurs. Cette séparation fictive assure la cohérence, l'autonomie et la clôture de la fiction. Elle permet l'investissement de la scène par l'imaginaire du spectateur. Le quatrième mur fonde les dramaturgies réaliste ou symboliste, mais est remis en question depuis Brecht. Il est lié à la constitution de la scène de théâtre en scène boîte au XVIIIᵉ siècle. Il n'y a pas de quatrième mur dans le théâtre grec ni dans le théâtre du XVIIᵉ siècle (même si l'expression « mur invisible » apparaît chez Molière dans *L'Impromptu de Versailles*) ou à la comédie italienne. (P.F.)
▷ dramaturgie, scène, scénographie.

querelle des Anciens et des Modernes. Débat esthétique majeur des dernières années du règne de Louis XIV, mais dont les signes avant-coureurs se manifestèrent dès les années 1650, lorsque se posa la question de l'usage du merveilleux chrétien dans la poésie épique, que défendaient les « modernes », puis, vers 1670, lorsqu'il était question de choisir entre le latin et le français pour célébrer la gloire du roi dans les inscriptions et sur les médailles. La querelle proprement dite éclate en 1687, quand Charles Perrault lit, devant l'Académie, son poème sur *Le Siècle de Louis le Grand*, qui fait l'éloge des auteurs français modernes en les opposant aux auteurs de l'Antiquité grecque et latine. Boileau y répond, notamment dans la *Satire X*, sur les femmes ; Perrault rédige alors un *Parallèle des Anciens et des Modernes* (4 volumes de 1688 à 1697), où il organise méthodiquement les arguments en faveur des Modernes. La réponse de Boileau est contenue dans ses *Réflexions sur Longin*, qui défendent la notion de sublime, fondée sur les modèles antiques. Les deux adversaires se réconcilient officiellement en 1694. Perrault défend une culture moderne et chrétienne, qui est celle des mondains, et surtout celle des femmes (qui n'apprennent pas le latin à l'école, et encore moins le grec). La seconde querelle (1714-1716), déterminante pour l'esthétique du premier XVIIIe siècle, opposera Anne Dacier, la traductrice d'Homère, au moderne adaptateur de l'*Iliade*, Antoine Houdar de La Motte, à qui elle reprochera de défigurer le poème grec au nom des normes du goût moderne, rationaliste et abstrait.   (E.B.)

▷ **classicisme, critique, merveilleux, sublime.**

querelle des Bouffons. En 1752, à l'occasion de la visite en France d'une troupe italienne (les bouffons), éclata une querelle qui suivit la représentation de *La Servante maîtresse* de Pergolèse. Elle opposa les partisans de la musique italienne et les défenseurs de la musique française. Grimm, Rousseau et Diderot prirent parti pour la musique italienne. Cette querelle, qui compta beaucoup dans l'évolution de la musique en France, eut des effets ambivalents : elle fit découvrir une nouvelle musique italienne et mit à la mode les petites formes, mais elle isola la musique française défendue par le camp académique.
(P.F.)

▷ **comédie à ariettes, opéra-comique, vaudeville.**

quintil. Strophe de cinq vers. Elle peut être simple, avec une combinaison abaab, ou aabab, ou encore abbba. Ce dernier cas, assez rare, se trouve dans ce quintil de Laforgue (« Complainte des Mounis du Mont-Martre ») :

> *Dire que, sans filtrer d'un divin Cœur,*
> *Un air divin, et qui veut que tout s'aime,*
> *S'in-Pan-filtre, et sème*
> *Ces vols d'oasis folles de blasphèmes*
> *Vivant pour toucher quelque part un Cœur...*

La formule prolongée est plus fréquente, avec des combinaisons en ababa, ababb, abbab, abbaa. C'est en ababa que Baudelaire compose son poème à antépiphores, « Le Balcon ».

> *Mère des souvenirs, maîtresse des maîtresses,*
> *Ô toi, tous mes plaisirs ! ô toi, tous mes devoirs !*
> *Tu te rappelleras la beauté des caresses,*
> *La douceur du foyer et le charme des soirs,*
> *Mère des souvenirs, maîtresse des maîtresses !*   (M.A.)

▷ antépiphore, strophe.

quinzain. Strophe de quinze vers, toujours composée, avec, comme pour toutes les strophes longues, des possibilités de structuration interne (par exemple suite de trois quintils).   (M.A.)

▷ strophe.

quiproquo. Procédé propre à l'écriture dramatique : un personnage confond un personnage avec un autre, ou ignore qui est celui à qui il parle ou dont il parle. Ce procédé est particulièrement riche en effets comiques : la scène de *L'École des femmes*, de Molière, où Horace fait confidence à Arnolphe de ses entreprises de séduction est un quiproquo. Mais on peut le rencontrer dans la tragédie : dans *Œdipe roi* de Sophocle, Œdipe poursuit le meurtrier de Laïos sans savoir qu'il s'agit de lui-même.

                                                      (P.F.)

▷ comédie, intrigue.

R

rapporté. *Voir* discours rapporté *et* vers rapportés.

razo (n. f. « raison », en langue d'oc). Littérature sur la littérature, ce genre littéraire médiéval d'oc s'attache à préciser les circonstances qui ont présidé à la composition d'un poème, soit pour évoquer avec complaisance des événements romanesques, soit pour éclaircir des allusions à une actualité politique dont le souvenir s'est perdu pour le public après quelques années ou quelques décennies.

(D.B.)

▷ chansonnier, troubadour, *vida*.

réalisme. Au sens général de « représentation de la réalité », le réalisme est de toutes les époques. Au XIXᵉ siècle cependant, le réalisme fait figure de conquête et s'affirme comme une valeur esthétique, principalement dans le domaine romanesque. Ni Stendhal ni Balzac ne se sont réclamés du réalisme, le mot n'étant guère employé en critique littéraire avant 1850. Ils n'en sont pas moins considérés à juste titre comme les créateurs du roman réaliste moderne. La conception du roman comme « un miroir que l'on promène le long d'un chemin » (Saint-Réal, repris par Stendhal), l'intérêt porté à la vie quotidienne, le goût du « petit fait vrai » (Stendhal), la précision des portraits et des descriptions, l'importance donnée à l'argent, l'insertion des personnages dans la réalité politique et sociale contemporaine, dessinent l'axe central de ce réalisme romanesque – préfiguré ou déjà présent dans bien des pages de romans français des XVIIᵉ et XVIIIᵉ siècles, notamment chez Charles Sorel (*Histoire comique de Francion*, 1623), Paul Scarron (*Le Roman comique*, 1651), Lesage (*Histoire de Gil Blas de Santillane*, 1715-1735), Marivaux (*Le Paysan parvenu*, 1735-1736, *La Vie de Marianne*, 1731-1741), l'abbé Prévost (*Manon Lescaut*, 1731).

Dans les années 1850, « réalisme » devient une étiquette et, pour certains, un drapeau. En peinture avec Courbet, puis dans le roman, le réalisme désigne un mouvement qui, s'opposant à l'idéalisation moralisatrice ou sentimentale et aux conventions académiques, s'attache à peindre de manière parfois provocante la réalité telle qu'elle est. Par ses romans et ses articles réunis en 1857 sous le titre *Le Réalisme*, Champfleury (1821-1889), ami de Courbet, se fait pour un temps le porte-parole de ce courant. Duranty (1833-1880) reprend ses idées en les radicalisant dans les six numéros de la revue *Réalisme* (1856-1857). Se gardant de toute théorie, Flaubert donne en cette même année 1857 le chef-d'œuvre du réalisme avec *Madame Bovary*, montrant que, contrairement à ce qu'affirmait Champfleury, les exigences du style ne sont pas incompatibles avec la peinture du réel. Dans le même temps, le mot « réalisme » se charge de valeurs négatives, connotant la vulgarité, voire l'obscénité : le tribunal blâme Flaubert pour « le réalisme vulgaire et souvent choquant » de son roman et condamne Baudelaire coupable d'« un réalisme grossier et offensant pour la pudeur ». À partir de 1865 et principalement sous l'influence de Zola, la querelle du naturalisme rejettera au second plan les débats suscités par le réalisme. (Y.V.)

▷ *mimesis*, **naturalisme, roman de mœurs, roman psychologique, romantisme, vérisme.**

réception. *Voir* esthétique de la réception.

récit/discours. *Voir* discours.

récit/roman. De nombreux écrivains et critiques ont repris la distinction récit/roman proposée par André Gide dans les années 1920. Alors que le roman tend à rendre compte du monde dans sa complexité et saisit l'occasion d'une ligne narrative pour déployer la réalité sous les yeux du lecteur, le récit présente les événements pour eux-mêmes, excluant autant que possible l'interférence de toute ambition non narrative. L'opposition est donc plus esthétique que vraiment générique : il s'agit bien dans les deux cas de narration fictionnelle, mais le récit oppose un souci constant de sobriété au foisonnement du romanesque. De fait, le récit est souvent bref, linéaire, à la première personne. On pourra opposer, sur cette base, *Isabelle* (1912) et *Les Faux-monnayeurs* (1925) de Gide, *Alexis* (1929) et *L'Œuvre au noir* (1968) de Marguerite Yourcenar.   (G.P.)

▷ fiction, genres littéraires, nouvelle.

récit de pensée. On regroupe sous cette étiquette toutes les remarques qui, dans un texte narratif, portent sur la vie intérieure du personnage, présentent ses sentiments, ses impressions... (*Toutefois, la peur ne venait chez lui qu'en seconde ligne. Il était surtout scandalisé de ce bruit qui lui faisait mal aux oreilles*, Stendhal, *La Chartreuse de Parme*). Le récit de pensée permet donc, avec le discours intérieur (qui présente les pensées verbales du personnage) de rendre compte de la vie intime d'une conscience. On emploie parfois aussi, avec le même sens, « psychorécit », qui traduit l'anglais *psycho-narration* (D. Cohn).   (G.P.)

▷ discours indirect libre, discours intérieur, monologue intérieur.

réclame. En codicologie médiévale, la réclame est l'indication, au bas de la dernière page d'un cahier, du ou des premiers mots du cahier suivant. Elle est destinée à faciliter le travail du relieur et à réduire les risques d'erreur lors de l'assemblage des cahiers.   (D.B.)

▷ codex, copiste, manuscrit médiéval, signature.

redondance. Surabondance de mots, de figures, d'ornements dans le style, allant jusqu'à l'excès, comme dans cette invocation à la neige par Bussières (*Les Descriptions poétiques*, 1649), qui multiplie les images diverses :

> *Douce laine du ciel, belle fleur des nuées,*
> *Beau lis, qui de l'hiver méprises les gelées,*
> *Neige qui te nourris au milieu des deux airs,*
> *Épanche tes trésors sur ces tristes déserts ;* (M.A.)

▷ **accumulation, battologie, pléonasme, tautologie.**

redoublée. *Voir* rime redoublée.

référent. Être animé (personne ou animal), ou chose (abstraite ou concrète), désigné par un signe linguistique quand il est employé dans un énoncé. Le référent s'oppose donc au signifié qui est un pur contenu notionnel, une virtualité. Hors énoncé, « pin » n'a pas de référent, mais seulement un signifié qui le rend apte à référer à tous les êtres du monde réel correspondant à sa définition (« arbre résineux... ») ; en revanche, quand V. Segalen écrit : *Ce pin qui m'observe et reste droit...* (*Stèles*, 1912), le mot « pin » a un référent précis, il renvoie à un objet du monde réel. Seuls les noms propres n'ont pas de signifié, mais réfèrent immédiatement : « Victor Segalen » n'a pas de « définition », de signifié stable qui ferait qu'on appelle « Victor Segalen » toutes les personnes correspondant à ce signifié virtuel (plusieurs personnes nommées « Victor Segalen » pourraient n'avoir aucun point commun). Même en dehors de tout énoncé, et hors cas d'homonymie, « Victor Segalen » a bien pour référent l'auteur de *Stèles*. (G.P.)

▷ **signe linguistique.**

refrain. Terme générique qui désigne un phénomène de répétition, partielle ou complète, de syntagme ou de vers à la fin de chaque strophe ou de chaque couplet. L'art consiste à faire varier le sens du refrain selon le nouveau contexte dans lequel il est inséré. (M.A.)

▷ couplet, épanalepse, épiphore, rentrement, rondeau, rondel, rotrouenge, triolet, virelai.

réfutation. *Voir* disposition.

registre. On change de registre quand on exprime une même chose différemment : « il lui donne un soufflet » (registre soutenu de la tragédie classique), « il le gifle » (registre neutre), ou *li baille queuque taloche* (registre populaire du parler paysan tel que le transcrit Molière dans *Dom Juan*, II, 1).   (M.A.)
▷ connotation.

règle de la liaison supposée. On a longtemps appelé « rime pour l'œil » (à cause de l'aspect purement graphique) ce qu'on préfère désigner comme règle de la liaison supposée. C'est en effet une exigence exprimée par les poètes traditionnels, et en particulier classiques, que les consonnes finales de vers, même muettes, doivent faire leur liaison éventuelle par le même son. Un mot qui se termine par un *-s* graphique ne peut rimer qu'avec un mot se terminant soit par un *-s*, soit par un *-x*, soit par un *-z* ; il en va de même pour *-d* et *-t* d'une part, et pour *-c* et *-g* d'autre part.   (M.A.)
▷ rime.

rejet. Phénomène de discordance inverse du contre-rejet, tel qu'un élément verbal bref, placé en début d'hémistiche juste après la césure (rejet interne) ou en début de vers (rejet externe) dépend syntaxiquement de l'hémistiche ou du vers qui précède.
– Exemple de rejet externe :

Mais moi, sous chaque jour courbant plus bas ma tête,
Je passe, et, refroidi sous ce soleil joyeux,
Je m'en irai bientôt, au milieu de la fête.
                    (Victor Hugo)

– Exemple de rejet interne :
Et le ver rongera // ta peau comme un remords
                    (Baudelaire)

On peut par analogie parler de rejet strophique de strophe à strophe. C'est le cas par exemple dans « Recueillement » de Baudelaire.   (M.A.)

▷ concordance/discordance, contre-rejet, enjambement, rythme, strophe.

remaniement, remanieur. Au Moyen Âge, on appelle remaniement toute réécriture d'un texte procédant d'une intention délibérée de le rajeunir ou de l'améliorer. Le procédé affecte tous les genres, mais tout particulièrement les chansons de geste, dont certaines ont été réécrites (et augmentées) au XIVe et au XVe siècle (*Ogier le Danois, Renaut de Montauban* par exemple). Les remaniements de la *Chanson de Roland* conservés s'étagent entre le XIIe et le XVe siècle ; le *Girart de Vienne* de Bertrand de Bar-sur-Aube, vers 1180, est le remaniement d'un texte antérieur perdu dont les traces restent visibles. Cette pratique est liée à la fois à l'anonymat de beaucoup de textes et au rapport des hommes du Moyen Âge aux œuvres littéraires, considérées comme un bien commun que chacun pouvait refaçonner à sa guise.   (D.B.)

▷ archétype, copiste, dérimage, jongleur, manuscrit médiéval, oralité, variance.

rentrement (n. m.). Refrain du rondeau, extrait du début du premier vers, et qui s'ajoute, hors rime, à la fin des deuxième et troisième strophes.   (M.A.)

▷ refrain, rondeau, rondel.

répertoire. Ensemble des pièces jouées et reprises par un théâtre ou une troupe à une époque donnée : par exemple le répertoire de la Comédie-Française (inscrire une pièce au répertoire de la Comédie-Française). Par extension, le répertoire est l'ensemble des pièces, y compris des pièces anciennes, jouées à une époque donnée. Une pièce qui a disparu du répertoire est une pièce qui n'est plus jouée, qui a disparu du canon. Le répertoire d'un comédien est l'ensemble des rôles qu'il est susceptible d'interpréter : la notion de répertoire est intimement liée aux théâtres qui,

comme la Comédie-Française ou l'Opéra, pratiquent l'alternance, c'est-à-dire jouent en alternance les pièces de leur répertoire.   (P. F.)
▷ canon.

répétition. *Voir* couturière, générale *et* première.

réplique. Unité du discours d'un personnage de théâtre qui répond au discours d'un autre personnage. Le dialogue de théâtre se compose de répliques. Donner la réplique à un comédien, c'est lire les autres rôles pour lui permettre de s'entraîner ou lors du passage d'un concours d'art dramatique.   (P.F.)
▷ dialogue, stichomythie, tirade.

reprise. *Voir* enchaînement.

République des Lettres. Ce terme désigne l'espace intellectuel européen des XVIe, XVIIe et XVIIIe siècles : issue de l'idéal de *res publica literaria* (terme inventé en 1417 par l'humaniste italien Francesco Barbaro), l'expression devient une manière courante de désigner la communauté des savants européens dès les années 1530, notamment grâce à Érasme (1469-1536), qui fut un des fondateurs de cet idéal. À partir du XVIIe siècle, au moment où les échanges savants s'intensifient dans toute l'Europe grâce aux correspondances ou aux premiers périodiques érudits (*Journal des Savants*, qui paraît à partir de 1665, à Paris), la République des Lettres tend à désigner tout le public informé de l'Europe lettrée. C'est celui-là même que visera le périodique fondé par Pierre Bayle en 1684 (*Nouvelles de la République des Lettres*), qui diffuse l'information sur les ouvrages nouveaux et les débats d'idées en cours : de ce point de vue, la République des Lettres désigne bien le large espace intellectuel dans lequel se développera la littérature des Lumières, des *Lettres philosophiques* de Voltaire aux écrits de Diderot et de Kant.   (E.B.)

resverie (n. f., de *resver*, « vagabonder, délirer »). Forme poétique médiévale fondée sur le non-sens, composée en distiques qui associent un heptasyllabe et un tétrasyllabe ; il y a rupture du sens après chaque couplet, mais non à l'intérieur du couplet. C'est une poésie de la discontinuité. Les *Oiseuses* de Philippe de Remy (1237) appartiennent au genre de la *resverie*. (D.B.)

▷ **fatras, fatrasie.**

rétorsion (n. f.). Au sens propre, désigne l'action de rétorquer en général ; dans le cadre plus précis de l'argumentation, la rétorsion consiste à employer contre son adversaire les arguments dont il s'est lui-même servi, et à les retourner contre son argumentation. (E.B.)

▷ **argumentation, pamphlet, polémique.**

rétrograde. *Voir* rime rétrograde.

reverdie. Forme poétique mineure du Moyen Âge, qui associe le retour de la belle saison à l'évocation du sentiment amoureux et qui est souvent écrite dans une langue d'oïl sur laquelle viennent se greffer des formes d'oc. On utilise également ce terme pour désigner, dans la *canso*, la première strophe (qui emploie le même thème) et, dans la chanson de geste, le motif rhétorique qui évoque le retour du printemps. (D.B.)

▷ *canso*, **chanson de geste, courtoisie, trouvère.**

rhapsodie. En Grèce ancienne, ensemble de morceaux d'épopées assemblés et chantés par un rhapsode. Terme péjoratif dont on use au XVIIIe siècle pour désigner toutes les œuvres composites ou échappant aux genres répertoriés. (P.F.)

▷ **épopée, genres littéraires.**

rhétorique. La rhétorique est un art, au sens fort que le grec donne à ce mot (*technè*) : c'est l'art du discours, analogue, selon Aristote, à la dialectique (qui est l'art du raisonnement). Mais si la dialectique s'appuie sur des vérités nécessaires, qui sont évidentes ou que l'on peut prouver, la rhétorique a pour champ d'étude des opinions, qui ne sont que probables. C'est l'art d'argumenter dans le domaine des opinions probables, c'est-à-dire dans la logique du vraisemblable, qu'expose Aristote dans son ouvrage fondateur du IVe siècle av. J.-C. : la *Rhétorique*. Toute la tradition qui en découlera étoffera le système, en développant des aspects négligés par Aristote (notamment la théorie des figures et les caractères du style), et en illustrant le propos par des analyses de grands orateurs (les orateurs d'Athènes, Lysias, Isocrate, Démosthène, seront longtemps les archétypes de cet art). Hermogène en Grèce (époque hellénistique, IIe siècle ap. J.-C.), mais surtout Cicéron (106-43 av. J.-C.) et Quintilien (35-100 ap. J.-C.) à Rome, vont fournir, après Aristote, un vaste système qui a régi l'art du discours en Occident jusqu'au XIXe siècle au moins, d'autant plus que la tradition pédagogique, de la Renaissance aux Lumières, fondera l'apprentissage de la parole et de l'écrit sur l'édifice de la rhétorique cicéronienne, éclairée par l'exposé méthodique de Quintilien.

La rhétorique est donc l'art d'argumenter, dont le but ultime est de persuader : les principales voies pour y parvenir sont le *docere* (instruire), le *placere* (plaire) et le *movere* (émouvoir, toucher). En parallèle, les trois grands moyens de persuader (*pisteis*, arguments, preuves) sont fondés sur le raisonnement discursif (*logos*, qui correspond au *docere*), sur les mœurs de l'orateur (*ethos*, qui joue sur le *placere*) et sur les passions de l'auditoire (*pathos*, qui a partie liée avec le *movere*). Les trois « genres » de l'éloquence sont déterminés par l'objet qui est à décider : ce qu'il faut faire ou ne pas faire (genre délibératif : conseil qui porte sur l'avenir), ce qui est juste ou injuste (genre judiciaire : jugement qui porte sur le passé) et ce qui est noble ou vil (genre épidictique, ou démonstratif : adhésion ou rejet qui porte sur le présent). L'outil logique majeur qu'Aristote a inventé est l'enthymème déductif (qui est un syllogisme dont les prémisses sont simplement probables : on déduit un fait particulier de principes généraux), auquel répond, dans le mode inductif, l'exemple (on induit une loi générale d'un fait particulier). L'intérêt pour les preuves subjectives, qui jouent sur les affects (*ethos* et *pathos*), conduit Aristote à élaborer toute une psychologie (celle du public) et à bien analyser les enjeux moraux (éthique de l'orateur) qui entraînent la conviction du public. Le système des preuves repose donc à la fois sur la logique (arguments démonstratifs : enthymème et exemple), sur l'analyse des mœurs de l'orateur et sur la connaissance des passions du public : ce sont les preuves « techniques » (intrinsèques), c'est-à-dire celles qui sont du ressort de l'art rhétorique à proprement parler (et celles dont s'occupent les traités de rhétorique). Les autres preuves, appelées « extra-techniques » (extrinsèques), n'appartiennent pas à l'art de l'orateur, mais sont fournies par des éléments extérieurs : ce sont les lois, les pièces à conviction, les témoignages, les serments, etc., qui relèvent d'une autre instance que celle de l'orateur ou du public.

Les cinq parties de l'art oratoire sont, dans l'ordre chronologique, l'« invention » (le fait de trouver les arguments), la « disposition » (le classement des arguments selon un plan), l'« élocution » (la mise en forme stylistique, l'écriture du discours à proprement parler), la « mémoire » (lorsqu'on apprend par cœur le discours), et l'« action », lorsqu'on le prononce devant le public. Dans l'histoire de la rhétorique, lorsque l'invention a été battue en brèche par les nouveaux types de savoirs (évidence cartésienne, preuves expérimentales), et que l'écrit a rendu moins importante la performance oratoire (qui a besoin de la mémoire et de l'action), la rhétorique s'est peu à peu réduite, en France du moins, à l'élocution, c'est-à-dire à un art des figures : c'est ainsi que Dumarsais (1676-1756), puis Fontanier (*Les Figures du discours*, 1827) ont légué aux théoriciens du XXe siècle une « rhétorique restreinte » qui avait délaissé l'argumentation à proprement parler pour se concentrer sur une stylistique, où l'analyse des tropes l'emportait sur toute autre considération. C'est aussi pour cette raison que la rhétorique est restée au cœur de la théorie littéraire moderne (cf. le couple métaphore/métonymie chez le formaliste russe Roman Jakobson).   (E.B.)

▷ **action**, **argumentation**, **délibératif**, **démonstratif**, **disposition**, **élocution**, **éloquence**, **enthymène**, *ethos*, **exemple**, **invention**, **judiciaire**, **lieux**, *pathos*.

Rhétoriqueurs (Grands). Terme utilisé depuis le XIXe siècle pour désigner un courant poétique de la fin du Moyen Âge et du début du XVIe siècle, qui a fleuri à l'époque des arts de seconde rhétorique, sous les règnes de Louis XI, Charles VIII et Louis XII. Beaucoup de ces poètes étaient liés à la cour des ducs de Bourgogne (Georges Chastellain, Jean Molinet, tous deux indiciaires de Bourgogne), de Bretagne (Jean Meschinot) ou de Bourbon (Jean Robertet). Ils pratiquent toute sorte de sophistications et de virtuosités poétiques (acrostiches, rimes batelées, équivoquées ou couronnées, ballades rétrogrades, lisibles aussi bien de la fin vers le début, jeux de mots, bilinguisme français-latin, jeux sur les rythmes, multiplication des figures de rhétorique). Ils pratiquent volontiers le prosimètre et la rhétorique de l'éloge oratoire. À la fois poètes et historiens pour beaucoup d'entre eux, ils ont une haute conscience de leur fonction d'écrivain et de leurs devoirs auprès du prince. Leur premier maître, antérieur d'un siècle mais quelquefois qualifié lui aussi de rhétoriqueur, était Eustache Deschamps. Ces recherches poétiques complexes ont été violemment critiquées et tournées en ridicule par les poètes de la Pléiade.
                                              (D. B.)

▷ **arts de seconde rhétorique**, **indiciaire**, **prosimètre**, **rhétorique**, **rime**.

riche. *Voir* rime riche.

rime (n. f., probablement du francique **rim*, « série, nombre »). Le sens moderne se dégage au XIVe siècle, mais ce n'est qu'au XVIe siècle que « rime » et « rythme » sont reconnus comme deux mots d'origine et de signification différentes. La rime française se fonde sur l'homophonie, en fin de vers, de la voyelle non caduque en finale absolue ainsi que des phonèmes consonantiques qui éventuellement la suivent. Il s'y ajoute, dans la poésie traditionnelle, des règles comme celle de l'alternance des rimes masculines et des rimes féminines, et celle de la liaison supposée. Il est d'usage de faire entrer, dans les homophonies qui constituent la rime, les phonèmes qui sont en amont de la voyelle de rime. Par exemple, entre ces deux vers du *Cid* de Corneille (III, 4), la voyelle de rime est [i], elle est suivie d'un [r], mais l'homophonie complète se fait en [urir] :

> *Force-les au silence, et sans plus discourir,*
> *Sauve ta renommée en me faisant mourir.*

Certaines rimes peuvent se faire également à la césure ou en début de vers. La disposition des rimes structure la strophe ou le poème, mais la rime a aussi un rôle associatif de rapprochement des signifiants : ce sont souvent des mots clés du poème. Dans la poésie traditionnelle, on n'y trouve que des mots pleins ; ce n'est qu'en 1857, dans ses *Odes funambulesques*, que Banville ose mettre un mot-outil non accentué en fin de vers.

Après une prédominance de l'assonance, la poésie française a eu recours systématiquement à la rime du XIIIᵉ au XIXᵉ siècle. Depuis un siècle environ, en particulier depuis l'avènement du vers libre, le recours à la rime est loin d'être systématique. (M.A.)

▷ alternance, apocope, assonance, contre-assonance, *e* caduc, homéotéleute, homophonie, licence poétique, monosyllabe, phonème, règle de la liaison supposée, rime annexée, r. approximative, r. batelée, r. brisée, r. concaténée, r. consonantique, r. continue, r. coupée, r. couronnée, r. dérivative, r. dominante, r. du même au même, r. emperière, r. enchaînée, r. enjambée, r. équivoquée, r. facile, r. féminine, r. fratrisée, r. inversée, r. léonine, r. masculine, r. normande, r. orpheline, r. pauvre, r. redoublée, r. rétrograde, r. riche, r. senée, r. serpentine, r. suffisante, rimes biocatz, r. croisées,

r. embrassées, r. plates, rythme, semi-consonne/semi-voyelle, sonnet, strophe, vers, vers holorimes, v. léonin, v. libéré, v. libre, v. mêlés, v. monorimes.

rime annexée. Les phonèmes de rime sont répétés au début du vers suivant, comme dans cet exemple du XVe siècle :

> *Fort se plaint, ne sait ce qu'il doit <u>dire</u>*
> *<u>Ire</u> me tient en grief martyre.*   (M.A.)

▷ rime.

rime approximative. À partir de la seconde moitié du XIXe siècle, les poètes prennent leurs distances avec les règles classiques de la rime, et en particulier les règles de la liaison supposée et de l'alternance (au profit, éventuellement, d'une alternance entre rimes consonantiques et rimes vocaliques), telles les rimes *péri/Jésus-Christ/Paris* et *saules/miaulent* dans ce quintil de « La chanson du Mal-Aimé » d'Apollinaire :

> *Beaucoup de ces dieux ont péri*
> *C'est sur eux que pleurent les saules*
> *Le grand Pan l'amour Jésus-Christ*
> *Sont bien morts et les chats miaulent*
> *Dans la cour je pleure à Paris.*   (M.A.)

▷ assonance, contre-assonance, règle de la liaison supposée, rime, rime consonantique.

rime batelée. Rime qui se répète à la césure du vers suivant, comme dans ces vers de Jean Molinet :

> *Phébus, Phébé et toute estoille <u>fine</u>*
> *Périsse et <u>fine</u> //, et soit mise en <u>ruine</u> ;*
> *Grand <u>bruine</u> // soit sus terre umbroiant [...].*   (M.A.)

▷ césure, rime.

rime brisée. Les vers riment et par la césure et par la fin de vers, comme dans ces répliques de *Polyeucte* de Corneille (II, 2) :

PAULINE — *C'est le remède seul qui peut guérir nos maux.*
SÉVÈRE   — *Je veux mourir <u>des miens</u> : aimez-en la mémoire.*

PAULINE — *Je veux guérir <u>des miens</u> : ils souilleraient ma <u>gloire</u>.*
                                       (M.A.)

▷ césure, rime.

rime concaténée. Elle répète en début de strophe le dernier vers de la strophe précédente.   (M.A.)

▷ anadiplose.

rime consonantique. On parle de rime consonantique quand le tout dernier phonème du vers est une consonne. Par exemple, dans « Le pont Mirabeau » d'Apollinaire, entre « la Seine » et « la peine », la rime est consonantique, en [n].   (M.A.)

▷ **alternance vocalique, phonème, rime, rime approximative.**

rime continue. On désigne ainsi une suite de rimes toutes semblables.   (M.A.)

▷ rime, vers monorimes.

rime coupée. Rime telle qu'elle se fait à l'intérieur d'un mot, dont la fin figure au vers suivant. Exemple :

> *Quand on nous prend la main, <u>sac-</u>*
> *<u>Ré</u> Bon Dieu, dans un sac,*
> *Et qu'on nous envoie planter*
> *Des choux à la Santé, [...].*
>
> (Georges Brassens « La femme d'Hector »)   (M.A.)

▷ rime.

rime couronnée. Les phonèmes de rime sont redoublés, comme dans cet exemple de Jules Laforgue :

> *Prolixe et monocorde,*
> *Le vent dolent des nuits*
> *Rabâche ses ennuis,*
> *Veut se pendre à la corde*
>   *<u>Des puits</u> ! et puis ?*
>   *Miséricorde !*   (M.A.)

▷ rime.

rime dérivative. Homophonie entre des mots de même racine, comme dans cet exemple de Clément Marot :

> *Volontiers en ce mois-ci*
> *La terre mue et <u>renouvelle</u>*
> *Maints amoureux en font ainsi*
> *Sujets à faire amour <u>nouvelle</u>.*   (M.A.)

▷ dérivation, rime, rime facile.

rime disjointe. *Voir* rime orpheline.

rime dominante. On appelle dominante la rime plusieurs fois présente qui assure l'unité d'un ensemble, par exemple dans un quintil en ababa. C'est le cas ici chez Apollinaire dans « La chanson du Mal-Aimé » :

> *Voie lactée ; ô sœur <u>lumineuse</u>*
> *Des blancs ruisseaux de Chanaan*
> *Et des corps blancs des <u>amoureuses</u>*
> *Nageurs morts suivrons-nous d'ahan*
> *Ton cours vers d'autres <u>nébuleuses</u>.*   (M.A.)

▷ rime.

rime double. *Voir* rime léonine.

rime du même au même. Rime qui fait rimer un mot avec lui-même ; elle est déconseillée, sauf dans les cas d'homonymie (la négation *pas* et les *pas*).   (M.A.)

▷ antanaclase, rime, rime équivoquée.

rime emperière. Les phonèmes de rime sont répétés trois fois en fin de vers ; les Grands Rhétoriqueurs appellent aussi ces rimes « triples équivoques », tel cet exemple anonyme du XVe siècle :

> *Quant du gay bruyt d'Amours sou<u>vent vent vente</u>,*
> *Et l'amant, qui son cueur sça<u>vant vend, vante</u> [...].* (M.A.)

▷ rime, rime couronnée.

rime enchaînée. Rime à la fois annexée et dérivative, comme dans ce virelai :

> Pire mal sent que *desconfort* ;
> *Confort* le fait : plus n'a nul fort.   (M.A.)

▷ rime, rime annexée, rime dérivative.

rime enjambée. Rime où les phonèmes se répartissent entre la fin du vers-réponse et le début de celui qui le suit, selon la logique de la rime équivoquée, sur ce schéma :

> *Ne parlez pas d'amour. J'écoute mon cœur <u>battre</u>*
> *Il couvre les refrains sans fils qui l'ont grisé*
> *Ne parlez plus d'amour. Que fait-elle là-<u>bas</u> ?*
> *<u>Tro</u>p proche et trop lointaine ô temps martyrisé*
>   (Aragon, *Le Crève-cœur*, 1941)   (M.A.)

▷ enjambement.

rime équivoquée. Rime fondée soit sur l'homonymie entre deux mots différents (Hugo : *l'or du soir qui tombe/ sur ta tombe*), soit sur un calembour englobant plusieurs mots (Ronsard : *la rose/l'arrose*).   M.A.

▷ calembour, rime, rime du même au même.

rime facile. Les poètes classiques déconseillaient comme « faciles » des rimes qui rapprochaient des mots de manière trop évidente : rime d'un mot avec lui-même (à ne pas confondre avec les cas d'homonymie), rime entre mots de la même famille ou se terminant par la même désinence ou le même suffixe, entre mots souvent associés par cliché, etc.   M.A.

▷ rime, rime dérivative, rime du même au même.

rime féminine. Sont dites féminines les rimes telles que la fin graphique de vers se fait en *e* caduc, suivi ou non de -*s* ou de -*nt*. Signalons que les subjonctifs *aient* et *soient*, ainsi que les finales d'imparfait et de conditionnel en -*aient* forment des rimes masculines, alors que les présents de l'indicatif de même graphie, comme *paient*, *voient*, *essaient*, font des rimes féminines.   (M.A.)

▷ alternance, *e* caduc, rime.

rime fratrisée. Rime à la fois annexée et équivoquée.
Thomas Sébillet donne cet exemple de Marot :

> *Mets voile au vent, cingle vers nous* <u>Charon</u>
> <u>Car on</u> *t'attend [...].*   (M.A.)

▷ **rime annexée, rime équivoquée.**

rime inversée (ou **renversée).** Rime qui intervertit les
consonnes autour de la voyelle homophone (*verre/rêve*).
                                                        (M.A.)

▷ **rime.**

rime léonine. L'homophonie de rime s'étend sur deux
syllabes, ainsi sur [sere] entre *acérés* et *ulcérés* dans ces
vers de Baudelaire (« Duellum ») :

> *Les glaives sont brisés ! comme notre jeunesse,*
> *Ma chère ! Mais les dents, les ongles acérés,*
> *Vengent bientôt l'épée et la dague traîtresse.*
> *– Ô fureur des cœurs mûrs par l'amour ulcérés !*   (M.A.)

▷ **homophonie, rime, syllabe, vers léonin.**

rime masculine. Sont dites masculines des fins de vers
qui ne sont pas en *-e* caduc.   (M.A.)

▷ **alternance, rime, rime féminine.**

rime normande. Rime entre deux mots de même orthographe, mais dans lesquels la consonne finale est muette
chez l'un et prononcée chez l'autre, comme la rime
aimer/mer dans « Les Phares » de Baudelaire.   (M.A.)

▷ **rime.**

rime orpheline. C'est une rime sans répondant ; si ce
répondant se trouve à la strophe suivante, on parle de
rime disjointe.   (M.A.)

▷ **rime.**

rime pauvre. Rime fondée sur la seule voyelle non
muette en finale absolue de vers, telle la rime en [o] entre

ruisseaux et *murmure des eaux* dans « Le Vallon » de Lamartine. (M.A.)

▷ rime, rime riche, rime suffisante.

rime pour l'œil. *Voir* règle de la liaison supposée.

rime redoublée. Il s'agit d'une rime dont le son se répète plus de deux fois, par exemple dans ce quatrain des *Odes* de Segalen :

> *Vois : je t'attendris ; je me tiens seul à la ronde.*
> *Portant mon élan, t'appelant du bout du monde,*
> *Jetant tout mon poids dans l'inversé que je sonde*
> *Comme le plongeur d'un pôle vertigineux.* (M.A.)

▷ rime.

rime rétrograde. Les Grands Rhétoriqueurs parlaient de rimes ou de vers rétrogrades pour des vers qui peuvent se lire dans les deux sens, soit au niveau de la lettre (palindrome), soit au niveau de la syllabe, soit au niveau des mots. L'OuLiPo donne le nom de palindrome à toutes ces figures. Voici un exemple de palindrome syllabique en vers écrit par Georges Perec :

> *L'eau celant Lancelot*
> *Gauvain devint Goth*
> *Perceval avale ce père*
> *Oh, le gars Galehaut...* (M.A.)

▷ OuLiPo, palindrome.

rime riche. Rime fondée sur trois homophonies, par exemple, consonne + voyelle + consonne, comme dans « L'expiation » de Hugo où « pire » et « empire » riment ensemble. (M.A.)

▷ homophonie, rime, rime pauvre, rime suffisante.

rime senée. Le terme s'applique à deux types de configuration : soit tous les vers d'une strophe commencent par une même lettre, soit ce sont tous les mots d'un vers qui commencent par la même lettre, tels ces vers de Jean Lemaire de Belges à l'éloge des Français :

> *François faitiz, francz, fors, fermes au fait,*
> *Fins, frais, de fer, féroces, sans frayeur,*
> *Tels sont vos noms, concordants à l'affect.*   (M.A.)

▷ rime.

rime serpentine. Système fondé sur la reprise d'une même rime d'une strophe à l'autre, avec variantes : reprise à la même place (aabb ccbb ddbb...), reprise de la dernière rime au début de la strophe d'après (aabb bbcc ccdd...), système qui combine les deux : aabb bbaa aacc ccaa aadd...   (M.A.)

▷ rime, strophe.

rime suffisante. Rime qui se fonde sur deux phonèmes communs : voyelle + consonne (ou consonne + voyelle). La rime consonne d'appui + voyelle a longtemps été considérée comme riche.   (M.A.)

▷ rime, rime pauvre, rime riche.

rimes alternées. *Voir* rimes croisées.

rimes biocatz (ou **vers biocatz).** Procédé repris des troubadours et qu'on retrouve par exemple chez Aragon : un double réseau de rimes intérieures et de rimes finales permet de lire les vers selon deux schémas métriques ; quatre vers de seize syllabes peuvent par exemple se lire comme un huitain d'octosyllabes.   (M.A.)

▷ rime.

rimes consonantes. *Voir* rimes plates.

rimes croisées. Disposition alternée des rimes, où rime d'appel et rime-réponse s'entrecroisent : abab. C'est une base structurelle pour la strophe.   (M.A.)

▷ rime, rimes embrassées, rimes plates, strophe.

rimes embrassées. Disposition qui, à partir du même début, ab, opère un renversement en chiasme, ce qui donne abba. C'est, comme pour les rimes croisées, une base structurelle pour la strophe. (M.A.)

▷ rime, rimes croisées, rimes plates, strophe.

rimes plates. Disposition où la rime de réponse suit immédiatement la rime d'appel en suite ouverte : aabbcc, etc. Très utilisée dans le théâtre en vers, dans les épîtres et tous les genres suivis. (M.A.)

▷ rime, rime riche, rimes croisées, rimes embrassées.

rimes suivies. *Voir* rimes plates.

rococo. En histoire de l'art, nom d'un style et d'une période, dont le foyer principal est à Paris mais qui s'est étendu à toute l'Europe. Le nom, péjoratif à l'origine, s'est formé sur le mot « rocaille » qui évoque un motif stylistique récurrent et caractéristique de ce style. Dans les arts décoratifs, le rococo se caractérise par l'abondance de motifs décoratifs, souvent asymétriques et pittoresques ; dans la peinture, chez Boucher ou chez Tiepolo, par un coloris clair, des formes légères, des sujets ovidiens ou alexandrins. Certains considèrent le rococo comme une forme tardive du style baroque, d'autres comme une période qui succède au baroque et prend fin, vers les années 1760-1770, avec l'émergence du néoclassicisme. Du point de vue littéraire, le rococo est en harmonie avec les œuvres des romanciers et des poètes « modernes », comme Crébillon fils, Marivaux ou Fontenelle. On a pu rapprocher par exemple la structure en variations et le décentrement de *La Vie de Marianne* de Marivaux (1731-1742) de ceux des *Égarements du cœur et de l'esprit* de Crébillon fils (1736) et du style rococo dans l'art des jardins. (P.F.)

▷ baroque, néoclassique.

rôle. *Voir* emploi.

roman (au Moyen Âge). Le terme de roman (ancien
français *romanz*, de *romanice*, « en langue romane ») a été
d'abord utilisé au Moyen Âge pour désigner non pas la
forme romanesque, mais un texte transposé, translaté du
latin en langue romane, quelle que soit sa nature. Il peut
donc présenter aussi bien un traité allégorique (*Roman
des Ailes de Courtoisie*, XIIIᵉ siècle) ou un poème moral et
satirique (*Roman des Romans*) qu'une œuvre narrative.
Chrétien de Troyes utilise le terme dans l'épilogue du
Chevalier au lion : *Del Chevalier au lyeon fine* [termine] /
Crestïens son romans ensi, sans que l'on puisse décider s'il
pense déjà à une forme littéraire nouvelle ou s'il ne fait
référence qu'à la langue. Au XIIᵉ siècle, les romans sont
versifiés ; la prose concurrence le vers à partir du
XIIIᵉ siècle et tend ensuite à se généraliser. Au XIVᵉ siècle,
le terme est encore utilisé quelquefois pour désigner des
textes non narratifs : le *Roman de vrai amour* est un
poème spirituel sur l'amour de Dieu pour l'homme, et le
Roman de Fauvel une œuvre allégorique et satirique. Il
faut signaler qu'au XIIIᵉ siècle s'est ajouté un autre sens :
dans les manuscrits des chansons de geste en particulier,
« roman » désigne le texte écrit, dans sa matérialité, par
opposition à la « chanson », qui est le même texte mais
envisagé sous l'angle de sa profération ; dans une rédaction de *Gaydon*, le jongleur se vante de connaître par
cœur la bonne version de la chanson, « car, dit-il, j'en ai
le roman ».   (D.B.)

▷ **allégorie, chanson de geste, conte, copiste, jongleur, lai
narratif, manuscrit médiéval, oralité, roman antique,
roman arthurien,** *translatio*.

roman antique (ou d'Antiquité). L'une des premières
formes romanesques du Moyen Âge (milieu du
XIIᵉ siècle), qui consiste en une traduction-adaptation
d'œuvres illustres de l'Antiquité gréco-romaine en langue
vulgaire : *Roman de Thèbes* (1150, à partir de la *Thébaïde*
de Stace), *Roman d'Énéas* (1160, à partir de l'*Énéide*),
Roman de Troie (1160, à partir d'une rédaction latine
tardive d'un résumé de l'*Iliade*), *Roman d'Alexandre* (à

partir du roman du pseudo-Callisthène), auxquels on peut adjoindre quelques textes plus courts mais de même inspiration (*Piramus et Tisbé, Narcissus, Philoména*). Ces textes, inspirés de l'épopée antique ou de textes mythologiques tirés des *Métamorphoses* d'Ovide, sont dénommés romans parce qu'ils sont rédigés en langue romane. Ils sont un véritable laboratoire où s'est élaborée une rhétorique originale, fondée sur l'*annominatio*, l'*interpretatio*, la *frequentatio*, l'*oppositum*, qui devait aboutir au style courtois. Au-delà de la narration historico-légendaire, ils s'attachent à la peinture des personnages féminins, peu pratiquée dans les chansons de geste, et à celle de la naissance de l'amour, selon une rhétorique inspirée par l'Ovide des *Héroïdes*, de l'*Ars amatoria* et des *Amores*. En ce sens, ils constituent bien la première expérience romanesque de notre littérature.

(D.B.)

▷ amplification, *annominatio, frequentatio, interpretatio, oppositum*, roman (au Moyen Âge), *translatio*.

roman arthurien. Nom donné aux œuvres romanesques qui, du XIIᵉ au XVᵉ siècle, situent leur action à la cour du roi Arthur. Ces romans peuvent être en vers ou en prose : au XIIIᵉ siècle, les deux formes sont concurrentes, mais les romans en vers relatent généralement un épisode de la vie d'un héros particulier (Gauvain ou son fils Guinglain, Fergus, Yder, Durmart le Gallois...), tandis que les romans en prose tendent à se constituer en sommes qui couvrent l'histoire entière de la Bretagne jusqu'à la mort d'Arthur : vaste ensemble du *Lancelot-Graal*, qui rassemble cinq romans parfois gigantesques, *Tristan en prose*, puis, aux limites du XIVᵉ et du XVᵉ siècle, *Perceforest* qui remonte les temps des origines jusqu'à Alexandre le Grand. Le dernier grand roman arthurien, au XVᵉ siècle, est *Ysaïe le Triste*, fils de Tristan. Le roman arthurien, depuis Chrétien de Troyes, est caractérisé par la prédominance de l'aventure chevaleresque, qui prend fréquemment la forme d'une structure de quête (quête d'un personnage qui a disparu, quête d'un objet comme le Graal, quête d'une pénitence ou d'un rachat comme dans

le *Chevalier au lion*), alternant avec des moments de
grands rassemblements à la cour.   (D.B.)

▷ **aventure, chevaleresque (idéologie), courtoisie, cycle,
entrelacement,** *fin'amor, mabinogi,* **matière de Bretagne, merveille, trifonctionnalité.**

roman à thèse. Cette appellation générique est utilisée
pour des romans dont le but est de conduire le lecteur à
adhérer à un contenu idéologique présenté et exemplifié
dans le récit. Elle est généralement réservée aux romans
de la seconde moitié du XIXe siècle et du XXe siècle, et
le plus souvent utilisée de façon péjorative (l'expression
« roman d'idées » étant utilisée en bonne part). Le roman
à thèse est donc perçu comme une forme dégradée du
roman philosophique des siècles classiques, en ce sens
qu'il assènerait un propos doctrinal au lecteur, au lieu de
le conduire à faire un parcours de réflexion. Il se caractérise par : une thèse exprimée à divers endroits du récit,
sous la forme d'une digression, d'un dialogue, etc. ; une
diégèse qui entérine et illustre cette thèse : la catastrophe
attend, par exemple, celui qui s'entête dans la voie que
condamnent diverses voix du roman. On donne souvent
comme exemples emblématiques du roman à thèse certains textes du tournant du XIXe et du XXe siècle, dont les
romans de Paul Bourget (*Le Disciple*, 1889) ou de Maurice Barrès (*Les Déracinés*, 1897), ou encore – dans les
années 1930-1940 – les romans politiques d'André Malraux ou de Jean-Paul Sartre.   (G.P.)

▷ **allégorie.**

roman baroque. Le roman est sans doute un des genres
phares de la période baroque (1594-1661) : sa plasticité
est en effet conforme à une esthétique de la métamor-
phose et du mouvement, et la liberté que le genre
conserve par rapport aux poétiques instituées, qui régissent surtout le théâtre ou l'épopée, en font le laboratoire
de nombreuses formes modernes. Le chef-d'œuvre qui
domine toute la période est l'*Astrée* d'Honoré d'Urfé
(1607-1619), qui hérite à la fois de la pastorale, où se

mêlent prose et vers (sur le modèle de l'*Arcadia* de Sannazar), et du roman grec (Héliodore, Longus, traduits par
Amyot au XVIᵉ siècle). Mais réduire le roman baroque à
un seul chef-d'œuvre est injuste en raison de la richesse
et de la diversité des formes romanesques : des histoires
tragiques, inspirées de faits divers (Rosset), aux romans
dévots (qui doivent édifier leurs lecteurs, comme ceux de
Jean-Pierre Camus), en allant jusqu'au roman héroïque,
dont la structure narrative très riche permet une ampleur
exceptionnelle (Gomberville, La Calprenède, Madeleine
de Scudéry), le roman de l'âge baroque s'adapte à toutes
les sensibilités ; au moment même où la poésie diversifie
les formes pour mieux saisir l'esprit anxieux d'une époque
déchirée entre la peur de la mort et les mirages de l'illusion, le roman baroque, ouvert sur un monde sans limites
(le voyage est sa structure fondamentale), privilégiant
l'expression de l'individu (par le biais, notamment, de la
psychologie amoureuse et de la quête individuelle), assi-
mile les leçons de l'Antiquité grecque hellénistique (celle
des romanciers et des sophistes contemporains de l'Empire romain), dont l'influence se confirme à la même
époque dans le champ philosophique (néostoïcisme,
épicurisme, scepticisme). Dominé par une structure
complexe, avec des débuts *in medias res* (en pleine
action), des retours en arrière, de longues digressions
(épisodes insérés), le roman baroque doit beaucoup au
romanzo italien (théorisé notamment par le Tasse, dans
ses *Discours*) ; son univers, envahi par les descriptions
(*ekphrasis*) de lieux prestigieux (palais, châteaux, jardins),
permet à la prose d'art héritée de la seconde sophistique
de se déployer avec virtuosité. L'opéra sera le grand héritier de cette esthétique chatoyante et variée, mais la nouvelle galante lui devra aussi beaucoup : au seuil du
XVIIIᵉ siècle, Marivaux, romancier et dramaturge, sera
encore un grand lecteur du roman baroque.   (E.B.)

▷ baroque, *ekphrasis*, pastorale, roman héroïque, roman
  pastoral, sophistique.

roman courtois. Variété du roman médiéval, dont la période de création s'étend principalement des années 1160-1170 à la fin du XIIIᵉ siècle (avec des survivances au-delà), dont les personnages et l'intrigue amoureuse sont marqués par l'idéal de la courtoisie. Les romans arthuriens sont des romans courtois.   (D.B.)

▷ **courtoisie**, *fin'amor*, **roman arthurien**.

roman cycle, roman-fleuve. On désigne par ces termes des séries romanesques d'ampleur exceptionnelle, c'est-à-dire qui se déploient sur cinq volumes ou plus (en deçà, on utilise plus volontiers tri- ou tétralogie). On parle généralement de cycle quand chacun des volumes garde une pleine autonomie narrative, tout en mettant en scène des personnages de la série. On parle de roman-fleuve lorsque les volumes sont plus étroitement liés et présentent une continuité narrative suffisamment forte pour que l'ordre de lecture des volumes importe. *Les Rougon-Macquart* de Zola (1871-1893) ou *Les Hommes de bonne volonté* de Jules Romains (1932-1947) sont assurément des cycles, le roman-fleuve ayant plutôt connu son triomphe dans le premier quart du XXᵉ siècle avec le *Jean-Christophe* de Romain Rolland (1904-1912), *À la recherche du temps perdu* de Marcel Proust (1913-1927), *Les Thibault* de Roger Martin du Gard (1922-1940) ou le *Salavin* de Georges Duhamel (1920-1932).   (G.P.)

roman d'aventures. Catégorie de romans assez difficile à cerner (s'il est vrai que toute fiction comporte des aventures), mais qui, selon Jean-Yves Tadié, regroupe les récits « dont l'objectif premier est de raconter des aventures » comme *Les Trois Mousquetaires* d'Alexandre Dumas (1844) ou *Michel Strogoff* de Jules Verne (1876). L'essentiel est ce qui arrive à des personnages dénués de complexité psychologique, au fil d'une narration qui ménage le suspens. C'est pendant la seconde moitié du XIXᵉ siècle que cette catégorie de romans connaît son apogée.   (M.J.)

▷ **aventure**.

roman de chevalerie. Expression créée au XIXᵉ siècle pour désigner de façon générale les romans européens du Moyen Âge et du début de la Renaissance dont les héros sont des chevaliers, quels que soient l'époque et le pays de leur composition (XIIᵉ-XVIᵉ siècle, France, Angleterre, Italie, Espagne...). Elle n'est plus guère usitée aujourd'hui, en raison même de son imprécision (elle ne saurait définir un genre). (D.B.)

▷ **biographie chevaleresque, cycle, dérimage, matière de Bretagne, roman arthurien.**

roman de formation. Sous-genre romanesque apparu avec le romantisme et qui utilise, en lieu et place d'une intrigue romanesque, les aléas de la biographie d'un héros, généralement de sa première jeunesse à sa maturité. Le roman de formation montre donc comment une personnalité se construit, et construit ses valeurs, dans le heurt avec la réalité et avec autrui. On dit aussi « roman d'éducation », ou *Bildungsroman*, l'emprunt du terme allemand signalant que le sous-genre a longtemps été perçu en France comme une spécialité d'outre-Rhin. Le roman de Goethe, *Les Années d'apprentissage de Wilhelm Meister* (1795-1796), demeure encore aujourd'hui le prototype du roman de formation. *L'Éducation sentimentale* (1869) de Gustave Flaubert est aussi un exemple abouti du genre ; mais le roman d'éducation à la française a souvent pris une forme moins ambitieuse et plus intense que ses équivalents germaniques ou britanniques : il s'agit de décrire l'épisode ou les épisodes emblématiques de la sortie de l'enfance et de l'entrée dans l'âge adulte, comme dans *Le Grand Meaulnes* d'Alain-Fournier (1913) ou « L'Enfance d'un chef » de J.-P. Sartre (*Le Mur*, 1939). (G.P.)

roman de mœurs. Sous-genre romanesque qui se fixe comme but premier de décrire un milieu ou un problème social dans sa complexité, le plus souvent à travers une série de portraits. On réserve l'expression pour des textes postérieurs au naturalisme. Le roman de mœurs est généralement un roman de la critique sociale, ce qui ne veut pas dire qu'il se limite à une description politisée du réel ; il propose en tout cas une vision non idéalisée du monde et fait fi de tout recours à une perspective métaphysique ou philosophique. Les romans psychologiques de Paul Bourget ou de Jacques Chardonne – qui décrivent par exemple le jeu du mariage ou du divorce dans la société – sont aussi des romans de mœurs, au même titre que les romans populistes de Charles-Louis Philippe (*Bubu de Montparnasse*, 1901) ou Eugène Dabit (*Hôtel du Nord*, 1929), qui décrivent la marginalité ou le petit peuple de Paris.   (G.P.)

roman épistolaire. Roman entièrement constitué par les lettres que s'échangent les divers personnages. Cette présentation éclatée de l'intrigue et des personnages exige parfois de véritables prouesses techniques, mais permet une gamme d'effets romanesques exceptionnelle. Les *Lettres portugaises*, parfois attribuées à Guilleragues (1669), sont souvent considérées comme le premier roman épistolaire important de la tradition française, même si, de fait, ce texte se prétendait véridique et ressortissait plutôt au genre des apocryphes. Tout au long du XVIIIᵉ siècle – où il atteint son apogée –, le roman par lettres fut perçu comme un sous-genre romanesque aussi important que le roman non épistolaire. Parmi les romans par lettres les plus célèbres, on citera *Julie ou la Nouvelle Héloïse* de J.-J. Rousseau (1761) ou *Les Liaisons dangereuses* de Choderlos de Laclos (1782). On considérera parfois encore comme épistolaires des romans comme *Le Lys dans la vallée* de Balzac (1835), qui n'est constitué que de deux lettres, ou l'*Alexis* (1929) de M. Yourcenar, qui se présente comme une longue lettre-confession.   (G.P.)

▷ archi-énonciateur.

roman-feuilleton. *Voir* feuilleton.

roman gothique. On nomme ainsi une veine du roman britannique qui connut son plus grand succès au tournant des XVIIIᵉ et XIXᵉ siècles et coïncida avec un vif renouveau d'intérêt pour le Moyen Âge, qui vit notamment le succès du néogothique en architecture. L'intrigue du roman gothique associe généralement horreur et mystère fantastiques ; son décor de prédilection est celui de sombres châteaux, d'abbayes en ruine, de landes brumeuses... Parmi les romans gothiques britanniques qui ont connu le plus grand retentissement en Europe, il faut citer en premier lieu *Le Château d'Otrante* de H. Walpole (1764), *Les Mystères d'Udolphe* d'A. Radcliff (1794), *Le Moine* de M. G. Lewis (1796) ou *Frankenstein* de M. Shelley (1818). L'influence de la sensibilité gothique britannique a été contrée en France par le succès, presque contemporain, du fantastique allemand (E.T.A. Hoffmann).　　　　　　　　　　　　　　　　　　(G.P.)

▷ **fantastique, roman noir.**

roman héroïque. On désigne ainsi les grands romans de l'époque baroque qui décrivent des actions hors du commun et dont la psychologie met en scène des sentiments élevés, traits propres aux héros d'exception, dans la tradition épique. Les auteurs les plus célèbres de ce genre d'œuvres, qui ont fleuri entre 1620 et 1660 environ, sont Gomberville (*Polexandre*, 1632-1637), La Calprenède (*Cassandre*, 1642-1645, *Cléopâtre*, 1647-1658) et Madeleine de Scudéry (*Artamène ou le Grand Cyrus*, 1649-1653, *Clélie, histoire romaine*, 1654-1661). L'ampleur de ces œuvres, qui s'étendent sur des dizaines de volumes, explique sans doute le succès immense qu'elles rencontrèrent, et le dédain dans lequel elles sont ensuite tombées. Le suspens créé par l'attente des suites (à la manière d'un feuilleton), la variété des personnages et les structures complexes des intrigues (début *in medias res* qui fait attendre l'explication de la situation, péripéties qui retardent de chapitre en chapitre l'issue attendue), enfin les genres mondains qui s'y mêlent (poésies, lettres, conversations) ont rendu ces romans très agréables à un public qui y retrouvait ses valeurs, et qui les partageait souvent par une lecture commune (dans les salons), en débattant ensuite dans ses propres conversations sur les cas amoureux et les développements de l'intrigue. La description des batailles, l'action héroïque aussi bien que les descriptions d'architectures somptueuses – évoquant parfois des édifices réels connus des lecteurs –, tout cela a séduit le public de l'âge de Louis XIII, et hantait encore la mémoire des acteurs de la Fronde (1648-1653), comme un duc de Condé ou une duchesse de Longueville. La générosité des personnages, toujours exemplaires, et la finesse des analyses sentimentales prolongent la tradition de l'*Astrée*, mais dans un contexte où le genre historique (qui est le grand genre en prose) donne sa caution aux personnages tirés de l'Antiquité, même s'ils sont mis à la mode française. Si l'épopée n'a pas donné de fleurons exceptionnels à la littérature française du XVIIe siècle, son influence (*via* les poétiques italiennes du *romanzo*) a été déterminante dans la conception de ces romans à grand spectacle, dont la magie se retrouvera, en plein classicisme, sur les scènes de l'opéra.   (E.B.)

▷ **baroque, galanterie, préciosité.**

roman historique. Roman dont la diégèse se situe dans un passé plus ou moins lointain et qui, par le biais d'une intrigue particulière, tente de faire revivre une période de l'histoire avec ses mœurs et ses aspects les plus caractéristiques. Le créateur incontesté du roman historique est l'Écossais Walter Scott (1771-1832) dont les œuvres (*Ivanhoé*, 1819, *Quentin Durward*, 1823, etc.) connurent un immense succès européen. En France, le succès de l'épopée en prose de Chateaubriand, *Les Martyrs* (1809), prépara cet âge d'or du roman historique que fut l'époque romantique. Différentes formules de romans historiques peuvent être distinguées : 1. selon la présence ou non d'une thèse sous-jacente (Vigny dans *Cinq-Mars*, 1826, défend une thèse favorable à la noblesse, P. Mérimée dans sa *Chronique du règne de Charles IX*, 1829, affecte de ne s'intéresser qu'à l'anecdote) ; 2. selon la répartition des rôles entre personnages fictifs, milieu collectif et grandes figures de l'histoire (comme W. Scott, Balzac dans *Les Chouans*, 1829, maintient celles-ci au second plan, contrairement à ce qui deviendra la pratique d'Alexandre Dumas, maître du genre) ; 3. selon l'ampleur de la reconstitution : avec *Notre-Dame de Paris* (1831), V. Hugo tient à faire revivre tout le Moyen Âge finissant ; les tableaux de la monarchie anglaise dans *L'Homme qui rit* (1869), de la Révolution française dans *Quatrevingt-treize* (1874) seront plus resserrés ; Flaubert dans *Salammbô* (1862) tente de ressusciter toute la civilisation carthaginoise, *Hérodias* (*Trois contes*, 1877) n'est qu'un épisode de l'histoire biblique.

L'amalgame du roman d'aventures et du roman historique, réalisée par Alexandre Dumas dans *Les Trois Mousquetaires* (1844), donne naissance au roman « de cape et d'épée », dont la veine nourrira nombre de romans-feuilletons comme *Le Bossu* de Paul Féval (1857) ou la série des *Pardaillan* de Michel Zévaco (1860-1918). Après une période de déclin, le roman historique a connu un renouveau dans la seconde moitié du XXᵉ siècle. En témoignent, entre autres, le cycle d'Angelo de Jean Giono (*Le Hussard sur le toit*, 1951, *Le Bonheur fou*, 1957, *Angelo*, 1958), la série à succès de Maurice Druon, *Les Rois maudits* (1955-1960), le roman de Marguerite Yourcenar, *L'Œuvre au noir* (1968), les romans de Jeanne Bourin (*La Chambre des dames*, 1979) ou encore la saga de Robert Merle, *Fortune de France*, commencée en 1977.   (Y.V.)

▷ **épopée, fait historique, feuilleton, genre historique, paralittérature, personnage de roman, roman d'aventures, roman gothique, roman populaire, romantisme.**

roman noir. L'expression est employée pour désigner certains romans français de la fin du XVIIIᵉ siècle qui reprenaient l'esprit du roman gothique britannique (*Coelina, ou l'enfant du mystère* de Ducray-Duminil, 1798, par exemple) et dont le succès se prolongea sous l'Empire et la Restauration. Elle est aussi maintenant très fréquemment utilisée pour désigner un sous-genre du roman policier, caractérisé par des choix narratifs qui insistent plus sur le crime que sur l'enquête, sur le criminel plus que sur l'enquêteur, et par des choix thématiques et esthétiques qui tendent à donner une vision sordide de la société et des hommes. La violence et le sensationnalisme du roman noir français le rapprochent du *thriller* anglosaxon.   (G.P.)

▷ mélodrame, roman gothique, roman policier.

roman pastoral. Autre avatar du genre pastoral protéiforme durant près d'un siècle, entre la seconde moitié du XVIe siècle et les années 1650, le roman pastoral met à son tour en scène des bergers et des bergères, dans un espace idyllique, où la nature prend les traits traditionnels du *locus amoenus* légué par la bucolique antique. L'intrigue consiste le plus souvent en amours contrariées, et le dénouement, comme sur la scène théâtrale, est en général l'union des couples longtemps séparés par des aventures diverses (quiproquos, jalousie imméritée, déguisement, etc.). Le modèle du genre, inspiré des sources italiennes (*Arcadia* de Sannazar) ou espagnoles (*Diana* de Montemayor), voire anglaises (*Arcadia* de Sidney), est, en France, l'*Astrée* d'Honoré d'Urfé, qui paraît entre 1607 et 1619. Il est aussi influencé par le roman grec, remis à la mode par les traductions d'Amyot (*Daphnis et Chloé* de Longus), et il fait la synthèse d'un néoplatonisme diffus, où l'amour, dans la tradition philosophique du *Banquet* de Platon, tient une place centrale : la quête de Céladon, séparé de la bergère Astrée dès le début du roman, devient donc une sorte de quête initiatique. Le mélange des genres (lettres insérées, poèmes), l'économie de la narration (par séquences assez brèves, de la longueur d'une nouvelle en fait) expliquent sans doute l'immense succès de l'œuvre durant une bonne partie du siècle : la pastorale dramatique, mais aussi la critique romanesque (*Le Berger extravagant* de Sorel) continueront de jouer sur les thèmes, les personnages et les décors de cette œuvre maîtresse dont le principal mérite est d'avoir fait sortir du plus pur héritage humaniste un des genres les plus féconds de la modernité littéraire.   (E.B.)

▷ baroque, *locus amoenus*, néoplatonisme, pastorale, roman héroïque.

roman picaresque. Type de roman apparu en Espagne avec la publication anonyme du *Lazarillo de Tormes* (1554), où le narrateur raconte à la première personne ses nombreuses aventures sans souci de les relier. Au sens étroit, le *picaro* désigne un gueux, mais l'on nomme romans picaresques les œuvres construites sur une suite d'épisodes plus ou moins liés ; le héros, habile à se tirer d'embarras, rusé et sans scrupules, y mène, à la marge de la société, une vie d'aventurier où le hasard joue son rôle. Bien que le protagoniste soit un gentilhomme, l'*Histoire comique de Francion* (1623), due à Charles Sorel, est proche du picaresque par l'enchaînement varié de ses nombreux épisodes. Mais c'est surtout Lesage qui, avec son *Gil Blas de Santillane* (1715-1735), offre la meilleure illustration du genre : le héros-éponyme, déraciné et profiteur, y raconte avec détachement ses aventures espagnoles, les bonnes et les mauvaises fortunes que le destin tour à tour lui ménage. (M.J.)

roman policier. Sous-genre romanesque dont l'intrigue est constituée par une enquête policière provoquée par un ou plusieurs crimes. La construction d'un tel roman est souvent stéréotypée, ce qui a conduit à considérer que la plupart des romans policiers relèvent de la paralittérature. Le genre a pourtant produit nombre de chefs-d'œuvre incontestables depuis le début du XIXe siècle. On retiendra, parmi les grands maîtres du roman policier de langue française, Émile Gaboriau (1832-1873 ; peut-être le créateur du genre), Maurice Leblanc (1864-1941), ou Georges Simenon (1903-1989). Dès le XIXe siècle, les romans policiers ont tendu à former des cycles centrés sur la figure d'un enquêteur. (G.P.)

▷ *fabula* préfabriquée, paralittérature, roman noir.

roman populaire. Bien qu'elle manque de rigueur, la catégorie du roman populaire s'est peu à peu dégagée au cours du XIXᵉ siècle à partir du succès de ce que Sainte-Beuve dénonçait dès 1839, à propos de Balzac, Dumas et Frédéric Soulié, comme « la littérature industrielle ». Le roman populaire se définit avant tout par le nombre de ses lecteurs. Sa diffusion, d'abord limitée aux cabinets de lecture, devient un phénomène de masse à partir de 1836 grâce au feuilleton, puis aux livraisons illustrées et aux collections à bon marché. Ces moyens de diffusion retentissent sur la production : à partir de la seconde moitié du XIXᵉ siècle, des écrivains se spécialisent dans la fabrication accélérée de romans à succès. Après les romans d'inspiration historique ou sociale de l'époque romantique, les débuts de la IIIᵉ République voient la vogue de romans mélodramatiques et sentimentaux tels que *La Porteuse de pain* de Xavier de Montépin (1823-1902), *Roger la Honte* de Jules Mary ou *Le Maître de forges* de Georges Ohnet (1848-1918). Renouant avec la veine des *Exploits de Rocambole* de Ponson du Terrail (1829-1871) sous le Second Empire, les romanciers populaires du début du XXᵉ siècle mettent en circulation des personnages comme le mystérieux docteur Cornélius (Gustave Le Rouge), Arsène Lupin (Maurice Leblanc), le criminel Fantômas qui fera la joie des surréalistes (Marcel Allain et Pierre Souvestre), le reporter Rouletabille ou le bagnard Chéri-Bibi (Gaston Leroux). D'autres préféreront exploiter l'exotisme (Louis Boussenard), la veine de l'anticipation aux confins du fantastique (Maurice Renard) ou plus récemment celle de l'espionnage (Jean Bruce, Gérard de Villiers).   (Y.V.)

▷ **fantastique, feuilleton, paralittérature, roman gothique, roman historique, roman noir, roman policier, romantisme.**

roman psychologique. Roman essentiellement consacré à l'analyse de la personnalité, des sentiments, de l'évolution intérieure d'un ou plusieurs personnages, le plus souvent décrits dans un moment de crise morale. On considère parfois ce sous-genre comme particulièrement français ; parmi les chefs-d'œuvre les plus représentatifs du roman psychologique, on retiendra par exemple *La Princesse de Clèves* (Mme de La Fayette, 1678) ou *Dominique* (E. Fromentin, 1863). (G.P.)

romantisme. Mouvement esthétique et littéraire qui se développe à travers l'Europe à partir des dernières années du XVIIIe siècle. L'adjectif « romantique » (anglais *romantic*) a d'abord qualifié des situations romanesques, des paysages pittoresques (J.-J. Rousseau, 1777) et des états d'âme en rapport avec la tonalité du roman sentimental. C'est en Allemagne que l'adjectif prend un sens nouveau pour qualifier la poésie « née de la chevalerie et du christianisme », dit Mme de Staël, qui, en traduisant le substantif allemand *die Romantik*, popularise en français le terme « romantisme » (*De l'Allemagne*, 1813). Le premier groupe romantique allemand se constitue à Iéna autour de la revue *L'Athenaeum* (1798-1800) et rassemble les frères Schlegel, Novalis, Tieck, Schleiermacher, Schelling. Il restera longtemps mal connu en France, malgré l'importance de son apport théorique. Le théâtre de Kleist (1777-1811) restera également ignoré. Les traductions d'E.T.A. Hoffmann connaîtront en revanche une vogue irrésistible entre 1829 et 1835. Mais Hoffmann est mort en 1822.

Si l'on fait dépendre l'existence du romantisme de celle d'un groupe, d'un programme et d'un mouvement pourvu d'une étiquette, on peut dire que l'aventure du romantisme allemand s'achève quand commence celle du romantisme français, au cours des années 1820. Si l'on considère au contraire que l'approfondissement du sentiment de la nature, le renouvellement de l'imaginaire littéraire par l'histoire et par l'exotisme, le « vague des passions », et une écriture bousculant par moments les canons classiques sont les caractères distinctifs du romantisme, *Atala* dès 1801, le *Génie du christianisme* et *René* en 1802 attestent l'existence d'un romantisme français dès le début du siècle. Chateaubriand se vantera plus tard, non sans raison, d'avoir « produit ou déterminé une révolution et commencé la nouvelle ère du siècle littéraire ». Mais il ne tient pas spécialement à la qualification de « romantique » (qu'outre-Manche Byron, entre autres, refuse obstinément). D'autant plus que le romantisme fait encore mauvais genre. En 1819, Charles Nodier identifie le « genre romantique » avec ce qu'il nomme « l'école frénétique » : « On sait où nous en sommes en politique et, en poésie, nous en sommes au cauchemar et aux vampires. » En publiant ses *Méditations poétiques* (1820), Lamartine ne se réclame d'aucune école. En 1823, dans *Racine et Shakespeare*, Stendhal parle encore, à l'italienne, de « romanticisme » (transposition de *romanticismo*). Dans la préface des *Odes* de 1824, Hugo feint d'ignorer « ce que c'est que le genre classique et le genre romantique ». Cependant, chacun comprend que la littérature ne peut rester immobile dans une société profondément bouleversée. Le romantisme résulte avant tout de la prise de conscience des rapports qui unissent l'art et l'histoire même si, dans l'atmosphère de la Restauration, c'est au passé que l'on s'adresse d'abord pour renouveler formes et contenus. La jeunesse consacre à l'art une énergie qu'elle ne peut plus dépenser sur les champs de bataille, la plume succède à l'épée (thème d'époque). Des cénacles s'organisent. Le jeune Hugo, après un premier roman « frénétique » (*Han d'Islande*, 1823), des *Odes* d'inspiration monarchique (1822-1824) et des *Ballades* de couleur médiévale (1826), fournit en 1827, avec *Cromwell* et sa préface, la théorie et l'illustration du drame nouveau ; Vigny publie ses *Poèmes antiques et modernes* (1826), Sainte-Beuve révèle la poésie de la Renaissance (*Tableau de la poésie française au XVIe siècle*, 1828) ; le fantastique est plus que jamais à la mode. En quelques années, le mot romantisme cristallise toutes ces innovations et devient le mot d'ordre d'une génération, qui assure en 1830 le triomphe d'*Hernani*.

La révolution de Juillet fait miroiter un instant la possibilité d'une alliance entre la dynamique de la société et une littérature devenue mouvement. « Le romantisme, c'est le libéralisme en littérature », proclame Hugo. Mais la monarchie censitaire, dont la volonté d'enrichissement est le moteur, creuse au contraire l'écart entre les rêves des artistes et les réalités économiques et sociales. Les uns, comme Théophile Gautier, continueront sans trop se préoccuper des enjeux collectifs à faire de l'art pour l'art. D'autres se consacrent à peindre sans complaisance la société contemporaine, fondant définitivement le réalisme romanesque (Stendhal, Balzac). L'opposition idéal/réel, si visible en particulier chez Musset, structure tout un pan de la littérature romantique. Il faut cependant bien se garder de réduire celle-ci au mal-être, au mal du siècle ou, pire, au lyrisme sentimental. La monarchie de Juillet connaît également un extraordinaire bouillonnement idéologique dont les écrivains romantiques progressistes – Michelet, Quinet, George Sand – prennent largement leur part. Pour les saint-simoniens, dont le journal *Le Globe* devient l'organe en 1831, les artistes et les penseurs sont les vrais prêtres de l'humanité. Hugo s'en souviendra en écrivant « Les Mages » (1855) et déjà, en 1839, en proclamant le poète « pareil aux prophètes », « rêveur sacré » chargé de préparer l'avenir (« Fonction du poète », première pièce des *Rayons et les Ombres*, 1840). Cet humanitarisme, chez Sand ou Hugo, irrite Baudelaire. Celui-ci n'en renie pas pour autant le romantisme : « Qui dit romantisme dit art moderne, – c'est-à-dire intimité, spiritualité, couleur, aspiration vers l'infini, exprimées par tous les moyens que contiennent les arts » (*Salon de 1846*). Cette définition, ajoute-t-il, « en exclut naturellement M. Victor Hugo » – mais elle inclut Baudelaire.

Il est donc bien des manières de comprendre le romantisme. Quelques points fondamentaux peuvent cependant être dégagés. 1. Plus qu'une école ou même une esthétique, le romantisme est une dynamique, en rapport direct avec la dynamique historique et la conscience nouvelle qu'on en prend. Si le héros romantique est « une force qui va », c'est que pour lui le devenir l'emporte sur l'être, même si ce devenir est incertain, le présent instable et l'époque décevante. « Ce qui ne peut pas encore être, il faut au moins que cela ne cesse de devenir » (*Athenaeum*, fragment 334). Le romantique ne saurait rester neutre en face de son siècle, que celui-ci entraîne un mal-être (Musset), un désir de fuite (Nerval), une attitude de révolte (Pétrus Borel), ou la conviction d'un progrès indéfini en cours de réalisation.   2. Sur le plan esthétique, la dynamique romantique conduit à relativiser les règles et décloisonner les genres. La conscience historique entraîne à rechercher la « couleur » propre à chaque siècle et contribue à faire émerger la notion de modernité, qui est la « couleur » du présent. Des genres nouveaux apparaissent, comme le poème en prose (*Gaspard de la nuit*, 1842). Aucun genre, aucune forme ne sont plus intangibles.   3. Le romantisme fait confiance à l'imagination, « la première et la plus rare des facultés » (Vigny, 1832), la « reine du vrai » (Baudelaire, 1859). L'imaginaire littéraire, nourri de la vision des siècles passés, de l'Orient, des littératures étrangères, des traditions populaires, s'ouvre au rêve, à des formes renouvelées du mythe, au délire (Nerval) et prépare indirectement l'exploration de l'inconscient.   4. De l'*Athenaeum* jusqu'au sonnet *Correspondances* et aux dernières œuvres de Hugo, le romantisme répond à une volonté de totalisation et de restitution de l'unité perdue (y compris dans les sciences, que l'on rêve de réconcilier avec la poésie). L'impossibilité d'y parvenir est la principale source de l'ironie romantique.

Hugo, tardivement mais avec génie, tenta d'évoquer la totalité de l'épopée humaine (*La Légende des siècles*), de l'épopée du Mal et du rachat (*La Fin de Satan*), de l'épopée des religions (*Dieu*). Ces deux dernières œuvres, inachevées, ne paraissent qu'en 1886 et 1891. En cette fin du siècle, le courant « décadent » peut être interprété comme un ultime avatar du romantisme « noir » – le surréalisme lui-même pouvant passer, comme A. Breton le reconnaissait en 1929, pour « la queue, mais alors la queue tellement préhensile », du romantisme.   (Y.V.)

▷ **art pour l'art, bohème, cénacle, classicisme, dandysme, drame romantique, éclectisme, fantastique, feuilleton, genre historique, grotesque, Jeune-France, mélodrame, modernité, Parnasse, poème en prose, roman historique, roman populaire, surréalisme, synesthésie.**

rondeau. Forme poétique apparue au XIIIᵉ siècle (Guillaume de Machaut, à défaut de l'avoir créée, la fixe au siècle suivant). Au Moyen Âge, le terme inclut la forme appelée par la suite rondel. Lié à la forme circulaire (ronde), il est caractérisé par sa brièveté. L'incipit est aussi le refrain, mais la thématique elle-même peut suivre un développement circulaire, et des jeux phonétiques peuvent renforcer cette impression poétique de retour à l'identique (paronomases, allitérations). Le rondeau est « immobilité sous les apparences du mouvement réglé ; développement musical sous les apparences de la répétition », une sorte de « petit labyrinthe de paroles » (J. Starobinski). Sa structure de base, aux XIIIᵉ-XIVᵉ siècles, est une pièce de huit vers, comportant un refrain de deux vers sur deux rimes (AB) figurant au début et à la fin et dont le premier revient à la quatrième ligne. Les rimes et reprises sont disposées AB aAa bAB (a et A, b et B étant des mots différents sur une même rime). La forme s'est progressivement allongée : le refrain peut atteindre trois vers (rondeau tercet) ou même quatre (rondeau double ou rondeau quatrain). Pierre de Hauteville, dans *La Confession et testament de l'amant trespassé de deuil* (début XVᵉ siècle), réserve le rondeau aux amants affligés qui ne le montrent pas, les autres, plus gravement atteints par le mal d'amour, étant invités à composer des ballades ou des virelais : le rondeau est perçu comme une forme plus légère. À la fin du XVᵉ siècle, les Grands Rhétoriqueurs spécialisent sa forme : le rondeau comprend trois strophes octosyllabiques ou décasyllabiques, construites sur deux rimes en tout, la deuxième et la troisième étant suivies d'un refrain (nommé « rentrement ») qui n'est autre que la reprise du premier hémistiche du poème. Très employé aux débuts de la Renaissance (Clément Marot), il connaît une éclipse dans la seconde moitié du XVIᵉ siècle (les poètes de la Pléiade ne l'ont pas pratiqué, voyant en lui une forme vieille), avant de réapparaître au XVIIᵉ siècle (Voiture) et poursuivre sa carrière au XIXᵉ siècle (Musset).

(D.B.)

▷ **ballade, refrain, rentrement, Rhétoriqueurs (Grands), rondel, rondet, strophe, triolet.**

rondel. À l'origine, même mot que rondeau. Les deux mots ont commencé par désigner la même forme, puis se sont distingués légèrement : le rondel est un poème sur deux rimes, fondé sur la répétition en refrain des deux premiers vers à la fin du second quatrain et à la fin de la troisième strophe, qui clôt le poème. Il peut arriver que seul le premier vers soit ainsi répété à la fin. On a donc ABba abAB abbA(B). Voici un rondel de Tristan Corbière qui comporte de légères variations par rapport à la forme canonique :

> *Il fait noir, enfant, voleur d'étincelles !*
> *Il n'est plus de nuits, il n'est plus de jours ;*
> *Dors... en attendant venir toutes celles*
> *Qui disaient : Jamais ! Qui disaient : Toujours !*
>
> *Entends-tu leurs pas ?... Ils ne sont pas lourds :*
> *Oh ! les pieds légers ! – l'Amour a des ailes...*
> *Il fait noir, enfant, voleur d'étincelles !*
> *Entends-tu leurs voix ?... Les caveaux sont sourds.*
>
> *Dors : il pèse peu, ton faix d'immortelles ;*
> *Ils ne viendront pas, tes amis les ours,*
> *Jeter leur pavé sur tes demoiselles...*
> *Il fait noir, enfant, voleur d'étincelles !*   (M.A.)

▷ **refrain, rondeau, rondet, triolet.**

rondet (n. m.). Chanson de quelques vers qui accompagnait une ronde (la carole), et que l'on trouvait dans des ensembles plus vastes (romans courtois). Le rondet est la forme qui a ensuite engendré le triolet, le rondeau et le rondel.   (M.A.)

▷ **rondeau, rondel, triolet.**

rotrouenge (n. f.). Au Moyen Âge, sorte de chanson à refrain, formée de strophes semblables, généralement monorimes, comprenant une succession linéaire de vers, sans organisation prédéfinie. Son identité est surtout musicale, d'où la difficulté de définir des critères poétiques formels. (D.B.)

▷ refrain, strophe, trouvère.

rubrique, rubricateur. Dans les manuscrits médiévaux, on appelle rubrique un mot, un groupe de mots, une partie de texte écrits à l'encre rouge (du latin *ruber*, « rouge »). Les copistes-rubricateurs ont pris l'habitude d'utiliser cette encre pour faire mieux apparaître les articulations d'un texte (titres de chapitres, résumés du contenu qui va suivre) ; par extension, le terme désigne ces titres ou ces résumés, même s'ils ne sont pas écrits à l'encre rouge. Exemple de rubrique (*Mabrien*, manuscrit du xve siècle) : *Comment Mabrien conquist les .XVI. chevaliers, l'entree du chastel et l'amour de la noble damoiselle Gracienne*. L'articulation peut être soulignée par une miniature placée après la rubrique dont elle illustre la teneur. (D.B.)

▷ codex, copiste, manuscrit médiéval.

rythme (du grec *rhuthmos*, « mouvement réglé et mesuré »). Longtemps confondu avec le mot rime par fausse étymologie, le rythme est un concept très difficile à définir de manière satisfaisante. La définition de base se réfère au retour régulier d'un repère constant. Mais il n'y a pas de rythme sensible, empreint de la marque du sujet, sans variations qui viennent s'inscrire dans ce rythme de base. Dans le système français, la base est représentée par des groupements syllabiques (mètres pour la poésie versifiée traditionnelle, groupements syllabiques plus variables sinon), et les variations s'établissent selon des modulations diverses (effets de concordance ou de discordance, répartition des accents syntaxiques, phénomènes de répétition comme les anaphores, effets de chiasme ou de parallélisme, structuration des assonances et allitérations...). L'analyse du rythme, aussi bien pour la poésie que pour la prose, se révèle mouvante et fuyante parce qu'elle met en jeu de manière concomitante quantité de paramètres qui se superposent et se combinent de manière plurielle alors que l'effet est celui d'une unité. Prenons pour exemple ce quatrain de Victor Hugo :

> *Demain, dès l'aube, à l'heure où blanchit la campagne,*
> *Je partirai. Vois-tu, je sais que tu m'attends.*
> *J'irai par la forêt, j'irai par la montagne.*
> *Je ne puis demeurer loin de toi plus longtemps.*

La base est le rythme de l'alexandrin 6/6, mais on voit au vers 2 qu'au 6/6 se superpose un rythme 4/8 lié au très fort rejet de *Je partirai*. Le rythme de base est modulé pour les quatre vers par la répartition des accents syntaxiques, ce qui donne :

> *2/2/2 // 3/3   4/2 // 2/4   2/4 // 2/4   3/3 // 3/3.*

Il y a une grande variété des premiers hémistiches de vers (4 formes différentes), alors que les seconds hémistiches sont associés deux à deux en une structure embrassée qui fait contrepoint à la structure croisée des rimes. On notera le parallélisme des deux hémistiches du vers 3, où l'anaphore *J'irai* reprend phoniquement une partie du rejet *Je partIRAI*, et l'entrecroisement des *je* et des *tu* au vers 2. Sur le plan phonique, on peut, sans approfondir davantage, noter comment certains phénomènes de rythme sont accompagnés dans la progression du vers 1 : [d / d l b / al // blã / la ã a]. On voit que les phonèmes repris sont principalement ceux qui sont en première syllabe de groupe syntaxique, comme pour souligner l'attaque, et donc la volonté tendue qui marque ce début de poème.   (M.A.)

▷ **accent, allitération, assonance, binaire, cadence, césure, concordance/discordance, contre-accent, contre-rejet, coupe, enjambement, hémistiche, mètre, nombre, rejet, syllabe, syncope, ternaire, vers, vers libre.**

S

salut d'amour. Forme poétique médiévale d'oc et d'oïl, qui consiste en une épître versifiée commençant par une formule de salutation et adressée par l'amant à sa Dame. Le salut d'amour paraît avoir été influencé par la rhétorique épistolaire. Il est habituellement non strophique dans le Midi, mais strophique dans le Nord. L'idéologie est celle de l'amour courtois, et l'esprit est quelquefois didactique. Certains de ces saluts sont désignés comme des complaintes dans les manuscrits. Parmi les auteurs de saluts d'amour, on peut citer Arnaut de Mareuil pour la langue d'oc et Philippe de Remy pour la langue d'oïl.

(D.B.)

▷ courtoisie, dit, épître, *fin'amor*, troubadour, trouvère.

satire (n. f., du latin *satira* ou *satura*, « mélange »). Genre poétique latin (Horace, Juvénal) fondé sur l'attaque et la dérision, et qu'ont illustré en France Vauquelin de La Fresnaye dans ses *Satires françaises* (1604-1605) et plus tard Mathurin Régnier ou Boileau. Mais le terme de satire peut permettre de définir un poème de tonalité critique ou polémique, et s'attaquant à différents sujets – religieux, moraux, politiques –, comme certaines pièces des *Châtiments* (1853) de Hugo, ou désigner encore des œuvres en prose diverses : *Le Neveu de Rameau*, qui est un dialogue, est intitulé *satire* par Diderot.

La satire ménippée (du nom du poète et philosophe grec cynique Ménippe, IVe-IIIe siècle av. J.-C.) est une forme antique qui mélange vers et prose. Sur ce modèle, la *Satyre Ménippée* (1594) est le plus célèbre des pamphlets royalistes. Il s'agit d'un ouvrage collectif rédigé par des partisans d'Henri IV, qui mêle vers et prose, français et latin, et qui est dirigé contre les états généraux réunis l'année précédente par la Ligue et auxquels ils n'accordent aucune légitimité.   (M.A.)

▷ **pamphlet, prosimètre.**

scénario narratif. En narratologie, on appelle scénario (ou script) les situations conventionnelles que le lecteur est censé reconnaître à partir de quelques éléments, et dont il se sert pour comprendre le récit. Si une nouvelle s'ouvre par la phrase : *Il la rencontra un jour dans la rue, et la suivit jusqu'à chez elle* (A. Allais, *À se tordre*, 1891), est aussitôt convoqué à l'esprit du lecteur le scénario stéréotypé de la « première rencontre » ; ce scénario conduit le lecteur à anticiper des événements (la maigreur des informations de cet incipit pouvant créer un effet de suspens) et le texte va jouer à confirmer ou infirmer cette attente. On distingue les scénarios motifs, qui ne concernent que des données générales de l'action (la relation père-fils, le monastère...), et les scénarios situationnels qui concernent la construction d'actions plus précises (le duel, les adieux...).   (G.P.)

▷ **expansion/filtrage,** *fabula* **préfabriquée, inférence, pli.**

scène (du grec *skènè*, lieu de l'action dans le théâtre grec, situé sur une estrade qui domine l'*orchestra* où évolue le chœur). La scène est aussi le lieu où se déroule le spectacle (scène/salle). Le mot désigne enfin, dans le théâtre classique, une subdivision de l'acte, dont les bornes sont déterminées par l'entrée ou la sortie d'un personnage.   (P.F.)

▷ **acte, action, intrigue, scénographie, séquence, tableau.**

scénographie. Art et science de l'organisation visuelle et spatiale du spectacle, la scénographie relève à la fois de l'architecture et de la peinture. Le scénographe propose un espace dans lequel se déroulera la pièce, espace qui s'intégrera à la mise en scène, qui reflète et détermine tout à la fois les choix dramaturgiques qui président à la représentation. L'espace élaboré par le scénographe s'offre au spectateur dans une dimension à la fois réelle et imaginaire. Il est porteur de valeurs et de hiérarchies (haut, bas, perspective, succession des plans). Il détermine parfois les relations entre le spectateur et le spectacle. La scénographie se distingue de l'art du décor qui lui est subordonné.   (P.F.)

▷ décor, dramaturgie, mise en scène.

schéma actanciel. En se fondant sur l'analogie avec la structure phrastique, A.J. Greimas a avancé l'idée que tout récit s'organisait autour des six fonctions actancielles fondamentales : sujet/objet, destinateur/destinataire, adjuvant/opposant. Au début du *Cid*, par exemple, Rodrigue (sujet) est chargé par Don Diègue (destinateur) de venger l'affront reçu (objet) pour rétablir l'honneur de la famille (destinataire) ; comme le montrent les célèbres stances, Rodrigue est poussé par le sentiment de sa gloire (adjuvant), mais retenu par sa passion pour Chimène (opposant). La configuration actancielle d'un récit dramatique ou romanesque est en constante évolution au fil du texte ; la configuration dominante peut par ailleurs croiser des configurations secondaires.   (G.P.)

▷ actant, schéma narratif.

schéma narratif. Le schéma narratif prototypique prendrait, selon certains théoriciens (P. Larivaille, J.M. Adam...), la forme d'un ensemble de cinq propositions narratives : situation initiale [P1], événement déclencheur du récit [P2], réaction [P3], événement conduisant à la résolution [P4], situation finale [P5]. Ce schéma prototypique ne correspond pas forcément à des passages exprimés dans le récit, mais devrait pouvoir se retrouver derrière toute mise en intrigue. Il n'est d'ailleurs pas sans rappeler la combinaison classique nœud/péripétie/rebondissement/dénouement. Les étapes du système « quinaire » peuvent être introduites par une annonce du récit [P alpha] et fermées par une conclusion qui tire éventuellement la morale de l'histoire [P oméga]. C'est le cas dans le résumé suivant : [P alpha] *La Putain respectueuse* de Sartre (1946) est une comédie sur la dialectique sociale et raciale : [P1] Lizzie a assisté au meurtre d'un homme noir par un jeune Blanc. [P2] On lui demande de dire au procès que l'homme blanc était en situation de légitime défense. [P3] Mais elle ne souhaite pas faire un faux témoignage qui amènerait, par contrecoup, la condamnation du compagnon de l'homme assassiné. [P4] Or, elle est séduite par le cousin du meurtrier et accepte de témoigner contre sa conscience. [P5] Elle est prise entre l'espérance d'une vie meilleure et la certitude du remords. [P oméga] Le miracle n'a pas eu lieu : la petite Blanche et le Noir ne sont pas unis contre leur oppresseur commun.   (G.P.)

▷ *fabula* préfabriquée, schéma actanciel.

scholies. Notes de commentaire portées par un lecteur dans les marges d'un manuscrit médiéval et visant à éclairer le texte. Les textes scholiés sont généralement soit des œuvres de l'Antiquité, soit des Livres de l'Écriture sainte. Les manuscrits destinés à l'enseignement universitaire étaient munis de larges marges destinées à accueillir de telles notes d'interprétation ou de grammaire.   (D.B.)

▷ copiste, manuscrit médiéval, *marginalia*.

scientisme. Idéologie de la seconde moitié du XIXe siècle, proche du positivisme. Mais alors que le positivisme est une vraie philosophie, articulée en système par Auguste Comte, le scientisme se ramène à l'idée que la science, parvenant progressivement à dégager la vérité dans tous les domaines, finira par apporter des réponses à toutes les questions et permettra de parvenir à l'organisation de l'humanité la plus parfaite possible. La foi en une science déterministe tend alors à remplacer la religion. Les principaux inspirateurs du scientisme en France, maîtres à penser de toute une génération, furent Ernest Renan (1823-

1892), combinant subtilement scientisme et scepticisme et dont *L'Avenir de la science*, rédigé en 1849, ne fut publié qu'en 1890 ; et Hippolyte Taine (1828-1893) qui s'efforça notamment de définir les facteurs (race, milieu, moment, faculté dominante) qui détermineraient l'apparition des œuvres littéraires et artistiques (*La Fontaine et ses Fables*, 1852 et 1861). Il est à noter que Taine et Renan sont avant tout des historiens. Plus encore que dans les sciences de la nature, le scientisme met en effet son espoir dans l'histoire, dans la philologie ou science des textes, et dans la sociologie. L'influence de Taine fut dénoncée par Paul Bourget dans son roman *Le Disciple* (1888). Une critique plus approfondie du scientisme fut menée par Bergson et, sur un mode polémique, par Péguy dans ses textes en prose.   (Y.V.)

▷ éclectisme, Idéologues, naturalisme, philologie.

scriptible. *Voir* lisible.

scriptorium (n. m. ; plur. *scriptoria*). Nom latin donné au lieu où étaient confectionnés et copiés les manuscrits au Moyen Âge : la pièce d'abord, puis, par extension, l'établissement spécialisé où l'on s'adonnait à cette activité. À l'origine exclusivement religieux (abbayes, cathédrales), les *scriptoria* se diversifient à la fin du Moyen Âge avec l'accroissement de la demande de livres, et l'on voit apparaître des ateliers purement civils, en particulier dans l'entourage des ducs de Bourgogne et, bien entendu, des rois.   (D.B.)

▷ copiste, manuscrit médiéval.

seconde rhétorique. *Voir* arts de –.

seizain. Strophe de seize vers, toujours composée (par exemple, quatre quatrains ou un dizain + un sizain...).
                                                        (M.A.)

▷ strophe.

sémantique. Étude du sens des mots et analyse des mécanismes qui permettent l'interprétation des énoncés. Selon le niveau d'application, on parlera notamment de sémantique lexicale (analyse des signifiés lexicaux et des relations de sens qui organisent le vocabulaire : synonymie, antonymie, hyperonymie...) ou de sémantique textuelle (analyse des procédés de régulation du sens dans un texte, des probabilités de parcours interprétatifs, etc.). Avec la syntaxe (étude des combinaisons de signes) et la pragmatique (étude des conditions de production du discours), la sémantique est un des trois principaux modes d'approche du langage.   (G.P.)
▷ lexique, sème, signe linguistique.

semblance (n. f.). Dans le fonctionnement de l'allégorie narrative médiévale, la *semblance* est l'événement signifiant dont le signifié (*senefiance*) demande à être décrypté. Par exemple, dans la *Queste del Saint Graal*, l'un des héros, Bohort, voit sur un arbre un oiseau qui se perce le cœur pour arroser ses petits mort-nés et les faire ainsi revenir à la vie : cette *semblance* signifie le Christ qui s'est sacrifié pour sauver l'humanité.   (D.B.)
▷ allégorie, merveille, merveilleux, moralisation, *senefiance*.

sème (n. m.). Trait sémantique ; élément participant au signifié d'un mot. L'analyse du lexique par sème considère en effet que la définition traditionnelle en deux temps (catégorie générique et différence spécifique) ne correspond pas au mécanisme effectif de la signification lexicale : « oiseau » aura pour sème [animal], [couvert de plumes], [pouvant voler], [pondant des œufs]... On distingue les sèmes génériques (du type [concret], [animé], [non humain], etc.) des sèmes spécifiques en nombre illimité. On appelle sémème le faisceau constitué par ces sèmes. Deux quasi-synonymes ont tous leurs sèmes en commun, sauf un : « autobus » et « autocar » partagent ainsi les sèmes : [véhicule], [doté d'un moteur], [destiné au transport collectif], mais s'opposent par les sèmes [circulant en ville]/[circulant hors de la ville]. La cohérence d'un texte implique le retour des mêmes sèmes : Proust joue ainsi sur la récurrence du trait sémantique [violence] quand il décrit des femmes qui renoncent *au piquant de fossettes menacées, aux mutineries d'un sourire condamné et déjà à demi désarmé* (*Le Temps retrouvé*). La métaphore fonctionne par sélection d'un sème : « Jean est un vrai oiseau » n'a pas le même sens si Jean danse ou si Jean mange ; dans le premier cas, la métaphore implique la sélection du sème [pouvant voler], dans le second du sème [qui mange peu]. On voit ici que la recension des sèmes d'un mot comme « oiseau » permet une description incomparablement plus précise de son contenu sémantique que la définition lexicographique en deux temps.

(G.P.)

▷ **isotopie, métaphore, sémantique.**

sémème. *Voir* sème.

semi-consonne, semi-voyelle. Il y en a trois en français. Leur nom montre, par l'hésitation, qu'il s'agit de phonèmes intermédiaires entre consonnes et voyelles. De la consonne, ils ont l'impossibilité de former à eux seuls une syllabe et la possibilité en revanche d'être consonne d'appui de syllabe (balayer = 3 syllabes : [ba] [lɛ] [je]). Leur proximité avec les voyelles est démontrée par l'existence des phénomènes de diérèse et de synérèse, où chaque semi-consonne a son correspondant vocalique : [j] (yod) → [i] ; [ɥ] (ué) → [y] ; [w] [wé] → [u].

(M.A.)

▷ **diérèse, phonème, rime, syllabe, synérèse.**

sémiologie. *Voir* sémiotique littéraire.

sémiotique littéraire. Étude des processus de création du sens dans un texte littéraire, la sémiotique littéraire cherche à proposer une description formalisée des structures de signification de tous ordres (linguistiques, symboliques, thématiques, idéologiques...) qui organisent les textes. Pour les développements pris par la sémiotique en France, on retiendra surtout les noms d'A.J. Greimas pour le travail théorique, de R. Barthes pour la diffusion large de l'interrogation sémiotique, ou de J. Kristeva pour son application aux textes littéraires. Les textes narratifs ont paru des corpus particulièrement pertinents pour la vérification des hypothèses sémiotiques ; on a montré par exemple que la dramatisation s'organisait sur des modèles récurrents, que les personnages devaient être envisagés comme formant système, etc. Le mot « sémiologie » est surtout utilisé pour la théorie générale des signes, en particulier non verbaux.   (G.P.)

▷ **formalisme, narratologie, structuralisme.**

senée. *Voir* rime senée.

senefiance (n. f.). Au Moyen Âge, signification allégorique ou prophétique d'un fait, d'un propos ou d'une réalité quelconque. Pour les médiévaux, le monde a été créé par Dieu pour permettre aux hommes d'y décrypter les vérités spirituelles : toute créature est donc porteuse d'une *senefiance*. C'est sur ce principe qu'est construite toute la littérature des bestiaires, des volucraires, des lapidaires et des plantaires.   (D.B.)

▷ **allégorie, bestiaire,** *commentum, integumentum,* **lapidaire, lucidaires, moralisation, plantaire, psychomachie,** *semblance,* **volucraire.**

senhal (n. m., emprunté à la langue d'oc médiévale, « enseigne »). Au Moyen Âge, dans la poésie des troubadours, nom fictif et secret qui masque l'identité de la Dame (ou plus généralement du destinataire, qui peut aussi être leur protecteur), et dans lequel elle seule (avec quelques initiés) pouvait se reconnaître. Il s'agit d'une convention poétique, rendue nécessaire par le principe même de discrétion qui régit la *fin'amor*.   (D.B.)

▷ *canso, fin'amor,* **troubadour.**

sens/signification. On oppose parfois – sans que le partage terminologique soit bien stable – le sens d'un énoncé, c'est-à-dire son contenu sémantique tel que le construisent ses unités linguistiques, sans prise en compte aucune du contexte, et la signification d'un énoncé, c'est-à-dire sa portée signifiante en contexte, avec prise en compte de la situation de communication, des implicites, etc. On mesurera aisément l'écart qui sépare sens et signification si l'on songe, par exemple, à la première réplique d'une pièce de théâtre, hors de toute représentation scénique, comme le *Dix-neuf pieds sur vingt-six* qui ouvre *Le Mariage de Figaro* de Beaumarchais, dont le sens est accessible à chacun, mais dont la signification est totalement obscure en l'absence de contexte.   (G.P.)

▷ **pragmatique, sémantique.**

sensualisme. Théorie de la connaissance (XVIIIᵉ siècle) qui situe l'origine de la connaissance dans la sensation. L'origine du sensualisme français est à situer dans l'influence exercée par l'*Essai sur l'entendement humain* de Locke (1690). C'est la théorie de Condillac, mais elle a marqué l'ensemble de la philosophie française du XVIIIᵉ siècle, donnant lieu à des développements opposés, vers l'idéalisme ou vers l'athéisme matérialiste. Le sensualisme a aussi profondément marqué les théories esthétiques de la seconde moitié du siècle.   (P.F.)

sentence (n. f., du latin *sententia*, « phrase »). Maxime qui prend la forme d'une phrase courte, de portée générale. Exemple de René Char, dans *Feuillets d'Hypnos* (1946) : *On ne fait pas un lit aux larmes comme à un visiteur de passage.*   (M.A.)

▷ **maxime.**

septain. Strophe ou poème de sept vers, iso- ou hétérométriques. Ce sont des strophes prolongées, tels les septains hétérométriques abbaacc de Laforgue dans la « Complainte à Notre-Dame des Soirs » :

L'Extase du soleil, peuh ! La Nature, fade
Usine de sève aux lymphatiques parfums.
Mais les lacs éperdus des longs couchants défunts
Dorlotent mon voilier dans leurs plus riches rades,
Comme un ange malade...
Ô Notre-Dame des Soirs,
Que je vous aime sans espoir !

La forme de septain la plus connue est celle du septain romantique ababccb, mais il existe bien d'autres formules. (M.A.)

▷ **distique, quatrain, quintil, strophe, tercet.**

séquence. Au cinéma, suite de plans successifs formant une totalité du point de vue de l'action. L'expression peut être aussi utilisée au théâtre, notamment dans le théâtre de tableaux, pour désigner, à l'intérieur d'un acte ou d'un tableau, un ensemble de scènes ou d'actions qui forment un tout. (P.F.)

▷ **acte, scène, tableau.**

sérieux. *Voir* genre sérieux.

sermon. Les recueils de sermons (en latin) adaptés aux différentes fêtes et destinés à faciliter la tâche des prêtres étaient très répandus depuis l'époque carolingienne. Au XIIe siècle apparaissent les premiers sermons en langue vulgaire, en vers ou même en prose (sermons de Maurice de Sully, à la fin du XIIe siècle, d'abord en latin, puis transcrits en prose française avant 1220). Les sermons en prose sont adaptés à un public populaire (répétitions, didactisme plus pesant), alors que les sermons en vers, qui ne sont pas destinés à la prédication, constituent une forme de poésie morale (*Vers* de Thibaut de Marly, *Poème Moral*, *Bible Guiot* de Guiot de Provins), à laquelle se rattachent les revues dites des « états du monde ». Certains sermons en vers comme le *Sermon des plaies* sont destinés à la méditation des religieux (ce dernier évoque la mystique des plaies du Christ, qu'affectionnaient les franciscains). Au Moyen Âge, le sermon en langue vulgaire est le seul moyen d'accès des illettrés au contenu de l'Écriture sainte ; genre largement oral, il ne subsiste que peu de chose de l'énorme production du XIIIe siècle.

À l'époque classique, le sermon est le genre oratoire majeur : il est le discours que le prédicateur prononce en français lors des offices religieux (alors que la messe est dite en latin). C'est pour cela que le sermon fut pendant longtemps le genre littéraire le plus connu du grand public, et souvent son seul accès à une prose qui vise à la beauté et au grand style. La structure en est claire et bien charpentée, car tout doit être perçu immédiatement dans la performance orale : l'orateur commence par le texte, c'est-à-dire la citation biblique qui donne le sujet du sermon. Ensuite l'exorde prépare le public, puis, après l'*Ave* prononcé par toute l'assistance, arrive le développement proprement dit ; son plan est soigneusement annoncé (en deux ou trois points de préférence). La péroraison enfin conclut le discours en en tirant les principales leçons pour la vie chrétienne ici-bas. Le sermon apparaît en définitive comme une vaste amplification, qui illustre et rend vivante une vérité de foi, à l'aide d'exemples, de narrations, de tableaux, réactualisant ainsi un texte éternel dans le contexte précis d'une cérémonie religieuse, au contact d'un public réel et des préoccupations d'une époque. Pour l'âge classique, le grand représentant du genre est Jacques-Bénigne Bossuet (1627-1704) ; à l'époque romantique, le genre sera encore brillamment illustré, notamment par Lacordaire (1802-1861) qui, avec ses *Conférences de Notre-Dame de Paris* (1835-1851), met sa puissante éloquence au service de la religion contre l'« indifférence » du monde moderne.

(D.B. et E.B.)

▷ **amplification, démonstratif, éloquence, états du monde, panégyrique, rhétorique, style élevé, sublime.**

sermon joyeux. Forme dramatique brève (environ 250 vers) de la fin du Moyen Âge et de la Renaissance. Il se présente comme un monologue parodique, qui réutilise la structure et la rhétorique des sermons (thème issu de l'Écriture, exorde, construction rigoureuse ; rhétorique de la preuve, recours à des exemples et des préceptes) sur un sujet profane, voire grossier ou scatologique. L'invocation à la Trinité peut être remplacée par une invocation à Bacchus. Le sermon joyeux appartient à la même veine que la poésie goliardique des siècles précédents. Il était souvent joué à l'occasion de repas de noces, de banquets de corporations, ou sur des places publiques, dans des tavernes. On dénombre une trentaine de sermons joyeux (*Sermon joyeux de tous les fous, Sermon de saint Fausset, Sermon joyeux de saint Velu, Sermon du pou et de la puce*).   (D.B.)

▷ **carnavalesque, farce, goliards, monologue dramatique, sermon, sottie.**

serpentine. *Voir* rime serpentine.

serventois. Forme poétique médiévale, transposition en langue d'oïl du *sirventes* de la poésie d'oc. Mais si le serventois est lui aussi une poésie au service d'une cause, il a tendance à se spécialiser dans le service du sacré, et plus particulièrement de la Vierge. Il reprend la mélodie de la chanson pieuse. Au XIVe siècle, sa structure jusque-là souple tend à se figer en une forme fixe composée de cinq onzains sur cinq rimes, avec un envoi, mais sans refrain. C'est l'une des formes pratiquées dans les puys poétiques de la France du Nord (Paris, Artois, Picardie, Hainaut, Flandre), jusqu'à la fin du XIVe siècle.   (D.B.)

▷ **envoi, poésie palinodique, puy poétique,** *sirventés.*

sextine (n. f., du latin *sextus*, « sixième »). Poème sur deux rimes, composé de six sizains suivis d'un envoi (*tornada*) de trois vers, avec reprise des mêmes mots à la rime, mais dans un ordre différent (1 2 3 4 5 6 → 6 1 5 2 4 3). Les six mots sont répétés à la fin de chaque hémistiche de l'envoi, dans l'ordre de la première strophe. D'après Thomas Sébillet, c'est l'Italien Pétrarque qui a écrit les plus belles sextines. C'est surtout à la Renaissance que ce genre a été pratiqué en France.

(M.A.)

▷ sizain, strophe.

shakespearien (sonnet). *Voir* sonnet élisabéthain.

shifter. *Voir* embrayeur.

signature. En codicologie médiévale, ce terme désigne la numérotation des cahiers, disposée en bas de page, destinée à permettre au relieur de respecter leur ordre de succession correct. Cette numérotation est en chiffres romains minuscules : ii, iij, iv ou iiij, etc. Leur observation permet à l'éditeur moderne de repérer les éventuelles interversions de cahiers. (D.B.)

▷ codicologie, copiste, manuscrit médiéval, réclame.

signe linguistique. Toute la linguistique et la poétique modernes sont construites sur la définition du signe linguistique procurée par F. de Saussure au début du XXe siècle, comme combinaison d'un signifiant (un segment sonore, un ensemble de phonèmes, [arbr] par exemple) et d'un signifié (un contenu conceptuel, un sens, l'idée d'« arbre » par exemple). Le signe linguistique a deux caractéristiques majeures : il est arbitraire (il n'y a pas de relation entre les sons du mot « arbre » et la notion d'« arbre »), il est linéaire : contrairement aux arts plastiques qui proposent des données dans la simultanéité, les signes linguistiques se disposent successivement dans la phrase. (G.P.)

▷ arbitraire du signe, cratylisme, référent.

signifiance. Depuis les travaux d'É. Benveniste, on tend à appeler signifiance la propriété qu'a tout mot, tout signe, tout symbole... de signifier. La signifiance, comme aptitude à signifier et façon de signifier, se distingue donc de la signification, comme contenu sémantique ou portée référentielle. On pourra dire, par exemple, que tel poème et tel morceau de musique, tel tableau et telle description ont la même signification (ils désignent ou expriment la même chose) ; il n'en demeurera pas moins vrai qu'ils diffèrent totalement par leur signifiance (verbale, musicale, picturale...).   (G.P.)

▷ sens, signification.

signifiant/signifié. *Voir* signe linguistique.

simple. *Voir* style simple.

simultanéisme. Technique qui consiste dans la juxtaposition de scènes, de fragments de pensées ou de paroles qui, dans la diégèse, se déroulent au même moment. Il s'agit donc d'une tentative pour vaincre la linéarité de la parole romanesque (et poétique : songeons aux poèmes simultanés d'Apollinaire). Certaines expériences unanimistes de Jules Romains dans *Les Hommes de bonne volonté* (1932-1947) montrent une telle ambition, mais c'est seulement après la Seconde Guerre mondiale et la rencontre de certaines expérimentations américaines ou cinématographiques que le roman français tira le meilleur parti de la gageure simultanéiste : *Hitler dormait, Chamberlain dormait, son nez faisait une petite musique de fifre, Daniel s'était assis sur son lit, ruisselant de sueur* (J.-P. Sartre, *Le Sursis*, 1945).   (G.P.)

▷ focalisation, unanimisme.

sirventés (n. m.). Forme poétique de langue d'oc, littéralement « poème de service ou de serviteur », qui se met précisément au service d'une cause, qu'elle soit morale (pour corriger les méchants), politique ou militaire. La forme est celle de la *canso*. Les *sirventés* de Bertrand de Born sont célèbres.   (D.B.)

▷ *canso*, serventois, troubadour.

sizain (n. m.). Écrit aussi parfois « sixain ». Strophe de six vers, iso- ou hétérométrique. Il s'agit d'une strophe prolongée. La forme la plus employée dans la disposition des rimes est celle du rythme tripartite : aabccb. Ainsi, dans « Lux » de Victor Hugo (*Châtiments*, 1853) :

> *Temps futurs ! vision sublime !*
> *Les peuples sont hors de l'abîme,*
> *Le désert morne est traversé.*
> *Après les sables, la pelouse ;*
> *Et la terre est comme une épouse,*
> *Et l'homme est comme un fiancé !*

Il existe quantité d'autres formules sur deux rimes (abba-ba ; ababba ; aabbab...), sur trois (aabcbc ; ababcc ; abbacc...).   (M.A.)

▷ **distique, quatrain, quintil, strophe, tercet.**

société. *Voir* théâtre de société.

sociocritique. On tend à regrouper sous ce terme deux interrogations critiques relativement différentes : la première est celle de la sociologie de la littérature, qui s'intéresse au fonctionnement social de la création littéraire (statut des institutions littéraires, conditions de production des textes, relation avec le public...) ; la seconde est la sociologie des textes, qui cherche à retrouver dans l'œuvre elle-même à la fois la représentation d'un univers social et de ses préoccupations, et les traces de l'imaginaire collectif, selon une sorte de parallèle entre structures de l'œuvre et structures sociales. Cette sociologie des textes s'inspire souvent des catégories marxistes (G. Lukács, L. Goldmann).   (G.P.)

▷ **dialogisme, esthétique de la réception.**

sociolecte. Tout ensemble de spécificités langagières propres à un groupe d'individus, tout registre de langue spécialisé, jargon technique, ensemble de termes propres à une catégorie sociale ou professionnelle donnée. On appelle aussi sociolecte un terme ou une tournure propre à un groupe social identifiable. Molière a parodié le sociolecte des médecins, des précieuses, des paysans. Les romanciers réalistes ont eu fréquemment recours aux sociolectes pour rendre compte des divers groupes de la société : *des galibots, des haveurs, des raccommodeurs* (É. Zola, *Germinal*). À « sociolecte », l'analyse littéraire préfère parfois le mot « parlure ».   (G.P.)

▷ idiolecte.

soliloque. *Voir* monologue.

songe. L'Antiquité distinguait les songes véridiques (sortis des Enfers par la porte de corne selon Virgile) et les songes trompeurs (sortis par la porte d'ivoire). Dans les textes du Moyen Âge, « songe » rime souvent avec « mensonge ». Mais, à la suite de l'Antiquité tardive, ceux-ci usent fréquemment de la fiction du songe, dans un but didactique, comme cadre d'une allégorie narrative ou d'un récit de visite dans l'Au-delà : le *Roman de la Rose* de Guillaume de Lorris (vers 1230), le *Songe d'Enfer* de Raoul de Houdenc (début XIIIe siècle), ou le *Tournoiement Antéchrist* d'Huon de Méry (1234) par exemple. À la fin du XIVe siècle, le *Songe du Vieil Pelerin* de Philippe de Mézières retrace un rêve allégorique dans lequel l'auteur, vieux pèlerin, parcourt le monde avec des personnifications pour juger de sa décadence morale ; le *Songe du Vergier* utilise le même cadre pour présenter un dialogue entre la Puissance temporelle et la Puissance spirituelle, arbitré par un clerc et un chevalier, qui se présente comme une réflexion approfondie sur les deux pouvoirs. Le songe s'accordait bien avec le goût des médiévaux pour l'allégorie narrative. Le XVIe siècle reprend au Moyen Âge le genre et les procédés du songe, y compris le langage allégorique qu'il cultive. C'est un « Songe » riche en symboles qui ouvre les *Antiquitez de Rome* de Du Bellay. Bien plus tôt, *Le Songe de Poliphile*, œuvre du Vénitien Francesco Colonna (1499), raconte la quête onirique « du héros-narrateur, qui poursuit, puis retrouve, dans un décor de ruines, d'architectures antiques et de jardins, sa bien-aimée Polia » (G. Polizzi). Le néoplatonisme donne au songe des lettres de noblesse qui ne font que renforcer son prestige. Il explique en effet que l'âme, prisonnière du corps, retrouve dans le sommeil le chemin du ciel et ses vérités natives. La littérature sur le songe, très abondante, distingue entre les songes du soir, souvent trompeurs, et ceux du matin, beaucoup plus fiables. Le texte de la Bible, où abondent les songes, renforce le crédit qu'on peut leur accorder. D'Aubigné s'en souvient dans *Les Tragiques*.   (D.B. et D.M.)

▷ **allégorie**, *interpretatio*, **néoplatonisme**, **psychomachie**, *semblance*, *senefiance*.

sonnet (du latin *sonare*, « sonner »). Il a été introduit d'Italie en France au début de la Renaissance par Marot et Mellin de Saint-Gelais. Il s'agit d'une forme fixe de quatorze vers (d'abord décasyllabes, puis ensuite le plus souvent alexandrins), répartis en deux quatrains à rimes embrassées sur deux rimes, suivis d'un sizain qui a pu être de forme variable, mais qui s'est fixé en une forme canonique d'un distique suivi d'un quatrain, divisé typographiquement en deux tercets. Voici un sonnet décasyllabique de Louise Labé en abba abba ccd eed. Cette forme est appelée italienne ou encore marotique :

> *Depuis qu'amour cruel empoisonna*
> *Premièrement de son feu ma poitrine,*
> *Toujours brûlai de sa fureur divine,*
> *Qui un seul jour mon cœur n'abandonna.*
>
> *Quelque travail, dont assez me donna,*
> *Quelque menace et prochaine ruine,*
> *Quelque penser de mort qui tout termine,*
> *De rien mon cœur ardent ne s'étonna.*
>
> *Tant plus qu'Amour nous vient fort assaillir,*
> *Plus il nous fait nos forces recueillir,*
> *Et toujours frais en ses combats fait être :*
>
> *Mais ce n'est pas qu'en rien nous favorise*
> *Cil qui les Dieux et les hommes méprise :*
> *Mais pour plus fort contre les forts paraître.*

L'autre forme canonique est dite française : abba abba ccd ede. Le sonnet a connu une vogue immense dans la seconde moitié du XVIe siècle, puis un renouveau très fervent au XIXe siècle, où des poètes comme Musset et Baudelaire ont usé de variations aussi bien de vers que de disposition des rimes, qui ont multiplié ses formes. Cette plasticité et ce succès du sonnet ne se sont toujours pas démentis, et des poètes comme ceux de l'OuLiPo, et surtout Jacques Roubaud, ont continué à exploiter la richesse de cette structure féconde.   (M.A.)

▷ École lyonnaise, OuLiPo, quatrain, sizain, sonnet élisabéthain, tercet.

sonnet élisabéthain. On l'appelle aussi sonnet shakespearien, ou encore sonnet anglais. Il présente également quatorze vers, mais répartis en trois quatrains à rimes croisées suivis d'un distique. Voici un sonnet élisabéthain de Mallarmé en heptasyllabes, intitulé « Petit Air (guerrier) » :

> *Ce me va hormis l'y taire*
> *Que je sente du foyer*
> *Un pantalon militaire*
> *À ma jambe rougeoyer*
>
> *L'invasion je la guette*
> *Avec le vierge courroux*
> *Tout juste de la baguette*
> *Au gant blanc des tourlourous*
>
> *Nue ou d'écorce tenace*
> *Pas pour battre le Teuton*
> *Mais comme une autre menace*
> *À la fin que me veut-on*
>
> *De trancher ras cette ortie*
> *Folle de la sympathie.*   (M.A.)

sonnet italien. *Voir* sonnet.

sonnet marotique. *Voir* sonnet.

sonnet shakespearien. *Voir* sonnet élisabéthain.

sophistique. En tant qu'adjectif, ce terme désigne, comme l'écrit Furetière (*Dictionnaire*, 1690), ce « qui est captieux, trompeur. Il se dit surtout des arguments qui ne sont pas bien en forme, ou qui sont fondés sur des équivoques » ; et Furetière cite cet exemple de syllogisme fondé sur des prémisses fausses : *Tu as tout ce que tu n'as point perdu ; tu n'as point perdu de cornes ; donc tu as des cornes.* Est donc sophistique tout procédé rhétorique qui vise à tromper l'auditeur ou le lecteur, par des raisonnements faux (paralogismes, sophismes). Comme substantif, la sophistique désigne l'art des sophistes de l'Antiquité (première sophistique : Ve siècle av. J.-C., ce sont les adversaires de Socrate ; seconde sophistique : IIe et IIIe siècles ap. J.-C.). La seconde sophistique correspond à un courant littéraire majeur de la période de l'Empire romain, dont l'influence fut déterminante à l'époque moderne, notamment pour la redécouverte de la rhétorique et son influence sur les théories littéraires de l'humanisme et de l'âge classique.   (E.B.)

▷ **paralogisme, rhétorique.**

sotie (n. f., dérivé de « sot »). Désigne une forme fixe de onze vers sur cinq rimes qui fonctionnent sur un système de contre-assonance, avec variation vocalique, les cinq voyelles de l'alphabet figurant successivement.   (M.A.)

▷ **contre-assonance.**

sotte chanson. Au Moyen Âge, poème qui parodie la chanson courtoise. La sotte chanson réutilise le cadre formel, mais transpose la thématique de l'amour dans le registre bas (trivial, grossier, éventuellement ordurier, voire scatologique). La *Ballade de la grosse Margot* de François Villon, insérée dans son *Testament*, adapte à la ballade le principe de la sotte chanson. On a émis l'hypothèse que la sotte chanson ne serait pas dépourvue de liens avec le charivari. Elle est en tout cas le type même d'une poésie carnavalesque. Même les plus grands écri-

vains en ont écrit (Froissart, Eustache Deschamps) : il ne
faut pas voir en elle une sous-littérature.   (D.B.)
▷ **ballade, carnavalesque, chant courtois, parodie.**

sottie. Forme dramatique de la fin du Moyen Âge, à
caractère parodique, d'un comique souvent grinçant,
mettant en présence des contestataires et des personnages
contestés. Gravitant autour du personnage du sot, la sottie développe une conception fondamentalement identique à celle de la fête des Fous. Ses frontières avec la
farce sont assez floues : le genre manque d'unité. On
distingue la sottie-parade, marquée par la prédominance
de la gestuelle, des acrobaties, pitreries, sauts et gambades
sur le dialogue ; la sottie-jugement, qui fait éclater l'incohérence d'un comportement en représentant une séance
de tribunal ; la sottie-action, proche de la moralité (c'est
l'action qui structure la pièce) : la *Moralité faite en foulois*
[dans le langage des fous] *pour le chastiement du monde*
est une sottie. Les sotties morales utilisent quelquefois
des personnages allégoriques, comme les moralités. Les
personnages comiques sont le sot (plus sage que les
autres...) et le galant (image de la jeunesse bohème de la
fin du XVᵉ siècle). La sottie, sous une expression cryptée,
joue un rôle de contestation politique et se livre à la satire
d'une société matérialiste qui renie les valeurs morales
anciennes. C'est en référence lointaine à ce genre que
Gide, en 1914, intitula *Sotie* (avec un seul *t*) *Les Caves
du Vatican*, pour souligner l'aspect ludique et bouffon de
son livre qu'il ne voulait pas appeler roman.   (D.B.)
▷ **carnavalesque, farce, moralité, sermon joyeux.**

sourd. Adjectif qui qualifie la prononciation de l'*e* caduc
quand il n'est pas muet.   (M.A.)
▷ *e* **caduc.**

sous-conversation. Terme forgé par Nathalie Sarraute,
pour qui le dialogue romanesque doit faire sa place aux
silences, au presque-dit, à l'implicite, aux embryons de

drames que recèle toute conversation, sans quoi il ne donne qu'une image guindée et fausse de la communication humaine : *Sous l'effet de « Ne me parlez pas de ça », certains se mettent à s'agiter... en voici un qui se détache des autres et s'avance... Que veut-il ? Qu'est-ce qu'il y a ?... Vous pouvez dire ça ?* (*L'Usage de la parole*, 1980). Elle revendique en cela le patronage de la romancière britannique I. Compton-Burnett.   (G.P.)

▷ tropisme.

speculum. *Voir* miroir.

spoudogeloion (n. m., du grec *spoudaios*, « sérieux », et *geloion*, « risible, comique »). Ce terme caractérise un genre d'écriture qui associe des thèmes ou des styles contrastés, en traitant par exemple sur le mode comique un contenu sérieux, ou en utilisant un style élevé pour décrire un événement bas et comique. La tradition vient notamment des satiriques grecs, comme Lucien (IIe siècle ap. J.-C. : *Dialogue des morts, Jupiter tragique, Histoire véritable*), et elle a connu une grande vogue à partir de l'humanisme, chez Érasme (*Éloge de la folie*) et Rabelais notamment : le prologue du *Gargantua* (1535) explique comment derrière le caractère comique de l'œuvre se cache une « substantifique moëlle », c'est-à-dire un contenu sérieux et philosophique. À l'inverse, dans le style héroï-comique, comme dans *Le Lutrin* de Boileau, on voit une querelle de personnages comiques traitée avec les procédés de la poésie épique et sérieuse. De *L'Autre Monde* de Cyrano de Bergerac aux *Contes* de Voltaire, le *spoudogeloion* est un procédé qui permet souvent aux idées philosophiques nouvelles d'être présentées sous le masque d'une fiction amusante et comique. C'est donc le procédé favori de la satire et de la caricature, et on le retrouve souvent dans la littérature à visée polémique ou pamphlétaire.   (E.B.)

▷ burlesque, héroï-comique, pamphlet, satire, style bas.

stance (n. f., de l'italien *stanza*). Nom qui a été donné
à la strophe du XVIᵉ au XIXᵉ siècle. Aujourd'hui, on réserve
plutôt le nom de stance aux strophes lyriques de l'ode ou
à celles de monologues de théâtre spécifiques (hétérométrie, disposition des rimes différentes de celle de la pièce)
comme les stances de Rodrigue, par exemple, dans *Le Cid*
(I, 6) :

> *Percé jusques au fond du cœur*
> *D'une atteinte imprévue aussi bien que mortelle,*
> *Misérable vengeur d'une juste querelle,*
> *Et malheureux objet d'une injuste rigueur,*
> *Je demeure immobile, et mon âme abattue*
> *Cède au coup qui me tue.*
> *Si près de voir mon feu récompensé,*
> *Ô Dieu, l'étrange peine !*
> *En cet affront mon père est l'offensé,*
> *Et l'offenseur le père de Chimène !*

C'est aussi le nom qu'a choisi Jean Moréas pour un
recueil de poèmes mélodieux et méditatifs (1899-1901).

(M.A.)

▷ couplet, hétérométrie, lyrisme, ode, strophe.

stemma codicum (n. m., emprunté au latin, « schéma
des manuscrits »). Schéma restituant de façon hiérarchisée les liens de filiation et de parenté entre les divers
manuscrits d'un texte, en mentionnant les chaînons man-
quants et en dégageant clairement des familles. Dans la
partie haute figurent l'archétype et les manuscrits qui en
sont les plus proches, dans la partie basse ceux qui procèdent de plusieurs maillons intermédiaires. Des lignes
pleines signalent les filiations directes, des lignes en poin-
tillé signalent les contaminations entre deux familles.
L'établissement du *stemma codicum* constitue le premier
travail de toute entreprise d'édition de texte (du moins
pour l'Antiquité et le Moyen Âge). Il suppose l'examen
complet de la tradition manuscrite de ce texte, y compris
les copies fragmentaires.

(D.B.)

▷ archétype, codex, contamination, copiste, lachmannisme, manuscrit médiéval, philologie, variance.

stichomythie (n. f., du grec *stikhos*, « vers », et *muthos*, « parole »). Dialogue en vers dont chaque réplique occupe un seul vers, tel ce dialogue vif entre Vadius et Trissotin dans *Les Femmes savantes* de Molière :

TRISSOTIN — *Vous donnez sottement vos qualités aux autres.*
VADIUS — *Fort impertinemment vous me jetez les vôtres.*
TRISSOTIN — *Allez, petit grimaud, barbouilleur de papier.*
VADIUS — *Allez, rimeur de balle, opprobre du métier.*
TRISSOTIN — *Allez, fripier d'écrits, impudent plagiaire.*
VADIUS — *Allez, cuistre...* (M.A.)

▷ accidents, répétition.

strophe (n. f., du grec *strophè*, « action de tourner »). Au départ, tour d'autel chanté et dansé par le chœur de la tragédie antique. Terme désormais le plus général pour désigner, dans la poésie traditionnelle, cet élément de composition qui constitue l'unité structurelle immédiatement supérieure au vers. Elle présente en principe une autonomie syntaxique et sémantique, et s'organise selon des systèmes précis et récurrents :
– en cas d'isométrie, c'est la disposition des rimes qui structure la strophe : le principe est que chaque rime doit trouver son répondant dans la strophe ;
– en cas d'hétérométrie, il y a deux systèmes qui se superposent : le système de disposition des rimes, et le système de succession des mètres, qui doit se retrouver de strophe en strophe.
On distingue trois types de strophes selon la complexité du système des rimes :
– la strophe simple implique que le système, sur deux rimes, n'est clos qu'au dernier vers (quatrains à rimes embrassées ou croisées, quintils abaab) ;
– la strophe est dite prolongée quand, à la structure complète, s'ajoute la reprise d'une rime (rime dominante) qui clôt l'ensemble (quintil ababa) ou relance une nouvelle combinaison (septain romantique ababccb) ;
– la strophe est composée quand elle résulte de l'association de plusieurs systèmes. Exemple du huitain de « À

Némésis » de Lamartine, composé de deux quatrains à rimes croisées (ababcdcd) :

> *Honte à qui peut chanter pendant que Rome brûle,*
> *S'il n'a l'âme et la lyre et les yeux de Néron,*
> *Pendant que l'incendie en fleuve ardent circule*
> *Des temples aux palais, du Cirque au Panthéon !*
> *Honte à qui peut chanter pendant que chaque femme*
> *Sur le front de ses fils voit la mort ondoyer,*
> *Que chaque citoyen regarde si la flamme*
> > *Dévore déjà son foyer !*   (M.A.)

▷ **alternance, antistrophe, césure, contre-rejet, contre-rime, couplet, distique, dizain, douzain, enjambement, épode, hétérométrie, huitain, isométrie, laisse, monorime, neuvain, ode, onzain, pantoum, quatrain, quintil, rejet, rime, rime rétrograde, septain, sextine, sizain, sonnet, stance, s. carrée, s. couée, s. unissonantes, tercet, treizain, vers.**

strophe carrée. Strophe isométrique dont le nombre de vers est égal au nombre de syllabes dans le vers : par exemple un huitain d'octosyllabes. C'est un type de strophe qu'ont recommandé les poètes de la fin du XVe siècle pour la ballade.   (M.A.)

▷ **ballade, quadrature, strophe.**

strophe couée (du latin *caudatus*, « à queue »). Se dit d'une strophe hétérométrique dans laquelle la distribution des mètres courts correspond à l'agencement des rimes. Par exemple une strophe en 12a-12a-8b-12c-12c-8b, comme celle-ci, tirée de « Plein ciel » de Victor Hugo :

> *Calme, il monte où jamais nuage n'est monté ;*
> *Il plane à la hauteur de la sérénité,*
> > *Devant la vision des sphères ;*
> *Elles sont là, faisant le mystère éclatant,*
> *Chacune feu d'un gouffre, et toutes constatant*
> > *Les énigmes par les lumières.*

Rutebeuf affectionnait particulièrement le tercet coué.
                (M.A.)

▷ **hétérométrie, rime, strophe.**

strophe d'Hélinand. *Voir* Hélinand.

strophes unissonantes. Strophes qui utilisent la même disposition et les mêmes rimes dans tout le poème.

(M.A.)

▷ strophe.

structuralisme. Méthode d'analyse formelle des textes inspirée de la linguistique saussurienne et qui connut son apogée en France dans les années 1960-1970 (R. Barthes, G. Genette, T. Todorov). Le structuralisme littéraire – qui fut au cœur de ce qu'on appela la Nouvelle Critique – n'est qu'un aspect de la vague structuraliste qui traversa les sciences humaines après la Seconde Guerre mondiale (psychanalyse, anthropologie, philosophie...). Tout comme le langage doit se décrire, selon l'analyse de F. de Saussure (*Cours de linguistique générale*, 1916), comme un système dans lequel chaque élément trouve sa valeur par rapport aux autres éléments, la littérature doit s'appréhender comme un système de formes, de règles combinatoires. Il s'agira pour le critique de faire apparaître les structures en œuvre dans les textes, en mettant au point une taxinomie des procédés de composition qui prendra un appui direct sur les catégories de la syntaxe. Malgré quelques réussites spectaculaires dans l'analyse des textes poétiques, c'est surtout l'étude du récit qui bénéficia des apports du structuralisme. (G.P.)

▷ formalisme, narratologie, Nouvelle Critique.

style. Ensemble des caractéristiques propres de l'expression d'un auteur, le style combine des marques lexicales, syntaxiques, prosodiques, rhétoriques. Cet ensemble de particularités locales est perçu comme un tout, un ton attaché à une personnalité. La catégorie de style, fort instable d'un point de vue théorique, correspond à une indéniable réalité intuitive : on peut parfois aisément reconnaître un style dès les premiers mots. (G.P.)

▷ étymon spirituel, idiolecte, style bas, s. coupé, s. direct,

s. direct libre, s. élevé, s. fleuri, s. formulaire, s. indirect, s. indirect libre, s. naturel, s. noble, s. poissard,
s. simple, s. tempéré, stylème.

style bas. Dans la description traditionnelle (rhétorique)
des trois degrés de style, le style bas correspond, strictement parlant, au style simple, qui doit être précis, clair
et bref (celui qui correspond le mieux à la définition
idéale de l'atticisme). Dans les débats littéraires de
l'époque classique, puis à l'époque romantique, l'expression peut aussi caractériser un style familier, sans distinction, comme dans le burlesque ou dans la farce : il
désigne alors aussi bien l'emploi d'un lexique familier
(mots vulgaires, expressions populaires) que la référence
à un univers socialement peu élevé.   (E.B.)
▷ atticisme, burlesque, style simple.

style coupé. Type de style qui favorise les juxtapositions, les asyndètes, les propositions brèves, en vogue en
particulier au XVIIIᵉ siècle, comme dans ce passage de
Candide de Voltaire :

> *Il passa par-dessus des tas de morts et de mourants, et gagna*
> *d'abord un village voisin ; il était en cendres : c'était un*
> *village abare que les Bulgares avaient brûlé, selon les lois*
> *du droit public. Ici des vieillards criblés de coups regar-*
> *daient mourir leurs femmes égorgées, qui tenaient leurs*
> *enfants à leurs mamelles sanglantes ; là des filles, éventrées*
> *après avoir assouvi les besoins naturels de quelques héros,*
> *rendaient les derniers soupirs ; d'autres, à demi brûlées,*
> *criaient qu'on achevât de leur donner la mort.*   (M.A.)

▷ asyndète, parataxe.

style direct. *Voir* discours direct.

style direct libre. *Voir* discours direct libre.

style élevé. Dans la tripartition traditionnelle des styles,
le style élevé est celui qui doit être, selon Cicéron
(dans son traité intitulé *L'Orateur*), « majestueux, riche,

sublime, éclatant » : c'est le style qui exerce le plus d'action sur l'auditoire, en provoquant l'admiration et l'étonnement, par l'emploi des figures les plus spectaculaires. Les caractères de ce style sont l'énergie, la vivacité, l'abondance, et son but ultime est le *movere* (troisième but de la rhétorique : « émouvoir »). La tradition rhétorique l'associe à la notion de sublime, c'est le style de la grande éloquence d'apparat, celui qu'il convient d'utiliser dans la péroraison et où règne le plus l'ornement. Le grand modèle de ce style est l'orateur grec Démosthène. En poésie, c'est le style de l'épopée et de la tragédie.   (E.B.)

▷ abondance, éloquence, *pathos*, rhétorique, sublime.

style fleuri. Cette désignation renvoie à l'usage intensif des ornements, de ce que l'on appelle traditionnellement les « fleurs de rhétorique » ; selon Quintilien (*Institution oratoire*), c'est le caractère dominant du style tempéré, où l'usage des métaphores et des métonymies, ainsi que les effets de variations, sont recommandés. Il vise avant tout à plaire, et la douceur (*suavitas*) est son principal atout.

(E.B.)

▷ asianisme, démonstratif, ornement, style tempéré.

style formulaire. Dans l'Antiquité, au Moyen Âge, et dans certaines littératures orales (yougoslave, africaine), composition reposant sur l'emploi de stéréotypes d'expression, admettant un nombre limité de variantes, et qui sont coulés dans un moule rythmico-syntaxique correspondant aux exigences de la métrique (hémistiches de quatre et six syllabes du décasyllabe épique, par exemple). Ainsi, pour désigner l'action d'éperonner le cheval, le jongleur pourra utiliser à loisir des variantes formulaires parfaitement équivalentes : *Le destrier broche*, *Son cheval point*, *Point le destrier*, etc. ; ce que l'auditeur entend et saisit, ce n'est pas la variante, c'est la répétition. On ne peut donc commenter un texte en style formulaire avec les principes d'analyse stylistique qui valent généralement pour la littérature. Il est à présent admis que ce style, qui favorise la mémorisation et surtout la semi-improvisation à partir d'un canevas, convient bien à des œuvres destinées à la déclamation en performance (chansons de geste par exemple), mais que son utilisation peut avoir une fonction d'ordre esthétique et n'implique nullement une composition purement orale.   (D.B.)

▷ **chanson de geste, jongleur, motif rhétorique, oralité, performance.**

style indirect. *Voir* discours indirect.

style indirect libre. *Voir* discours indirect libre.

style moyen. *Voir* style tempéré.

style naturel. Le naturel est une valeur qui s'affirme au XVIIᵉ siècle, envahissant peu à peu tout le champ de la rhétorique mondaine : il est lié au style simple, en tant qu'il rejette l'affectation trop visible d'une rhétorique ornée et travaillée, savante, en un mot, telle qu'on l'apprend dans les collèges. Il est en effet le style idéal de la conversation, genre matriciel de tous les genres mondains, ce qui renvoie aussi à l'idéal rhétorique de naïveté : on est cette fois du côté de l'idéal linguistique promu depuis le XVIᵉ siècle, qui veut faire de la langue française l'outil exclusif de l'expression littéraire (contre le modèle latin, encore bien vivace). À ce titre, l'ordre naturel de la pensée est un des points sur lesquels insistent les grammairiens des années 1670-1680 : l'idée que la langue française est fidèle à la logique naturelle de la pensée est une conviction partagée par tous à cette époque. Cela s'accompagne des vertus traditionnelles de l'atticisme : clarté, élégance, simplicité, transparence. C'est ainsi que le P. Bouhours a pu comparer la langue française à une eau claire et limpide, sans goût, par opposition aux obscurités et aux difficultés de la langue espagnole ou italienne (*Entretiens d'Ariste et d'Eugène*, 1671). Comme catégorie proprement rhétorique du style, le naturel est une valeur qui permet de dénoncer tous les vices du mauvais style (affectation, enflure, froideur, obscurité), et on évoque souvent comme exemples antiques de cette vertu, le Grec Xénophon (attique par excellence) et le Latin Térence (maître de la comédie de caractères) : le premier peut apparaître comme le modèle de la narration en prose, et le second est un modèle pour le théâtre de Molière, grand défenseur du naturel dans le jeu théâtral. Par le biais du style, le naturel est donc appelé à devenir une vertu sociale et mondaine, qui caractérise l'idéal contemporain de l'honnête homme. (E.B.)

▷ atticisme, classicisme, galanterie, honnête homme, *neglegentia diligens*, style simple.

style noble. Selon les théoriciens antiques de la rhétorique, la noblesse est une des « catégories » du style (Hermogène, IIe siècle ap. J.-C.), qui appartient au registre de la grandeur : c'est dire qu'il caractérise à la fois l'élocution (choix des termes, figures, effets sonores et rythmiques) et le sujet traité (les « pensées nobles », dit Hermogène). Le style noble suppose donc un accord entre la hiérarchie des styles, celle des genres (tragédie, épopée) et celle des thèmes correspondants. Il convient donc pour traiter des réalités divines, mythologiques ou des hautes actions humaines (faits héroïques, combats, etc.) ; un vocabulaire majestueux et de registre élevé doit être utilisé, avec des effets sonores appuyés (notamment les voyelles ouvertes, *o* et *a*) : on voit à quel point cela peut correspondre au registre tragique ou épique. À l'inverse, l'usage de ces mêmes procédés pour traiter un sujet bas conduit directement au burlesque. Le style noble est, par excellence, le style du genre démonstratif (ou épidictique) et, en poésie lyrique, celui de l'ode. (E.B.)

▷ asianisme, burlesque, démonstratif, sermon, *spoudogeloion*, style élevé, sublime.

style poissard (de *poissard*, « voleur », c'est-à-dire « celui dont les doigts se collent aux objets comme de la poix »). Se dit d'un style qui imite les façons du bas peuple, comme dans cette strophe des *Complaintes* de Laforgue, qui s'adresse à la lune :

> *– Va donc, rosière enfarinée !*
> *Hé ! Notre-Dame des gens soûls,*
> *Des filous et des loups-garous !*
> *Metteuse en rut des vieux matous !*
> *Coucou !*   (M.A.)

style simple. C'est le style le plus bas de la hiérarchie instaurée par la tripartition traditionnelle des styles (Cicéron, *L'Orateur*) : ses caractères sont la précision, la clarté et la convenance. Il est étroitement lié à la notion d'atticisme, car on prêtait ses qualités, selon Cicéron, aux orateurs d'Athènes ; la pureté du vocabulaire y est aussi très importante, car l'efficacité repose ici sur la précision des idées et la sobriété des effets, loin de tout ornement excessif, comme les métaphores rares ou les périodes compliquées. L'orateur athénien Lysias est souvent évoqué, par les théoriciens, comme le modèle de ce style. Il excellait notamment dans la narration, qui s'en tient aux faits sans multiplier les effets voyants d'une éloquence d'apparat. Selon Quintilien (*Institution oratoire*), c'est le style qui vise au premier but de la rhétorique : instruire (*docere*). C'est pourquoi le style simple convient particulièrement à la narration historique ou romanesque. Dans l'esthétique classique, ce style est associé au naturel et à l'élégance, c'est aussi celui qui convient aux mots d'esprit et à la conversation.   (E.B.)

▷ atticisme, galanterie, narration, naturel, *neglegentia diligens*, période, rhétorique.

style tempéré. Selon la tripartition traditionnelle des styles, dans la rhétorique classique, ce style tient le juste milieu entre le style simple et le style élevé ou sublime. Cicéron le définit, dans son traité *L'Orateur*, comme le style de l'agrément et du charme : son mouvement doit être doux, et on y utilise de préférence les métaphores et les métonymies, car ce qui est recherché est la variété et la séduction. La finalité est ici le *delectare* (« plaire » : le second but de la rhétorique). À cet égard, il se distingue nettement du style simple, nerveux et bref, et du style élevé, abondant et véhément. Il est assimilable au style fleuri, car les ornements y sont nombreux et variés. Les théoriciens anciens citaient comme modèle de ce genre l'orateur athénien Isocrate. Dans le domaine de la poésie ou du roman, le style tempéré est celui qui convient le mieux à la description, alors que le style simple sera celui de la narration. (E.B.)

▷ asianisme, atticisme, *ekphrasis*, ornement, rhétorique, style fleuri.

stylème (n. m.). Fait stylistique (généralement grammatical ou prosodique) que l'on retrouve très fréquemment dans les textes d'un auteur et qui est caractéristique de sa manière d'écrire : le détachement appositif en tête de phrase est un stylème sartrien particulièrement frappant (*Tendre, elle m'apprit la tendresse* ; *clandestin, je fus vrai*, J.-P. Sartre, *Les Mots*, 1964). (G.P.)

▷ étymon spirituel, idiolecte, style.

stylisation. Au théâtre, simplification délibérée des formes et de la décoration, dans le but d'obtenir un effet plus puissant, de suggérer l'universalité ou la dimension essentielle et symbolique d'une forme. La stylisation est souvent dirigée contre le réalisme ou le naturalisme. On peut ainsi styliser un décor, faire ressortir en lui la puissance de l'esquisse, en faire sentir le style et l'art au détriment de la représentation réaliste. Un acteur peut, avec une intention semblable, styliser son jeu pour interpréter un personnage. (P.F.)

▷ distanciation, dramaturgie, mise en scène.

stylistique. La rhétorique, depuis l'Antiquité jusqu'au XIXᵉ siècle inclus, a été un ensemble de règles permettant d'élaborer des discours aptes à persuader ; les maîtres d'éloquence avaient étudié ces procédés pour former un art de la parole. Avec la stylistique, la perspective s'inverse : il ne s'agit plus de lois d'élaboration, mais au contraire d'analyses du discours littéraire constitué. C'est

Charles Bally (1865-1947), élève et successeur de Ferdi-
nand de Saussure, qui fonde, au début du XXᵉ siècle, cette
nouvelle discipline. Depuis sa création, la stylistique a
connu nombre de mises au point et de redéfinitions, avec
à la clé des polémiques ardentes. Dans son extension la
plus large, on peut dire qu'elle se penche sur les procédés
d'expression individuelle, écrite ou orale, mais l'utilisation la plus répandue de la stylistique et qui donne lieu
à une définition plus rigoureuse est en fait l'analyse linguistique et esthétique des textes littéraires en tant que
tels : elle permet de spécifier et de mettre en valeur ce
qui fait d'eux des textes littéraires. Elle trace son sillon
propre entre deux limites : d'un côté, l'analyse littéraire,
puisqu'elle sert l'interprétation par la rigueur avec laquelle
elle étudie l'écriture (histoire des genres, contexte, choix
des mots, figures, cohérence des images et des références,
aspects rhétorique et poétique) ; de l'autre, l'analyse linguistique, puisqu'elle se sert d'outils grammaticaux et linguistiques (énonciation, pragmatique, sémiotique, etc.).
La gageure, depuis les débordements terminologiques des
années 1970, est, par-delà les écueils d'une technicité
abusive ou d'interprétations hâtives qui tendent à oublier
le texte et brouillent l'accès à ce qu'il a d'unique et de
spécifique, de privilégier ce qui lui donne sa couleur
propre et son unité : la stylistique est plutôt une pratique
et une méthode d'analyse qu'une théorie. Il s'agit de
mobiliser une connaissance préalable du fonctionnement
de la langue et de ses procédés pour savoir lire, écouter
le texte, ne pas se tenir autour ou à côté, mais entrer dans
l'univers d'écriture qu'il circonscrit ou ouvre, comme on
voudra. La stylistique a donc pour objet le texte littéraire
et pour ambition l'intelligence la plus rigoureuse possible
de ce qu'il met en jeu.   (M.A.)

▷ **énonciation, pragmatique littéraire, rhétorique, sémio-
    tique littéraire.**

subjectivème. Terme emprunté à la linguistique pour
désigner, en analyse littéraire, toute trace de la subjectivité dans un énoncé : adjectif évaluatif, adverbe modalisa-

teur, tournure exclamative, embrayeur, etc. : *De l'air,
non, il n'en vint point ; le peu qu'il y en avait dehors était
impuissant à entrer ici* (P. Loti, *Pêcheur d'Islande*, 1886).
Les subjectivèmes jouent un rôle très important dans la
création d'un effet « point de vue ».   (G.P.)

▷ discours indirect libre, focalisation, locuteur/énoncia-
teur, point de vue.

sublime (n. m.). Cette notion vient à l'origine de la
rhétorique, où elle désigne le style élevé (en latin *sublimis*,
calqué sur le grec *hupsos*). Mais un rhéteur grec anonyme
du Iᵉʳ siècle, longtemps appelé Longin, impose une vision
plus complexe de la notion, qu'il dégage de la simple
application de règles, pour en faire le plus haut point de
l'art, « l'éminence du discours » où ont brillé les plus
grands poètes et les plus grands prosateurs ; le sublime se
caractérise alors par la force irrésistible et soudaine de
l'orateur qui frappe comme la foudre (*Du Sublime*, I).
La notion de sublime introduit dans le fait littéraire et
rhétorique la conviction que la véritable éloquence se
« moque de l'éloquence », comme le dit Pascal. Le
sublime longinien montre en effet qu'à côté des règles et
du savoir-faire technique qui président à toute création
littéraire, il existe une faculté de l'*ingenium* (du talent
naturel), propre aux grands auteurs, capable de provoquer l'admiration et l'enthousiasme sans recourir au style
élevé ou aux figures violentes et surprenantes. Le *movere*
(émouvoir) de la rhétorique classique devient ainsi le
cœur de l'art de plaire, fût-ce par des moyens inattendus
ou des voies paradoxales. Ainsi, chez Boileau, traducteur
de Longin en 1674, le point culminant de la réflexion se
trouve dans l'articulation entre simplicité et sublime, là
où règne – au détriment de la notion traditionnelle de
style élevé – « la petitesse énergique des paroles ». En définitive, cette exigence correspond aussi bien à la brièveté
du héros cornélien (le fameux *Qu'il mourût* du vieil
Horace) qu'à l'atticisme véhément de Démosthène, tel
que le décrivait Longin : il s'agit dans les deux cas de
l'expression exceptionnelle des grandes âmes, qui n'ont

que faire des règles de la rhétorique. C'est pourquoi le sublime sera une notion clé pour fonder ce que le XVIIIe siècle appellera l'esthétique ; de Shaftesbury (1708) à Kant (1790), en passant par Vico (1744) et Burke (1759), le sublime est la marque d'un sentiment indicible de l'évidence et de la présence au monde, qui se métamorphosera en « énergie » au tournant du siècle, irriguant l'imaginaire romantique.   (E.B.)

▷ **atticisme, classicisme, éloquence, querelle des Anciens et des Modernes, rhétorique, style élevé.**

suffisante. *Voir* rime suffisante.

suite. Continuation d'un roman, laissé inachevé, par un romancier qui n'est pas l'auteur de l'œuvre originale. Mme Riccoboni est l'auteur d'une suite de *La Vie de Marianne* de Marivaux. L'auteur d'une suite doit imiter le style du modèle initial sans le pasticher ou le parodier. (P.F.)

▷ **forgerie, parodie, pastiche.**

suivies (rimes). *Voir* rimes plates.

surréalisme. Mouvement dont la naissance en 1924 n'est pas séparable de la révolte provoquée par l'absurdité de la Grande Guerre et qu'on ne saurait réduire à la littérature. Car, non seulement le surréalisme (et avant tout André Breton) a défini une véritable pensée qui cherche à rendre l'homme à sa totalité, mais il a voulu être une manière de vivre plutôt qu'une manière d'écrire, et par ailleurs s'est ouvert à la peinture aussi bien qu'à l'engagement politique (réaction à la guerre du Rif, positions anticolonialistes, adhésion au Parti communiste rapidement suivie d'une rupture). À l'origine s'entrecroisent trois événements : en 1919, la création de la revue *Littérature* par Aragon, André Breton et Philippe Soupault, bientôt rejoints par Paul Eluard et Benjamin Péret ; la découverte, par Breton et Soupault, de l'écriture automatique, pratiquée dans *Les Champs magnétiques* (1920) ; et l'adhésion de quelques futurs surréalistes au mouvement dada, brisée dès 1922 par la rupture de Breton et Tzara. Au premier groupe de *Littérature* s'adjoignent bientôt Antonin Artaud, René Crevel, Robert Desnos, Michel Leiris, mais également les peintres que sont Max Ernst et André Masson, plus tard Dalí. D'autres arrivées surviendront, mais également plusieurs départs (dont ceux d'Aragon en 1932, et d'Eluard en 1938), qui interdisent d'établir une composition immuable du groupe.

Même si certains éléments de la doctrine sont ainsi très tôt constitués, c'est le *Manifeste du surréalisme* (1924) de Breton, suivi en 1929 d'un *Second Manifeste* et de bien d'autres textes, qui surtout définit les positions du groupe. Dans le *Manifeste*, Breton définit le surréalisme comme un « automatisme psychique pur », une « dictée de la pensée, en l'absence de tout contrôle exercé par la raison, en dehors de toute préoccupation esthétique ou morale ». Formulation à quoi ne saurait naturellement se réduire le surréalisme, mais qui d'emblée marque le refus des contraintes rationnelles (d'où l'intérêt pour la psychanalyse, l'inconscient et le rêve) et la contestation d'une littérature sacralisée et séparée de la vie. Quant à l'écriture automatique, qui donne lieu à des « textes surréalistes », ce qui en fonde le privilège, c'est la liberté du langage issu des sources vives d'un être qui s'y livre dans une pureté totale et la levée de tout contrôle de la raison. Mais bien des degrés se feront jour entre la pure dictée et une certaine construction, et le bilan dressé par Breton dans « Le Message automatique » (*Point du jour*, 1934) sera désabusé.

L'éloignement de la rationalité se retrouve dans la place centrale que le *Manifeste* assigne à l'imagination comme au merveilleux, et dans la définition de l'image poétique qu'il propose. En 1918, Reverdy postule de manière fondatrice qu'elle doit naître « du rapprochement de deux réalités plus ou moins éloignées » et que « plus les rapports des deux réalités seront lointains et justes, plus l'image sera forte ». Mais à la « justesse » de Reverdy, Breton substitue l'« arbitraire », de telle sorte que l'image soit le signe d'un désir libéré, sans allégeance à la réalité. En prolongeant le réel dans l'imaginaire – et de manière générale en cherchant à lever toutes les contradictions logiques –, le surréalisme vise à changer la vie : d'où l'ouverture au rêve, au hasard, au désir et au merveilleux. Si, dans cette perspective, le roman se trouve écarté, c'est que Breton en récuse le souci de vraisemblance, la convention des descriptions, l'attention à la psychologie des caractères, et la logique trop prévisible de l'action. L'écriture narrative n'en sera pas moins renouvelée par *Le Paysan de Paris* (1926) d'Aragon, *Nadja* (1928) et *L'Amour fou* (1937) de Breton, par exemple. C'est donc avant la guerre que le surréalisme connaît son apogée en même temps qu'il essaime au-delà des frontières françaises. Mais l'exil de Breton à New York de 1941 à 1946, l'expérience de la Résistance, qui suscite une littérature engagée, le retour de la poésie au réel chez de jeunes écrivains tels que Ponge, Guillevic ou Follain, le succès enfin de l'existentialisme ont pour conséquence, après-guerre, un très visible essoufflement du surréalisme dont la fin, cependant, ne survient officiellement qu'avec l'autodissolution du mouvement, en 1969.   (M.J.)

▷ **dada.**

syllabe (du grec *sun*, « avec », et *lambanein*, « prendre »). Groupe minimal de phonèmes qui s'organisent autour d'une unique voyelle. Une voyelle à elle seule peut constituer une syllabe. On appelle consonne d'appui la consonne qui ouvre la syllabe. Une syllabe est ouverte si elle se termine sur sa voyelle ([ma]), et fermée si elle se clôt sur une consonne ([fer-] dans « fermée »). La syllabe est l'unité de décompte du vers français. Un alexandrin compte douze syllabes, et donc douze voyelles prononcées, selon des règles précises de décompte. Voici comment on peut décomposer les syllabes du vers de « Booz endormi » de Hugo :

Elle à demi vivante et moi mort à demi.

1	2	3	4	5	6	7	8	9	10	11	12
El-	l(e)à	de-	mi	vi-	vant(e)	et	moi	mort	à	de-	mi
ɛ	la	də	mi	vi	vãt	e	mwa	mɔr	a	də	mi	(M.A.)

▷ apocope, diérèse, *e* caduc, élision, mètre, pied, phonème, prosodie, rythme, semi-consonne, syncope,
synérèse, vers.

syllepse (n. f., même étymologie que « syllabe », mais
selon une autre forme). Figure selon laquelle un même
mot renvoie à la fois à son sens propre et à son sens
figuré. C'est le cas dans le vers de « Booz endormi » de
Victor Hugo :

> *Vêtu de probité candide et de lin blanc.*

Vêtu a son sens propre (*vêtu de lin blanc*) mais aussi son
sens figuré (*vêtu de probité candide*).   (M.A.)

▷ ambiguïté, antanaclase, énallage, figure, image, métaphore, polysémie, trope, zeugma.

synalèphe. *Voir* crase.

symbole (du grec *sumbolon*, signe de reconnaissance,
objet coupé en deux dont on rapprochait les deux parties
pour former le tout initial). Il y a trois types de symboles :
– les symboles conventionnels qui sont de pures représentations sans réel contenu sémantique, par exemple la sala-
mandre choisie par François Ier ; ce sont alors des signes ;
– les symboles culturels, bases de métaphores : par exemple, le lion est symbole de force, de courage et de puissance royale ;
– des symboles de portée moins générale, liés à un auteur
et fondés sur le sens métaphorique forgé par toute une
œuvre : Pierre Guiraud a ainsi montré que chez Baudelaire, le gouffre (terrestre, non marin) est chargé de
valeurs symboliques particulièrement péjoratives – l'ef-
frayant, le visqueux, l'irrémédiable, etc.   (M.A.)

▷ allégorie, figure, image, métaphore, métonymie, personnification, synecdoque.

symbolisme. Dans l'histoire littéraire du XIXe siècle, le
terme de symbolisme s'applique à deux ensembles d'extension différente, que l'on aura intérêt à distinguer.

1. En un sens restreint, le symbolisme est un mouvement littéraire assez éphémère qui apparaît en 1886. Victor Hugo étant mort l'année précédente, plusieurs poètes s'efforcent d'occuper le terrain : Jean Moréas publie dans *Le Figaro* du 18 septembre un « Manifeste du symbolisme » considéré comme l'acte de naissance du mouvement ; il lance un petit hebdomadaire, *Le Symboliste*, en collaboration avec Gustave Kahn qui, de son côté, tend à se faire passer pour l'inventeur du vers libre ; René Ghil publie un *Traité du Verbe* qui systématise les phénomènes de synesthésie (audition colorée, théorie de l'instrumentation verbale). Ce *Traité* est surtout important par un « Avant-dire » de Mallarmé, ce qui n'empêchera pas René Ghil de se retourner peu de temps après contre son maître et de créer son propre groupe, l'Instrumentisme. Dès 1891 Moréas déclarera le symbolisme dépassé et prônera, avec l'École romane, le retour à une poésie plus traditionnelle. Ce symbolisme *stricto sensu*, déchiré par les rivalités de chapelles et encore mal dégagé du décadentisme (René Ghil lance une revue nommée *Le Décadent*, titre que Mallarmé juge « abominable »), n'a pas laissé d'œuvre de premier plan. Plus importante pour la poésie que le Manifeste de Moréas est la publication en cette même année 1886 par la revue *La Vogue* des derniers vers et des *Illuminations* de Rimbaud – qui a toujours ignoré qu'il était symboliste. 2. L'appellation de symbolisme va en effet s'étendre rapidement et de proche en proche à des auteurs, des œuvres, des courants entre lesquels se reconnaissent certaines affinités, mais qui ont su préserver leur indépendance. Verlaine et Mallarmé se trouvent promus chefs d'école un peu malgré eux. Mallarmé exerce son ascendant à domicile en réunissant chez lui, le mardi soir, de jeunes poètes et artistes, parmi lesquels Paul Claudel, Paul Valéry, Claude Debussy, André Gide... Des poètes belges d'expression française viennent grossir les rangs de ce symbolisme élargi : Maurice Maeterlinck (*Serres chaudes*, 1889), Georges Rodenbach (*Le Règne du silence*, 1891), Émile Verhaeren (*Les Villes tentaculaires*, 1895), Charles Van Lerberghe (*La Chanson d'Ève*, 1904).

Tous sont unis par le refus du naturalisme, le sens du mystère, le goût de la nuance, du fugitif, de l'intériorité. Très marqués par le wagnérisme (*La Revue wagnérienne* fondée en 1885 par Édouard Dujardin est un des organes de cette génération), les poètes symbolistes veulent, selon une formule de Mallarmé reprise par Valéry, « reprendre à la Musique leur bien », rendre au langage les pouvoirs d'incantation et d'enchantement manifestés par la musique du XIXᵉ siècle. Pour y parvenir de nouvelles formes sont explorées, légitimant toutes les audaces – rythmes impairs (Verlaine), vers libéré (H. de Régnier, F. Vielé-Griffin), vers libre (M. Maeterlinck), versets (P. Claudel), jeux typographiques (Mallarmé, *Un coup de dés jamais n'abolira le hasard*, 1897) – ainsi que diverses recherches lexicales et syntaxiques qui ont contribué à donner à la poésie symboliste sa réputation d'hermétisme et d'étrangeté. Refusant les facilités du récit et de la description directe, l'art symboliste vise avant tout à suggérer (« peindre non la chose, mais l'effet qu'elle produit », énonce Mallarmé), par le moyen de vocables « s'allumant de reflets réciproques ».

Mouvement qui « consacre l'impérialisme de la poésie sur la littérature » (B. Marchal) et tend à brouiller les frontières des genres, le symbolisme a eu des répercussions sur le roman (G. Rodenbach, *Bruges-la-morte*, 1892, Marcel Schwob, *Le Livre de Monelle*, 1894), encourageant là aussi certaines expérimentations formelles (premier essai de monologue intérieur dans *Les lauriers sont coupés* d'Édouard Dujardin, 1887). Il a également contribué à renouveler le théâtre grâce aux premiers drames de P. Claudel (la première version de *Tête d'or* est écrite en 1889, celle de *La Ville* en 1890) et à l'œuvre dramatique de M. Maeterlinck, de *La Princesse Maleine* (1889) à *Ariane et Barbe-Bleue* (1902). En peinture, les historiens de l'art ont fini par regrouper sous l'étiquette « peintres symbolistes » des artistes tels que Gustave Moreau (1826-1898), Odilon Redon (1840-1916), les peintres belges Fernand Khnopff (1858-1921) ou Jean Delville (1867-1953), l'Allemand Arnold Böcklin (1827-

1901), etc. Dans son acception la plus large, le symbolisme apparaît comme le courant esthétique majeur de la fin du XIXᵉ siècle, frayant la voie aux avant-gardes du XXᵉ siècle et préparant la révolution surréaliste.   (Y.V.)

▷ **avant-garde, décadentisme, drame symboliste, École romane, genres littéraires, modernité, monologue intérieur, Parnasse, poème en prose, prose d'art, prose poétique, synesthésie, vers libéré, vers libre.**

syncope (n. f., du grec *sunkopè*, « fusion »). Suppression d'un phonème (*e* caduc ou autre) ou d'une syllabe en milieu de mot. Exemple : *vlà* pour « voilà » dans *Heureusement vlà ltrain qu'entre en gare* (Raymond Queneau, *Zazie dans le métro*).   (M.A.)

▷ **apocope, crase, *e* caduc, haplologie.**

synecdoque (n. f., du grec *sunekdokhè*, « inclusion »). Figure de contiguïté fondée sur un rapport d'inclusion. Elle permet de désigner un objet ou un être par un mot qui désigne un autre objet ou un élément avec lequel le premier forme un tout, l'un se trouvant inclus dans l'autre. Par exemple dans « Le Flambeau vivant », Baudelaire évoque la femme uniquement par ses yeux :

> *Ils marchent devant moi, ces Yeux pleins de lumières.*

On a ici une synecdoque particularisante. À l'inverse, la synecdoque peut être généralisante : par exemple quand La Fontaine, après avoir évoqué le *Héron*, le désigne ensuite par *l'oiseau* :

> *Le Héron en eût fait aisément son profit ;*
> *Tous approchaient du bord ; l'oiseau n'avait qu'à prendre.*

Il y a différents types de rapports synecdochiques selon le type d'inclusion : matière/objet, qualité/objet, singulier/pluriel, contenu/contenant...   (M.A.)

▷ **antonomase, figure, image, métaphore, métonymie, personnification, symbole, trope.**

synérèse (n. f., du grec *sunairesis*, « rapprochement »). Phénomène inverse de la diérèse, qui consiste à prononcer en une seule syllabe une suite *i, u* ou *ou* + voyelle quelconque. C'est que la première voyelle écrite est en fait prononcée en semi-consonne (ou semi-voyelle). C'est un phénomène très courant dans la langue parlée : « dixième » compte ainsi deux syllabes [di-zjɛm] parce qu'il se prononce en synérèse. Dans la poésie traditionnelle, les cas de synérèse étaient liés à des faits étymologiques très précis :

– Diphtongaison d'une voyelle latine unique : ainsi « fier » a toujours été prononcé en synérèse, parce qu'il vient du latin *ferus* avec *e* bref qui en français s'est diphtongué en *-ie*. Il en va ainsi également pour des mots comme « pied », « pierre », « bien », « vieux », « ciel », « dieu », « tiède », « vierge », et des formes verbales comme « viens », « tiens »...

– Vocalisation d'une consonne originelle : ainsi « nuit » est prononcé en synérèse, dans la mesure où le yod s'est dégagé de la vocalisation d'un *c* entravé, d'où la diphtongaison : latin *noctem* > « nuit ». Il en va de même pour des mots comme « fruit », « lieu »...

N.B. : 1. « hier » venant du latin *heri* avec un *e* bref devrait être en synérèse, or il est le plus souvent, même en poésie traditionnelle, prononcé en diérèse. 2. Jusqu'au XVIIe siècle, des mots en [occlusive + 1 (l)/r + i + voyelle + consonne] étaient prononcés en synérèse (ils sont prononcés en diérèse désormais aussi bien dans la poésie depuis le XVIIe siècle que dans la langue courante) : « sanglier » compte aujourd'hui 3 syllabes, alors que dans la poésie du XVIe siècle, par exemple, il n'en compte que deux ([sã-glje]). (M.A.)

▷ diérèse, phonème, semi-consonne, syllabe.

synesthésie. Liaison subjective par laquelle l'excitation d'un sens (par exemple l'ouïe) fait naître des impressions d'un autre sens (par exemple la vue). Le romantisme et le symbolisme ont accordé à ce phénomène une attention particulière, y voyant parfois un témoignage de l'unité secrète de la nature. « Lorsque j'entends de la musique, écrit E.T.A. Hoffmann, je trouve une analogie et une réunion intime entre les couleurs, les sons et les parfums. Il me semble que toutes ces choses ont été créées par un même rayon de lumière » (*Kreisleriana*, cité par Baudelaire, *Salon de 1846*). De même Nerval : « Des couleurs, des odeurs et des sons je voyais ressortir des harmonies jusqu'alors inconnues » (*Aurélia*). Les tercets du sonnet *Correspondances* de Baudelaire et le sonnet *Voyelles* de Rimbaud sont les exemples les plus célèbres de l'exploitation poétique des synesthésies. (Y.V.)

▷ **analogie, romantisme, sonnet, symbolisme.**

synonymie. Relation qui unit deux mots ou deux expressions de même sens : vélo/bicyclette, chuchoter/murmurer... Les cas de synonymie absolue sont fort rares ; vélo et bicyclette, par exemple, ne sont pas du même niveau de langue. On parle alors de parasynonymie ou de quasi-synonymie. Par ailleurs, deux mots ne sont généralement synonymes que pour une seule de leurs acceptions : « nom » et « substantif » sont des synonymes et peuvent donc commuter dans « vélo est un nom », mais pas dans « Jean est mon nom ». La hantise de la répétition ayant longtemps été une contrainte stylistique majeure, tant dans les pratiques d'écriture scolaires que littéraires, le travail sur la (para)synonymie a dès lors été considéré comme un gage fondamental du « bien écrire » : *L'abbé Fuchs était étendu sur le carrelage, face au plafond, bras en croix. Blaise Kappel s'accroupit auprès de l'ecclésiastique. Le curé n'avait pas perdu connaissance* (P. Véry, *L'Assassinat du Père Noël*, 1934). (G.P.)

▷ **antonymie, chaîne de référence, sème.**

syntagmatique (axe)/paradigmatique (axe). Les deux procédures fondamentales dans la production d'un énoncé sont la sélection d'un élément et sa combinaison avec les autres éléments sélectionnés. Chaque élément d'un énoncé est en effet à considérer dans un double système de relations : d'abord, par rapport aux éléments qui le précèdent et le suivent (le choix de « nous » comme sujet va entraîner telle terminaison verbale), ensuite par rapport à l'ensemble des éléments qui pourraient prendre sa place (dans « le beau poème », poème pourrait ainsi commuter avec roman, livre... beau avec magnifique, bref...). L'énoncé croise donc à chaque instant deux axes : celui des combinaisons, ou axe syntagmatique (organisation hiérarchique des composants de l'énoncé) ; celui des substitutions, ou axe paradigmatique (sélection des composants parmi toutes les possibilités offertes par la langue). L'analyse stylistique met en évidence le travail du texte sur ces deux axes. (G.P.)

syntaxe. Organisation des mots et des groupes de mots dans la phrase et, par métonymie, étude de cette organisation. Longtemps conçue comme une simple liste de contraintes grammaticales ne permettant pas le jeu littéraire, la syntaxe, depuis la fin du XIXe siècle, est perçue comme le constituant le plus important du style. Par extension métaphorique, on parle de syntaxe narrative, dramatique, etc., pour désigner l'organisation des unités narratives ou dramatiques dans les textes. L'analyse littéraire considère le plus souvent les mots syntaxe et grammaire comme des synonymes, alors que les linguistes donnent au terme de grammaire un sens beaucoup plus large. (G.P.)

▷ **lexique, parataxe.**

tableau. Moment d'un spectacle, défini non par rapport
à l'action (même s'il n'est pas sans effet sur elle), comme
la scène ou le coup de théâtre, mais comme unité visuelle
et sensible. On rencontre des tableaux dans le théâtre dès
la seconde moitié du XVIIIe siècle. Diderot, qui en est le
premier théoricien, propose la définition suivante : « Une
disposition des personnages sur la scène, si naturelle et si
vraie que, rendue fidèlement par un peintre, elle me plai-
rait sur la toile, est un tableau ». On distinguera des
tableaux qui, au début d'un acte ou d'une pièce, correspondent à une stase de l'action et dans lesquels le spectateur découvre lentement le monde fictif dans lequel va
surgir l'action, et des tableaux qui correspondent à un
moment où les tensions dramatiques atteignent leur
comble, où les personnages s'immobilisent un instant
dans une attitude pathétique. Le clou du mélodrame
coïncide assez souvent avec ce dernier type de tableaux.
Parfois, l'acte se subdivise en tableaux délimités par les
changements de décors. « Un drame en quatre actes et
six tableaux ». Cette esthétique caractérise le mélodrame
et l'opéra du XIXe siècle, le théâtre naturaliste, mais aussi
le drame du XXe siècle. Elle conduit à une structuration
du récit dramatique qui ressemble au montage des plans
au cinéma. (P.F.)

▷ **acte, clou, drame, exposition, mélodrame, scène, séquence.**

tapinose (n. f., du grec *tapeinôsis* : « amoindrissement »). Selon Quintilien (*Institution oratoire*, Iᵉʳ siècle ap. J.-C.), ce mot désigne un style trop familier ; par extension, il désigne une figure qui consiste à employer des termes bas pour réduire la grandeur ou la dignité d'un objet ou d'une action. Par exemple, dans cette description du lever de soleil, tirée de Maupassant (*Une vie*, chap. VI) : *au milieu d'un ciel empourpré, un gros soleil rutilant et bouffi comme une figure d'ivrogne apparaissait derrière les arbres* ; la majesté conventionnelle de l'aurore, telle que la décrivent traditionnellement les poètes, est brutalement réduite par l'usage d'adjectifs appartenant au registre bas (*bouffi*) et par une comparaison humiliante (*figure d'ivrogne*). Ce procédé est volontiers employé dans le style burlesque. (E.B.)

▷ **amplification, hyperbole, pamphlet, polémique,** *spoudogeloion*.

tautologie. Proposition fondée sur la répétition oiseuse d'une même idée et d'une même expression dans le thème et dans le prédicat, du type : « Un homme est un homme. » (M.A.)

▷ **pléonasme**.

tempéré. *Voir* style tempéré.

Temple. Des œuvres en vers des Grands Rhétoriqueurs portent le nom de « Temple ». Elles décrivent des édifices imaginaires, séjours des Vertus ou d'une entité allégorique. Le succès de ce genre à la fin du XVᵉ et au début du XVIᵉ siècle répond au goût de la solennité, du théâtre et de la description. La Pléiade, qui voulut rompre avec les « épiceries médiévales », a bien compris l'usage esthétique que l'on pouvait en faire. Ronsard a écrit ainsi un « Temple de Messeigneurs le Connestable et des Chastillons » (1555), où il décrit longuement les bas-reliefs représentant les exploits de ses héros. La poésie des guerres de Religion a parfois détourné ce genre et s'en est servie pour la satire.   (D.M.)

▷ **allégorie**, *ekphrasis*, **Pléiade, Rhétoriqueurs (Grands).**

tempo. Terme d'origine italienne emprunté à la musique pour désigner, au théâtre, la rapidité avec laquelle une scène doit être jouée ou, dans un passage romanesque, la cadence avec laquelle s'enchaînent les actions.   (M.A.)

▷ **cadence, rythme.**

tenson. Dans la littérature médiévale de langue d'oc, poème dialogué en forme de débat, dont le sujet peut être l'amour, la politique, des faits de société ou des événements de toute nature. Elle oppose deux voix, qui ne sont pas nécessairement celles de deux auteurs différents : les demandes et les réponses peuvent avoir le même auteur, aussi bien que constituer un dialogue authentique. Celui-ci peut alors être violent, malicieux ou adopter un ton familier. Mais le nom même de *tenson* (latin *tentionem*) suppose une opposition plus ou moins vigoureuse entre deux positions.   (D.B.)

▷ **débat, jeu-parti**, *partimen.*

tercet (emprunté à l'italien *terzetto*, « strophe de trois vers », vers 1500). En vérité, certains théoriciens considèrent que ce n'est pas une strophe, puisque, en dehors du cas des tercets monorimes, chaque rime n'a pas son répondant dans le tercet. Cependant, le cas de la rime disjointe (cas où la rime restée orpheline trouve son répondant dans le tercet suivant) est considéré comme relevant de la strophe selon une définition « externe ». C'est ce que l'on trouve par exemple dans la *terza rima*, où les rimes s'ordonnent comme suit : aba bcb cdc ded... yzy z.   (M.A.)

▷ **sonnet, strophe, villanelle.**

tercet coué. *Voir* strophe couée.

ternaire. Adjectif qui qualifie un groupement de trois éléments comparables et solidaires, sémantiquement et syntaxiquement, et qui donnent lieu à un effet rythmique remarquable, tels les trois verbes de ce vers de *Phèdre* dont la ternarité est accompagnée d'une polysyndète :

Tout m'afflige et me nuit, et conspire à me nuire.

On parle de vers ternaires pour les alexandrins en 4/4/4, et de vers semi-ternaires pour ceux qui se répartissent en groupes inégaux (par exemple 3/4/5).   (M.A.)
▷ **alexandrin, binaire, polysyndète, rythme, trimètre.**

terreur. Sentiment que le spectateur doit éprouver, au même titre que la pitié, au contact de la tragédie. Selon Aristote, ce sentiment doit être transformé par le spectacle en un sentiment agréable. C'est le sens de ce qu'il appelle catharsis.   (P.F.)
▷ **catharsis, pitié, tragédie.**

terza rima. *Voir* tercet.

testament. Vers la fin du Moyen Âge (fin XIVe-XVe siècle), des poètes ont utilisé de façon parodique la structure des testaments réels pour écrire des testaments fictifs, souvent marqués par un humour grinçant, ou associés à un état mélancolique : *Testament par esbatement* [pour rire] d'Eustache Deschamps, *La Confession et testament de l'amant trespassé de deuil* de Pierre de Hauteville, *Lais* [legs] puis *Testament* de François Villon. On y retrouve l'indication de la date, des circonstances, un regard sur la vie passée, avant l'énumération de legs fictifs dont beaucoup sont des *impossibilia* : une enseigne de taverne, une maison en ruine, une mauvaise réputation, un objet qui n'existe pas ou dont le légataire n'a nul besoin. On peut relier cette forme littéraire à la fascination de tout le Moyen Âge tardif pour la mort et pour toutes les formes de la dérision.   (D.B.)
▷ *ars moriendi*, **danse macabre.**

tétrasyllabe (n. m., du grec *tettares*, « quatre »). Vers de quatre syllabes, la plupart du temps employé en hétérométrie. Il est souvent utilisé avec l'octosyllabe, ce qui se conçoit, comme dans cette chanson de Clément Marot :

> J'ai grand désir
> D'avoir plaisir
> D'amour mondaine :
> Mais c'est grand'peine,
> Car chaque loyal amoureux
> Au temps présent est malheureux :
> Et le plus fin
> Gagne à la fin
> La grâce pleine.   (M.A.)

▷ hétérométrie, isométrie, strophe, vers, vers libre.

texte (terme issu par dérivation métaphorique du participe du verbe latin *texere*, « tisser »). En analyse littéraire, il désigne le plus souvent un passage écrit de longueur variable. Mais le mot n'est pas si neutre qu'on pourrait le croire : la Nouvelle Critique s'est rassemblée autour de l'idée d'un « retour au texte ». Il s'agissait d'étudier à ce niveau tous les phénomènes de production du sens, en mettant à l'arrière-plan les données extérieures, historiques et biographiques ; en cela, le mot « texte » était proposé à la place d'« œuvre » qui renvoie à une conception datée, sacralisante, de la littérature et donne à l'auteur une priorité absolue sur le lecteur dans la production du sens. En linguistique, cependant, le texte tend à désigner tout ensemble de mots autonome, qu'il soit écrit ou oral ; le texte est donc ici l'objet produit par le discours, entendu comme pratique sociale en général et comme acte d'engendrement des énoncés. La « linguistique des textes » étudie, en dépassant les limites de la phrase, l'organisation des séquences de phrases qui forment des ensembles cohérents.   (G.P.)

▷ cohésion/cohérence, Nouvelle Critique.

théâtralisation. *Voir* dramatisation.

théâtralité. Caractère de ce qui est propre au théâtre. Cette notion est difficile à définir tant elle est utilisée dans des sens variés, souvent à tort et à travers. La théâtralité d'un texte dramatique s'inscrit à la fois en lui et à son défaut : c'est son aptitude à inscrire en lui la possibilité, l'exigence d'une bonne représentation dramatique. La théâtralité se fait sentir lorsque le texte appelle en quelque sorte le geste du personnage, lorsqu'il s'offre à la voix et à l'intonation qui doit compléter son sens, en un mot lorsqu'il s'offre au corps d'un acteur virtuel. La théâtralité est aussi appel à la spatialisation du texte, inscription dans un protocole dramatique. Au-delà de la question du texte, relèvent encore de la théâtralité le soulignement de certains gestes, de certaines paroles, qui fait comprendre qu'ils sont destinés à un public virtuel ou réel, l'emphase soudaine qui montre qu'ils sont « en représentation ». La théâtralité (ou le propre du théâtre) tient en effet à la conscience qu'un geste ou une parole ne relèvent pas de la nature mais de l'art.　(P.F.)

théâtre à thèse. Type de théâtre dont la caractéristique est d'utiliser la forme théâtrale pour proposer au spectateur une leçon. Sartre ou Brecht ont écrit du théâtre à thèse. L'expression est utilisée aujourd'hui avec une valeur souvent péjorative pour désigner une pièce lourdement didactique et elle sert souvent à discréditer toute forme de théâtre perçue, à tort ou à raison, comme « intellectuelle ». On remarquera par ailleurs que ni Brecht (malgré les *Lehrstücke*), ni Sartre, ni Camus n'ont entrepris d'assener aux spectateurs une thèse préformée en quelque sorte. On réservera donc cette expression à des pièces didactiques ratées.　(P.F.)

théâtre dans le théâtre. *Voir* mise en abyme.

théâtre dans un fauteuil. On désigne ainsi la production théâtrale qui n'est pas destinée à la scène : celle de Musset, par exemple, qui, après l'échec de *La Nuit vénitienne* (1830), n'écrit plus pour être joué comme le montre la publication d'*Un spectacle dans un fauteuil* (1832) : il peut ainsi se libérer de certaines conventions de son époque. Mais l'expression vaut également pour le théâtre de Hugo, qui renonce également à la scène après l'échec de ses *Burgraves* (1843), tout en continuant à travailler aux pièces de son *Théâtre en liberté*. L'expression désigne aussi parfois les pièces qui ne semblent pas jouables.   (M.J.)

théâtre de boulevard. Genre théâtral qui ne prétend, en général, qu'au pur divertissement. Il doit son nom aux « grands boulevards » parisiens sur lesquels, depuis le milieu du XVIIIᵉ siècle, se sont installés des théâtres privés. Le théâtre de boulevard est voué à la comédie ou à des drames attendrissants. Il met en valeur de grands acteurs, qui, comme l'était Sacha Guitry, sont parfois aussi des auteurs. Il a connu son âge d'or à la fin du XIXᵉ siècle, avec des auteurs comme Labiche ou Courteline. Encourageant un style de jeu dramatique dépourvu de toute audace et fondé sur la complicité du public (jeu « boulevardier »), il cède à la facilité et réutilise sans fin les mêmes recettes.   (P.F.)
▷ **comédie bourgeoise, drame, foire, paralittérature, vaudeville.**

théâtre de l'absurde. Expression qui désigne la création d'un certain nombre de dramaturges des années 1950 et trouve son origine dans l'absurde théorisé par Camus comme divorce lucidement constaté (et surmonté) entre l'homme et un monde dépourvu de sens. L'événement fondateur de cette avant-garde est la création de *La Cantatrice chauve* de Ionesco au mois de mai 1950, mais on peut citer aussi bien le théâtre d'Adamov, de Beckett ou de Jean Tardieu pour définir des œuvres qui, à la différence du théâtre engagé, qui revêt une signification politique (Sartre ou Camus), disent la solitude, la difficulté à communiquer et la vacuité d'un monde tourné en dérision sur un mode tragique ou comique et selon des formes nouvelles d'où s'effacent largement l'intrigue et la psychologie traditionnelles. (M.J.)

▷ **avant-garde.**

théâtre de société. Théâtre joué en société, c'est-à-dire comme divertissement de salon, avec des acteurs amateurs. Le théâtre de société était parfois aussi (à la fin du XVIIIe siècle) le fait d'amateurs qui se mettaient en société pour jouer et qui, parfois, faisaient appel à des acteurs professionnels qui se mêlaient à eux, ou de personnes privées passant commande à des comédiens pour jouer en société, c'est-à-dire devant un public d'amis. Le théâtre de société est, le plus souvent, un théâtre divertissant : parfois on jouait des proverbes dramatiques, parfois du théâtre pour la jeunesse (des pièces de Mme de Genlis, 1746-1830). On a joué aussi des pièces grossières, voire obscènes, des parades, ou des pièces que la censure n'aurait jamais tolérées sur des théâtres ouverts au public.
(P.F.)

▷ **parade, proverbe dramatique, théâtre de boulevard.**

théâtre épique. Type de drames ou de comédies qui se caractérisent par la manifestation d'un truchement narratif et par le rejet d'une forme dramatique fermée, ou refermée sur le conflit traditionnel. Au début du XXe siècle, avec Claudel, Brecht ou Piscator, ce théâtre a voulu rompre avec la routine des pièces bien faites, des comédies bourgeoises et avec la dénégation du théâtre qui les caractérise. Il s'agissait aussi de renouer avec des formes dramaturgiques anciennes, grecques, médiévales ou orientales. L'épicisation du théâtre s'opère à travers divers procédés, comme l'adjonction d'un prologue, avec un annonceur qui s'adresse au public, la présence d'un récitant, le déroulement narratif d'une suite de tableaux dont le sens se construit au montage, le refus d'une action dramatique close. (P.F.)

▷ **action, comédie bourgeoise, diégèse, dramaturgie, fable,** *mimesis.*

théâtre national. Dans les années qui précédèrent la Révolution, l'importance croissante de la conscience nationale et la laïcisation générale de la pensée politique et sociale imposèrent progressivement l'idée d'un théâtre présentant des héros nationaux et réunissant la nation autour de héros et d'actions exemplaires de l'histoire de France. La Révolution tenta pendant une brève période de donner corps à cette idée. Romain Rolland la reprit à l'extrême fin du XIXᵉ siècle mais elle ne s'incarna vraiment qu'à la Libération, en 1947, lorsque Jean Vilar joua au Festival d'Avignon et lorsque, en 1951, il reprit le Théâtre national populaire (TNP) fondé par Gémier.

(P.F.)

▷ classicisme, drame national.

thématique. *Voir* critique thématique.

thème/motif. *Voir* motif.

thème/prédicat. On sait, depuis l'Antiquité grecque, que tout énoncé repose sur une structure binaire : parler, c'est dire quelque chose sur quelque chose. On appelle thème l'objet (la personne, la notion...) dont on parle : le thème a généralement déjà été mentionné dans le discours. On appelle prédicat ce que l'on dit de ce thème, l'information que l'on apporte à son sujet. Dans la seconde phrase de la séquence « – Quand passe le laitier ? – Il passe vers 9 heures », le thème est le passage du laitier (« il passe »), le prédicat est « vers 9 heures » (du passage du laitier, on dit qu'il a lieu vers 9 heures). La proposition est le lieu de la prédication, c'est-à-dire la structure de mise en relation du thème (on dit aussi topique) et du prédicat (ou rhème, ou propos). Il arrive que pour des raisons expressives, la proposition soit réduite au seul prédicat, le thème restant implicite : *Rien. Existé* (J.-P. Sartre, *La Nausée*, 1938).   (G.P.)

▷ phrase.

thèse. *Voir* roman à thèse *et* théâtre à thèse.

tierce rime. *Voir* tercet.

timbre. « Air préexistant, sur lequel on applique des paroles nouvelles » (M. Brenet). On l'utilise fréquemment dans les études sur la poésie et la musique du XVIe siècle. À cette époque, en effet, la chanson connaît un grand essor ; elle est capable d'exprimer des sentiments amoureux aussi bien que des émotions religieuses. Pour assurer son succès, certains auteurs utilisent des airs déjà connus. Ainsi, Marguerite de Navarre écrit des *Chansons spirituelles* sur des airs ou des timbres populaires, comme « Le pont d'Avignon ». Cette pratique se répand dans les milieux réformateurs. On a parlé aussi de timbre à propos du *Supplément musical* des *Amours* de Ronsard, en 1552. Dans ce cas, il ne s'agit pas, à proprement parler, d'un air préexistant. Certon, Goudimel, Janequin et Muret avaient composé spécialement des mélodies pour que l'on puisse chanter les sonnets des *Amours*. Mais on n'en trouvait que quatre, pour quatre-vingt-deux sonnets, répartis en groupes selon la combinaison de leurs rimes. Conséquence : le même air servait pour des textes très différents, la musique et le sens des mots étaient dissociés. L'entreprise ne fut pas renouvelée.

(D.M.)

▷ évangélisme.

tirade. Réplique d'une longueur assez importante dans le théâtre classique. La tirade, généralement en vers, étoffe le discours des personnages en lui donnant forme et substance.

(P.F.)

▷ dialogue, réplique, stichomythie.

titre. Désignation appellative d'un ouvrage, d'un chapitre, d'un poème, d'un article, etc. Le titre est l'élément principal du paratexte. Il prend traditionnellement la forme d'un groupe nominal (*L'Éducation sentimentale*, « L'invitation au voyage »), plus rarement – et surtout pour les romans ou les pièces – celle d'une phrase complète (*Occupe-toi d'Amélie*, G. Feydeau, 1908 ; *J'irai cracher sur vos tombes*, B. Vian, 1947). Les poèmes sans titre sont couramment désignés par leurs premiers mots, l'incipit (« Je n'ai pas oublié, voisine de la ville », Ch. Baudelaire, *Les Fleurs du Mal*, 1857). La forme et le statut des titres a constamment évolué depuis la fin du Moyen Âge : depuis le XVIIIᵉ siècle, les titres de roman empruntent très fréquemment le nom du personnage principal – qu'on appelle alors héros éponyme – (*La Cousine Bette, Madame Bovary, Jean-Christophe*...), tandis que les sous-titres explicatifs tendent à disparaître (*Candide ou l'Optimisme*), au profit des sous-titres génériques, c'est-à-dire précisant le genre auquel ressortit l'ouvrage, précédemment réservés au théâtre et à la poésie (*Le Cid, tragédie ; Le Rouge et le Noir, chronique de 1830*).   (G.P.)

▷ **incipit, paratexte.**

tmèse (n. f., du grec *tmêsis*, « coupure »). Figure de construction qui insère un élément verbal entre les termes d'un groupe syntaxique ou même lexical étroitement solidaires. C'est le cas de la parenthèse qui sépare le pronom personnel sujet du verbe dans ce début de phrase de *La Route des Flandres* de Claude Simon (1960) :

> *Puis ils (tous les trois : l'homme décharné, Iglésia et Georges – eux maintenant vêtus comme des valets de ferme, c'est-à-dire vaguement gênés, vaguement mal à l'aise, comme si – au sortir de leur lourde carapace de drap, de cuir, de courroies – ils se sentaient à peu près nus, sans poids dans l'air léger) furent de nouveau dehors [...].*   (M.A.)

▷ **figure, syntaxe.**

Tombeau. Hommage funèbre, le plus souvent en vers, d'un ou de plusieurs écrivains à l'un des leurs, ou à un peintre, un musicien récemment disparu. Le genre du Tombeau remonte à l'Antiquité grecque et aux nombreuses épitaphes de l'*Anthologie*. C'est au XVIᵉ siècle, en France et en Italie, qu'il connaît son âge d'or. Presque tous les grands poètes ont reçu l'hommage de leurs amis et de leurs disciples. Cet honneur s'étend aux rois, aux princes et aux grands de ce monde. Le culte de la gloire, si vif à cette époque, explique en partie cet épanouissement, mais aussi le désir de rivaliser avec le langage de pierre du tombeau réel, déclaré plus fragile que celui de la poésie. Après une longue éclipse aux XVIIe et XVIIIe siècles, le genre du Tombeau renaît de ses cendres dans la seconde moitié du XIXe siècle. On voit paraître ainsi un *Tombeau* collectif de Théophile Gautier (1873), mais c'est surtout Mallarmé qui lui donne toute sa gloire avec les vers qu'il écrit en l'honneur d'Edgar Poe, de Baudelaire ou encore de Gautier, et qui exaltent, sur le seuil de l'éternité, « la gloire ardente du métier ». (D.M.)

▷ *ekphrasis*, **humanisme**, **Pléiade**.

tonique. *Voir* accent.

topique. *Voir topos*.

topos (n. m., emprunté au grec, « lieu »). Il est d'usage désormais, dans la critique littéraire, d'utiliser le mot grec pour identifier cette notion plutôt que « lieu commun » ou « lieu ». Le *topos* est le cœur même de l'argumentation, car c'est à partir de lui que l'on « invente » les arguments techniques, c'est-à-dire ceux qui appartiennent à la construction interne du discours, par opposition aux preuves extra-techniques (les pièces à conviction, les témoignages, etc., qui n'appartiennent pas directement à l'art – *technè* – de la construction du discours). Au sens technique, le *topos* désigne un schéma d'argumentation, d'ordre logique, qui permet de s'appliquer à différents types de développements. Exemple : l'argument général « qui peut le plus peut le moins ». Sa validité repose sur la vraisemblance, c'est-à-dire sur son caractère doxal ; son caractère général fait de lui un « lieu commun », car il est commun à tous les types d'argumentation. Les trois grands lieux communs de l'argumentation sont 1. le possible et l'impossible ; 2. l'existence et l'inexistence ; 3. le plus et le moins. On ne doit pas le confondre avec le sens moderne de « lieu commun », qui est une idée reçue (Flaubert) ou un stéréotype de langage. Au contraire, ici, le *topos* a une valeur dynamique pour aider à trouver des arguments. Dans un sens dérivé, le *topos* désigne aussi un type de questions qu'il convient de poser à un état de cause donné (le « sujet » à traiter) pour étoffer son développement de façon logique : qui, pourquoi, comment, quand, etc... Dans la tradition littéraire, le *topos* a été assimilé peu à peu à un développement tout fait (topique du *locus amoenus*, qui entraîne une description toute faite, topique des *impossibilia*, etc.) : il a en tout cas un rôle à jouer dans la mémoire, qui est aussi une source d'invention. Le recueil de « lieux » à partir des textes lus pendant les études, sera une constante de l'apprentissage culturel au moins jusqu'au XVIIIᵉ siècle : on relève formules, arguments, tournures au fil de la lecture pour constituer un florilège d'expressions qui permettront ensuite de nourrir des développements personnels.   (E.B.)

▷ argumentation, *doxa*, enthymème, invention, rhétorique.

tornada (n. f.). Nom de l'envoi dans la poésie médiévale d'oc : couplet (*cobla*) plus court après la série de couplets qui constitue le corps de la *canso*. Elle mentionne, d'une façon généralement codée (*senhal*), le destinaire du poème.   (D.B.)

▷ *canso*, envoi, *senhal*.

traditionalisme, néotraditionalisme. Dans les études médiévales, doctrines du XIXᵉ et du début du XXᵉ siècle, toujours vivaces aujourd'hui, qui considèrent que les chansons de geste sont des produits d'une longue tradition, c'est-à-dire d'une transmission (*traditio*) qui a progressivement élaboré et transformé les textes qui nous sont parvenus. Pour le traditionalisme (Léon Gautier, Gaston Paris), ces œuvres sont des créations collectives, fruits d'une élaboration populaire qui s'est faite au cours des siècles depuis l'événement même qui leur fournit leur sujet (le coup de main de Roncevaux pour la *Chanson de Roland* par exemple) ; des cantilènes lyrico-épiques auraient été composées à l'époque carolingienne et auraient évolué progressivement vers la forme que nous connaissons aux chansons de geste. Les textes, ainsi, sont en constante transformation, et l'on ne saurait valablement chercher à les fixer dans un état originel qui seul aurait une valeur proprement littéraire. Joseph Bédier s'est élevé contre cette conception en défendant au contraire l'idée de création individuelle. Le néotraditionalisme est une reprise de l'idée fondamentale du traditionalisme, mais qui cherche à répondre aux arguments de J. Bédier (F. Lot, après la guerre de 1914). Il renonce à la formule lapidaire du traditionalisme (« au commencement était le Peuple »), mais s'efforce de démontrer que les chansons de geste ne sortent pas exclusivement des chroniques dont disposaient les abbayes au XIᵉ siècle. R. Menendez Pidal, R. Louis et J. Rychner ont repris la démonstration, en s'appuyant à la fois sur des témoignages historiques ou archéologiques et sur une analyse des caractères du style formulaire, caractéristique à leurs yeux de « l'épopée vivante » telle qu'on la pratiquait encore au milieu du XXᵉ siècle en Yougoslavie. Le débat reste ouvert, mais la critique lui consacre aujourd'hui beaucoup moins d'énergie.   (D.B.)

▷ **cantilène, chanson de geste, individualisme, jongleur, motif rhétorique, oralité, performance, style formulaire.**

traduction littéraire. La grande époque de la traduction considérée comme genre littéraire au sens plein du terme va à peu près des grandes traductions de Jacques Amyot (*Vies parallèles* et *Œuvres morales* de Plutarque – respectivement en 1559 et 1572, *Daphnis et Chloé* du romancier grec Longus, 1559) aux premières décennies du XVIIIᵉ siècle (génération du jeune Voltaire et fin de la querelle des Anciens et des Modernes, autour de Mme Dacier et de Houdar de La Motte). Au XVIIᵉ siècle, la question de la traduction est essentielle pour comprendre les fondements du

classicisme de la littérature française. Depuis les travaux
d'Amyot, la traduction passe pour la meilleure école d'une
langue à bâtir et à fortifier : on trouve cette idée d'« innutrition » chez Du Bellay dès 1549 dans la *Défense et Illustration de la langue française*. À ce titre, la traduction littéraire
entretient un double rapport à la fois avec l'invention des
doctrines nouvelles et avec l'élaboration d'une langue française moderne. En effet, avec la fondation de l'Académie
française (1635), le projet des traducteurs est essentiellement linguistique. On ne saurait distinguer ici littérature
et grammaire : traduire, c'est avant tout enrichir la langue
française des tournures et de l'élocution des langues traduites.

D'autre part, toute réflexion sur la traduction engage
aussi une réflexion sur l'originalité, ce qui est au cœur de la
problématique classique de l'imitation. De ce point de vue,
le caractère doctrinal de la traduction est en rapport direct
avec la théorie de la création littéraire classique : le meilleur
exemple en demeure Nicolas Perrot d'Ablancourt (1606-
1664), qui fait autant œuvre de critique littéraire que de
traducteur en commentant les auteurs qu'il traduit, en jus-
tifiant les ajouts et les retranchements qu'il leur fait subir.
C'est à une de ses œuvres majeures, la traduction de Lucien
en 1654, qu'on a donné le fameux nom de « Belle Infi-
dèle », qui définira ensuite tout ce courant de traductions
littéraires. Comme la « copie » dans les arts plastiques, la
traduction est un vecteur essentiel de la diffusion des
savoirs et des formes ; l'étude des « belles infidèles » est
donc indispensable pour comprendre les fondements du
classicisme français. Le genre a perdu de son importance
dès que la langue française s'est imposée comme norme :
la traduction a désormais un rapport moins étroit avec la
création littéraire ; elle retrouve simplement la fonction
informatrice de la version scolaire ou philologique.
Aujourd'hui, alors que le français tend à perdre son statut
de langue culturelle de référence, la question de la traduction littéraire est de nouveau d'actualité : depuis les travaux
de Valery Larbaud (*Sous l'invocation de saint Jérôme*, 1946)
jusqu'aux réflexions contemporaines liées aux entreprises

éditoriales (*Assises de la traduction littéraire*, qui se tiennent à Arles sous la houlette des éditions Actes Sud), la traduction littéraire a retrouvé un statut et une noblesse qu'elle n'avait plus connus depuis l'essor du classicisme français.

(E.B.)

▷ académie, classicisme, imitation, innutrition, invention, querelle des Anciens et des Modernes.

tragédie. Genre dramatique traditionnel dont Aristote propose la définition canonique : « La tragédie est la représentation d'une action noble, menée jusqu'à son terme et ayant une certaine étendue, au moyen d'un langage relevé d'assaisonnements d'espèces variées, utilisés séparément selon les parties de l'œuvre ; la représentation est mise en œuvre par les personnages du drame et n'a pas recours à la narration ; et, en représentant la pitié et la frayeur, elle réalise une épuration de ce genre d'émotions » (trad. Lallot et Dupont-Roc). Cette définition célèbre convient à la tragédie antique, mais aussi, dans ses grandes lignes, à la tragédie humaniste et à la tragédie classique. Elle fixe les aspects essentiels du genre : il est dramatique, met en scène des héros ou des personnages d'un rang social élevé, s'exprimant sur un ton élevé ou sublime, dans une forme d'expression noble, en vers. La tragédie grecque n'en est pas moins réellement différente, par sa signification sociale et anthropologique, de celle de nos classiques ou de celle de Shakespeare. La tragédie grecque a un contenu religieux et civique. Elle met souvent en scène des héros humains confrontés avec les lois des dieux et de la cité. La tragédie classique française est, à la suite de la tragédie humaniste du XVIᵉ siècle, un genre né d'une réappropriation culturelle de la tragédie grecque et romaine. Ses héros sont pris dans un conflit avec des forces qui les dépassent, mais qui sont très souvent intériorisées. Elle obéit à des règles strictes et constitutives (règle des trois unités, règle des bienséances) et forme avec la comédie, à laquelle elle est totalement opposée, un système générique fixe. Elle évolue au cours du XVIIIᵉ siècle pour disparaître au cours du XIXᵉ siècle. On a

tenté au XIXe siècle (Schlegel, Hegel, Nietzsche) de définir, d'après la tragédie, une qualité qui lui serait propre,
le tragique, et de définir un univers imaginaire, un
monde qui lui correspondrait de façon spécifique, mais
ces tentatives relèvent d'interprétations globalisantes très
discutables et nous renseignent plus sur la philosophie de
l'interprète que sur la tragédie elle-même. On discutera
de même l'idée d'une pérennité de la tragédie au-delà de
ses dernières survivances au XIXe siècle. Un titre comme
La Tragédie optimiste (une pièce de Vichnievski) invite
certes à lire ou à interpréter l'œuvre comme tragédie,
mais c'est précisément parce que, du point de vue de la
réception, la tragédie n'existe plus.   (P.F.)

▷ bienséance(s), caractère, catharsis, comédie, drame,
  genre sérieux, genres littéraires, héros, personnage de
  théâtre, pitié, terreur, tragédie domestique, unités.

tragédie domestique. Sorte de drame (plutôt en vers
qu'en prose) qui présente des personnages de toutes les
catégories de la société, dans une action qui se déroule
dans le cadre de la vie privée et dont le dénouement est
tragique. Diderot emprunte ce terme à l'anglais *domestic
tragedy* et distingue la tragédie domestique de la comédie
sérieuse, tous deux genres intermédiaires nouveaux entre
la tragédie et la comédie.   (P.F.)

▷ drame, genre sérieux, tragédie.

tragédie lyrique. Forme de l'opéra aux XVIIe et
XVIIIe siècles. Il s'agit en réalité de livrets d'opéras. La
tragédie lyrique est en vers (mais n'est pas en alexandrins)
et se distingue de la tragédie par l'adjonction de musique,
de ballets et par la présence du merveilleux mythologique, prétexte à effets de machines. L'*Atys* de Quinault
(1635-1688) est un modèle de tragédie lyrique.   (P.F.)

▷ machine, merveilleux, tragédie.

tragédie nationale. *Voir* drame national.

tragi-comédie. Sorte de tragédie dont le dénouement est heureux (*Le Cid* est donné par Corneille comme une tragi-comédie en 1637) ou qui n'est pas directement réglée. Son origine est à rechercher dans l'*Amphytrion* de Plaute. On la définit parfois comme un genre intermédiaire, proche de la comédie héroïque, parfois on l'identifie à la pastorale dramatique (*Il Pastor Fido* de Guarini, 1590). Il n'y a donc pas de forme clairement repérée de la tragi-comédie, sinon par la négative. Ce genre s'est particulièrement épanoui entre la Renaissance et le classicisme et n'est pas sans affinités avec l'esthétique baroque. Il a été rejeté au XVIIIᵉ siècle par les théoriciens du drame, qui redoutaient le conflit direct, dans une même œuvre, du franc comique et du tragique. (P.F.)

▷ **comédie, comédie héroïque, drame, drame bourgeois, tragédie.**

trait historique. *Voir* fait historique.

transcription diplomatique. On dénomme ainsi la transcription brute d'un texte médiéval (ou antique), tel qu'il se présente dans le manuscrit édité, sans correction aucune, et sans résolution des abréviations. Il s'agit aujourd'hui, en génétique textuelle, de l'un des modes de transcription utilisés pour l'édition de manuscrits de travail des écrivains. On respecte donc au plus près la disposition du texte sur le feuillet, ses blancs, ses renvois, ses corrections, etc. (D.B.)

▷ **codex, copiste, génétique textuelle, lachmannisme, manuscrit médiéval.**

translatio (n. f.). 1. De l'Antiquité à la Renaissance, ce terme peut désigner la métaphore. 2. Au Moyen Âge et en médiévistique, on désigne par *translatio* (modernisé en « translation ») le type particulier de traduction qui caractérise cette période : une adaptation, qui ne recherche nullement la fidélité au modèle et se présente comme une recréation originale qui ne recule pas devant l'anachronisme et l'amplification. Les romans d'Antiquité

(*Thèbes, Énéas, Troie...*) sont des translations de leurs modèles latins.   3. Au Moyen Âge, la *translatio imperii* et la *translatio studii* désignent une conception de l'histoire de l'humanité selon laquelle le centre de la civilisation et du pouvoir d'une part, et la culture, le savoir, d'autre part, se sont déplacés progressivement d'est en ouest (en particulier de Grèce à Rome puis à la France) depuis la création du premier homme, et sont parvenus à leur terme à la fois géographique et temporel (proximité de la fin du monde) depuis leur installation en Europe occidentale. Chrétien de Troyes évoque la *translatio studii* dans le prologue de son roman *Cligès* ; Otton de Freising et Hugues de Saint-Victor (XIIᵉ siècle) ont contribué au succès de la *translatio imperii*.   4. Au XVIᵉ siècle, la *translatio studii* est liée à la vénération dont fait l'objet l'héritage culturel gréco-latin chez tous les humanistes, qui croient cependant que la France peut aussi bien faire que Rome et Athènes. Certains d'entre eux remontent plus loin dans le temps et voient dans l'Égypte le berceau de la science et de la philosophie. D'autre part, dans la seconde moitié du XVIᵉ siècle, les sentiments anti-italiens favorisent la recherche d'une culture nationale. Pour la même raison, des humanistes comme H. Estienne essaient d'imaginer (ce qui ne résiste pas aux faits) une transmission de la culture de la Grèce à la France, sans étape romaine.   (D.B. et D.M.)
▷ **amplification, genre historique, roman (au Moyen Âge), roman antique.**

treizain. Poème ou strophe de treize vers iso- ou hétérométrique. C'est toujours une strophe composée (par exemple un sizain + un septain).   (M.A.)
▷ **septain, sizain, strophe.**

trifonctionnalité, trifonctionnel. Structure de pensée caractéristique, selon Georges Dumézil, des peuples indo-européens et de leurs descendants, selon laquelle l'harmonie du monde et de la société repose sur la complémentarité et la distinction de trois fonctions : 1. l'administration du sacré et du droit ; 2. la force physique, en particulier guerrière ; 3. l'abondance, c'est-à-dire à la fois la richesse (agricole ou autre) et la sexualité. Cette structure se retrouve dans les diverses mythologies (en Inde, en Grèce, à Rome, dans les mondes celtique et germanique) et dans une part importante des littératures de ces peuples, dans l'Antiquité et jusqu'au cœur du Moyen Âge (chansons de geste, romans arthuriens, chapitres de chroniques paraissent avoir été marqués par ce mode de pensée trifonctionnel).   (D.B.)

trimètre. Le terme s'applique en principe à la métrique antique pour désigner ou qualifier le vers de trois mètres. C'est par un usage abusif du mot qu'on désigne ainsi l'alexandrin romantique en 4/4/4, tel ce vers de Victor Hugo dont le rythme ternaire est souligné par l'assonance en [e] à chaque fin de mesure :

> *Je marcherai / les yeux fixés / sur mes pensées.*   (M.A.)

▷ **alexandrin, mètre, ternaire.**

triolet (n. m.). On l'appelle aussi rondel simple. C'est un petit poème de huit vers sur deux rimes, dont les deux premiers vers sont répétés en finale, et le tout premier en quatrième position, ce qui donne la formule : ABaAabAB. Voici par exemple un triolet de Jean Molinet :

> *Autre n'aurai*
> *Tant que je vive.*
> *Son serf serai,*
> *Autre n'aurai,*
> *Je l'aimerai,*
> *Soit morte ou vive.*
> *Autre n'aurai*
> *Tant que je vive.*   (M.A.)

▷ **refrain, rondeau, rondel, rondet.**

trisyllabe (n. m., du grec *treis,* « trois »). Vers de trois syllabes, presque toujours en hétérométrie. Très rares sont les poèmes entièrement en trisyllabes, tel ce « Pas d'armes du roi Jean », dans les *Ballades* de Victor Hugo, dont voici la première strophe :

> *Çà, qu'on selle,*
> *Écuyer,*
> *Mon fidèle*
> *Destrier.*
> *Mon cœur ploie*
> *Sous la joie,*
> *Quand je broie*
> *L'étrier.*   (M.A.)

▷ **hétérométrie, isométrie, vers, vers libre.**

trivium (n. m.). Au Moyen Âge, ensemble des disciplines littéraires qui constituaient les trois premiers apprentissages de l'enseignement des écoles, puis des universités ; grammaire, rhétorique, dialectique. L'ensemble formé par le *trivium* et le *quadrivium* remonte à Martianus Capella (Ve siècle), et constitue ce qu'on appelle les « sept arts » ou « arts libéraux ».   (D.B.)

▷ *quadrivium*, **rhétorique.**

trobairitz (n. f.). En langue d'oc, ce terme (le féminin de « troubadour ») désigne les femmes poètes. Une vingtaine de noms ont pu être répertoriés, souvent énigmatiques (Marie de Ventadour est la plus célèbre). On s'interroge encore sur la réalité de certaines d'entre elles (des troubadours ont pu adopter pour *senhal* [pseudonyme] un nom féminin).   (D.B.)

▷ *senhal*, **troubadour.**

trobar clus et **trobar leu** (n. m., « poésie fermée » ; « poésie légère »). Ces deux termes désignent respectivement, dans la poésie médiévale d'oc, la poésie hermétique et la poésie « légère », plus simple. L'opposition recouvre une philosophie différente : pour Raimbaud d'Orange par exemple, la poésie doit être obscure, fermée (*clus*) parce qu'elle s'adresse exclusivement à une élite intellectuelle et que son essence réside dans le raffinement de la pensée et de l'expression. Pour Bernard de Ventadour ou Guiraut de Bornelh au contraire, elle doit être compréhensible par tous : poésie aristocratique, d'une part (l'argument est sensible dans les discours de ce grand seigneur qu'était Raimbaud d'Orange), poésie plus proche des gens du peuple, de l'autre ? En fait, chacun a pratiqué quelque peu les deux formes, et cette opposition sociologique est réductrice. Le *trobar leu* joue sur la fluidité, sur la sensibilité d'images simples mais délicates, alors que le *trobar clus* (et l'une de ses variétés, le *trobar ric*, « riche ») multiplie les tours complexes et difficiles (syntaxe heurtée, riche en ellipses, goût du paradoxe et des figures contradictoires), vise une versification sophistiquée, refuse toute facilité dans les images comme dans la conception du sentiment. Le *trobar ric* offre surtout un souci de recherche formelle, sans tendre à l'hermétisme ; ses principaux maîtres sont Guiraut de Bornelh et Arnaut Daniel.　　　　　　　　　　　　　　　　　　(D.B.)

▷ *canso*, chant courtois, troubadour.

trope (n. m., du grec *tropos*, « tour »). Désigne l'ensemble des figures où la signification donnée au mot est non pas son sens propre mais, en faisant en quelque sorte « tourner » le sens, un signifié qui appartient à un autre. C'est le cas dans la métaphore, la métonymie, la synecdoque, qui sont les tropes les plus importants.　　(M.A.)

▷ catachrèse, figure, image, métaphore, métonymie, signe linguistique, synecdoque.

tropisme. Terme entré dans l'analyse littéraire depuis que Nathalie Sarraute l'a utilisé pour désigner la succession des phénomènes psychiques qui glissent à la lisière de la conscience : « un foisonnement innombrable de sensations, d'images, de sentiments, de souvenirs, d'impulsions, de petits actes larvés qu'aucun langage intérieur n'exprime, qui se bousculent aux portes de la conscience » (*L'Ère du soupçon*, 1956). L'écriture romanesque moderne permettrait seule de rendre compte de cet ensemble d'émotions, intuitions, désirs, sensations... qui restent en deçà du monologue intérieur : *Elle a envie maintenant, comme cette fois-là, de se cacher la tête pour ne pas voir, de se boucher le nez, le cœur va lui manquer,*

elle voudrait s'asseoir n'importe où, là, sur une marche de l'escalier... ou non, plutôt là-bas, dehors, sur un banc... Tout vacille... (N. Sarraute, *Le Planétarium*, 1959).   (G.P.)
▷ sous-conversation.

troubadour. Nom donné, dans le midi de la France médiévale, aux poètes lyriques des XIᵉ-XIIIᵉ siècles qui ont élaboré et chanté la *fin'amor*. Le terme signifie « inventeur » (cf. « trouvère », au Nord). Les troubadours sont d'abord liés aux cours féodales du Midi : les deux plus anciens que l'on connaisse sont Guillaume IX d'Aquitaine, comte de Poitiers (et grand-père d'Aliénor, future reine de France puis d'Angleterre) et le vicomte Eble II de Ventadour (en Limousin). Bernard de Ventadour était le fils d'un simple archer du château de Ventadour, mais vivait lui aussi dans le château et participait à sa vie intellectuelle et poétique. Dès la fin du XIIᵉ siècle, cette poésie est également pratiquée dans les milieux de la grande bourgeoisie citadine (Folquet de Marseille). Au début du XIVᵉ siècle (1323), des bourgeois de Toulouse fondent le *Consistoire du Gai Savoir*, qui ne parviendra pas à ressusciter un mouvement poétique lourdement frappé depuis la croisade contre les Albigeois par la fin de l'indépendance des cours méridionales. La poésie des troubadours est une poésie chantée, et le raffinement de la mélodie est pour elle essentiel. On distingue des degrés dans la sophistication des poèmes (*trobar clus, trobar leu*). Les formes pratiquées sont diverses : la *canso*, considérée comme la forme reine, développe le culte de la *fin'amor*, le *sirventés* est une poésie d'actualité au service d'une cause (politique ou locale) ; il existe aussi quelques formes mineures (*alba*, etc.). Cette poésie ne se limite pas au nord des Pyrénées : les troubadours abondent dans les royaumes de la péninsule Ibérique (Aragon, Castille, Portugal) aussi bien qu'en Provence.   (D.B.)
▷ *canso, fin'amor, partimen, planh,* salut d'amour, *sirventés, tenson, trobairitz, trobar clus* et *trobar leu.*

trouvère. Ce terme, qui peut désigner tout auteur de texte versifié (y compris de chanson de geste), est plus spécifiquement employé pour désigner les poètes lyriques de la France de langue d'oïl. Héritiers des troubadours d'oc, dont ils transposent la forme maîtresse, la *canso*, dans ce que P. Zumthor a appelé le « grand chant » ou « grand chant courtois », les trouvères reprennent les grandes lignes de la *fin'amor*, mais en épurent encore l'esprit dans un sens moins charnel. Les plus grands noms sont Huon d'Oisy, vicomte de Meaux (le plus ancien de tous : il a été actif entre 1170 et 1189), Gace Brulé, Conon de Béthune, Blondel de Nesle, le Châtelain de Coucy, Thibaud de Champagne, Adam de la Halle, du XIIe au XIIIe siècle. On les rencontre principalement dans l'entourage des cours de Champagne et de Flandre au XIIe siècle, mais leur aire d'activité s'étend au siècle suivant à toute la France du Nord. Les formes poétiques pratiquées par les trouvères sont nombreuses, surtout au XIIIe siècle (grand chant, serventois, *descort* ou *lai-descort*, jeu-parti, pastourelle, lai lyrique). Le mouvement s'éteint entre la fin du XIIIe siècle et le début du XIVe siècle.   (D.B.)

▷ *canso*, **chant courtois**, *fin'amor*, **débat**, *descort*, **jeu-parti, lai lyrique, pastourelle, serventois, troubadour.**

typologie. Terme du vocabulaire de l'herméneutique, spécialisé habituellement dans l'exégèse biblique, qui désigne le mode de pensée « qui lit dans l'Ancien Testament la révélation anticipée du Nouveau » (*Dictionnaire des mots de la foi chrétienne*). Dans ce système, on appelle type le personnage, l'institution ou l'événement de l'Ancien Testament, et antitype son correspondant dans le Nouveau Testament. Cependant, le type et l'antitype ont l'un et l'autre une existence historique, et la typologie se distingue en ce sens de l'allégorie, même si elle s'en approche quelquefois. Ce principe est transposé à la création littéraire dans les vies de saints du Moyen Âge : ainsi chez Alcuin (à la fin du VIIIe siècle) les saints Vaast, Riquier ou Willibrord sont présentés comme les antitypes des prophètes de l'Ancien Testament.   (D.B.)

▷ **allégorie**, *semblance, senefiance*.

U

unanimisme. Plus qu'un véritable mouvement, l'unanimisme est une pensée théorisée en 1905 par Jules Romains, mais aussi Georges Chennevière, l'un et l'autre poètes, et qui cherche à donner à l'existence une signification nouvelle fondée sur « le recouvrement des consciences individuelles » par « un être vaste et élémentaire » de telle sorte que s'affirme une communion humaine. Bien que Chennevière et Romains se soient, l'année suivante, rapprochés de l'abbaye de Créteil, trop de divergences interdisent, comme on l'a fait parfois, de les réunir en une même école. L'unanimisme, dont se réclama un moment Pierre Jean Jouve, est resté, au moins jusque vers 1914, une tentative indépendante pour mieux nouer au monde et à la ville modernes une littérature délibérément humaniste. (M.J.)

▷ abbaye de Créteil.

unissonantes. *Voir* strophes unissonantes.

unités. La dramaturgie classique est fondée sur des règles impératives (constitutives lorsqu'il s'agit des distinctions de genres). La plus célèbre est celle des trois unités, d'action, de lieu et de temps. L'unité d'action est liée à la définition aristotélicienne de l'action et à sa condamnation des épisodes adventices : il faut que l'action soit une, c'est-à-dire que toute l'histoire soit unifiée, que l'intrigue soit unique et que les épisodes secondaires apparaissent clairement dans une subordination hiérarchique par rapport à l'action principale. L'unité de temps impose à cette action de se dérouler, si possible, dans le temps réel de la représentation, sinon, du moins, dans une durée qui n'excède pas 24 heures. L'unité de lieu, qui découle de la précédente, impose à l'action de se dérouler dans un lieu qui soit au mieux la même pièce, ou du moins dans lequel on puisse se déplacer dans une durée raisonnable, c'est-à-dire une ville. Cette règle des trois unités s'est imposée progressivement au cours du XVIIᵉ siècle et a fait l'objet de théorisations très intéressantes, de la part de Corneille et de d'Aubignac surtout. Elle répond à l'exigence de soumission du théâtre au contrôle de la raison : elle doit assurer la vraisemblance du spectacle. Cette règle est liée aux poétiques rationalistes et ne s'autorise d'Aristote et d'Horace qu'au prix de relectures discutables. Elle fait bon marché de l'expérience de la scène, qu'elle invoque pourtant comme justification. Critiquée par Lessing, la règle des unités n'est pas vraiment remise en cause avant le *Du théâtre* de Louis Sébastien Mercier en 1773 et elle ne disparaît vraiment qu'avec Hugo.   (P.F.)

▷ **acte, action, bienséance(s), classicisme, drame romantique, épisode, genres littéraires, intrigue, scénographie, tableau.**

Urtext (n. m.). Ce terme germanique est employé en médiévistique pour désigner l'original perdu et supposé d'une œuvre dont les manuscrits ne nous transmettent qu'une version déjà profondément remaniée. La philologie s'est longtemps assigné pour but la reconstitution de ce texte hypothétique, se refusant à accorder une valeur équivalente aux dérivés bien réels qui en constituent autant de versions postérieures. Depuis les années 1970 environ, la tendance générale s'est inversée : on a reconnu l'impossibilité d'atteindre sérieusement l'*Urtext*, et admis l'importance littéraire du caractère mouvant des textes médiévaux.   (D.B.)

▷ **archétype, copiste, manuscrit médiéval, variance.**

V

valentin. Petit poème d'amour, du genre de l'épigramme ou du madrigal, que s'échangent les amoureux et qui relève de la poésie fugitive. C'était un jeu de salon à l'époque classique. (M.A.)
▷ épigramme, madrigal, poésie fugitive.

variance, variante. Phénomène propre à la vie des manuscrits médiévaux et lié aux conditions particulières de la transmission des textes à cette époque : les copistes, en l'absence de toute notion de propriété intellectuelle, pouvaient modifier à leur gré, plus ou moins profondément, les textes qu'ils copiaient, voire les amplifier, les abréger, en réécrire des passages. On appelle variantes les différentes versions d'un même passage. L'examen attentif des variantes permet de voir plus clair dans la tradition manuscrite et de reconstituer, avec un degré d'approximation variable, le *stemma codicum*. (D.B.)
▷ copiste, lachmannisme, leçon, manuscrit médiéval, motif rhétorique, *stemma codicum*, style formulaire, transcription diplomatique.

vaudeville (altération de *vaudevire*). Le sens de ce mot n'a cessé de se modifier au fil des siècles. « Le Français, né malin, forma le vaudeville », dit Boileau (*Art poétique*, II, 182). Il s'agit alors de chansons de circonstance de tonalité satirique, comme celles qu'on chantait depuis le

XVᵉ siècle dans le val de Vire. Puis la mode se répandit au théâtre de terminer une comédie par un vaudeville, chanson dont chaque personnage chantait un couplet. L'expression comédie-vaudeville, plus tard abrégée en vaudeville, fut alors employée pour désigner de petites comédies, sans prétention littéraire, où le dialogue était entremêlé de couplets chantés. Le vaudeville fut, avec le mélodrame, le genre théâtral le plus populaire au XIXᵉ siècle. À côté d'Eugène Scribe (1791-1861, *L'Ours et le Pacha*, Folie-vaudeville, 1820), d'obscurs vaudevillistes fournissaient les scènes françaises d'innombrables vaudevilles souvent écrits en collaboration. Le genre fut porté à sa perfection sous le Second Empire par Eugène Labiche (1815-1888). Ses comédies-vaudevilles avec couplets, tirant d'extraordinaires effets comiques de la médiocrité même de ses personnages fantoches, continuent à faire la joie du public (*Un chapeau de paille d'Italie*, 1851). Après lui, le vaudeville, définitivement coupé de ses origines musicales, devint une comédie légère caractérisée par une intrigue à rebondissements, et dont le maître au tournant du siècle fut Georges Feydeau (1862-1921, *Un fil à la patte*, 1894). Au XXᵉ siècle, la comédie de boulevard tendit à supplanter le traditionnel vaudeville, tandis que le Théâtre du Vaudeville, créé en 1792 et reconstruit somptueusement dans le Paris d'Haussmann, devenait le cinéma Paramount. (Y.V.)

▷ comédie, comédie à ariettes, foire, intrigue, opéra-comique, théâtre de boulevard, *vis comica*.

verbigération (n. f.). Proféracion ou texte dont les éléments verbaux pris en eux-mêmes ont un sens, mais dont l'ensemble est incohérent. On appelle aussi verbigération la répétition incohérente des mêmes mots ou groupes de mots. Par exemple, le plaidoyer de l'avocat dans *Le Sapeur Camember* de Christophe : « *Messieurs, comme l'a fort bien dit Bossuet, il n'est si petit oiseau qui ne finisse par porter ombrage ! Si l'on en croyait l'acte d'accusation qui, de son doigt sévère, nous a plongé sur ce banc d'infamie, messieurs, nous aurions frappé le major Mauve dans l'exer-*

cice de ses fonctions... Or, dussé-je faire rougir vos cheveux
blancs, ce n'est pas à cet endroit-là que nous avons atteint
l'honorable docteur [...]. »   (M.A.)

vérisme. Autre nom du naturalisme pour une œuvre ou
une représentation théâtrale. Le terme de vérisme a plus
particulièrement été utilisé pour l'opéra. Il s'agit donc
d'une représentation qui prétend non seulement donner
une image mimétique de la réalité, mais provoquer un
effet de réel, c'est-à-dire un effet violent, un effet
d'« écart » par rapport aux conventions implicites du
théâtre. *La Bohème* de Puccini, *Cavalleria rusticana* de
Mascagni, *Louise* de Charpentier sont des opéras véristes.

(P.F.)

▷ illusion, naturalisme, réalisme.

vers (du latin *versus*, « action de tourner »). Le vers,
fondé sur un retour, s'oppose en cela à la prose, censée
aller tout droit (latin *prorsum*). Un vers traditionnel
s'écrit sur une ligne, il commence par une majuscule, et
est précédé et suivi d'un blanc typographique. Il répond
à des critères de limitation et de passage au vers suivant
très précis et qui varient selon la prosodie de la langue
considérée : nombre fixe de syllabes, nombre et répartition des voyelles longues et des voyelles brèves, ou des
syllabes accentuées et non accentuées, systèmes d'homophonies, de coupes et césures, etc. En dehors du cas raris-
sime du monostiche, un vers s'inscrit dans un ensemble ;
il est à la fois autonome par sa structuration interne, et
lié aux autres vers par son appartenance à des faits de
structuration externe (rime, place dans la strophe...). Le
vers français est l'héritier du vers latin, bien que les deux
systèmes soient radicalement différents. En effet, le vers
latin est fondé sur un système de pieds et de quantités
vocaliques. C'est à la suite d'une disparition de la sensibilité populaire à la différence entre voyelles longues et
voyelles brèves, à partir du IVᵉ siècle ap. J.-C., que le
système des pieds a été remplacé peu à peu par un
nombre de syllabes fixe. Dans le système français, on dis-

tingue deux types de vers : les vers « simples », qui ne sont pas divisés en hémistiches parce qu'ils comptent moins de huit syllabes, et les vers « composés », divisés en deux hémistiches. Les vers français prépondérants sont les vers pairs : alexandrin, octosyllabe et décasyllabe. Plus rares sont les vers impairs, dont les plus fréquents sont l'heptasyllabe, l'ennéasyllabe et l'hendécasyllabe. Les vers plus courts sont le plus souvent employés en hétérométrie, et les vers plus longs sont extrêmement rares.   (M.A.)

▷ accent, alexandrin, alternance, apocope, assonance, binaire, césure, concordance/discordance, contre-accent, contre-assonance, contre-rejet, coupe, décasyllabe, diérèse, dissyllabe, hétérométrie, hexasyllabe, hiatus, isométrie, mètre, métrique, monostiche, monosyllabe, nombre, octosyllabe, pentasyllabe, pied, prosodie, rejet, rime, rime rétrograde, rythme, strophe, syllabe, syncope, synérèse, ternaire, tétrasyllabe, trimètre, trisyllabe, vers blanc, v. d'intonation et de conclusion, vers-écho, v. emboîtés, v. entés, v. holorimes, v. impair, v. léonin, v. libéré, v. libre, v. mêlés, v. mesurés, v. monorimes, v. orphelin, v. pair, v. rapportés, verset.

vers biocatz. *Voir* rimes biocatz.

vers blanc. Vers qui n'est relié à aucun autre par la rime. Il peut être ainsi isolé dans un ensemble versifié, ou encore être inséré dans un texte en prose, et présenter néanmoins tous les aspects d'un vers, tel l'alexandrin *criaient qu'on achevât de leur donner la mort* (avec césure médiane entre *achevât* et *de*) qui fait clausule à la fin de cette phrase de *Candide* de Voltaire :

> *Ici des vieillards criblés de coups regardaient mourir leurs femmes égorgées, qui tenaient leurs enfants à leurs mamelles sanglantes ; là des filles, éventrées après avoir assouvi les besoins naturels de quelques héros, rendaient les derniers soupirs ; d'autres, à demi brûlées, criaient qu'on achevât de leur donner la mort.*   (M.A.)

▷ poème en prose, prose poétique, vers, v. libre, v. orphelin, verset.

vers d'intonation et de conclusion. En médiévistique, termes employés pour désigner le premier et le dernier vers d'une laisse, qui revêtent des caractères formels particuliers dans les chansons de geste médiévales.   (D.B.)

▷ **chanson de geste, laisse, vers orphelin.**

vers-écho. Vers très bref qui suit un vers long et rime avec lui (d'où l'effet d'écho), comme dans ce tercet monorime de Laforgue dans lequel le trisyllabe central est le vers-écho :

>   *Deux royaux cors de chasse ont encore un duo*
>   *Aux échos,*
>   *Quelques fusées reniflent s'étouffer là-haut !*   (M.A.)

▷ **dissyllabe, monosyllabe, rime, trisyllabe.**

vers emboîtés. On parle de vers emboîtés lorsque deux vers ont un hémistiche en commun. Par exemple une suite 6/6/6, qui peut se lire d'une part 6/6, avec les deux premiers groupes de 6 syllabes, d'autre part 6/6, avec les deux derniers. Dans *Éloges* de Saint-John Perse, on trouve, au sein d'un verset, cette suite de trois fois six syllabes :

>   *et le ciel plus profond* (6) *où des arbres trop grands* (6),
>   *las d'un obscur dessein* (6) *[...]*.

On peut donc lire ces 18 syllabes comme deux alexandrins dont un hémistiche est commun :

– d'une part : *et le ciel plus profond où des arbres trop grands* ;

– d'autre part : *où des arbres trop grands, las d'un obscur dessein*.   (M.A.)

▷ **alexandrin, hémistiche, vers.**

vers entés. Définition de Jean Mazaleyrat : « vers décomposables en plusieurs mètres associés par une rime d'hémistiche » (soit vers léonins, soit vers à rime brisée). Faisant double emploi avec ces autres dénominations, ce terme peut être abandonné au profit de la clarté et de la simplicité terminologiques.   (M.A.)

▷ **rime brisée, vers léonin.**

vers holorimes (du grec *holos*, « entier »). Dans un distique, le phénomène d'homophonie s'étend sur le vers entier. L'exemple le plus connu est de Victor Hugo :

> *Gal, amant de la reine, alla, tour magnanime,*
> *Galamment de l'arène à la tour Magne, à Nîmes.* (M.A.)

▷ ambiguïté, calembour, rime.

vers impair. Vers qui compte un nombre impair de syllabes. Les vers impairs sont moins employés statistiquement que les vers pairs en poésie française ; néanmoins leur utilisation est ancienne et régulière, surtout en hétérométrie. (M.A.)

▷ ennéasyllabe, hendécasyllabe, heptasyllabe, monosyllabe, pentasyllabe, trisyllabe, vers.

vers léonin. Vers dont les deux hémistiches riment ensemble, comme dans ce vers de Corneille (*Le Cid*, II, 8) où les hémistiches assonent en [i] :

> *Je vous l'ai déjà dit, je l'ai trouvé sans vie.* (M.A.)

▷ hémistiche, rime, rime léonine, vers.

vers libéré. Terme inventé par les symbolistes. Le vers libéré garde du vers traditionnel la référence à un nombre fixe de syllabes et à un système d'homophonies finales, mais joue librement des règles du décompte (*e* caduc, diérèse et synérèse) et de l'hiatus. Par exemple, dans ces deux vers de Francis Jammes, il y a une simple assonance en [i], absence de majuscule au début du second vers, apocope du *e* de *crabes*, et une suite voyelle + *e* + consonne qui serait bannie en prosodie traditionnelle :

> *Tu mangeais de gros fruits au goût de Mozambique*
> *et la mer salée couvrait les crabes creux et gris.* (M.A.)

▷ alexandrin, apocope, assonance, césure, contre-assonance, *e* caduc, hiatus, homophonie, rime, syncope, vers, vers libre.

vers libre. Le vers libre a été créé à la fin du XIXe siècle. Dans les *Illuminations*, Rimbaud, avec « Marine », est le premier à s'être totalement écarté du mètre classique, mais l'invention a été attribuée à Jules Laforgue et Gustave Kahn. Ce sont des vers qui ne sont pas obligatoirement des mètres, mais qui ont leur rythme propre. Laforgue décrit ainsi à Kahn, en juillet 1886, sa nouvelle manière : « J'oublie de rimer, j'oublie le nombre des syllabes, j'oublie la distribution des strophes, mes lignes commencent à la marge comme de la prose. L'ancienne strophe régulière ne reparaît que lorsqu'elle peut être un quatrain populaire [...]. » C'est le cas dans ce court extrait de « Fleur de verre » d'Albert Mockel, où les vers, qui commencent contre la marge gauche, ne sont pas métriques et se succèdent librement (7 ou 8/11/10/8) selon la logique des groupes syntaxiques, sans système de rimes mais avec des échos phoniques (-*ige*, -*ou*-, *t* + *d* + *l*, -*li*-) :

> *voici que toute aérienne*
> *ta tige, doucement qui s'incline, ondule,*
> *et d'elle, en détours, le calice érige*
> *sa limpidité de lumière.*   (M.A.)

▷ césure, *e* caduc, hétérométrie, mètre, rime, rythme, vers, v. blanc, v. libéré, v. mêlés.

vers mêlés. On a longtemps appelé vers libres ces mètres qui, tels ceux de La Fontaine, sont de facture tout à fait classique, qui se succèdent librement, le plus souvent en hétérométrie, sans aucun principe de récurrence, avec des rimes elles aussi classiques et respectant l'alternance des féminines et des masculines, mais disposées librement. Pour les distinguer des vers libres modernes, on parle de vers mêlés et de rimes mêlées. Prenons pour exemple un extrait de la fable « Le Coq et le Renard » :

> *— Ami, reprit le Coq, je ne pouvais jamais*
> *Apprendre une plus douce et meilleure nouvelle*
> *Que celle*
> *De cette paix ;*
> *Et ce m'est une double joie*
> *De la tenir de toi. Je vois deux Lévriers*
> *Qui, je m'assure, sont courriers*

> *Que pour ce sujet on envoie :*
> *Ils vont vite et seront dans un moment à nous.*
> *Je descends : nous pourrons nous entrebaiser tous.*

On voit ici, suivant les méandres de ce petit discours ironique, une libre succession de mètres divers (12/12/2/4/8/12/8/8/12/12) et de rimes dont chacune a toujours son répondant (abbacddcee), avec alternance (MFFMFMMFMM). (M.A.)

▷ alternance, fable, hétérométrie, rime, vers libre.

vers mesurés. On désigne par cette expression les vers écrits en français par Baïf et quelques poètes du XVIᵉ siècle, qui adoptaient la métrique latine fondée sur l'alternance de syllabes longues et brèves. L'entreprise, à première vue étrange puisque la poésie française est fondée sur le nombre des syllabes et la rime, s'explique par la volonté de favoriser l'alliance plus étroite de la poésie et de la musique. La théorie néoplatonicienne, chère aux poètes de la Pléiade, prête en effet à l'union de ces deux langages « des effets aussi puissants que bénéfiques » (J. Vignes). Il ne suffisait pas que la musique accompagnât le vers : il fallait unifier les principes de la musique et de la poésie. On aura donc d'un côté des noires et des blanches, de l'autre, des syllabes longues ou brèves. Le projet prit corps avec l'Académie de Poésie et de Musique, fondée en 1570 par Baïf et le musicien Thibault de Courville. Le poète composa dans cet esprit plus de trois cents *Chansonnettes mesurées*, dont une soixantaine est parvenue jusqu'à nous, avec le texte et les notes. L'initiative de Baïf eut des prolongements jusqu'au XVIIᵉ siècle. En 1636, le père Mersenne, dans son *Harmonie universelle*, défend l'idée (sinon la pratique) de la poésie mesurée, ce qui n'entraîne pas dans son esprit une condamnation de la rime. De loin en loin, on retrouve des vers mesurés dans la littérature française après la Renaissance. (D.M.)

▷ académie, mètre, métrique.

vers monorimes (du grec *monos*, « seul »). Groupement de vers qui sont liés par une rime unique, tels les tercets de la « Complainte sur certains temps déplacés » de Jules Laforgue, dont voici les deux premiers :

> *Le couchant de sang est taché*
> *Comme un tablier de boucher ;*
> *Oh ! qui veut aussi m'écorcher !*
>
> *– Maintenant c'est comme une rade !*
> *Ça vous fait le cœur tout nomade,*
> *À cingler vers mille Lusiades !*   (M.A.)

▷ **laisse, rime, strophe.**

vers orphelin. Dans certaines chansons de geste, les laisses en décasyllabes ou en dodécasyllabes monorimes s'achèvent sur un vers plus court (six syllabes) qui ne rime pas avec le reste de la laisse : on appelle ce vers court vers orphelin. On le rencontre dans plusieurs chansons du cycle de Guillaume et dans quelques autres comme *Ami et Amile* (fin XIIᵉ siècle). Il existe de la chanson d'*Aliscans* une version à vers orphelin qui est une version remaniée de la chanson. On a longtemps cru à l'ancienneté de cette technique ; on la considère aujourd'hui comme plus tardive (XIIIᵉ siècle).   (D.B.)

▷ **chanson de geste, laisse, vers d'intonation et de conclusion.**

vers pair. Vers qui comporte un nombre pair de syllabes. Ce sont statistiquement les plus fréquents en poésie française, en particulier l'alexandrin, l'octosyllabe et le décasyllabe.   (M.A.)

▷ **vers.**

vers rapportés. Mode de composition des vers en vogue au XVIᵉ siècle, qui traite à la fois plusieurs motifs qui se répètent dans le même ordre selon les différents aspects envisagés, comme dans ce premier quatrain d'un sonnet en vers rapportés de Jean de Sponde :

> *Tout s'enfle contre moi, tout m'assaut, tout me tente,*
> *Et le Monde, et la Chair, et l'Ange révolté,*

> *Dont l'onde, dont l'effort, dont le charme inventé*
> *Et m'abîme, Seigneur, et m'ébranle, et m'enchante.*

Les quatre vers poursuivent la logique de chacun des trois motifs successifs ; selon ce tableau :

– agression :	*s'enfle contre moi*	*m'assaut*	*me tente*
– agent :	*le Monde*	*la Chair*	*l'Ange révolté,*
– moyen :	*l'onde*	*l'effort*	*le charme inventé*
– effet :	*m'abîme*	*m'ébranle*	*m'enchante*

Le maître incontesté des sonnets en vers rapportés est Étienne Jodelle (*À la triple Hécate*).   (M.A.)

verset. Dérivé de « vers ». Depuis le XIIIe siècle, désigne les petits paragraphes numérotés qui composent la Bible et les textes sacrés. L'usage s'est établi au XXe siècle d'appeler versets des unités de prose rythmée, excédant la mesure du vers, et composées par certains poètes, tel Claudel à qui l'on a attribué faussement l'introduction du terme. Deux typographies sont possibles : soit le verset se présente comme un paragraphe de prose, avec début en retrait, puis alignement contre la marge gauche, soit, à l'inverse, il commence contre la marge gauche et se poursuit avec un retrait systématique. Les versets se présentent de manière diverse sur le plan rythmique. Le verset claudélien se développe selon un rythme qui n'est pas métrique, mais fondé sur les segments syntaxiques et des effets oratoires et structurels de répétition. Chez d'autres poètes, tels Saint-John Perse ou Senghor, des rythmes métriques sont nettement perceptibles, comme dans cet exemple de Senghor :

Douceur de ses lèvres de fraises (8), *densité de son corps*
  de pierre (8), *douceur de son secret de pêche* (8)
Son corps, terre profonde ouverte au noir semeur (12).

Il faut encore établir une catégorie à part pour les versets de poètes comme Cendrars ou Léon-Paul Fargue, chez qui les critères rhétoriques et métriques ne fonctionnent pas.   (M.A.)

▷ **mètre, métrique, poème en prose, vers blanc.**

vida (n. f., « vie » en langue d'oc). Texte en prose, souvent inséré dans les chansonniers, qui retrace très brièvement la vie (souvent romancée, voire imaginaire) d'un troubadour en tirant généralement de ses poèmes ou de la rumeur publique des informations biographiques.   (D.B.)

▷ **chansonnier,** *razo,* **troubadour.**

vignette. En codicologie, « peinture ou lettre historiée de petites dimensions, généralement habillée de texte sur plusieurs côtés » (D. Muzerelle).   (D.B.)

▷ **codex, enluminure, lettrine, manuscrit médiéval, miniature.**

villanelle (n. f., de l'italien *villanella,* chanson ou danse villageoise). La forme fixe pure est précise : une suite impaire de tercets d'heptasyllabes sur deux rimes, le premier et le troisième vers du premier tercet repris alternativement comme refrain à la fin de chaque tercet puis ensemble à la fin du poème, qui se termine ainsi par un quatrain. Cependant, les poètes appellent villanelles des poèmes fondés sur la simple répétition de deux vers, telle cette villanelle en heptasyllabes sur trois rimes de Du Bellay, dont voici la première et la dernière strophes :

> En ce mois délicieux,
> Qu'amour toute chose incite,
> Un chacun à qui mieux mieux
> La douceur du temps imite,
> Mais une rigueur dépite
> Me fait pleurer mon malheur.
> Belle et franche Marguerite
> Pour vous j'ai cette douleur.
>
> [...]
>
> Mais si la faveur des Dieux
> Au bois vous avait conduite,
> Où, d'espérer d'avoir mieux,
> Je m'en irai rendre ermite,
> Peut-être que ma poursuite
> Vous fera changer couleur

> *Belle et franche Marguerite*
> *Pour vous j'ai cette douleur.*   (M.A.)

▷ refrain.

virelai (n. m., mot formé sur « virer »). Forme poétique isométrique datant du XIIIe siècle, qui a connu plusieurs formules différentes, mais dont le point commun est la présence d'un refrain diversement réparti et de couplets sur deux rimes qui peuvent être de formes semblables ou de formes variées. Voici les premier et dernier couplets d'un virelai d'Eustache Deschamps :

> *Je ne vois ami n'amie*
> *Ni personne qui bien die ;*
> *Toute liesse défaut,*
> *Tous cœurs ont pris par assaut*
> *Tristesse et mélancolie.*
>
> *[...]*
>
> *Loyauté, sens, prud'homie*
> *Ni bonté n'est remerie* [récompensée].
> *On lève ce qui ne vaut,*
> *Et ainsi tout perdre faut,*
> *Par non sens et par folie.*
> *Je ne vois ami n'amie.*   (M.A. et D.B.)

▷ refrain.

vis comica. Expression latine qu'on peut traduire par « la force comique » ; qualité d'un auteur comique qu'on peut définir, non seulement par le talent de faire rire, mais encore par une force véritable de ce comique, par la sincérité brute du rire qu'il suscite chez le spectateur.

(P.F.)

▷ comédie, farce.

vocalique. *Voir* alternance vocalique.

volucraire (n. m.). Genre de traité didactique médiéval qui expose les particularités et les traits de mœurs (réels ou

supposés) des oiseaux, pour en dégager une signification spirituelle. C'est une forme spécifique de bestiaire. (D.B.)
▷ **allégorie, bestiaire, lapidaire, plantaire.**

vraisemblance. Règle issue de la *Poétique* d'Aristote et devenue centrale pour le classicisme : « *Jamais au spectateur n'offrez rien d'incroyable | Le vrai peut quelquefois n'être pas vraisemblable* », écrit ainsi Boileau dans son *Art poétique* (1674). Elle correspond à l'exigence que les fictions soient conformes à l'opinion du public, et il est fréquent, dans la tragédie, que tel détail historique se trouve donc modifié pour devenir plus vraisemblable. En 1637, on jugea que le sujet du *Cid* n'était pas vraisemblable, puisqu'il n'est pas conforme aux comportements habituels qu'une fille d'honneur épouse le meurtrier de son père ; en 1678, l'aveu que la princesse de Clèves fait à son mari de son amour pour M. de Nemours fit l'objet de la même critique, et cet exemple montre que le vraisemblable dépend naturellement des codes sociaux et des valeurs de chaque époque. C'est en quoi il est lié à la bienséance, comme le note le père Rapin dans ses *Réflexions sur la Poétique d'Aristote* (1674) : « Tout devient vraisemblable dès que la bienséance garde son caractère dans toutes les circonstances. »   (M.J.)

▷ **bienséance(s), classicisme, *doxa*, rhétorique, unités.**

Z

zanni. *Voir commedia dell'arte.*

zeugma (n. m., emprunté au grec, « lien, joug »). Figure de mots qui consiste à juxtaposer ou à coordonner des termes ou des membres de phrases, en sous-entendant un élément commun qu'on ne répète pas, ce qui produit des effets d'incohérence sémantique ou syntaxique. Un des exemples canoniques, cité par Pierre Fontanier (*Les Figures du discours*, 1827), est tiré de *La Henriade* de Voltaire :

> *Ses peuples, sous son règne, ont oublié leurs pertes :*
> *De leurs troupeaux féconds leurs plaines sont couvertes,*
> *Les guérets de leurs blés, les mers de leurs vaisseaux*

En dépit de l'absence de répétition et d'accord grammatical – il faudrait « couverts » avec *guérets* –, le sens est compréhensible. Cela peut produire aussi des effets comiques, si l'on joue sur des juxtapositions de termes concrets et abstraits (syllepse) : « Pour affronter l'orage, il s'arma de son courage et de son parapluie. »　　　(E.B.)
▷ **ellipse, syllepse.**

zibaldoni. *Voir commedia dell'arte.*

Zutistes. Dans les années 1870 et le début des années 1880, des poètes rebelles à l'esprit de sérieux qui triomphait alors avec le Parnasse créèrent plusieurs groupus-

cules éphémères. En 1871-1872, les participants du
« Dîner des Vilains-Bonshommes » (Verlaine, Rimbaud,
Richepin, Charles Cros, Raoul Ponchon, etc.) rédigèrent
et illustrèrent un album de poèmes parodiques et souvent
fort lestes qu'ils nommèrent *Album zutique*. On retrouve
plusieurs d'entre eux, ainsi que Coppée, Bourget,
Tailhade, A. Allais en 1878 autour d'Émile Goudeau dont
le patronyme suggéra d'appeler le groupe les Hydropathes.
Tout le monde était admis. Deux ans plus tard, les Hirsutes
prirent la suite et tinrent quelques années leurs assises dans
une brasserie du boulevard Saint-Germain. En 1883 enfin,
Charles Cros, reprenant l'adjectif « zutique », créa un
cercle où l'on retrouvait A. Allais, L. Tailhade, mais aussi
J. Moréas, L. Trezenik et Willy. Ces nouveaux Zutistes
(qui disaient « Zut ! » à tout) ne se réunirent que quelques
mois. Les Jemenfoutistes qui leur succédèrent eurent une
existence plus brève encore. Ces groupuscules annoncent
le courant « décadentiste » qui se développe à partir de
1884 et plusieurs de leurs membres se retrouveront dans
les groupes symbolistes.   (Y.V.)

▷ **bohème, coppée, décadentisme, fantaisie, fumisme,
modernité, Parnasse, parodie, pastiche, symbolisme.**

Composition réalisée par NORD COMPO

IMPRIMÉ EN ESPAGNE PAR LIBERDUPLEX
Barcelone
Dépôt légal éditeur : 51075-10/2004
Édition 3
LIBRAIRIE GÉNÉRALE FRANÇAISE - 31, rue de Fleurus - 75006 Paris

ISBN : 2-253-06745-8